ISBN 978-0-483-81392-2
PIBN 10651606

Erläuternde Vorbemerkungen.

Das herrliche Auto, welches Calderon unter dem Titel: El Santo Rey Don Fernando (der heilige König Ferdinand) geschrieben hat, ist das einzige unter den gegenwärtig noch vorhandenen, welches aus zwei Theilen besteht, von denen jeder zwar für sich allein ein in sich gewissermaßen abgeschlossenes Ganze bildet und an Länge auch einem gewöhnlichen Auto vollkommen gleichkommt, die aber nichtsdestoweniger mit einander im innigsten Zusammenhange stehen und sich gegenseitig in solcher Weise ergänzen, daß die vereinzelte Lektüre des einen oder des anderen Theiles (v. Eichendorff hat den zweiten Theil, ohne den ersten, bereits in's Deutsche übersetzt) durchaus nicht im Stande ist, die hohe Schönheit des ganzen Gedichtes in seiner tiefdurchdachten Einheit erkennen zu lassen, wenn auch immer die herrlichen Einzelheiten, welche beide Theile enthalten, Stoff genug zur Bewunderung des großen Dichters darbieten. Es schien deshalb zweckmäßig, in der Uebersetzung die beiden Theile auch insofern nicht von einander zu trennen, daß sie in verschiedenen Heften nacheinander erscheinen, sondern dieselben in ein Doppelheft zu vereinigen, um den Leser in den Stand zu setzen, das Ganze mit einem Blick zu übersehen.

Der Zweck des Dichters bei Abfassung dieses Doppel-Autos war offenbar der, die herrliche Gestalt des heiligen Ferdinand in ihrer ganzen erhabenen, durch den Heiligenschein verklärten Schönheit dem Zuschauer in möglichst allseitiger und umfassender Weise vor Augen zu stellen, um die eben erfolgte Heiligsprechung des Königs dadurch zu feiern, und wir irren wohl schwerlich, wenn wir annehmen, daß die Aufführung des Auto in das Jahr dieser Heiligsprechung selbst, welche 1671 erfolgte, und in ganz Spanien durch außergewöhnliche Festlichkeiten gefeiert wurde, zu setzen, und diese Feierlichkeit als die veranlassende Ursache seiner Abfassung zu bezeichnen ist. Da indeß eine gewisse Beziehung zum Sakrament am Schluß des zweiten Theiles, durch die von den Engeln auf den Altar gelegten Brod- und Weingestalten und durch die letzte Communion des heil. Königs selbst, deutlich hervortritt, so ist die Vermuthung wohl gerechtfertigt, daß das Auto in der Frohnleichnamsoktave desselben Jahres (die Heiligsprechung erfolgte schon am 4. Februar) in der gewöhnlichen Weise zur Aufführung kam, nicht aber, ganz unabhängig von der Frohnleichnamsfeier, lediglich für die in Folge der Heiligsprechung, etwa am Festtage des heil. Königs, stattgefundenen Festlichkeiten bestimmt war. Wir hätten somit bei diesem Auto, was nur bei den wenigsten der Fall ist, einen bestimmten Anhaltspunkt für die chronologische Feststellung seiner Abfassung und Aufführung.

Der von der Geschichte und Legende dem Dichter hier dargebotene Stoff war ein so reichhaltiger, daß er sich unmöglich in die Grenzen eines einzigen Autos, wenn dasselbe nicht eine ganz außergewöhnliche Länge erhalten sollte (die bei dem Mangel an Ruhepunkten durch Eintheilung in Akte, welche durchweg bei den Autos fehlt und mit ihrer ganzen Anlage unverträglich ist, für die Zuschauer ermüdend gewesen wäre) bei nur einigermaßen erschöpfender Behandlung zusammendrängen ließ. Calderon, dem daran gelegen war, sowohl die Tugenden des heil. Königs, als auch seine kriegerischen Heldenthaten in gleicher Weise zu feiern, hat es daher vorgezogen, den vorhandenen Stoff in zwei, bei der Aufführung unmittelbar auf einander folgende Autos zu vertheilen, von denen das erste hauptsächlich der Verherrlichung seiner Tugenden, und das letztere der seiner Waffenthaten, welche in der Eroberung von Sevilla culminiren, gewidmet ist, obgleich Beides in beiden Theilen so ineinandergreift, daß eine strenge Sonderung, die überdies auch ganz unnatürlich gewesen wäre, durchaus nicht stattfindet. Während der zweite Theil durch die Natur des Stoffes eine von selbst sich ergebende Einheit erhält, ist die Anordnung und Verschmelzung desselben im ersten zu dieser Einheit eine ganz besonders kunstreiche, welche die schöpferische Phantasie des Dichters und seine Kunst der Verknüpfung des verschiedenartigsten Stoffes zu höherer Einheit im hellsten Glanze zeigt. Alles gruppirt sich um den, im ersten Theile auch äußerlich dargestellten, Triumph der drei göttlichen Tugenden, welchen dieselben in dem Leben des Heiligen feiern. Nachdem der erste Theil hauptsächlich den Triumph der Liebe und des Glaubens vor Augen gestellt, verweist er in dem am Schlusse nur erst angebahnten Triumphe der Hoffnung durch seinen Inhalt selbst auf den zweiten Theil, welcher ausschließlich der Darstellung dieses letzteren Triumphes gewidmet ist, der sich in doppelter, äußerlicher und innerlicher Weise, zuerst durch den Sieg der Waffen und zuletzt durch Erfüllung der himmlischen Hoffnung des Heiligen dort verwirklicht.

Im ersten Theile herrscht die Symbolik und Allegorie vor, wie schon die hier auftretenden Personen beweisen, während der zweite durch seinen fast durchweg historischen Inhalt ganz die Form eines heroischen Schauspiels hat, das den schönsten Schöpfungen Shakespeare's unter seinen historischen Dramen ebenbürtig zur Seite steht.

Ueber die in beiden Theilen auftretenden Personen ist in den beigegebenen Anmerkungen das Nöthige bemerkt. Rusticus im ersten, und Trapezon im zweiten Theile vertreten das komische Element, und sind vielleicht als eine und dieselbe Persönlichkeit zu betrachten (vergl. II. Theil. Anm. 69), so wie Alkoran und Sultana, obgleich dem Geschlechte nach äußerlich verschieden, doch in beiden Theilen dieselbe allegorische Gestalt repräsentiren. Außerdem ist es nur die Person des heiligen Königs selbst, welche in unveränderter, wo möglich noch gesteigerter Würde und Erhabenheit in beiden Theilen auftritt. Alle anderen Personen sind in beiden Abtheilungen verschieden. In der ersten erscheint der König umgeben von allegorischen Wesen, die in Dominicus und den Tugenden ihm freundlich und in den drei falschen Religionen feindlich zur Seite stehen. In der zweiten umgeben ihn all' die historischen Helden und Prälaten, welche auf seinen Zügen gegen die Mauren ihn begleiteten und ihm

Sevilla erobern halfen. Dem Gegenstande gemäß, tritt die Person des Königs überall in den Vordergrund und hat der Dichter absichtlich darauf verzichtet (wozu namentlich der zweite Theil in den beiden hochgefeierten Helden, dem Don Pelay Correa und dem Garci-Perez de Vargas vielfach Gelegenheit geboten hätte), die Aufmerksamkeit von seiner Person durch Nebendinge abzuleiten. Der Charakter des Königs ist in so meisterhafter, zu gleicher Zeit historisch wahrer und tief ergreifender Weise (namentlich in der Schlußscene) gezeichnet, daß die Aufführung dieses Drama's in der That einen noch überwältigenderen religiösen Eindruck machen mußte, als dies die vortrefflichste Predigt im Stande wäre. Freilich wird der erste Theil für nicht wenige Leser einen Stein des Anstoßes in jener Scene enthalten, wo der glaubenseifrige König selbst das Holz für den dem verstockten Ketzer bereiteten Scheiterhaufen herbeiträgt. Und doch offenbart sich gerade hier die Kunst des Dichters in der hervorragendsten Weise durch die Art, wie dieser eigenthümliche Gegenstand behandelt und in Scene gesetzt wird. Wer es über sich gewinnen kann, sich in die Denkungsweise des glaubenseifrigen und dabei kindlich einfältigen Mittelalters zu versetzen und zugleich der dem spanischen Charakter eigenthümlichen Neigung zum grellen Ausdruck mystischer Gefühle Rechnung zu tragen, der wird auch diesen Anstoß ohne Schwierigkeit überwinden. Befremdend ist es, weshalb der Dichter im zweiten Theile ein sowohl von glaubwürdigen Geschichtsschreibern erwähntes, als auch in den Akten der Heiligsprechung hervorgehobenes Ereigniß unbenützt läßt, von dem man glauben sollte, daß es gerade in diesem Drama eine Stelle hätte finden sollen. Es ist dies die im Zustande der Extase geschehene nächtliche Wanderung des Königs, bei der er, noch vor der Eroberung der Stadt, allein und unbewaffnet auf wunderbare Weise in Sevilla eingetreten, um daselbst vor dem alten Muttergottesbilde, das unter dem Namen Nuestra Señora la Antigua verehrt wird, zu beten[1]). Der Grund, weshalb

1) Pablo de Espinosa de los Monteros erzählt in seiner Historia de Sevilla (part. 1. lib. 4.): „Rex .... in suum se recepit tentorium prostravitque ante imaginem Virginis in oratione. Postero autem mane sub ortum solis sine gladio egrediens ex castris, progressus est orabundus usque ad ambitum moeniorum urbis et eo

Calderon von dieser Legende keinen Gebrauch macht, ist offenbar der, weil er die andere von der Vollendung der Statue der Jungfrau nach dem im Traume vom Heiligen geschauten Ideal durch die Künstlerhände von Engeln zu seinem Zweck für passender hielt und nicht füglich in demselben Auto zwei verschiedene, auf verschiedene Marienbilder sich beziehende Wunder zu gleicher Zeit behandeln konnte. Er hat deshalb darauf verzichtet, den extatischen Gang des Königs durch die feindliche Stadt anzubringen und das ihn veranlassende Bild von Santa Maria la Antigua nur insofern mit seinem Auto in Beziehung gesetzt, als er eine Copie desselben auf dem königlichen Banner erscheinen läßt, dagegen aber die andere Legende, welche sich nicht auf ein Bild, sondern auf eine Statue bezieht, und die ihm noch reicheren Stoff darbot, um so ausführlicher behandelt und in kunstvoller Weise mit dem Plane seiner Dichtung in Verbindung gebracht[2]).

Was endlich die Quellen betrifft, aus denen Calderon in diesem Auto geschöpft hat, so sind es vorzugsweise die beiden alten Chroniken, welche das Leben des Heiligen zum Gegenstande haben, von denen die ältere und kürzere von dem Augenzeugen Lucas Tudensis (Bischof von Tuy in Galicien) und die größere von

usque ad portam Cordubensem transiens, intravit per eandem, eoque venit, ubi est locus supplicii Martyrum oravitque coram imagine Mariana, quam a vetustate Antiquam appellant: et tota civitate transita, nulli Maurorum conspicuus, egressus est per portam Xeritanam: veniensque in tabernaculum et superiorem vestem quietis capiendae causa deponens, deprehendit se absque gladio esse: unde intelligitur extaticae orationis fervor, quo abreptus toto illo itinere fuit."

2) Es herrscht übrigens in Betreff dieser beiden gegenwärtig noch im Dome zu Sevilla befindlichen Heiligthümer, von denen das eine (N. S. La Antigua), ein uraltes auf Goldgrund gemaltes Gemälde, das andere (N. S. de los Reyes) eine Statue ist, die sich in der Kapelle, wo der Leib des heil. Ferdinand ruht, befindet, einige Verwirrung bei den verschiedenen Traditionen, welche auf dieselben sich beziehen, indem Einige von dem Bilde erzählen, was Andere auf die Statue übertragen. Vergl. Act. Sanct. 30. Maj. (Tom. VII. Maj.) in dem Abschnitt: De imaginibus Marianis Hispalim inductis a Sancto Rege. (pag. 354.)

einem unbekannten Zeitgenossen des Heiligen verfaßt und unter de Namen Cronica del santo Rey bekannt ist. Außerdem schei er die Chronik des Rodrigo, Erzbischofs von Toledo (ebenfalls eine Zeitgenossen), die in der Legende „Flos Sanctorum“ (aus der Ze Ferdinand des Katholischen) enthaltene Lebensbeschreibung des He ligen, so wie die Historia de Sevilla von Alonso Morgado un andere ähnliche ältere Geschichtswerke benutzt zu haben. Vielleic hat er auch aus dem epischen Gedichte des Conde de la Rocc geschöpft, das unter dem Titel „Fernando o Sevilla restau rada“ zu Mailand 1632 erschien, und das ich leider, da es mi nicht zugänglich war, zu diesem Zweck nicht vergleichen konnte.

König Ferdinand der Heilige.

Erster Theil.

Personen:

Der heilige König Ferdinand.
Dominicus.
Alkoran.
Judenthum.
Apostasie.
Der Glaube.
Die Hoffnung.
Die Liebe.
Rusticus.
Ein Greis.
Der heilige Isidor.
Der heilige Leander.
Musik.

Alkoran in maurischer Tracht, das **Judenthum** in jüdischer, und **Rusticus** in Bauerntracht, **Alle** mit Hacken in der Hand, arbeiten in einem Steinbruch nahe bei Toledo.

Alkoran.

Für mich giebt's nicht Ruhe eher,
Bis, um tödtlich mich zu treffen,
Nicht ein Blitz vom Himmel fällt!

Judenthum.

Bis die Erde nicht geöffnet
Ihren Schlund, mich zu begraben,
Finden Trost nicht meine Leiden!

Rusticus.

Wird der Mohr und der Hebräer
Niemals denn die Hacke heben,

Ohne daß nicht jener flucht,
Und der andre lamentirt?

Alkoran.

Allah! schläft denn dein Prophet,
Daß er mir nicht hilft, nicht beisteht?

Rusticus.

Pilze wird er eben speisen,
Jene Frucht aus seiner Ferse[1]).

Judenthum.

O Gott Israels! wo bleibt
Dein Erbarmen, immer zögernd?

Rusticus.

Hast's ja einmal schon erfahren,
Als gekommen —[2])

---

1) Im Original ein unübersetzbares Wortspiel. Seta heißt nämlich eine Art eßbarer, besonders schmackhafter Pilze und zugleich Sekte (vom Lateinischen: secta). Der Muhamedanismus zerfiel bekanntlich bald nach seiner Gründung in verschiedene Sekten, welche sich feindlich gegenüberstanden und die zum Theil heute noch bestehen. — Auch an anderen Stellen liebt es Calderon, die Sekten wegen ihres schnellen Entstehens und Vergehens mit Pilzen zu vergleichen. (Vergl. das Auto „Zu Gott aus Staatsklugheit." I. Bd. S. 227. Anm. 92.) — Der Sinn der Worte des Rusticus ist eine Verhöhnung des Muhamedanismus wegen seiner Uneinigkeit, die (in politischer Beziehung wenigstens) auch in Spanien, wo er lauter kleine selbstständige Königreiche bildete, welche sich mitunter selbst bekriegten, sehr deutlich hervortrat, und seines Stifters, wegen seiner Unfähigkeit, dieser Uneinigkeit vorzubeugen. — Die Erwähnung der Ferse des Propheten hängt vielleicht damit zusammen, daß dieselbe in der Hauptmoschee von Cordova, in der nach ihr benannten Kapelle Zancaron, aufbewahrt und von den muhamedanischen Pilgern verehrt wurde.

2) Rusticus will ihn ohne Zweifel daran erinnern, daß der von ihm erwartete Messias schon gekommen sei.

Alkoran.

Schweige, Narr!

Judenthum.

Schweig', Elender!

Rusticus.

'S ist doch seltsam
Daß uns Lust hier niemals fehlt,
Mir, die Beiden zu verspotten,
Ihnen, traun! mich durchzuprügeln.

Alkoran und Judenthum

(auf ihn eindringend).

Troll' dich fort von uns; such' andern
Fleck dir aus zu deiner Arbeit!

Rusticus.

Ha, schon gut! Bring' ich zu Stande
Verse von gewisser Art,
Soll „die gut gerächten Prügel"
Titel meiner Posse sein [3]).

(Ab.)

(Die Beiden fangen wieder an zu arbeiten.)

Alkoran.

O Prophet, du großer, Allah's!

Judenthum.

O du großer Gott der Schlachten!

---

3) Anspielung auf die weiter unten von ihm ausgeführte List, um sich an beiden zu rächen.

Alkoran.

Laß dich's rühren, daß als Sklaven
Deine Leute Felsen öffnen!

Judenthum.

Laß dich's rühren, daß, vertrieben,
Berge hier dein Volk durchbricht[4])!

Alkoran.

Um so mehr da nicht die Arbeit
Sie als größter Kummer drückt.

Judenthum.

Um so mehr da die Ermüdung
Nicht am meisten es verdrießt.

Alkoran.

Denn daß dir zur Schmach, zum Hohne
Dieser Tempel wird gebaut,
Ist mein Aerger.

Judenthum.

Ist mein Schmerz.

Alkoran.

Zorn erfüllt mich!

Judenthum.

Wuth verzehrt mich.

---

4) Der Dichter nimmt nämlich an, wie wir sogleich im Verlauf der Handlung erfahren werden, daß der Muhamedaner, der Jude und der Christ hier miteinander in dem Steinbruch arbeiten, aus welchem das Material zur Erbauung der Kathedrale von Toledo auf Befehl des Königs gefördert wird.

Beide.

Wann wirst du mein Leiden enden?

(Geräusch.)

Apostasie

(hinter der Scene).

Wenn du in den Abgrund fällst [5]),
Rennst du, Thier! in dein Verderben.

Alkoran.

Was war das?

Judenthum.

Vom Berge stürzt ein
Roß, das in Verzweiflung seinen
Reiter mit sich reißt zur Tiefe.

Alkoran.

Laß uns eilen, wenn es möglich,
Ihn zu retten.

Judenthum.

Meines Alters
Kraft ist zu gering.

Apostasie tritt auf, vom Pferde stürzend, und fällt in die Arme des Alkoran.

Alkoran.

O Mensch,
Wer du immer sei'st, erhebe
Dich in meinen Armen [6]).

[5]) Als Antwort auf die letzten Worte der Beiden zugleich ein böses Omen für sie; — eine Verknüpfung, die bei Calderon sehr gewöhnlich ist.

[6]) Die Apostasie, welche hier im Allgemeinen die Ketzerei überhaupt, und im Besonderen die der Albigenser repräsentirt, fällt, nachdem sie

Apostasie.

Schwerlich
Giebt es Mitleid wohl für mich in
Irgend eines Menschen Brust!

Alkoran.

Fasse Muth und ruhe aus,
Da der Himmel dir das Leben
Schenkte.

Apostasie.

Dieses ist mein Unglück;
Denn wozu wird mir erhalten
Solch' ein Leben, das ich hasse?

Judenthum.

Lebst du in Verzweiflung, wirst du
Bei uns Beiden Trost gewinnen.

Alkoran.

Ja, wenn anders jenes alte
Sprichwort Wahrheit redet, daß die
Leiden Vieler Trost bereiten.

Apostasie.

Und wer seid ihr, daß in euren
Leiden Trost ich könnte finden?

---

vom Pferde gestürzt, in die Arme Alkoran's — eine symbolische Handlung, durch welche der Dichter wohl die Thatsache andeuten will, daß die Albigenser in der That in dem gegen sie in Südfrankreich entbrannten Vernichtungskriege bei den Saracenen in Spanien Hilfe und Unterstützung gesucht. So erzählt z. B. Damberger (Geschichte des Mittelalters Bd. IX. S. 733): das Gerücht, es sei von dieser Secte der Islam zum Kriege wider die katholischen Christen ermuntert und auf maurische Hilfe gerechnet worden, verdiene um so mehr Glauben, weil zwischen Languedoc und den maurischen Seestädten viel Verkehr Statt hatte und nicht wenige ketzerische Familien dahin und besonders nach den Balearen flüchteten.

Judenthum.

Nun, wenn das dich trösten kann,
Ich bin ein Hebräer, welcher
Ohne Heimath, ohne Haus,
Ohne Synagog' und Tempel,
Ohne Opfer und Altar,
Flüchtig und vertrieben irret
Stets in fremden Vaterländern.
Nach Castilien kam ich endlich[7]),
Wo ich nun mit dieser Hacke,
Nur geduldet von den Kön'gen,
Meine Armuth friste, bis
Israels Gott, auf den ich hoffe,
Jenes Heil und Leben sendet,
Das so oftmals er versprochen
Den Propheten, das so oftmals
Ich geglaubt, so daß man, da man
Sieht, wie mit dem weitentfernten
Trost, den die Leviten spenden,
Nur zu sehr die Zeit verläuft,
Mich, rethorischer Figuren
Sich bedienend, Hebraismus
Nennt; denn wenn ihm meine Lehren
Fehlen, hat es keinen andren
Der Rabbiner mehr, der kundig
Des Gesetzes wäre.

7) Toledo namentlich war schon im frühesten Mittelalter ein Hauptzufluchtsort der Juden im Occident, welche daselbst ein eigenes Stadtviertel inne hatten, mehrere prächtige Synagogen besaßen und sogar eine weltberühmte jüdische Gelehrtenschule gründeten. Man darf bei dieser Rede des „Judenthums" nicht vergessen, daß es hier sowohl das Judenthum im Allgemeinen, als den einzelnen, zur Zeit König Ferdinands in Toledo lebenden, durch das unten folgende Wunder berühmt gewordenen Juden repräsentirt.

Alkoran.

Füge
Deinem Trost noch bei, daß ich
Jenem Afrikan'schen Glauben
Angehöre, der gebietend
Einstmals in Castilien herrschte,
Den ein wechselndes Geschick
Schwächte, um ihn zu verderben,
Da es einst doch ihn gekräftigt [8]).
Unterjocht zwar, wie die Andern,
Blieb ich treu ihm; in Ermanglung
Andrer Mittel nähr' auch ich mich
Von der Mühe meiner Arbeit;
Doch nicht ohne alle Ehre;
Denn in meiner Leute Mitte
Nennt man mit Auszeichnung mich
Ja lebend'gen Alkoran.

Judenthum.

Nun sag' du auch, wer du bist,
Denn 's ist wohlverdienter Lohn,
Für den Trost hier zweier Leiden
Einer Noth Bericht zu hören.

Apostasie.

Wohl; denn zwischen zwei Gesetzen
Welche Feinde des kathol'schen,

---

[8]) Zur Zeit König Ferdinands des Heiligen war, obgleich erst dieser König dem Islam in Spanien die eigentlich entscheidende Wunde schlagen sollte, doch der Glanzpunkt seiner Herrschaft bereits vorüber. Insbesondere war es die Eroberung von Toledo durch König Alphons VI. (1085), und die weltberühmte Schlacht bei Las Navas de Tolosa (1212), durch welche Alphons VIII. seine Macht gebrochen hatte und auf die hier namentlich angespielt wird.

Wagt das meine nichts, wenn deutlich
Ich und rückhaltslos hier rede.
Albiga (heut' wird's genannt
Albi), eine Stadt, die in des
Celt'schen Galliens viertem Theile [9])
Liegt, von der man im Gebiete
Von Lyon jetzt ihre Söhne
Albigenser (von Albiga
Abgeleitet) nennet, war mein
Vaterland. Ich übergehe
Seinen alten Ruhm, daß einst es
Arragoniens Gefilde
Ueberschwemmte [10]); dieses Blatt
Seiner Chronik sei vorläufig
Ueberschlagen; denn vielleicht
Hol' ich's später einmal nach,
Ehe noch mein Fall zu Ende.
In Albi geboren also,
Hielt ich mich zur reformirten
Religion, die da behauptet,
Daß von einem Leib zum andern
Seelen wandern, daß deshalb
In dem Brot des Sakramentes
Kein lebend'ger Leib in jener

9) In der Provinz Languedoc.

10) Diese „Ueberschwemmung" (invasion im Original) der Albigenser in Arragonien, von der hier die Rede ist, bezieht sich ohne Zweifel auf die Thatsache, daß in den Jahren 1209—10 Albigenser und Waldenser, Edelleute und Bürger, vor dem siegreichen Simon von Montfort in großer Zahl nach Catalonien flüchteten und ein kurzes Asyl daselbst durch den König Pedro II. von Arragonien erhielten, welcher jedoch (auf dem Tage zu Lerida, 21. März 1210) das Edikt erließ: den Excommunicirten sei nur noch ein Jahr Frist bewilligt, sich zu besinnen; werde sie nicht benützt, so würden unnachsichtlich die Strafen der Ehrlosigkeit und des Verlustes des Vermögens eintreten. (Vergl. Damberger, Gesch. d. Mittelalters. Bd. IX. S. 734.)

Weißen Hostie vorhanden[11]).
König Ludwig, den die Fama
Nicht nur Allerchristlichsten ja
Nennt, weil diesen Titel alle
Könige von Frankreich führen,
Sondern auch um seiner eignen
Tugend willen, er verfolgte
Uns mit solchem Glaubenseifer,
Daß zur Flucht er uns genöthigt,
Zum Verlassen unsrer Heimath[12]).
Da ich mich nun sah gezwungen
Auszuwandern, da Edikte,
Offenkund'ge, mich genannt
Apostaten, Häresiarchen,
Wählt' ich Spanien mir als Ziel,

---

11) Die Albigenser lehrten (wie Alzog, Kirchengeschichte. 6. Aufl. S. 554 auseinandersetzt): „Schöpfer oder Bildner alles Körperlichen sei nicht Gott, sondern der böse Geist, was zu den abenteuerlichsten Behauptungen führte .... Alle Seelen seien gefallene Geister, die in einer Wanderung durch verschiedene Körper zu ihrer ursprünglichen Reinheit sich läutern müßten .... Die Strafe der Sünden beschränke sich nur auf diese Welt .... Einige gingen sogar noch weiter und leugneten die Unsterblichkeit und Alles, was wir mit unseren Augen nicht sehen können." Daß sie bei solchen Ansichten, da sie jeden Leib für ein Produkt des Teufels hielten, auch die Gegenwart des Leibes Christi in der Eucharistie leugnen mußten, folgt von selbst.

12) König Ludwig IX. (der Heilige) von Frankreich, der Cousin König Ferdinand's des Heiligen, hatte schon im Jahre 1229 sich eidlich verpflichtet, gegen die in Südfrankreich immer noch ihr Wesen treibenden Albigenser einzuschreiten. Das Edikt, auf welches hier angespielt wird, ist ohne Zweifel seine Verfügung vom 18. Februar 1234, durch welche er gebot, „alle Schlupfwinkel des bösen Gesindels zu zerstören." Damberger bemerkt dazu: „Das scharfe Wort warf um so mehr Schrecken unter sie, weil eben Züge von Kreuzfahrern auf dem Wege nach Arragonien sich befanden. Es heißt, viele Ketzer flüchteten über die Pyrenäen im Frühjahre 1234." Dies stimmt genau mit der Zeit überein, wo der erste Theil des Königs Ferdinand von Calderon spielt. Denn im Jahre 1229, den 15. August, wurde der Grundstein der Kathedrale von Toledo gelegt.

Weil ich wußte, daß in Spanien —
(Zu dem oben überschlag'nen
Blatt nun wend' ich mich zurück)
Spanien also wählt' als Ziel ich,
Weil ich wußte, daß in Spanien
Jener ersten Invasion
Wurzeln noch vorhanden, welche
Dort die Albigenser säeten[13]).
Und so glaub' ich wohl mit Grund,
Daß, wenn hier ich meine Lehren
Finde, ich auf sie auch gründen
Meinen Vortheil kann; denn immer
Fügt zu Gleichem sich das Gleiche,
Um so mehr, wenn Vaterland
Und Religion sich einen.
Und da 's stets die großen Höfe
Sind, wo Schutz und Unterstützung
Wird den Fremden, da Toledo's
Hof dermalen ja gewonnen
Europäische Berühmtheit[14]),
Wend' ich mich zu ihm; obgleich
Er unfreundlich mich empfangen;
Denn kaum grüßt' ich dort von jenem
Felsenhügel, den der Tajo
Von der Stadt trennt, seine hohen
Thürme, als mein Roß in diesen
Klüften strauchelt und mit mir

13) Vergl. oben Anm. 10. Auch Mariana erwähnt, daß um diese Zeit die Sekte der Albigenser sich in Spanien auszubreiten anfing. Historia General de Espana. libr. XII. cap. 11. „Ya se dixo, que por estos tiempos la secta de los Albigenses andava valida y que vinieron y entraron en Espana.“

14) Nach der Eroberung von Toledo durch die Christen wurde diese Stadt bald die eigentliche Hauptstadt von Spanien und Mittelpunkt seiner Civilisation. Toledo blieb seit jener Zeit bis auf Philipp II. die Hauptresidenz des Hofes von Castilien.

Von dem jähen Abhang stürzet,
Wohl ein Umstand, der ein böses
Omen des Geschickes scheint, das
In Toledo meiner wartet.

Alkoran.

Wenn vor allerchristlichstem
König du gefloh'n, so trafst du
Ueble Wahl; denn jener auch
Der hier gegenwärtig herrscht,
Ist katholisch; nicht geringer
Ist sein Glaube, Muth und Eifer,
Seines heiligen Gesetzes
Cult und Ehre und Befolgung
Zu erhalten; läßt er uns auch
Beide hier gewähren, ist's, weil
Er das Judenthum geduldet
Schon von anderu Kön'gen faud,
Das für solche Gastfreundschaft
Auch Tribut zahlt[15]); mich beschützt er
Kraft des Königlichen Wortes,
Das Alphonso damals gab, als
Er Toledo einnahm; treulich
Hält er's und gestattet uns'res
Cultus Uebung für die Lehnspflicht,
Die wir seinem Ahnen schworen.

Apostasie.

Da bei euch mein Unglück nun
Solchen Trost gewann, erzählt mir,
Daß ich wisse, ob mir's fromme
Fürderhin allhier zu bleiben,

---

15) Bei der Einnahme von Toledo durch Alphons VI. im Jahre 1085 wurde den zahlreichen jüdischen Einwohnern freie Religionsübung gegen Entrichtung von Tribut zugesichert.

Oder andrer Reiche Schutz
Aufzusuchen, ganz genau,
(Darum bitt' ich euch), was jetzo
In Castilien sich begiebt.

Alkoran.

Gern willfahr' ich deiner Bitte.

Judenthum.

Während du in aller Muße
Mit ihm redest, will ich selber,
Daß wir unsrer Arbeit Maß nicht
Unerfüllt heut lassen, für uns
Beide sie allein vollenden.

(Ab.)

Apostasie.

Nun laß hören die gewünschte
Kunde mich.

Alkoran.

Sollst sie erfahren.
Ferdinand, — welch' Unglücksname!
Ohne Stottern ihn zu nennen
Lernte nie noch meine Zunge!
Und kein Wunder wohl! Denn klingt es
Dem arab'schen Ohr nicht immer
Wie Ferh-din-handu, das heißt
„Bei ihm ist des Glaubens Freude[16])?"

16) Der Uebersetzer hat sich hier erlaubt, an die Stelle der im spanischen Original befindlichen Verse, deren Inhalt sich um das im Deutschen nicht wiederzugebende Wortspiel mit Ferdinando und Fè dando (d. h. Glauben gebend) drehen, einige andere Verse ähnlichen Sinnes zu setzen, welche, so gut es eben in der deutschen Nachbildung möglich war, dazu dienen sollen, den Schrecken Alkoran's beim Aussprechen des Namens Ferdinand zu motiviren. Er hat dabei die arabische

Seinen strebt er ja mit Freuden
Auszubreiten und den unsren
Zu bedrängen. Muß mir nicht
Solch' ein Wortspiel Angst bereiten,
Wenn ich sehe, wie er wirklich
Die Bedeutung stets erfüllt, und
Seines Glaubens Freude so ihn

Etymologie des Namens Ferdinand zu Grunde gelegt, welche neben einer anderen gothischen (deutschen), wahrscheinlich richtigeren, von den Bollandisten (30. Mai. Tom. VII. Maji pag. 282) angeführt wird, da dieselbe ebenfalls, wie das spanische Wortspiel, dessen Calderon sich bedient, auf den Begriff des Glaubens sich bezieht. Der gelehrte Papebroch, dem in den Actis sanctorum die Bearbeitung der Geschichte des heil. Ferdinand zugefallen, bemerkt darüber: „Duplex invenio duci nominis Ferdinandaei etymon, utrumque auspicatissimum. Primum ex arabica Maurorum Hispaniensium lingua suggerit Carolus Macer, in additionibus ad Hierolexicon docens: Ferh-din-handu illa in lingua idem esse quod: Gaudium fidei habet ipse, vel: Gaudium fidei apud eum, quo nescio quid aptius excogitari possit ei, qui restituto in tot regnis Fidei christianae cultu, gaudium percepturus erat, non solum in tempore, sed etiam in aeternitate." Da es jedoch in der That höchst unwahrscheinlich ist, daß die christlichen Könige von Spanien ihre Namen der Sprache ihres Erbfeindes entlehnt haben würden, wie auch Papebroch (a. a. O.) ausdrücklich bemerkt, so führt er, gewiß mit Recht, den wahren Ursprung des Namens Ferdinand auf die gothische (deutsche) Sprache zurück und erklärt Fer-din-hand mit Fern-deine-Hand d. h. (wie er sich ausdrückt): Cujus manus i. e. potentia, robur, virtus, longe ac procul valet, tenditur aut sentitur, secundum istud poetae: An nescis longas regibus esse manus. Hiernach würde die Bedeutung des Namens Ferdinand mit dem alten Longimanus, dem Beinamen des persischen Artaxerxes, übereinstimmen. — Obgleich diese Etymologie offenbar richtiger ist, als die andere, so hielten wir es doch bei der Nachbildung dieser Calderon'schen Stelle für angemessener, die arabische Etymologie zu Grunde zu legen, welche einerseits im Munde eines Mauren natürlicher klingt und sich andererseits auch durch ihren Sinn so nahe an das Calderon'sche Wortspiel mit Fe-dando anschließt, daß man fast zu der Annahme sich versucht sieht, es habe dieselbe dem Dichter selbst bei dem von ihm angewendeten Wortspiel vorgeschwebt.

Treibt, daß meinen unaufhörlich
Er mit Leid und Schmerz bedroht?
Ferdinand der Dritte also
Von Castilien, seiner Herkunft
Nach ein Enkel Ferdinand's des
Zweiten von Leon und Doña
Urraca's von Portugal, ein
Enkel auch zugleich des edlen
Stammes von Alphons dem Achten,
Jenes Helden von Las Navas[17]),
Und der Leonor von England,
Sah, da in ihm beide Linien
Sich geeint, die von Castilien
Durch Alphons den Neunten und durch
Berenguela die von Leon,
Schon in seiner frühsten Jugend
Wie Castilien und Leon
Sich zur Wappenzier ihm einten[18]).
Unter seiner Mutter Hut,
Die ihm doppelt Mutter, da sie
Ihn mit ihrer Brust gesäugt,
Ebenso wie ihre Schwester
Blanca auch in Frankreich Ludwig,

17) Vergl. oben Anm. 8.

18) Der heil. Ferdinand, der dritte dieses Namens, war derjenige König, welcher in sich die beiden Kronen von Castilien und Leon dauernd vereinigte, da eine frühere Vereinigung von Leon mit dem Königreiche Castilien unter Ferdinand I. (1035—1065) nicht von Bestand gewesen war. Diese Vereinigung, welche im Jahre 1230 durch Verzichtleistung seiner Mutter Berengaria (oder Berenguela) auf die Krone von Leon zu Gunsten ihres Sohnes, deren rechtmäßige Erbin sie nach dem Tode ihres Bruders Heinrich als älteste Tochter König Alphons IX. von Castilien war, stattfand, erhielt Bestand, während bisher Theilungen auf Theilungen gefolgt waren, durch das von ihm erlassene Gesetz der Untheilbarkeit und der Erstgeburt. Seit dieser Zeit bilden die beiden vereinigten Wappen von Castilien und Leon (zwei Thürme oder Castelle und zwei Löwen) das königliche Wappen von Spanien.

Daß die Welt in diesen beiden
Schwestern sehe, wie das edle
Blut der Amme Edles wirke;
Denn so herrlich sind geartet
Heut ja Ferdinand in Spanien
Und in Frankreich Ludewig[19]).
Unter seiner Mutter Hut
Also wuchs er auf, die edel,
Heilig und großmüthig, da sie
Rechtmäßige Erbin doch
Von Leon, dem Reich entsagte.
Glücklich wirst du, Spanien, sein,
Wenn bei Minderjährigkeiten
Nie dir eine weise Königs-
Mutter fehlt[20])! Des Königs Tugend —

---

19) Blanka, die fromme Mutter des heil. Ludwig von Frankreich, war die jüngere Schwester Berenguela's, der Mutter des heil. Ferdinand, die beiden heiligen Könige mithin Geschwisterkinder. Papenbroch (in Act. Sanct. 30. Maj.) bemerkt hierzu: „Etenim duo hi sanctissimi reges duarum sororum Berengariae et Blancae, filii fuerunt, suisque moribus simillimis demonstrarunt, similem prorsus educationem se hausisse, ex simillimae virtutis genitricibus."

20) Die Weisheit Berenguela's bewährte sich vor allem durch die Art und Weise, wie sie die Vormundschaft während der Minderjährigkeit ihres Sohnes und die Verwaltung des Reiches in Castilien führte. Die alte Chronik des Lucas Tudensis (des Diakons und späteren Bischofs von Tuy in Galicien) berichtet über diese Jugendzeit des heil. Ferdinand: „Fernandus, filius Adefonsi Regis Legionensis, in Castella (ei matre Berengaria tradente regnum) feliciter regnare coepit. Siquidem Castellae Nobiles regnum Berengariae reginae tradiderunt, eo quod erat primogenita Adefonsi Regis Castellae et ipsa, ut dictum est, tradidit regnum filio suo. Hic autem rex Fernandus, gravissima adolescentia venustatus, non (ut illa aetas assolet) lasciviam amplexatus est mundi; sed pius, prudens, humilis, catholicus et benignus, senilibus se moribus decoravit. Etenim ita obediebat prudentissimae Berengariae Reginae matri suae, quamvis esset regni culmine sublimatus, ac si esset puer humillimus sub ferula magistrali."

Möge dich sein Lob auf meinen
Lippen hier nicht Wunder nehmen;
Denn der Geist bewegt die Zunge
Mir und treibt unwiderstehlich,
Wohl durch höheres Verfügen,
Was in Zukunft soll erschallen,
Jetzt durch meinen Mund zu künden,
Sei's daß, da selbst ich es sage,
Man's um so gewisser glaube,
Sei's daß, da ich es erkenne,
Mich's zu reden doppelt schmerze —
Seine Tugenden, umgebend
Seine Wiege schon, begleiten
Mit so immer gleichem Schritte
Ihn, daß nie die Schale schwankt
Der Gerechtigkeit auf einer
Und der Gnad' auf andrer Seite.
Freundlichkeit und milde Anmuth
Güte und Beharrlichkeit
Ist er ganz; die Wissenschaften
Weiß er ebenso zu schätzen,
Wie den Waffenruhm zu ehren;
Zeiget stets dasselbe Antlitz
So dem Reichen wie dem Armen,
Daß nicht jener übermüthig,
Nicht kleinmüthig dieser werde;
Und in einer Miene weiß er
So verschiednen Schein zu einen,
Wie geliebte Strenge und
Güte die gefürchtet wird[21]).
So gefürchtet und geliebt,

---

21) Auch diese Schilderung scheint aus Lucas Tudensis entnommen. Hier heißt es: „Aderat illi in humilitate justa severitas, qua reprobos puniebat; et in severitate justa, misericors et clemens humilitas, qua prostratis inimicis placebat (an parcebat?)“

Wird von Allen er gelobt;
Denn es herrscht nur über Leiber
Recht, wer Seelen auch beherrschet.
Er vermählte sich frühzeitig
Mit Beatrix, einer Tochter
Philipp's, aus dem Hause Oestreich[22]);
Und ich fürchte, die Verbindung
Von Castilien und Deutschland
Droht mir äußerstes Verderben,
Um so mehr, wenn ich bedenke,
Wie von ihm sie heißgeliebt,
Glücklich durch Nachkommenschaft,
Ihm gezahlt schon, was sie schuldet.
Da nun so das Reich gesichert
Schon durch drei Infanten und durch
Zwei Prinzessinnen[23]), gedenkt er
Die Erobrung des Pelayo[24])

---

22) Ueber diese Heirath berichtet die Chronik des Lucas Tudensis: „Duxit uxorem ex Imperiali genere Romanorum (an Germanorum?) Deo devotissimam feminam, nomine Beatricem.“ Der Vater dieser Beatrix war Philipp, ein Sohn Kaiser Friedrichs Barbarossa und Bruder Kaiser Heinrich VI., der nachmals als Philipp von Schwaben zum deutschen Kaiser erwählt wurde. — Für Calderon gelten alle deutschen Kaiser als das Haus Oesterreich (casa de Austria), insofern sie in der Kaiserwürde die Vorfahren der Habsburger waren, mit denen Spanien später in so innige Beziehungen trat.

23) „Ex qua genuit Adefonsum, Federicum, Fernandum ..... Berengariam et Mariam.“ (Luc. Tudensis a. a. O.)

24) „Das Pelayo.“ Als nach dem Einfalle der Araber in Spanien und der für die Westgothen so unglücklichen Schlacht bei Xeres de la Frontera (711) fast das ganze Land von den Ungläubigen überschwemmt und erobert wurde, erhielt sich der letzte Lebensfunke der gothischen Monarchie noch in den Gebirgen von Asturien und Biscaya, woselbst die Tapfersten der Nation, unter ihrem Haupte Pelayo, einem Sprößling des früheren Königsgeschlechtes, ihnen mit Erfolg Widerstand leisteten. Durch eine siegreiche Schlacht sicherte Pelayo die Fortdauer seines christlichen Staates. Pelayo's Nachfolger verlegten ihren Sitz nach Oviedo und, als sich das kleine Reich auf Kosten

Fortzusetzen. Guadarrama's
Berge d'rum verlassend, sucht er
Ihre weißen Häupter nun
Mit den braunen, düstren Schluchten
Der Sierra Morena, jenem
Wall der lieblichen Gefilde
Andalusiens, zu vertauschen[25]).
Und so weilt er, da zur Wache
Beider Kronen blieb in Burgos
Seine weise Mutter, heute
In Toledo. Doch war jemals
Dieses nicht der Waffenplatz
Ihrer Kön'ge? O Toledo,
Stets so feindlich meinem Volke[26])!
Hier nun, während er entboten
Schon durch königliche Briefe
Die Großmeister von Santjago,
Von Alcantara und von
Calatrava, die Großkreuze
Von San-Juan[27]), und viele andre

---

der Araber erweiterte, ward Leon (918) die Residenz — und das Königreich Leon, das älteste der verschiedenen christlichen Reiche, aus denen die spätere Gesammtmonarchie von Spanien in 700jährigem harten Kampfe mit den Saracenen allmählich erwuchs, war gegründet.

25) Das hohe Guadarrama-Gebirge, nördlich von Madrid gelegen und Neu-Castilien (mit der Hauptstadt Toledo) von Alt-Castilien (dessen Hauptstadt Burgos ist) scheidend, ist im Winter häufig mit Schnee bedeckt, während derselbe in der Sierra Morena, welche die Mancha, Neu-Castilien und Estremadura von Andalusien trennt, selten oder niemals fällt. Die beständig dunkelbraune Farbe der Berge dieser Sierra hat ihr den Namen: Morena d. h. die braune gegeben.

26) Seitdem Toledo den Arabern durch den König Alphons VI. mit Hilfe des Cid entrissen worden, war es die eigentliche Vormauer und Grenzfeste des christlichen Spaniens gegen die im Süden noch herrschenden Araber.

27) D. i. des Johanniter- oder Maltheser-Ordens. Ueber die drei anderen ausschließlich spanischen geistlichen Ritterorden, welche in den

Der Prälaten, (denn in's Feld
Zieht mit größerem Vertrau'n er
Auf den Priester, welcher opfert,
Als den Krieger, welcher kämpft,)
Um nicht müßig hier zu warten
Bis des Heeres große Masse
Sich auf sein Gebot versammelt[28]),
Richtet er sein Augenmerk
D'rauf, daß keine würd'ge Stätte
Hier als Heiligthum vorhanden
Für das Sakrament, das gläubig
Er anbetet und für ein
Bild Maria's, das besonders

Kämpfen mit den Mauren eine so wichtige Rolle spielen und dem heil. Ferdinand in seinen Kriegen stets treu zur Seite standen, mögen folgende kurze Bemerkungen hier genügen. Der Ritterorden von Sant-Jago, ursprünglich zur Beschützung der nach Compostela wallfahrenden Pilger gegen die Ueberfälle der Saracenen gestiftet, wurde im Jahre 1175 vom Papst Alexander III. bestättigt und gewann in Spanien, das in dem Apostel Jacobus (Sant-Jago) seinen Hauptpatron verehrt, unter allen Ritterorden die hervorragendste Bedeutung. Der Ritterorden von Alcantara, schon 1156 gestiftet, zum Zweck des Kampfes gegen die Mauren, folgte der Regel des heil. Benedikt und erhielt seinen Namen von der Stadt und Grenzfeste Alcantara, in Estremadura am Tajo gelegen, wohin sein Hauptsitz im Jahre 1217 verlegt wurde. Der Ritterorden von Calatrava, benannt nach dem Städtchen Calatrava in der Mancha, entstand zunächst zum Zweck der Vertheidigung dieser von den Templern verlassenen wichtigen Veste gegen die Mauren im Jahre 1158, und folgte der Regel der Cistercienser; er wurde 1164 durch Alexander III. bestättigt. — Die Großmeisterwürde aller dieser Orden ging später auf den König von Spanien über und heute existiren sie nur noch als Ehrenzeichen, welche die Monarchen von Spanien verleihen. Zur Zeit des heil. Ferdinand konnte jeder dieser Orden über bedeutende Streitkräfte gebieten, welche in den Kriegen gegen die Saracenen nicht selten den Ausschlag gaben.

28) Von dieser in Toledo vorbereiteten Expedition gegen die Mauren spricht die Chronik des Lucas Tudensis, wenn sie erzählt: „Post haec congregato Legionis et Castellae exercitu magno ingressus terram Maurorum, cepit Ubedam etc.“

Heilig ihnen und verehrt[29]);
Denn sie glauben, daß die Jungfrau
Einst aus ihren Himmelssphären
Selbst leibhaftig stieg hernieder,
Ildephonsus hier zu ehren,
Daß das Bild sie da umfaßte
Und auf einem Steine weilte,
Der zu ewigem Gedächtniß
Ihres Fußes Spur noch trägt.
D'rum, da er bemerkte, daß kein
Würd'ger Tempel könne sein
Für so heilige Reliquien
Jener, der noch gestern erst
War Moschee, ließ er von Grund aus
Alsogleich ihn niederreißen,
Um an seiner Statt zu bauen
Ein so prächtiges und hehres
Schloß des Glaubens, daß der Vorrang
Ihm vor allen Kirchen Spaniens
Werde[30]). Und kaum war der Grundriß

---

29) Es ist hier die Rede von der berühmten Muttergottesstatue in der Kathedrale von Toledo, welche unter dem Namen La Virgen del Sagrario verehrt wird und von der man die hier erwähnte Legende erzählt. Calderon hat die Geschichte dieses Bildes in einem besonderen Schauspiel unter dem Titel: La Virgen del Sagrario bearbeitet. Als der heil. Ildephons, Erzbischof von Toledo, zur Zeit der gothischen Herrschaft, einst vor diesem Bilde betete, erschien ihm die heil. Jungfrau und übergab ihm als himmlisches Geschenk ein Meßgewand.

30) Die Kathedrale von Toledo, nach dem Dome von Sevilla die herrlichste aller spanischen Kirchen, behauptet vor allen anderen dadurch den Vorrang, daß der Erzbischof von Toledo (noch heut zu Tage) Primas von Spanien ist. Ueber die Gründung der Kathedrale von Toledo berichtet der Zeitgenosse und Augenzeuge, Erzbischof Rodrigo von Toledo in seiner Chronik (Act. Sanct. 30. Maj. pag. 317): „Et expletis quatuordecim hebdomadibus expeditionis ad urbem regiam est reversus. Et tunc jecerunt primum lapidem Rex et Archiepiscopus Rodericus in fundamento ecclesiae Toletanae, quae in forma Mezquitae tempore Arabum adhuc stabat. Cujus fabrica

Ausgedacht vom Architekten,
Legt' er auch den Grundstein schon
Selbst mit eigner Hand. Und da er,
Weil er selbst den Bau nicht kann
Ganz vollenden, gleichwohl wünschet,
Daß vor seinem End' so weit als
Möglich doch er fortgeschritten,
Nimmt er Theil mit solchem Eifer,
Solcher Wachsamkeit am Fortgang,
Daß im Staub und Schutt er scheinet
Bauinspektor mehr zu sein
Als Monarch. Zu keiner Stunde
Läßt das Ziel er aus den Augen,
Und (was häufig auch geschieht),
Wenn er jagt in diesen Bergen,
Bleibt er stehn hier, zu betrachten
Was der Steinbruch hat gefördert,
Wie die Felsen man behauet,
Wie sie aufgeladen werden,
Wie der Hebel sie bewegt,
Und der Flaschenzug sie hebt.
Heute ist ein Freudentag
Wohl für Alle, die hier schwitzen;
Denn weil selbst er wieder kommt,
Läßt den Lohn er uns verdoppeln.

Das **Judenthum** tritt auf in größter Aufregung mit hölzernen Tafeln in Form eines Buches.

Judenthum.

Steh' mir bei, Gott Israels!

Alkoran.

Ha, was giebt's?

---

opere mirabili de die in diem, non sine grandi admiratione hominum, exaltatur." Die Legung des Grundsteines der Kathedrale fand statt im Jahre 1229.

Judenthum.

Weiß' nicht!

Apostasie.

Was bringst du?

Judenthum.

Weiß' nicht.

Alkoran.

Komm' doch zu dir!

Apostasie.

Sprich!

Judenthum.

Kann nicht.

Alkoran.

Was ist vorgegangen?

Judenthum.

Weiß' nicht.

Beide.

Nimm Vernunft an!

Judenthum.

Laßt mich
Sehn, ob ich bei meinem Schreck
Worte hier noch finden kann.
Als ich dort die angefangne
Arbeit wieder aufgenommen,
Und ein Felsstück aus dem Berge
Eben losgeschlagen —

Stimmen

(hinter der Scene).

Achtung!

Alkoran.

Still! der König steigt vom Pferde
Um den Steinbruch zu beschauen
Und die Blöcke, die auf's neue
Man dem Berge hat entrissen.

Geräusch hinter der Scene. Der **König** tritt auf mit Gefolge.

Apostasie.

Ha, welch' milde, edle Züge!

König.

Was erblick' ich, Freunde? Müßig
Steht ihr? So nachlässig treibt ihr
Was euch meine Liebe aufträgt?
Doch, nicht will ich d'rum euch zürnen;
Denn des Menschen Schwäche, seh' ich,
Hat der Arbeit Grenzen nöthig,
Um von ihr sich zu erholen.
Zieht euch nicht zurück, deukt nicht,
Daß den Lohn ich euch entziehen
Will, den doppelt ich versprach.
Denn mit eurer schweren Arbeit
Hab' ich solche Nachsicht, daß
Ob Nachmittag ihr die Hacke
Auch ergriffen erst, derselbe
Lohn euch werden soll, wie denen
Die schon seit der Morgenfrühe
Arbeit hier verrichtet; hat auch
Eure Müh' ihn nicht gewonnen
Als verdienten, g'nügt mir's doch
Daß ich eure Armuth sehe.
Kommt; zieht nicht zurück euch!

Apostasie
(für sich).

Himmel!
Muß ich denn, troß meiner Wuth,
Und troßdem, daß ich erkenne,
Daß der hier gebaute Tempel
Gottes Erbe, auch noch schauen,
Wie er dem Familienvater
Selber gleicht, der so barmherzig
Seine Leute stets behandelt,
Daß den spät gekommnen gleichen
Lohn er zutheilt, wie den ersten[31])?

Alkoran.

Nicht war's Müßiggang, o Herr,
Der uns hier versammelt; sondern
Nur erfahren wollten wir,
Was dem Juden da begegnet,
Der so außer sich (wie selbst du
Siehst), so seltsam sich geberdet.

König.

Freund, tritt näher. Was bewegt dich?
Sprich, was fehlt dir? Was bedarfst du?

Judenthum.

Wenn ein Schreck es war, o Herr,
Der bisher mich so verwirrte,
Was wird Ehrfurcht nun und Schreck
Aus mir machen?

König.

Fürchte nichts;
Sprich, was hast du?

---

lung auf das Gleichniß vom Hausvater im Evangelium Matth.

Judenthum.

Ja, gehorchen
Will ich, wenn ich Worte finde.
Als ich dort die angefangne
Arbeit wieder aufgenommen,
Und ein Felsstück aus dem Berge
Eben losgeschlagen, daß es
Schon dem Berg entrissen fände,
Wer es zu behauen hat,
Sah ich, ohne in dem Felsen
Nur den kleinsten Riß, die kleinste
Spalte zu bemerken, welche
Seine Festigkeit gelockert,
Wie bei einem schwachen Schlage
Wunderbar er zu erzittern
Anfing, und da nun sich seine
Harten Eingeweid' erschlossen,
Fand ich, daß in seinem Schooße
Er die Tafeln hier von Holz,
Einem Buche gleich, enthielt.
Nicht nur ist's ein Wunder, wie
Holz hier, ohne zu verfaulen,
Eingeschlossen liegt; noch größ'res
Ist's, wie's hier hineingekommen,
In den harten, festen Stein!
Und drei Blätter sind's, beschrieben
Wohl in drei verschiednen Sprachen;
Noch nicht wagt' ich sie zu lesen;
Sondern nur sie anzustaunen[32]).

(Er giebt dem König das Buch.)

---

32) Die hier von Calderon in Scene gesetzte wunderbare Thatsache, welc höchst wahrscheinlich in das Reich der bloßen Legende gehört, ist en nommen aus der Historia Hispanica des Rodericus Sancius (gesto ben als Bischof von Palencia 1471) pars 3. cap. 40. (Act. Sanc 30. Maj. pag. 285), wo es heißt: „Hujus gloriosi Regis tempoı

König.

Da ich von den Wissenschaften
Nur die Anfangsgründe weiß,
Kenn' ich wohl die Charaktere,
Doch nicht mehr; dies hier ist röm'sche
Schrift, Lateinisch ist die Sprache;
Dies ist Griechisch; dies Hebräisch.
Will sogleich den jungen Orden
Suchen gehn, der doppelsinnig
Sich Dominicus genannt,
Theils, weil Sonntag Tag des Herren
Heißt, wo man in ihm soll ruhen;
Theils, weil ja Dominicus
Von Guzman sein Patriarch.
So verbirgt der Ordensname
Allegorisch hier Geschichte[33]).

---

quoddam mirabile ad nostrae catholicae fidei exaltationem accidisse fertur. Nam, cum apud Toletum quidam Judaeus, gratia ampliandi vineam suam, rupem comminuisset, in medio saxi concavitas reperta est, ubi liber erat folia lignea habens, descriptus tribus linguis, Hebraeis, Graecis et Latinis; scriptura vero quasi unius psalterii videbatur. Hic liber de triplici mundo disserebat, ab Abraham usque ad Antichristum. Principium vero tertii libri ita incipiebat, a Christo sic exordiens: In tertio mundo filius Dei nascetur in mundo ex Virgine Maria, patieturque pro salute hominum. Quod cum Judaeus conspiceret, statim cum familia sua sacro fonte renatus est. In fine itaque libri dicebatur, quod tempore Fernandi Regis inveniri debebat.“ Calderon hat diese Legende insofern geändert, als er die Auffindung des geheimnißvollen Buches in die Steinbrüche, bei Gelegenheit der Erbauung der Kathedrale von Toledo, versetzt und die Bekehrung des Juden nicht unmittelbar nach der Auffindung des Orakels als bloße Folge dieses Wunders, sondern erst später, als Frucht des liebevollen Eifers des heil. Königs erfolgen läßt.

33) Der halb allegorische, halb historische Charakter der Person des Dominicus, welche Calderon in diesem Auto als allgemeinen Repräsentanten des Dominikanerordens den drei einen ähnlichen Doppel=

Und da beides hier verbunden,
Mög' man wissen, daß wer heute
Mit ihm spricht im Allgemeinen,
Auch mit jenem im Besondren
Spricht, der, als sein Haupt, beschützet
Unter seinem schwarzen Mantel
Und der weißen Tunica[34])

---

charakter an sich tragenden Gestalten des Alkoran, des Judenthums und der Apostasie, an die Seite stellt, erklärt diese Rede des Königs, welche eigentlich an die Zuschauer gerichtet ist, um das Verständniß der Handlung in ihrer tieferen Bedeutung ihnen zu eröffnen. Im spanischen Original heißt die Person, welche wir in der Uebersetzung mit Dominicus bezeichnet haben: La Religion de Santo Domingo d. i. der Orden des heil. Dominicus. Calderon selbst läßt jedoch im Verlaufe des Auto diese Person zu wiederholten Malen vom König mit dem bloßen Namen Dominicus anreden, weshalb wir wohl berechtigt waren, ihr in der Uebersetzung, der Kürze halber, durchweg den Namen Dominicus zu geben. Nach der Intention des Dichters soll diese Person einmal irgend einen bestimmten Dominikanermönch darstellen, der in der Umgebung des Königs sich befindet und sein volles Vertrauen genießt; dann aber auch den Dominikanerorden überhaupt, der zu jener Zeit in Spanien sich auszubreiten anfing, worüber bestimmte geschichtliche Daten vorhanden sind. So berichtet Lucas Tudensis: „Eo tempore per totam Hispaniam Fratrum Praedicatorum et Fratrum Minorum construuntur monasteria et ubique verbum Dei praedicatur." (Act. Sanct. tom. cit. pag. 299.) Endlich repräsentirt die Person des Dominicus auch in gewisser Weise den heil. Dominicus selbst (den Stifter oder Patriarchen des Ordens, aus dem edlen Geschlechte der Guzman stammend), wie die sogleich folgenden Verse andeuten, was indeß nur mit dem allegorischen Charakter dieser Gestalt zusammenhängt, ohne daß es vom Dichter beabsichtigt wäre, dadurch anzudeuten, daß der Heilige, der schon 1221 gestorben war, hier persönlich am Hofe des Königs sich aufgehalten, obgleich es an und für sich nicht unwahrscheinlich wäre, daß er bei seinem letzten Aufenthalt in Spanien, im Jahre 1218, mit dem heil. Ferdinand in Berührung gekommen, der das Jahr vorher im Alter von 18 Jahren in Castilien zur Regierung gelangt war.

34) Die Ordenstracht der Dominikaner besteht aus einem weißen Untergewande, über welchem ein schwarzes Skapulir in Form eines Mantels getragen wird.

Seine ganze Schaar; d'rum hoff' ich
Wohl in seinem reichen Wissen
Die Erklärung selbst zu finden
Von noch weit erhab'nern Schriften.
D'rum will ich ihn suchen gehn.

Apostasie.

Wär' dir's, Herr, genehm, so könnt' ich
Wohl von der latein'schen Schrift
Dir die Uebersetzung geben.

König.

Wer bist du?

Apostasie.

Ein Fremder bin ich,
Der um des Gewinnes willen
Nach Toledo kam[35]. Es hielt in
Diesem Berge eines Sturzes
Glück mich auf, der mir's verschaffte,
Dir zu Füßen mich zu legen.

Der **Glaube** tritt auf, von Niemandem gesehen, und drängt die **Apostasie** zu dem Buche hin.

König.

Da du hier bist, kannst du kommen.

Glaube.

Komm', denn mir liegt viel daran,
Dich den Glaubensakt zu lehren!

35) „Um des Gewinnes willen." Die Apostasie will äußerlich als ein fremder Kaufmann dem König sich vorstellen. Der Gewinn, den sie eigentlich beabsichtigt, ist die Ausbreitung ihrer Sekte.

Apostasie

(für sich).

Trat freiwillig doch herzu,
Und nun scheint mir's wahrlich, als ob
Jemand mit Gewalt mich drängte.

König.

Lies und gieb die Uebersetzung.

Apostasie

(liest).

„Um die Seelen zu erlösen,
Die, zur Glorie oder Strafe,
Hat unsterblich nach dem eignen
Bilde Gott erschaffen, wird
Christus einst geboren werden[36])" —

König.

Fahre fort.

Apostasie

(liest).

„Von einer Jungfrau,
Unversehrt vor dem Gebären,
In ihm und nach der Geburt."

König.

Was erstaunst du, was erschreckst du?

---

36) Der Dichter läßt jeden der drei verschiedenen Ungläubigen in dem wunderbaren Buche solche Worte lesen, welche gegen die ihm eigenthümlichen Irrthümer gerichtet sind. Wie oben (Anm. 11) schon erwähnt wurde, leugneten die Albigenser die Unsterblichkeit der Seelen und mithin auch die Strafen und Belohnungen im Jenseits.

Apostasie.

Ist ein also großes Wunder
Denn nicht staunenswerth?

König.

O nein;
Wer so christlich heil'ge Lehre
Glaubt, so wie ich selbst sie glaube,
Staunt nicht über solch' ein Wunder.
Ist's denn seltsam, daß ein Fels
Heut zu Gottes Lob eröffne
Seinen Schooß, wenn alle Tage
In den Laudes singt die Kirche,
Daß den Herren preisen sollen
Erde, Wasser, Luft und Feuer,
Himmel, Sonne, Mond und Sterne,
Schnee und Kälte, Reif und Hagel,
Vögel, Landgethier und Fische,
Bäume, Sträucher, Pflanzen, Blumen[37])?
Diesem Buch verdank' ich nichts;
Denn es hat mich nichts gelehret
Was ich nicht schon wußte. Jene
Wahrheit ist in's Herz mir also
Fest gedrückt, daß die Bewund'rung
Sie mir raubt, daß es auch Felsen
Giebt, die sich zu ihr bekennen.
Und da ihres Schooßes Klaffen
Mir kein Licht giebt, weil von mir ich
Weiß, daß tiefer in mein Herz
Sie der Glaube mir gegraben,
Als der Fels in seinem Schooß sie
Birgt, nimm, Jude, hin dein Buch;

---

37) In dem Canticum: „Benedicite," das in den Laudes des kirchlichen Officiums vorkommt.

Ich will nichts von ihm mehr sehen[38]);
Und da du es nöthig hast,
So behalt' es.

Glaube.

Wie erhöht mich
Solch heroisch' fester Glaube,
Der die Wunder selbst verachtet,
Weil für ihn sie nicht mehr nöthig!

König.

Doch, bleib' hier! verweile noch!
Nicht für mich, um deinetwegen
Lies nun die Hebrä'sche Schrift;
Da es deine Muttersprache,
Mußt du sie ja wohl verstehen.

Die Liebe tritt auf, ungesehen, und thut dasselbe mit dem **Judenthum**, wie oben der Glaube mit der **Apostasie**.

Liebe.

Lies, damit in mir der Liebe
Ruhm verherrlicht hier sich zeige[39]).

---

38) Der Glaube des Königs zeigt sich dadurch in seiner ganzen heroischen Stärke, daß er durch die Bestättigung, die ein Wunder ihm giebt, keinen Zuwachs erhalten kann. Vielleicht schwebte dem Dichter hier die vom heil. Ludwig, dem König von Frankreich, erzählte Thatsache vor, daß er es verschmähte, ein Wunder in Augenschein zu nehmen, das mit einer geweihten Hostie in einem kleinen Orte Frankreichs sich zugetragen und eine große Volksmenge dort hingezogen hatte, weil, wie er sagte, er seinerseits eines solchen Wunders nicht bedürfe, um an die Gegenwart des Herrn im Sakramente zu glauben.

39) Die drei göttlichen Tugenden, welche, wie im Verlaufe des Auto sich zeigen wird, in Ferdinand durch sein Verhalten zu den drei Personen des Ketzers, des Juden und des Muhamedaners ihren Triumph feiern, deuten hier schon durch ihr Auftreten die besondere Beziehung an, in welche sie zu diesen drei Persönlichkeiten treten werden.

Judenthum
(für sich).

Geh' ich zitternd auch an's Lesen,
Dem Befehl des Königs folgend,
Scheint mir's doch, als ob noch andre
Höh're Macht es mir befehle.
(Laut.)
Nachdem also wir gehört,
Daß von einer reinen Jungfrau
Christus wird geboren werden,
Heißt es weiter: (liest) „Er wird leiden
Schmach und Tod von des hebrä'schen
Volkes Wuth; sein Blut wird werden
Dann unendliche Bezahlung
Für unendlich große Schuld."

König.

Siehst du, daß zu dir gesprochen
Wird und nicht zu mir? Und da
Nicht zufällig dir der Felsen
Ueberlieferte dies Buch,
So verachte nicht die Mahnung,
Daß des Felsens Herz nicht weicher
Hier erscheine, als das deine.
Gieb mir Antwort jetzo nicht,
Sondern überleg', erwäge
Diese Wahrheit. Komm' zu mir dann
Später, daß ich dieses Buches
Fund dir würdig lohnen könne.
O wer eine Seele doch
Dir, o Herr, gewinnen könnte?
Höher schätzt' ich den Triumph,
Als den glänzendsten der Siege
Den die Waffen mir verschaffen[40])!

---

40) Wie aus den bisherigen Reden des Königs bereits zu ersehen war, versteht es der Dichter vortrefflich seine herrliche Gesinnung und seine

Liebe.

In mir wächst der Akt des Glaubens[41]);
Denn um Gottes willen liebt er
Mehr den Nächsten, als sich selbst.

König.

Was noch fehlt, den griech'schen Spruch
Soll Dominicus mir lesen.

Alkoran.

Dürft' ich's wagen, möcht' versuchen
Ich's; doch schlecht nur kann ich Griechisch.

Die Hoffnung tritt auf, ungesehen, und benimmt sich ebenso wie der Glaube und die Liebe.

Hoffnung.

Zwischen den gestärkten Glauben
Und die angeregte Liebe
Tritt die Hoffnung jetzo ein.
Wag' es nur; du wirst es können!

Alkoran.

Ob mich solches auch entmuthigt,
Drängt mich's doch auf andrer Seite.
Unbekannt mög's dir nicht bleiben,
Daß bei jenem vielen Handel,

---

wirkliche Heiligkeit überall durchleuchten zu lassen. Und in der That muß man gestehen, daß Calderon den Charakter des Königs in so meisterhafter Weise gezeichnet hat, daß er in dem ganzen Drama nichts spricht, und keine Handlung vornimmt, die nicht eines Heiligen vollkommen würdig wäre. Es wirft dies zugleich ein schönes Licht auf den Dichter selbst, der die Heiligkeit nicht so trefflich zeichnen könnte, wenn er nicht selbst ein tiefes praktisches Verständniß für sie hätte.

41) „In mir wächst" d. h. der Glaube entwickelt sich erst durch die Liebe, in der er thätig wird, zu einer wahrhaft verdienstlichen Tugend, weil der Glaube ohne die Werke todt ist.

Den die Afrikan'sche Küste
Stets mit Griechenland getrieben,
Es wohl keinen Mauren giebt
Der von jener Sprach' nicht etwas
Wüßte; d'rum wär's möglich, daß ich
Jene Schrift verstehen könnte.

König.

Ein Versuch kann nichts hier schaden.

Alkoran.

Also, da die Schrift gesagt,
Daß von jungfräulicher Mutter
Christus seinen Leib wird nehmen,
Und dann leiden, fährt sie hier
Nun auf diesem Blatte fort:

(liest)

„Diese Prophezeiung berg' ich
Hier in meinen Eingeweiden
Bis ein König Ferdinand
In Castilien ist geboren[42]."

König.

Wie?

Alkoran.

So lautet wörtlich hier
Dieser griech'sche Text.

König.

Mit mir
Spricht der Felsen also auch?
Bleibe fern zur Eitelkeit mir
Die Versuchung, weil ich selbst es

---

42) Vergl. oben Anm. 32.

Sei, der soll geboren werden,
Während sie's ist, die gebiert[43])!
Herr! wenn das ein Antrieb sein soll,
Daß ich standhaft im Beginnen
Bleibe, deine heil'gen Tempel
Aus unwürd'ger Sklaverei
Zu befrei'n und zu erbauen[44]);
Wenn's mit neuer Pflicht mich bindet,
Dein erhab'nes Sakrament
Seinen heiligen Altären
Wiederum zurückzugeben
Und die Statuen Maria's
Den Kapellen: warum zeigst du
In so schwachen Kreaturen
Deine Macht? O weit gering'res
Wunder ist für mich genug.
Ach, du weißt ja, daß die Kriege,
Die ich führe, nur Werkzeuge
Deiner Hand, die ich als Mensch nur
In Bewegung setze, trauend,
Daß als Gott du sie beschützest;
Denn auf dich allein ja hab' ich
All' mein Hoffen nur gesetzt!

Hoffnung.

So wird's klar, daß sich in mir
Hat erfüllt der Beiden Uebung;
Denn auf Gott setzt er sein Hoffen.

---

43) Der Sinn ist: Möge es mich nicht zu eitler Ueberhebung verleiten, daß hier mein Name mit dem der Mutter Gottes zusammengestellt wird, indem diese Schrift von Ihr als einer gebärenden, und von mir als von einem, der künftig geboren werden soll, redet.

44) Indem ich nämlich die von den Mauren in Besitz genommenen Städte mit ihren Kirchen und Heiligthümern zurückerobere.

König.

Heil'ger Orden, da den Wortsinn
Ich nun weiß, will ich von dir
Die Bedeutung jetzt erfahren[45])!

Dominicus tritt auf.

Dominicus.

Er läßt niemals auf sich warten,
Wenn man ihn verlangt und ruft.

König.

Sehr gelegen kommst du eben;
Warst bisher du auch entbehrlich[46]),
Wünscht' ich dich doch jetzt.

Dominicus.

Der falschen
Sekte jener Albigenser
Widerlegung nimmt mich so in
Anspruch, daß kaum eine Stunde
Mir vergönnt, bei dir zu sein[47]).

König.

Die Beschäftigung gefällt mir
So, daß gern ich dich vermisse.

Dominicus.

In der kurzen Mußestunde
Eilt' ich her. Doch was befiehlst du?

---

45) D. h. die tiefere Bedeutung, welche in den bereits verdollmetschten Worten enthalten ist.

46) Weil nämlich Andere die Schrift zu lesen verstanden.

47) Bekanntlich war es eine Hauptaufgabe des Dominikanerordens, die Irrgläubigen durch Belehrung und Predigt in den Schooß der Kirche zurückzuführen.

König.

Das wird dieses Buch dir sagen.
Lies es aufmerksam; es ist
Die Geburtsfrucht eines Felsen.
Ein Hebräer war's, der's fand;
Ein Ankömmling hat's verstanden,
Und ein Mohr es übersetzt.
Von mir selber spricht es. Laß mit
Muße uns darüber reden.
Seltsam ist der Umstand; denn
Meiner Lauheit dient's zum Sporn,
Daß mir in drei Sprachen reden
Fremdling, Jude hier und Mohr,
Glaube, Liebe und auch Hoffnung.

(Beide ab.)

Liebe.

Gleicher Antheil ward uns Dreien
Hier [48]).

Hoffnung.

Wenn uns nur eine Liebe
Eint, was Wunder ist's?

Glaube.

Gewiß;
Denn zu glauben, unser Wettstreit
Habe andren Zweck gehabt,
Als zu zeigen, daß wir Alle
Uns in Ferdinand erheben,
Wäre Irrthum ja und Thorheit.

(Die drei Tugenden entfernen sich.)

---

48) D. h. Ferdinand übt uns dreie in gleicher Vollkommenheit aus.

Apostasie.

Christus stammt aus einer Jungfrau,
Und unsterblich sind die Seelen
In der Seligkeit und Strafe?

Judenthum.

Christus stirbt von der Hebräer
Wuth?

Alkoran.

Wenn Ferdinand, ein König
Von Castilien, ist geboren,
Findet man die Prophezeiung?

Apostasie.

Welcher Schrecken?

Judenthum.

Welcher Schauer!

Alkoran.

Welche Angst!

Apostasie.

Israelit!

Judenthum.

Was verlangst du?

Apostasie.

Afrikaner!

Alkoran.

Was begehrst du?

Apostasie.

Hört mich an.
Da nun unsere Geschicke
(An dem Tage, wo man dich
Judenthum, dich Alkoran,
Mich Apostasie nennt) wieder
Zur Allegorie sich wenden,
Suchen wir sie zu ergründen.
Drei Weissagungen, die unsre
Drei Bekenntnisse befehden;
Und drei Tugenden, die so
Ferdinand's Verdienst vermehren!
Seien wir drei Laster, welche
Sich zum Kampfe hier vereinen;
Nehmen wir, wenn nicht an ihm,
Doch an seinen Leuten Rache!

Judenthum.

Wohlgesprochen; und gebrauchend
Die gestattete Erlaubniß,
Daß Allegorie sich hier
Mit Geschichte auch verflechte,
(Denn 's genügt ja, daß ein Bild
Dem nicht Raum genug die ganze
Tafel bietet, nur ein Brustbild
Bleibe[49]), will ich, den das Buch
So verleumdet, daß des Todes
Des Messias mich's beschuldigt,
Meine Nachstellungen gegen
Jene Liebe richten, welche
Ja die Neigung ist, mit der
Sie zu ihm sich hingewendet.

---

[49]) Der Sinn ist: da wir halb historische und halb allegorische Personen sind, so spielen wir diese unsere doppelten Rollen gleichsam nur in halber, nicht in ganzer Figur.

Alkoran.

Mich beleidigt wohl am meisten,
Daß es[50]) mir Verderben droht
Und Triumphe ahnen läßt,
Wenn ein Ferdinand Castilien's
König. Drum, da schon entboten
Er die Krieger und die Waffen
Rüsten läßt, um meine Tempel
Mir zu nehmen, die er neu
In Toledo hier läßt bauen,
Will mit Cordova, Sevilla
Und Granada ich nun reden,
Daß zum Schutze sie sich waffnen,
Und die Hoffnung ihm befehden.

Apostasie.

Ich will, säend auf dem Felde
Seiner Kirche nun das Unkraut
Meiner scharfen Argumente,
Meiner Meinungen und Lehren,
Leugnend, Krieg dem Glauben bringen,
Daß unsterblich sind die Seelen,
Daß im Brode Fleisch enthalten.

Die beiden Anderen.

Drum, zum Kriege!

Apostasie

Zu den Waffen!

Alkoran.

Still nur, still jetzt; denn dort kommt,
Der sein ganz Vertrauen hat.

Dominicus tritt auf.

---

50) Das Buch nämlich.

Dominicus.

Freunde, da der König immer
Wenn er euch besucht, nicht ohne
Spende euch entläßt und heute
Sorgen, die ihn sehr beschäftigt,
Ihn zerstreuten, hieß er mich,
Daß ihr nichts verlieret, eilen
Sie euch auszutheilen; nehmt!

Alkoran und Judenthum.

Lange leb' er, und auch ihr!

Dominicus
(zur Apostasie).

Du willst Nichts empfangen?

Apostasie.

Nein.

Rusticus tritt auf.

Rusticus.

Aber ich; das nennt man doch
Wohl zur rechten Stunde kommen!

Dominicus.

Nimm, und troll dich weiter fort.
(Zur Apostasie.)
Doch warum kommst du denn nicht?

Apostasie.

Weil ich Nichts von ihm begehre.

Dominicus.

Doch beachte; diese Gnade
Spendet Allen er; so nimm'!

Apostasie.

Ich verlange keine Gnade;
Denn es fehlt mir nicht Vermögen,
Daß ich ihrer nöthig hätte.

Dominicus.

Gnade kann man immer brauchen;
Wolle eines edlen Königs
Unterstützung nicht verachten.

Apostasie.

G'nüg' es dir: ich mag sie nicht.

Dominicus.

Bin auch ich's, der sie vertheilt,
Ist's doch seine Gabe; auch der
Edelste kann von dem König
Wohl empfangen[51]).

Apostasie.

Unnütz ist
Dieses Drängen. Zwing' mich nicht
Durch dein Bitten, daß ich sage,
Daß es mich erschreckt, hier Einem
Zu begegnen, der bei Gnaden-
Spende bittet. Solch' Benehmen
Bringt mich außer mich. Ich glaube,
Sind auch deine Worte also
Süß, daß sie ein Bienenschwarm
Scheint in deinem Mund zu wirken,

---

51) Durch das Verschmähen der königlichen Gnade wird der hartnäckige Charakter der Häresie symbolisch angedeutet und die sie später treffende Strafe gerechtfertigt, da sie nur deshalb erfolgte, weil sie die angebotene Gnade (im weiteren Sinne) verschmähte.

So gewahr ich doch auf deinem
Antlitz einen Stern, der Blitze
Mir entgegenschleudert[52]), welche
Mir das Herz verbrennen in der
Brust, daß nur der Asche Feuer
Noch erglimmt und Rauch erdampfet!
Ueberirdisch Wesen! wer denn
Kannst du sein, daß wo man dir
Widersprechend strebt entgegen,
Gnadespendend du noch bittest,
Und mit Feuersbrunst erschreckst?

Ab.

Dominicus.

Diesem Menschen muß ich folgen,
Muß sein Vaterland, den Namen,
Die Beschäftigung, die Sitten
Und die Lebensart erkunden[53]).

Ab.

Rusticus

(für sich).

Sieh', da bleiben ja nun meine
Kameraden und intimen
Freunde, die mir alle Tage

---

52) Eine Anspielung auf eine wunderbare Thatsache aus dem Leben des heil. Dominicus. Lacordaire erzählt dieselbe (Leben des heil. Dominicus. Cap. II.) folgendermaßen: „Als Dominicus zur heiligen Taufe in die Kirche getragen wurde, deutete ein neues Zeichen die Größe seiner künftigen Bestimmung an. Sein Pathe sah im Traume auf der Stirn des Täuflings einen strahlenden Stern. Und auf seinem Gesichte blieb seitdem immer eine Spur davon zurück, indem man es wie einen besonderen Zug seiner Physiognomie bemerkte, daß seine Stirne von einem gewissen Schimmer umleuchtet war, der Alle, die ihn betrachteten, bewegte und anzog."

53) Mit diesen Worten hat der Dichter wohl auf die dem Dominikanerorden später übertragene Inquisition anspielen wollen.

Solche Ehr' erweisen, daß sie
Stets mit Prügeln an mich denken,
Jetzt allein zurück. Nur munter!
Will's versuchen, ob's gelingt,
Daß sie selbst nun meine Rache
An sich selber mir vollführen.

(Laut zum Judenthum.)

Glücklich bin ich, daß ich endlich
Hab' die Ehre, dich zu treffen.
Laß mich dir viel tausendmal
Mich zu Füßen werfen!

Judenthum.

Kehrst du
So demüthig nun zurück?

Rusticus.

Da ich hörte, daß du fandest
Den verborg'nen Schatz des Himmels,
Den der Felsen hier bewahrte,
Halt' ich dein Gesetz gewißlich
Jetzt für gut und habe Lust
Es in Ehrfurcht anzunehmen.
Wenn du nur noch einen einzigen
Zweifel jetzt mir lösest, welcher
Mich allein noch hält zurück,
Werd' ich gleich dein kleiner Jude [54]).

Judenthum.

Laß dich tausendmal umarmen.
Sprich den Zweifel aus; denn deine
Einfalt kann wohl keinen hegen,
Den ich nicht zu lösen wüßte.

---

54) Im Original: Tu menor Judio. Der Sinn ist wohl: ich geselle mich dir, dem gelehrten Rabbiner, als gehorsamer und bescheidener Schüler bei.

Rusticus.

Doch, daß wir ganz sicher gehen,
Muß ein Richter es entscheiden.

Judenthum.

Soll er Christ sein, dann ist's klar,
Daß er gegen mich entscheidet.

Rusticus.

Ist er Jude, wird er gegen
Mich sich dann erklären.

Judenthum.

Drum
Sei er weder Christ noch Jude.

Rusticus.

Gut und da er gegenwärtig
G'rade, sei's der Mohr hier, welcher
Unparteiisch zwischen Beiden
Steht.

Alkoran.

Gerecht will ich entscheiden.

Rusticus.

Drum zum Zweifel nun.

Judenthum.

Wohlan!

Rusticus.

Wie viel größere Propheten
Giebt es?

Judenthum.

Zehn[55]).

Rusticus.

Du irrst dich sicher;
Elfe giebt's.

Judenthum.

Wie kann ich wohl
In so allbekannter Frage
Irren?

Rusticus.

Nun, so zähl' sie auf.

Judenthum.

Moses, David; dann Elias —

Rusticus.

Weiter nur!

Judenthum.

Und Samuel,
Baruch und Ezechiel —

Rusticus.

Weiter, immer weiter nur.

Judenthum.

Elisäus, Jeremias,
Daniel und Isaias.
Zehn sind's, wie du siehst.

55) Der Talmud erkennt zehn als die Haupt-Propheten an.

Rusticus.

Es fehlt noch
Einer.

Judenthum.

Welcher denn? so sprich!

Rusticus.

'S fehlt der große Mahomet.
Also elfe sind es.

Judenthum.

Schweige,
Unverständiger Barbar!
Mahomet ist kein Prophet.

Alkoran.

Nun, was ist er denn?

Judenthum.

Nichts ist er;
Wie verlangst du, Mahomet
Soll Prophet sein?

Alkoran.

Und wie sprichst du
Von dem größten, welchen Allah
Hatte?

Rusticus
(für sich).

Hab' ich euch im Netze?

Judenthum.

Wenn dein Allah Gott ist, war
Mahomet nicht sein Prophet.

Alkoran.

Tausend Seelen reiß' ich aus dem
Leibe dir, wenn so du sprichst.

Judenthum.

Tausend Leben nehm' ich dir,
Wenn du das behaupten willst.

(Sie dringen auf einander ein.)

Rusticus

(für sich)

Ha, ihr Herren! welch' Vergnügen
Euch so handgemein zu sehen!

(Sie schlagen einander.)

Alkoran.

Schmutz'ges Judenvolk! von meinen
Kräft'gen Fäusten sollst du sterben!

Judenthum.

Unvernünftige Canaille!
Unter m e i n e n sollst du bluten!

Rusticus.

Barrabas hol' meine Seele,
Wenn ich je hier Frieden stifte!

Stimmen hinter der Scene.

Eilt herbei! es tödten sich
Hier zwei Menschen.

Alkoran

(das Judenthum loslassend).

Kämen nicht
Leute —

Judenthum

(desgleichen).

Störte man uns nicht —

Alkoran.

Später werden wir uns sprechen!

Judenthum.

Ja, gewiß!

Rusticus.

Ein Wort nur gönnt mir,
Eh' ihr geht.

Beide.

Was willst du?

Rusticus.

Seht doch,
Was für wunderschöne Prügel
Ihr an mir verschwendet habt,
Die ihr selbst gebrauchen konntet.

Alkoran.

Ha, du Schuft!

Judenthum.

Du Niederträcht'ger!

Beide.

Sollst's bezahlen.

Rusticus

(davonlaufend).

Doch erst fangt mich!

(Alle ab.)

Im königlichen Palast. Der König und Dominicus treten auf.

König.

Nun du das Buch gelesen,
Und ganz ergründet seines Sinnes Wesen,
Sag' mir, was denkst du? was ist deine Meinung?

Dominicus.

Stets wunderbarer wird mir die Erscheinung.
Weissagung, vorbereitet
Vor Christi Ankunft schon, auf den sie deutet, —
Und, während die Jahrhunderte verflossen,
Verborgen, eingeschlossen,
Man weiß nicht wie, in eines Felsens Schooß,
Die, wie sie deutlich sagt, ihr dunkles Loos
Erwartet, bis bekannt
Castilien wird ein dritter Ferdinand —
Was kann das sein wohl, als ein himmlisch Zeichen,
Daß deinem Eifer, deinem glaubensreichen,
Gott selbst Ausbreitung seines Ruhms vertraut,
Daß er auf dich geschaut,
Noch eh' er ward geboren
Von einer Jungfrau und den Tod erkoren
Für uns, in dir gesehen —

König.

Sag' das nicht;
Zu fürchten um so mehr, ist meine Pflicht;
Will auch mein Eifer fliegen,
Fürcht' ich doch sehr mein eignes Ungenügen.

Dominicus.

Scheint deiner Demuth solche Rede nichtig,
Sprech' ich von Andrem jetzt, nicht wen'ger wichtig.
Die falsche Glaubenslehre,
Die einst nach Spanien brachten jene Heere

Der Albigenserschaaren,
Die eingebrochen waren,
Ob sie auch traf der Niederlage Schlag,
Treibt neue Wurzeln hier von Tag zu Tag[56]).
Du gabst mir Vollmacht zwar
Zur Untersuchung hier, doch fühl' ich gar
Zu ungenügend mich, da so beschwert —

König.

Sieh nach, ob Jemand Audienz begehrt.

Dominicus.

Da du, o Herr, mir Nichts erwiederst hier,
Gab deutlich wohl dein Schweigen Antwort mir.

(Ab.)

König.

O könnte, Herr, der Mensch von deinem Walten
Die tief'ren Gründe, die verborgnen schauen,
Wollt'st deines Licht's Archiv du ihm vertrauen
Und deiner Weisheit Buch du ihm entfalten,
Wie würd' er nimmer thöricht dann wohl halten
Des strengen Urtheils schreckenvolles Grauen[57])
Für übermäß'ge Härte, könnt' er schauen
Wie drin verborgen Gnade ist enthalten!
Drum sei untröstlich ob des Tages nie,

---

56) Vergl. oben Anm. 13.

57) Anspielung auf die Strenge, welche, namentlich durch die später eingeführte Inquisition, die der Heilige im Geiste vorausschaut, in Spanien gegen die Feinde des Glaubens, die Ketzer, Juden und Muhamedaner, angewendet wurde. Durch dieses Sonett will der Dichter die Nothwendigkeit dieser Strenge durch die Rücksicht auf die Erhaltung höherer Güter, und die segensreichen Folgen, die sie für die Zukunft haben würde, indem sie das Eindringen der Irrlehre mit all' den Uebeln, die in ihrem Gefolge sind, verhütete, rechtfertigen, dem Scheine der Grausamkeit gegenüber, den sie äußerlich an sich trägt.

O Spanien! wo in Thränenfluth ermatten
Wird Judenthum, Koran, Apostasie.
Denn Glaube, Hoffnung, Liebe dich ja hatten
Dem zugewandt[58]), wo deine Monarchie
Nur Wind und Staub und Rauch und Dunst und Schatten!

Dominicus tritt auf.

Dominicus.

Der Hebräer, Herr, durch den
Jener Felsen ward geöffnet,
Sagt, daß du ihm selbst geboten,
Hier vor dir nun zu erscheinen.

König.

Führ' ihn ein. — O Herr, jetzt gieb mir
Deiner unermess'nen Liebe
Heil'gen Geist, daß eine Seele

---

58) Dem Tage nämlich. Der Sinn ist: Dein Glaube schaute, als er solche Anordnungen traf, auf den Tag des Gerichtes hin, der allein das Räthsel des Lebens entwirren und vieles, was jetzt als Unglück erscheint, in ganz anderem Lichte, als heilsame Fügung und Ursache wahren Heiles zeigen wird. — Die Berechtigung einer solchen Auffassung liegt nicht nur in der damaligen Anschauungsweise, welche von der modernen Sentimentalität himmelweit verschieden war, sondern auch in dem (selbst katholischer Seits noch nicht genug anerkannten) Umstande, daß die Grausamkeit der Inquisition (abgesehen von unentschuldbaren Einzelheiten, welche die nothwendigen Begleiter aller menschlichen Einrichtungen sind) im Allgemeinen in enormer Weise übertrieben worden ist, daß es kaum ein milderes, vorsichtigeres und gerechteres Tribunal jemals gegeben hat, als die spanische Inquisition war, von dessen unschuldigen Opfern nur derjenige reden kann, dem überhaupt formale, häretische Verstocktheit, welche aller Belehrung unzugänglich und auch durch die größte Langmuth nicht zu besiegen ist, für kein Verbrechen, ja für gar keine Sünde gilt. Die Verhängung der Todesstrafe über ein Verbrechen von solcher Art war ein weltlicher Akt, zu welchem der Staat aus Rücksicht auf das Gemeinwohl ganz dieselbe Berechtigung hatte, wie er sie zur Hinrichtung von Mördern oder politischen Verbrechern besitzt.

Ich zurück in deinen Schooß
Führen kann, da wunderbar mich's
Treibt, mit diesem hier vor Allen
Jetzt zu reden. Doch du weißt es
Ja, wie gern ich, nicht blos diesen
Oder andre, sondern Alle
Mit dem Blute meiner Adern
Dir erkaufte! O bewege
Meine Lippen und regiere
Meine Zunge! Dir zum Opfer
Herr, sei jetzt von mir geweiht,
Daß die Seele sich bekehre,
Alles Fasten, alle Buße
Und Kasteiung meines Lebens.

Musik

(hinter der Scene).

Glückauf! zum Sieg der Liebe nun, glückauf[59])!

Das **Judenthum** und **Dominicus** treten auf.

König.

Sei willkommen, Freund, willkommen!

Judenthum.

Wohl muß ja willkommen sein,
Wer sich wirft zu deinen Füßen,
Herr!

König.

Steh' auf, in meine Arme
Laß' dich schließen.

---

59) Dem Juden gegenüber soll nun die Tugend der Liebe in Ferdinand ihren Triumph feiern, indem er ihn durch die Liebe, mit der er ihm entgegenkommt, für Christus gewinnt.

Judenthum

(erstaunt).

Doch beachte
Herr, ich bitt' dich, daß ein armer
Niedrer Jude ganz unfähig
Solcher Ehre!

König.

Komm' nur, komm'!
Du bist besser ja als ich;
Denn so muß ich schließen, da
Gott dir Dinge offenbaret,
Die von dir nur ich erfahre.
Also liebt er dich wohl mehr,
Da mit dir in größrer Nähe
Er verkehrt. Er liebt dich mehr;
Also bist du besser; könnt' ich
Meinen Stand mit dir vertauschen,
Wärst du König: dann wär' ich's,
Der sich dir zu Füßen würfe.

Judenthum.

Herr! welch' wunderbar Benehmen?

Musik

(hinter der Scene).

Glückauf, zum Sieg der Liebe nun, glückauf!

König.

Bruder! Freund! o laß uns werden
Wenn nicht besser, doch, will's Gott,
Wen'ger schlecht. Ich will für dich
Beten; bete du für mich, und
Geh' in Frieden nun; doch halt' mich
Nicht für geizig, wenn ich dir

Zur Belohnung für den Fund
Einen großen Schatz nicht gebe;
Denn ein reicher Edelstein ist
Die Enttäuschung[60]), die dir wurde,
Weißt du gut sie anzuwenden.
Ich will nicht, daß Jemand glaube,
Daß Begierde dich bewogen
Hier nach Gaben und Geschenken,
Denn freiwillig mußt du kommen
Dann, wenn du zum Glauben kommst.
Niemand soll behaupten, daß die
Liebe bei mir käuflich war!

Musik.

Glückauf, zum Sieg der Liebe nun, glückauf!

König.

Geh' nun.

Judenthum.

Deine Handlungsweise,
Herr, dringt so mir in die Seele,
Deine Worte pressen mir
So das Herz zusammen; jene
Thränen, die in deinen Augen
Glänzen, sie bewegen mich so
Wunderbar, daß ich die meinen
Oeffnen muß für deine Wahrheit.
Andre Antwort hab' ich nicht mehr,
Als: die Taufe zu verlangen
Laut und öffentlich; und da mein
Irrthum offenkundig war,

---

60) „Die Enttäuschung" d. h. daß du anstatt eines materiellen Lohnes, einen heilsamen Rath von mir erhältst, den meine Liebe mich drängt, dir zu ertheilen.

Sei es nun auch meine Buße.
Auf die Straßen, auf die Plätze
Will ich eilen, dem hebrä'schen
Volke, dem ich Lehrer war,
Diese Wahrheit zu verkünden,
Laut bekennend: Christus ist
Der wahrhaftige Messias;
Ewig lebt er und regieret!

Ab.

König.

Folg' ihm nach, Dominicus,
Führ' ihn alsogleich zur Kirche,
Wo du selbst ihn taufen sollst,
Während ich sein Pathe bin.

Dominicus.

Welch' erhab'ner Akt der Liebe
War's, der Thränen einem König
Kostete!

König.

Was war's denn Großes,
Wenn für einer Seele Heil
Thränen ich vergoß, die Christo
Selbst sein heilig Blut gekostet?

Ab.

Musik.

Glückauf, zum Sieg der Liebe nun, glückauf!

Eine Straße in Toledo. Die Apostasie tritt auf.

Stimmen

(hinter der Scene).

Christus ist wahrhaftig Gott!
Ewig lebt er und regieret.

Apostasie.

„Christus ist wahrhaftig Gott,
Ewig lebt er und regieret“ —
Solches Echo hör' ich schallen?
Welche Neuigkeit denn giebt's,
Daß das Volk in hellen Haufen
Alle Straßen hier erfüllt?

Rusticus tritt auf.

Rusticus.

Ich muß auch dabei sein, sehen
Muß ich Alles, sollt' ich auch
Von der Wache tausend Stöße
Kriegen.

Apostasie.

Bauer! he da, Bauer!
Was denn giebt's hier für Tumult,
Der ja ganz Toledo heute
In Bewegung setzt?

Rusticus.

Ein alter
Jude, der in seinem Glauben
Einst ein Hauptrabbiner war,
Hat ein Buch von Holz gefunden;
Und wie man den Kindern pflegt
Christum in dem Fibelbuch zu
Zeigen, lernt' er aus dem Buche
Christum kennen.

Apostasie.

Ha, was hör' ich?

Rusticus.

Laut verlangt er nun die Taufe,
Und, da wie ich sagte, er
Unter ihnen der Gelehrt'ste
War, so folgen Männer, Weiber,
Kinder ihm jetzt nach, und daß man
Wisse, wer von ihnen seinem
Beispiel folgt und wer zurückbleibt,
Nehmen Alle, die die Taufe
Fordern, Oelbaumzweige als ein
Friedenssinnbild in die Hand,
Daß man sie als Neubekehrte
Kenne[61]). Wenn ich nun erst gar
Diese Güte seh', daß selber
Pathe will der König sein,
Möcht' ich, bin ich auch ein Christ schon,
Gleich noch 'mal mich taufen lassen.
Welche Ehre, wenn zum König
Man dann sagt: Wie geht's Gevatter?
Und da jetzt schon der Triumphzug
Seiner Liebe dort sich zeigt,
Halt' Eu'r Gnaden mich nicht auf;
Denn das Weitre werden besser
Jene Stimmen Euch erzählen,
Die, vom Echo wiederholt,
Lieblich dort herübertönen.

---

61) Die alten Chroniken erwähnen nichts von einer massenhaften Bekehrung der Juden in Toledo zur Zeit König Ferdinand's, des Heiligen. Wohl aber wird eine solche Thatsache als Folge der Predigten des heil. Vincentius Ferrerius (aus dem Dominikanerorden) im Anfange des fünfzehnten Jahrhunderts erzählt, welcher Heilige nicht nur in Toledo, sondern auch in anderen Städten Spaniens, wie Mariana berichtet, im Ganzen 35000 Juden und 8000 Muhamedaner getauft haben soll. (Mariana: Historia de Espana lib. 19. cap. 12). Calderon scheint dieses Ereigniß hier im Auge gehabt und dasselbe in die Zeit des heil. Ferdinand zu dessen Verherrlichung übertragen zu haben.

Musik.

Glückauf zum Sieg der Liebe nun, glückauf!

Apostasie.

Treuloser Hebräer! also
Hast du uns'ren Bund gehalten?

Stimmen hinter der Scene.

Christus ist wahrhaftig Gott!
Ewig lebt er und regieret.

Musik.

Glückauf, zum Sieg der Liebe nun, glückauf!

Der Festzug betritt unter Musik die Bühne. Voran schreitet die **Liebe** mit einem Oelzweig in der Hand, hinter ihr das **Judenthum** begleitet von einer großen Menge von Männern und Frauen in jüdischer Tracht, Alle mit Oelzweigen in der Hand. Zuletzt der **König** und **Dominicus**, der von der anderen Seite dem Zuge entgegenkommt.

Liebe.

Oeffnet nun die Pforten, öffnet!

Musik.

Oeffnet, öffnet!

Liebe.

Die des Himmels auch; denn Himmel
Ist die Kirche auf der Erde.

Musik.

Oeffnet, öffnet.

Liebe.

Oeffnet, denn es ist die Liebe
Eines Königs, welche ruft;
Daß von eurem Fürsten auch
Buchstäblich man sagen könne:

Musik.

Oeffnet, öffnet.

Liebe.

Ja, dem Könige der Glorie,
Der euch seine Liebe zeigt;
Denn es feiert ja die Liebe
Ihren Sieg heut' und Triumph[62]).

Musik.

Oeffnet, öffnet.

Dominicus.

Wann verschloß die Kirche jemals
Wohl der Liebe ihre Pforten?
Tretet ein! In ihrem Namen
Oeffne ich sie nun euch Allen.

König.

Welch' glücksel'ger Tag, o Herr,
Wär's für mich, wenn heut' ich könnte
Dir die ganze Welt besiegt
Hier zu deinen Füßen legen!
Nicht, daß meine Majestät
Sie beherrsche, sondern daß sie
In dem Culte deiner Liebe
Wäre hier mein erstes Opfer!

Judenthum.

Beuget Alle, da der König
Nun vorübergeht, die Kniee;

---

62) Die Worte dieses Gesanges beziehen sich auf Ps. 23. „Attollite portas, principes, vestras et elevamini portae aeternales et introibit rex gloriae."

Werfet eure Oelbaumzweige,
Jene friedlichen Symbole
Dieses Sieg's, den er errungen
Ueber uns'ren blinden Wahn,
Ihm zu Füßen und erneuert
Mit mir rufend, das Bekenntniß:
Christus ist wahrhaftig Gott!

Musik und Alle.

Christus ist wahrhaftig Gott!

Judenthum.

Ewig lebt er und regiert.

Alle.

Ewig lebt er und regiert.

Judenthum.

Daß wir hier an seiner Kirche
Schwelle um so würd'ger sprechen:
Oeffnet nun die Pforten!

Musik und Alle.

Oeffnet,
Oeffnet, denn es ist die Liebe
Eines Königs, welche ruft,
Daß von eurem Fürsten auch
Buchstäblich man sagen könne:
Oeffnet ihm die Pforten, öffnet!

Während dieses Gesanges theilt sich die Menge und streut die Oelzweige dem König auf den Weg, welcher, während die Liebe ihm voranschreitet, durch die Menge hindurch geht. Alle treten unter Pauken und Trompeten in die Kirche ein.

Apostasie.

Himmel! welche Spur, welch' Ahnen,
Welcher Schatten, welches Licht
Stellt sich meiner Phantasie

Dar als Bild von dem Triumphe?
Doch, warum betrübt mich's denn,
Daß Dominica in Palmis
Anderer Dominicus
Hier zu feiern scheint?[63]) Ich leugne
Ja in Christo der Naturen
Hypostatische Verein'gung
Nicht; auch bin ich ein getaufter
Sohn der Kirche, und in ihr
Ist mir nur Unsterblichkeit der
Seelen unbequem. Doch, ach!
Jenes überird'sche Wesen
Flößt mir solchen Widerwillen
Schon beim ersten Blicke ein,
Daß ich, mag auch der Hebräer
Heute den Triumph hier feiern,
Gegen sein Versprechen, stets
Liebe feindlich zu verfolgen,
Nur darüber jetzt mich ärg're,
Daß hier ein Dominicus
Mich an einen Sonntag mahnte!

Rusticus tritt auf.

Rusticus.

Prächtig konnt' ich Alles sehen,
Ohne zu riskiren, daß ich
Mich noch einmal taufen ließe.

Apostasie.

Da du schon zurückkehrst, warte,
Sag' mir, was ist vorgegangen?

[63]) Dominica in Palmis heißt in der Kirchensprache der Palmsonntag. Die hier stattgefundene Feier, welche an den Triumphzug Christi erinnert, erschreckt die Häresie als Vorbedeutung des Triumphes, welchen Dominicus durch seinen Orden über sie selbst später feiern wird.

Rusticus.

Mensch, hast du dir's in den Kopf denn
Heut gesetzt, ich sei der Blinde,
Welcher Zeitungen verkauft,
Daß ich Alles dir erzähle?
Laß mich, um des Himmels willen,
Nun in Ruh; von jenen Leuten
Die sich, jeder seines Weges,
Dort zerstreu'n, kannst du's erfahren.

Ab.

Das Judenthum tritt auf.

Judenthum.

Dank Dir, Herr, daß ich nun endlich
Bin in deiner Heerde, ich,
Das verlorne Schaaf, das du
Selber trugst auf deinen Schultern
Zu der Hürde deiner Kirche!

Apostasie.

Sag' mir doch — doch was erblick' ich?
Elender Hebräer! das war
Deine Treue, die du schworest?

(Er mißhandelt ihn.)

Schon so schnell hast uns'res Bundes
Heil'ge Bande du zerrissen?
Ha, Verworfner! nicht nur du bist
Meineidig aus ihm geschieden;
Auch so viele Leute noch
Ziehst hinüber du zum römischen
Ritus!

Judenthum.

Da der Himmel wollte
Daß ein Felsen sich eröffne,
Daß ein Buch der Felsen spende,
Daß dem König in die Hände

Komm' das Buch und daß der König
Sein Verständniß mir eröffne,
So erfüllt' ich meine Pflicht
Gegen König, Buch und Felsen.

Apostasie.

Schweige; daß des Fundes Frucht
Weder König, Buch noch Felsen
Erndte, werd' ich dir das Leben
Nehmen.

Er zieht einen Dolch und ergreift seinen Arm. Es treten nacheinander Leute auf. Zuletzt der **König**, **Dominicus**, die Liebe und der **Glaube**.

Judenthum.

Mich vertheid'gen kann ich
Ohne Waffen nicht; der Stimme
Hilferuf muß mich beschützen.
Hilfe! Hilfe! Mörder! Mörder!

Dominicus.

Eilet Alle schnell herbei!

Einige.

Auseinander!

Andere.

Wie verwegen,
In des Königs nächster Nähe!

König.

Was denn giebt's?

Judenthum.

Der Albigenser —

König.

Wie? Er ist's[64]).

Judenthum.

Voll blinder Wuth,
Will, da ich verließ den alten
Glauben, mir das Leben nehmen.

Ab.

Apostasie.

Wehe mir!

König.

Was muß ich hören?
Du bist Albigenser?

Apostasie.

Wehe!

König.

Sprich!

Apostasie.

Es faßt mich Todesschauer.

König.

Nun?

Apostasie.

O Unstern!

König.

Was noch zögerst
Du, da ich dich frage?

---

64) Derselbe nämlich, der mir früher die lateinische Schrift übersetzt hat.

Apostasie.

Schrecklich!

König.

Statt zu reden zitterst du?
Bist du Albigenser?

Apostasie.

Ja.

König.

Der verdorbnen Sekte Lehren
Folgst du?

Apostasie.

Nein, ich will's nicht leugnen,
Sollt' ich tausendmal das Leben
Auch verlieren in Vertheid'gung
Ihrer Wahrheit. Albigenser
Bin ich; ja ich bin's, der diese
Ihre Lehren aufrecht hält,
Und in öffentlichem Streite
Sich getraut sie zu vertheid'gen.

König.

Dazu kann in meinem Reiche
Niemals ich Erlaubniß geben;
Meine Augen schließ' dem Glauben
Ich, dem Ketzer meine Ohren[65]).

Liebe.

Nun legt Liebe ihren Oelzweig
Nieder.

---

65) Der Sinn ist: dem Glauben schließe ich meine Augen aus Ehrfurcht, ohne über seine Geheimnisse zu grübeln; dem Irrglauben meine Ohren, da ich nichts von ihm hören will.

Glaube.

Und des Glaubens Kreuz
Fängt nun an zu triumphiren [66]).

König.

Schafft mir diesen Abscheu, dieses
Wilde Thier, dies Ungeheuer
Aus den Augen; weder hören
Will ich es, noch seh'n; es ist ein
Basilisk, der mit dem Blicke
Tödtet; ist Sirene, welche
Mit der Stimme mordet; Pest ist's
Deren Hauch die Luft vergiftet [67]).
Werft's in einen dunklen Kerker
In die tiefste Finsterniß,
Da es ohne Hochzeitskleid an
Des Familienvaters Tisch
Sich zu setzen wagte [68]). Fort mit
Ihm!

Apostasie

Und wenn ich sterben muß,
Werd' ich nimmer untreu werden
So bewiesner, klarer Wahrheit.

(Sie bringen ihn fort.)

---

66) Nachdem der Triumph der Liebe in der Bekehrung des Juden sich erfüllt, folgt nun der Triumph des Glaubens in der Bestrafung des verstockten Ketzers.

67) Der Abscheu und die Entrüstung, welche der Anblick des Ketzers in dem heiligen Könige hervorruft, der dem Juden gegenüber soeben seine Liebe in so glänzender Weise offenbart hat, erinnert unwillkührlich an die Strenge, welche der Jünger der Liebe, der heil. Apostel Johannes den Ketzern gegenüber zeigt, wenn er schreibt (2. Joan. 10—11): „Wenn Jemand zu euch kommt und diese Lehre nicht mitbringt, so nehmet ihn nicht in's Haus auf und grüßet ihn auch nicht. Denn wer ihn grüßet, der macht sich seiner bösen Werke theilhaftig."

68) Anspielung auf das bekannte Gleichniß des Herrn.

König.

Nun, Dominicus, was thun wir,
D i e s e Seele auch zu retten [69])?

Liebe.

Liebe dauert immer noch.

Glaube.

Bald wird sie dem Glauben weichen [70]).

König.

Folg' ihm nach; ich zweifle nicht
Daß dein Wissen ihn besiege;
Und gelingt's nicht, so versichr' ihm
Einmal, zweimal und auch dreimal,
Daß in mir ein solch' Erbarmen,
Daß ich weder will noch wünsche
Je des Sünders Tod, vielmehr
Daß er sich bekehr', bereu' und
Lebe.

Dominicus.

Ja, ich folge ihm,
Will ihn zu bewegen suchen,
Durch zwei Mahnungen zuerst,
Endlich durch ein Anathem [71]).

Ab.

---

69) Bei allem Abscheu vor der Ketzerei als solcher, ist der heilige König doch voll Liebe und Mitleid gegen die Person des Irrenden, so lange noch irgend eine Hoffnung seiner Bekehrung vorhanden ist..

70) D. h. bald wird die Liebe erschöpft sein und in der dann eintretenden Strenge die Tugend des Glaubens durch den Eifer für ihn hervortreten.

71) Nach der kirchlichen Praxis müssen der feierlichen Excommunication (dem Anathem) immer zwei Mahnungen vorangehen. Die dritte Mahnung liegt in der an und für sich immer noch geistlichen Strafe der Excommunication selbst.

Liebe.

Mit dir geht die Liebe, denn
Liebend gehst du ja zu bitten.

Glaube.

Geh', denn hier ist nicht dein Ort;
Glaube bleibt bei Ferdinand.

König.

Könnt' ich sterben, Herr, daß Niemand
Dich in meinem Reich beleid'ge!

Rusticus tritt auf mit einem Stock.

Rusticus.

Wo steckt jener Ketzer, der
Die Unsterblichkeit will leugnen?

König.

Was beginnst du, Bauer, da?

Rusticus.

Einen Schluß will ich ihm ziehen
Helfen mit dem Syllogismus
Dieses Prügels, einen klaren:
„Einfaltspinsel!" sag ich ihm,
„Giebt's kein and'res Leben mehr,
Dann ist's doch wohl große Dummheit
Aus Hartnäckigkeit zu sterben.
Wär's dann besser nicht, du bliebest
Mit dem Christen Christ, und auch,
Aus demselben Grunde wohl,
Mit dem Juden Jude, mit dem
Mohren Mohr? So laß doch immer
Dauern, was noch dauern kann,
Und vermeide Streitigkeiten;

Ein sehr großer Esel bist du,
Wenn du, ohne and'res Leben,
Dieses hier verlieren willst."
Hab' ich ihm dann das gesagt,
So ganz leis in's Ohr, dann geh' ich,
Klatsch! mit meinem Prügel los.

Ab.

König.

So gewaltig ist der Wahrheit
Kraft, daß wenn sie auch ein Bauer
Sagt, sie durch sich selber siegt.
Doch ach! unser Elend auch
Ist, durch Gottes stets gerechten
Rathschluß, also groß, daß fähig
Es, in so verkehrte, blinde
Meinungen sich zu verirren!
Herr! o laß ihn sich bekehren!

Glaube.

Laß in Ferdinand den Glauben,
Herr! fortan nun triumphiren.

Dominicus tritt auf.

Dominicus.

Weder Gründe noch Beweise,
Weder Mahnungen noch Bitten
Konnten zur Vernunft ihn bringen.
Und, da meine Wissenschaft
Untersuchung seiner Dogmen
Hielt in vielen Conferenzen,
Fand ich überdies, daß nicht nur
Er der Seele ew'gen Lohn und
Strafe leugnet, sondern auch
Christi wahre Gegenwart
In dem Sakrament bestreitet.

König.

Sprich's nicht aus; hör' auf, genug!
Denn ein Blitzstrahl für das Ohr
Ist's, auch noch nicht ausgesprochen.
Hätte jene Tugend, die ich
Schaue[72]), einen Leib, so würde
Hier der Glaube weinen; doch was
Liegt daran, daß ich's nicht sehe,
Wenn die Vorstellung genügt,
Daß mit ihr ich selber weine?

Glaube.

Weh' dir, Glaube, gäb's nicht einen
König, der dein Leid empfindet!

König.

Haben wir, Dominicus,
(Denn so darf ich wohl dich nennen,
Da zu dir ich als dem Haupte
Deines Ordens rede) haben
Wir nun Alles auch gethan,
Was hier uns're Liebe für ihn
Fordern konnte[73])?

Dominicus.

Herr, ich glaube
Ja; doch so verstockt ist seine
Blinde Widersetzlichkeit,
Daß die Liebe er verschmäht, und
Gnade selber nicht begehret.

72) Der Glaube nämlich.

73) Wiederholte Anspielung auf das langmüthige Verfahren der Inquisition vor der Verurtheilung der Angeklagten.

König.

Nun, was wartest du und zögerst,
Daß, wo Liebe sich erschöpft,
Nun der Glaube handle? Was noch
Bisher Gnade war, verwandle
Jetzt sich in Gerechtigkeit!
Mach' ihm den Prozeß sogleich;
Apostolische Dekrete
Geben dazu dir die Vollmacht[74]),
Da uns Gott bisher noch nicht
Hat versehn mit einem höchsten
Tribunal, deß' heil'ges Amt
Sei Ausrottung der rebell'schen
Feinde seiner Kirche[75]). Dieser
Ist ein solcher, mehr als Andre,
Gegen die ich keine Macht
Habe; ihren heil'gen Schlüsseln
Sind allein sie unterworfen[76]).
Und, da er als Hausdieb ja
Ward erkannt, so wehre ihm;
Denn der Feind im eignen Hause
Ist der schlimmste[77]). Fäll' das Urtheil;
Lautet es auf Tod, so liefr' ihn
Aus an's weltliche Gericht.

---

74) Schon im Albigenserkriege war der heil. Dominicus vom apostolischen Stuhl mit der Bekehrung der Ketzer beauftragt und mit den Vollmachten, kirchliche Strafen über sie zu verhängen, versehen worden.

75) D. h. da das Tribunal der Inquisition noch nicht in Spanien besteht.

76) Der Sinn ist: darüber zu entscheiden, ob Jemand ein Häretiker ist, steht nicht dem weltlichen, sondern dem geistlichen Gerichte der Kirche zu. Das erste gründet sein Urtheil daher nur auf den vorangegangenen geistlichen Prozeß.

77) Die Häretiker werden Hausdiebe, Feinde im eigenen Hause genannt, weil sie als Christen, und oft äußerlich noch zur Kirche sich haltend, um so gefährlicheren Schaden anrichten können.

Achte bei der Strafe drauf,
Daß er ein vom Krebs ergriffnes
Glied der Kirche ist; und drum
Sei das Feuer hier das Mittel;
Denn nur Feuer heilt den Krebs.
Ein Auto de Fe, (das erste
Das die Welt sah öffentlich!
Feiern), sei's; du sei der erste
Inquisitor, der's verhängt,
Ich der erste der Minister,
Der ihm beiwohnt. Doch das sind
Ja Beschlüsse, nicht in Worten
Bloß zu fassen; drum zur That!
Und, genüg' es, daß ich's sage:
Selbst will ich den Scheiterhaufen
Dann entzünden, dessen Feuer,
Wenn den Arm hier (Gott verhüt' es)
Je, Dominicus, du sünd'gen
Siehst, ihn selbst verbrennen möge!
Glaube, steh' mir bei! du siehst ja,
Wie ich deine Schmach nun räche!

Ab.

Glaube.

Wie doch könnt' ich dich verlassen,
Wenn du mich im Herzen trägst
Bei solch' seltenem Entschlusse,
Solchem eifrigen, solch' neuem,
Daß man einst ihn wird bezweifeln?
Doch, zur Wahrheit werd' er! Mögen
Auch Häretiker d'ran zweifeln;
Katholiken werden's glauben[78]).

Ab.

---

78) Vom heil. Ferdinand erzählt die Legende in der That, daß er bei der Bestrafung der hartnäckigen Häretiker durch den Feuertod selbst in frommem Eifer, um seinen Abscheu vor der Ketzerei und seine Liebe zum wahren Glauben kund zu geben, das Holz zur Entzündung des

Dominicus.

Welche Handlung das? Doch wer
Darf ein Urtheil drüber fällen,
Wenn es Dinge giebt, die mehr
Durch die Vorstellung erschrecken,
Als in Wirklichkeit geschaut?
D'rum zu meinem Amt nun eil' ich,
Künft'gen Jahren überlassend
Was die Zeit, die zungenfert'ge,
Die geflügelte, dann sage.

Ab.

Musik

(hinter der Scene).

Glückauf zu dem Triumphe nun, Glückauf!
Der Glaube leb'! Der Albigenser sterbe!

Alkoran tritt auf.

Scheiterhaufens herbeigetragen habe, eine Handlung, welche allerdings in unserer Zeit, welcher das Verständniß für die höheren Motive des Glaubens größtentheils abhanden gekommen, den Meisten nur als blinder Fanatismus erscheinen kann. So erzählt Lucas Tudensis in seiner Chronik: „Regnum sibi subditum, succensus igne catholicae veritatis, strenue rexit, ut inimicos fidei christianae totis viribus persequeretur et quoscunque reperiebat haereticos flammis exureret et ipse vice famulorum ignem et ligna in eis comburendis ministrabat." Und in den vom apostolischen Stuhl approbirten Lektionen, welche an seinem Festtage im Brevier gelesen werden, heißt es (lect. V.): „In eo regiae virtutes emicuere, magnanimitas, clementia, justitia et prae ceteris catholicae fidei zelus ejusque religiosi cultus tuendi et propagandi ardens studium. Id praestitit inprimis haereticos insectando, quos nullibi regnorum suorum consistere passus, propriis ipse manibus ligna comburendis damnatis ad rogum advehebat." — Daß man gerade den Feuertod als den für das Verbrechen hartnäckiger Ketzerei passenden im Mittelalter angesehen, hatte seinen Grund, außer dem oben (S. 82) in der Rede des Königs selbst angeführten Motive, wohl in dem Beispiel der göttlichen Gerechtigkeit selbst, welche, ganz im Widerspruch mit unserer modernen Sentimentalität, keinen Anstand nimmt, die unbußfertigen Sünder dem ewigen Feuer der Hölle zu überliefern.

Alkoran.

Der Glaube leb'; der Albigenser sterbe?
Wohin treibt mich Angst und Schrecken?
Denn wohin ich immer irre,
Klaffen Gräber und die wirre
Furcht läßt Unheil mich entdecken!
Blick' zur Sonne ich empor,
Scheint sie mir verfinstert; Luft,
Wenn ich seufze, — gift'ger Duft
Wird sie mir und schreckt mein Ohr!
Will ich aus der Stadt entfliehen,
Fürcht' ich, daß den nassen, kalten
Schooß der Tajo will entfalten,
Mich mit schneller Kraft zu ziehen
In sein Wogengrab [79]). Und hab' ich
Diesen Schrecken überwunden,
Andren Horizont gefunden,
Raum der Furcht dann wieder gab ich,
Daß die Berge mich erdrücken!
So verwirrt's mich, daß schon Zwei
Jenem Bunde uns'rer Drei
Konnte Ferdinand entrücken!
Doch, was sag' ich? Wenn's auch droht
Meinem so verwegnen Streben,
Daß hier Liebe Einem Leben
Gab, und Glaube And'rem Tod;
Keiner der Triumphe schafft
Mir Gefahr, kein Unheil treibt mir [80]),
Denn in meinen Kön'gen bleibt mir
Gegen Hoffnung ja noch Kraft.
D'rum, daß ich ihn noch verderbe,
Davon laß ich nun und nimmer;

---

79) Der Fluß Tajo umfließt bekanntlich die Stadt Toledo von drei Seiten.
80) „Treibt mir," d. h. erwächst, keimt mir.

Ob er gnädig, ob er immer
Strenge strafend Sieg erwerbe!

Musik.

Der Glaube leb', der Albigenser sterbe!

Alkoran.

Doch, was ist das? Wenn auch rastet
Meine Sorge, (fürcht' ihn wenig!)
Weckt Erstaunen doch ein König,
Der sich selbst mit Holz belastet!
Welch ein Bild, das zu erblicken
Alkoran, dich muß verdrießen!
Gestern Zweige ihm zu Füßen,
Heute Holz auf seinem Rücken?
Doch vergeblich regt er auf
Durch solch sonderbar Beginnen
Meine Neugier; mich gewinnen
Soll' er nie; ich schwöre drauf!

Musik.

Glückauf zu dem Triumphe nun, glückauf!

Eine Stimme.

Leuchtet Sterne, leuchtet hell!

Musik.

Leuchtet Sterne!

Stimme.

Und da Söhne ihr des Feuers
Das Gerechtigkeit entzündet —

Musik.

Leuchtet Sterne!

Stimme.

Leuchtet, eines Königs Stimme
Ist's, die, weil sie blinde Tugend,
Nöthig hat, daß man sie führe
Bei dem Scheine eures Lichtes.

Musik.

Leuchtet Sterne!

Stimme.

Leuchtet, denn des Königs Milde
Sie bedarf nun euer Leuchten;
Wenn der Glaube triumphirt,
Steige Himmelsfeuer nieder[81])!

Musik.

Leuchtet Sterne.

Der **Glaube** tritt auf an der Spitze des Zuges mit einem Kreuz; hinter ihm der **König** mit einem Bündel Holz auf der Schulter; nach ihm das sämmtliche Gefolge, Alle mit Holz auf den Schultern.

Glaube.

Menschen! da euch dieses lehret,
Wie, uneingedenk des Spottes,
Hier, als Tagelöhner Gottes,
Sich ein Fürst mit Holz beschweret,
Solch ein Beispiel nun verehret,
Daß es Eifer euch erwerbe.
Und, da's seines Glaubens Erbe
Ist, zuerst den Brand zu zünden,
Mög' es euer Lied verkünden.

---

81) Die erhabene Poesie, die in diesem Gesange weht, ist ein neuer Beweis, wie Calderon selbst die scheinbar widerstrebendsten Gegenstände poetisch zu verklären weiß.

Musik und Alle.

Der Glaube leb', der Albigenser sterbe!

König.

Wenn zur Ehr' des Glaubens hier
Euch mein Beispiel kann bewegen,
Nehme Jeder, dem's gelegen,
Nun sein Holz und folge mir [82]).
Niemand sage doch, daß wir
Etwas Neues unternehmen.
Denn es muß sich ja bequemen,
Wenn an's Werk Pionire geh'n,
Auch der erste Capitain,
Auf die Schulter Holz zu nehmen.
Ist's im Kriegesdienste nun
Ehre, bei Befestigungen
Wohl, von Ruhmbegier durchdrungen,
Jedem, Arbeitsdienst zu thun,
Darf auch ich nicht müssig ruh'n,
Daß mein künft'ger Stamm es schaue,
Dessen Eifer ich vertraue,
Wie ich ihm ein Beispiel gebe,
Wenn dem Glauben ich (er lebe!)
Eine neue Schanze baue [83]).
Folgt mir d'rum; ihr werdet sehen
Daß euch ketzerische Nacht
Nie um's Glaubenlicht gebracht,

---

82) Anspielung auf die Worte des Herrn: „Wer mir nachfolgen will, der nehme sein Kreuz auf sich." Calderon läßt wiederholt in dem heiligen König eine Aehnlichkeit mit Christo hervortreten; indem er dadurch andeuten will, daß es die Aufgabe der Heiligkeit ist, Christum in sich nachzubilden, das Leben Christi gewissermaßen nachzuleben, dem Worte des Apostels gemäß: „Christus lebt in mir."

83) Der Sinn ist: durch die Ausrottung und Bestrafung der Häretiker wird der Glaube befestigt und die Angriffe gegen ihn abgewehrt.

Wollt ihr mir zur Seite stehen
Jetzt bei des Gerichts Ergehen.
Und da ohne Werke (drauf
Bauet sicher!) höret auf
Glaube ja zu leben, thuet
Dieses Werk. Nicht eher ruhet
Glaube, heut dein Siegeslauf!

Musik.

Glückauf zu dem Triumphe nun, glückauf!

König.

Daß durch die Flammen er Triumph erwerbe —

Alle.

Der Glaube leb', der Albigenser sterbe!

Alle entfernen sich. Alkoran bleibt zurück.

Alkoran.

Welcher Traum, daß er mir zeige
Solches, hat mich denn umflossen,
Wie aus einem Holze sprossen
Lebens- und auch Todeszweige?
Aeste immer mir zum Leid
Zu erscheinen nicht vermieden's,
Gestern noch Symbol des Friedens,
Heute der Gerechtigkeit [84])?
Viel bedeutet's, wie ich sehe
Für die Zweifel, die mich plagen;
Doch was kann ich drüber sagen,
Wenn ich nichts davon verstehe?

---

84) Das Holz war gestern in den Oelzweigen Symbol des Friedens in der Hand der Neubekehrten, heute ist es in der Hand des Königs Symbol der Gerechtigkeit.

Kümmern will ich mich drum wenig;
Bin ich selbst denn nicht Spion
Andalusiens hier schon [85])?
Wer besiegt mich denn?

Ein Greis tritt auf in Reisekleidern.

Greis.

Der König [86]),
Wird er (woll' mir Auskunft geben)
Nicht vorbei.hier wieder kommen?

Alkoran.

Was weiß ich? Nicht hat benommen
Solch' ein Spiel der Worte eben,
Mir's Vertrauen, das ich führe,
Und worauf ich sicher baue,
Daß ich, wie ich fest vertraue,
Ueber Hoffnung triumphire.

Greis.

Große Blindheit, die dich trübt,
Sprach aus dir; das duld' ich noch,
Bis der Himmel nicht uns doch
Einen König einst noch giebt,
Der in glücklicheren Zeiten
Durch ein allgemein Verbannen
Euer Volk noch treibt von dannen,
Euch ein Ende zu bereiten.

Alkoran.

Käm' der König nicht hierher —

---

85) „Spion Andalusiens" d. h. Spion der Saracenen, welche gegenwärtig in Andalusien herrschen.

86) Wieder ein in Calderons beliebter Weise an die letzten Worte anknüpfendes Orakel.

Greis.

Weilt' er noch —

Geräusch. Der König tritt auf, in einen Mantel gehüllt.

König.

Der eine ist
Sein Minister, Andrer ist
Nur Zuschauer [87]).

Greis.

Herr, gewähr',
Daß ich deine Füße küsse.

König.

Wer denn bist du?

Greis

(übergiebt dem König einen Brief, welchen dieser erbricht und liest).

Dieser Brief
Sagt's, was mich zu dir berief
Also eilig, da ich misse
Andre Audienz; so wichtig
Ist die Sache, daß verlieren
Zeit hier, wäre Ungebühren.

König.

Der Beglaub'gungsbrief ist richtig.
Erzbischof Don Arias weist

---

87) Der Sinn dieser sehr dunklen Worte ist schwer zu enträthseln. Der König scheint sie für sich, in Gedanken versunken, zu sprechen. Vielleicht will er damit sagen: ich selbst, der König, war thätiger Ausführer (Minister) der eben verhängten Strafe; der Andere (Dominicus, der die geistliche Macht repräsentirt) nur Zuschauer, da er die Ausführung dem weltlichen Arm überläßt.

Mich an dich, daß ich von dir
Weit'res höre.

Greis.

Wehe mir!

König.

Was betrübt dich?

Greis.

Ach, er heißt
So viel Neues dir erzählen,
Daß du länger mir gewähren
Mußt Gehör.

König.

Um es zu hören,
Laß den kürz'sten Weg uns wählen.
Sprich; sogleich will ich's erfahren
Ohne Zeitverlust.

Greis.

So höre[88]).
Gegen Treue, gegen Ehre

---

88) Was nun folgt, ist eine geniale Fiktion des Dichters, welche mit der Geschichte allerdings nicht übereinstimmt, aber in sehr passender Weise dazu dient, den Triumph der Hoffnung, der nun dargestellt werden soll, und der erst im zweiten Theile seine volle Verwirklichung erlangt, einzuleiten. Der Dichter verlegt nämlich ein Ereigniß, das sich ungefähr anderthalb hundert Jahre früher zugetragen, in die Regierungszeit des heil. Ferdinand, um dadurch die im zweiten Theile vorkommenden Kämpfe mit den Saracenen in besonderer Weise zu motiviren. Es ist die Eroberung und Plünderung der Stadt Santjago de Compostela in Galicien und des dortigen Heiligthums des Apostel Jakobus, des Patrones von Spanien, durch Almansor, den mächtigen Herrscher von Cordova, welche in die Jahre 990—994 fällt. Dieses Ereigniß stand allerdings insofern in gewisser Beziehung zu den Tha-

Sind Almanzors Kriegerschaaren,
Welcher herrscht in Cordova,
In Galicien eingefallen
Raubend, plündernd dort in allen
Gauen und Gefilden; ja
Bis Santjago selber drang
Seine Raubgier, und er hat
Bald erstürmt die edle Stadt,
Da Belag'rung sie bezwang.
Weiter noch ging seine Wuth.
Bis zur Kirche drang der Mohr
Des Patrons von Spanien vor,
Wo sein heil'ger Leichnam ruht!
Daß er plündernd sie verheere,
Schonten seine Räuberhände
Keine Lampe ihrer Wände
Keinen Leuchter der Altäre!
Aus den heiligen Gewanden
(O des Schimpfs geweihter Sachen!)
Ließ er Pferdedecken machen;
Von den Thürmen, die da standen,
Ließ er nehmen (so kann locken
Wilde Habgier! überall
Raubten sie, was von Metall
Nur sie fanden) selbst die Glocken.
Und Gefangne mußten tragen
Sie, in enges Joch gespannt,
Zu so schwerer Last verbannt
Dann nach Cordova. Die Klagen

ten des heil. Ferdinand, als es ihm beschieden war, durch die Eroberung von Cordova gerechte Vergeltung dafür zu üben und die damals geraubten Glocken der Apostelkirche, welche er als Lampen in der Moschee dieser Stadt wiederfand, ihrer ursprünglichen Bestimmung zurück zu geben. Der oben erwähnte Erzbischof Don Arias von Santjago war jedoch ein wirklicher Zeitgenosse des heil. Königs, welcher auch bei der Eroberung von Sevilla zugegen war.

Solches Unglücks läßt dir melden
Der Prälat; nur dein Erbarmen
Kann hier trösten noch den Armen;
Denn er hofft von dir, dem Helden,
Daß der Tempel seine Zier —

König.

Still, genug! ich schreib' ihm gleich;
Dann will ich mit meinem Reich
Andre Antwort (wehe mir!)
Selber bringen, wenn nur mein
Streben gnädig schauet an
Der Apostel.

Der König entfernt sich. Die Hoffnung tritt auf.

Hoffnung.

Das wird dann
Der Triumph der Hoffnung sein.

Alkoran.

Hätt' ich ahnen können, was
Du zu melden warst erlesen,
Wär' ich höflicher gewesen.

Greis.

Nichts verschlägt's; ich hoffe, daß
Bald der Himmel von dem Allen
Rache an euch nehmen soll.

Ab.

Alkoran.

Daß, von solcher Hoffnung voll,
Du nicht heimkehrst, sollst du fallen,
Um den Trost nicht zu verkünden,
Eher noch von meiner Haud.

Er will ihm nacheilen. In diesem Augenblick tritt die Hoffnung hinzu und nimmt ihm ungesehen das Schwert aus der Scheide.

Hoffnung.

Wenn das Schwert ich dir entwand,
Kannst du schwerlich Mittel finden,
Hoffnung ihm zu rauben [89]).

Alkoran

(indem er das Schwert ziehen will).

Doch —
Weh mir! aus der Scheide fiel
Mir mein Schwert! Welch' Zauberspiel?
Hatt' ich's doch so eben noch!
Wie kann's fortgekommen sein?

---

89) Nachdem Liebe und Glaube ihre Siege gefeiert haben, erübrigt nun noch der Triumph der Hoffnung. Er erfüllt sich in diesem ersten Theile des Auto nur symbolisch, durch die im Vertrauen auf Gott, mit der Verheißung himmlischer Hilfe und mit allen Auspicien des Sieges unternommenen Rüstungen gegen die Saracenen. Ihren wirklichen Triumph feiert die Hoffnung erst im zweiten Theil des Auto, zu welchem der erste nur gewissermaßen die Einleitung bildet. Die siegreichen Kämpfe des heil. Königs gegen die Mauren, und vor Allem die glorreiche Einnahme der Stadt Sevilla, bilden, wie sie der Glanzpunkt seines äußeren Lebens sind, so auch den Haupt-Gegenstand, den Calderon durch seine Dichtung verherrlichen wollte. Doch schließt der Triumph der Hoffnung, welchen der zweite Theil des Auto darzustellen hat, mit der blos äußeren Waffenthat der Eroberung von Sevilla noch keineswegs ab. Calderon, der alle seine poetischen Conceptionen stets tief innerlich erfaßt und durch überirdische Beziehungen zu verklären weiß, läßt daher die Hoffnung des heil. Königs dort noch weitere, geistige Triumphe feiern, einmal in der Erfüllung seines Wunsches, ein treues Bild der Himmelskönigin zu erhalten, indem die Engel selbst ihm ein solches meißeln, dann insbesondere in der Erfüllung seiner Sehnsucht nach dem ewigen Leben durch seinen heiligen Tod unter den Klängen des Te Deum laudamus, dessen letzter Vers: In te Domine speravi, non confundar in aeternum (die letzten Worte, welche der König in dem Auto spricht) den hier schon eingeleiteten Triumph der Hoffnung zur letzten und höchsten Vollendung bringen. Man ersieht hieraus, in welch' innigem Zusammenhange die beiden Theile des Auto mit einander stehen und in ihrem Verständniß sich gegenseitig bedingen.

Muß es suchen gehn; doch ach —
Wohin wend' ich mich? Gemach!
Bin ja ganz verwirrt! Doch nein!
Kenn' ich mich kaum selbst doch wieder!
Jener Schrecken kehrt zurück,
Der mir früher schon den Blick
Trübte. Wie? schwebt's da nicht nieder?
Seh' ich's nicht dort in der Luft,
Wie's, von unsichtbarer Hand
Dort geschwungen, droht und bannt?
Phantasie du! Traumesduft!
Drohe nicht so, halt den Streich
Noch zurück, und sage mir
Was du willst! Was schreckst du hier[90])?

Ab.

Hoffnung.

Wirst's erfahren alsogleich,
Daß ich die bin, die begehrt,
(Da der Koran nur auf's Streiten
Sich versteht)[91]) jetzt zu bereiten
Sieg der Hoffnung durch das Schwert.

Ab.

Im königlichen Palast. Der König sitzt schreibend an einem Tische, auf welchem Lichter stehen.

König.

Da ich, Herr, mit Thränen nicht
Oeffentlich die Antwort konnte
Geben auf so jammervolle
Unheilskunde jenes Boten

---

90) Die unheilvolle Ahnung der Niederlage, welche dem Islam durch die Waffen des heil. Königs droht, kann in der That nicht poetischer dargestellt werden, als durch diese symbolische Scene.

91) Es ist bekanntlich ein Hauptgrundsatz des Muhamedanismus, durch die Gewalt der Waffen, durch das Schwert, seine Religion auszubreiten.

Kann ich jetzt sie fließen lassen,
Da mit dir allein ich bin,
Ohne Hinderniß. Nicht Schwäche
Ist's; du weißt es ja, o Herr,
(Und, o wie vollkommen weißt du's!)
Daß des Mannes Kraft wohl weinen
Muß, wenn Mitleid ihn bewegt.
Welche Trostesgründe soll ich,
Welche Hoffnung dem Prälaten
Nun in seinem Jammer geben,
Die hier seines Alters Kummer
Lindern kann und mich entschuld'gen?
O diktir' mir, Herr, die Worte;
Denn wohl ist es nöthig, daß sie
Deine seien[92])! Wenn ich warte,
Bis du sie mir eingegeben,
Ist's Vermessenheit nicht, daß ich
Solche Gnade hier verdiente,
Sondern für die Feder auch
Ist's Bedürfniß, daß ich warte,
Bis der Seufzer Hauch getrocknet
Das Papier, noch naß von Thränen.
Aber ach! aus welcher höhern
Ursach' stammt es wohl, daß ich
So gehemmt mich fühle, gänzlich
Ueberwältigt? Meine Sinne,
Sei es Schlaf nun, sei's Entzücken,
Schwinden. O gewalt'ge Ohnmacht,
Laß zum Hören nur mir Kraft,
Da du mir das Sehen raubst!

Er schläft ein. Ihm gegenüber öffnet sich die Bühne und es erscheinen der **heil. Isidor** und der **heil. Leander**, beide in Pontificalkleidern und mit Hirtenstäben[93]).

---

92) Der Sinn ist: In solchem Unglück kannst nur du, o Herr, wahrhaft trösten.

93) Ueber diese Erscheinung der beiden heil. Bischöfe von Sevilla findet sich in den alten Chroniken nichts Bestimmtes. Lucas Tudensis

Leander.

Hast du, um mit einem Bischof,
Den die Wuth der Mohren kränkt,
Jetzt zu reden, Jemand nöthig,
Der die Worte dir diktire,
Tapfrer Ferdinand! wer könnt' es
Besser wohl, als andre zwei
Spanische Prälaten, welche
Durch des Alkoran's Beschimpfung
Gleichfalls sich beleidigt sehen[94])?

erzählt nur, bei Gelegenheit des Todes der ersten Gemahlin des heil. Königs, Beatrix, und des gleichzeitig erfolgten Ablebens der Infantin Maria, welche letztere in Leon, im Kloster des heil. Isidor, woselbst der Leib dieses Heiligen ruht, beigesetzt wurde: „Tunc temporis devotissimus Rex Fernandus coram corpore B. Isidori fixis genibus oravit et votum faciens dixit viva voce: Adjuva me, beate Confessor, contra Saracenos et de his, quae acquisiero, huic ecclesiae tuae conferam honorabilem portionem.“ Indessen ist doch die hier vom Dichter in Scene gesetzte Erscheinung der Heiligen und ihre Ermunterung zum Kriege gegen Sevilla keine bloße Fiktion Calderons, sondern beruht auf einer alten Tradition. Zuniga erzählt in seiner Chronik, daß der feierliche Einzug des christlichen Heeres in Sevilla am 22. Dezember, dem Tage der Translation der Reliquien dieses Heiligen von Sevilla nach Leon stattgefunden habe, indem er die Bemerkung beifügt: „cuya victoria es fama, que el mismo santo habia revelado a S. Fernando.“ (Vergl. Glorias de Sevilla por D. Vincente Miranda. Sevilla 1849.) Dieselbe Tradition wird erwähnt in den Lektionen des Matutinum im Proprium der Kathedrale von Sevilla am Feste der Dedication dieser Kirche (11. Juli), welche von der S. Congr. Rituum im Jahre 1590 approbirt sind. Dort heißt es: „Rex Hispalim obsedit, ad eam expeditionem, ut fertur, a S. Isidoro Hispalensi Episcopo per visionem excitatus, quod scilicet sanctissimus Praesul suam Ecclesiam, tot seculis jam ab infidelibus profanatam, Christo restituendam curaret.“

94) Der heil. Isidor, Bischof von Sevilla (Isidorus Hispalensis), berühmt durch seine Gelehrsamkeit und Heiligkeit, starb im Jahre 636 (den 4. April). Sein Vorgänger auf dem bischöflichen Stuhle war

König

(im Traume).

Wer, ehrwürd'ge Greise, seid ihr,
Die, wenn ich euch höre, solches
Leid mir schaffen, während euer
Anblick solche Freude weckt?

Isidor.

Isidor, Leander sind wir,
Deren Kirche, zu verschiednen
Zeiten unser Beider Braut,
Heute profanirt, entweiht
In den Händen Aben-Jussuf's
Des Tyrannen von Sevilla.

Leander.

Wenn du jetzt Santjago's Schmach
Abzuwälzen eifrig strebst,
So vergiß Sevilla nicht!
Muß auch Spanien's Patron
Diesen Eifer um sein Grab
Sehr dir danken; auch Sevilla
Schließt, mit vielen andern Heil'gen,
Ja das Grab Hermenegilds
Ein; als Heil'ger und als König[95])
Geht er dich besonders an.

---

der heil. Leander (starb 596 den 27. Februar), ein Zeitgenosse des heil. Hermenegild, des gothischen Prinzen und Thronerben, welcher, als Opfer der Wuth seines arianischen Vaters, den Martertod erlitt, weil er sich geweigert hatte, aus den Händen eines arianischen Bischofs die heilige Communion zu empfangen.

95) Der heil. Hermenegild wird hier König genannt, obgleich er nie zur Regierung gelangte, weil er als Thronerbe das Recht auf die Nachfolge hatte.

König.

Für solch' hohe Unternehmung
Die ihr mir vor Augen stellet,
Welch' Verdienst find' ich in mir?
Und wer wird mich unterstützen?

Isidor.

Deine Tugend; ihre Macht
Giebt der Macht der Waffen ihre
Höchste Stärke.

König.

Welche Tugend
Giebt's in mir, da ich erkenne,
Daß ich, undankbar, ja kaum
Gott zu danken fähig bin,
Daß er mich noch duldet?

Beide.

Jene
Werden dort dir Antwort geben.

Der **Glaube**, die **Hoffnung** und die **Liebe** erscheinen, der **Glaube** mit einem Kreuz, die **Hoffnung** mit einem Schwert und die **Liebe** mit einem Oelzweig.

Liebe.

Ich, die Liebe, jene erste
Tugend, die dein Eifer übte,
Um aus dem hebrä'schen Volk
So zahlreiche Schaaren Christo
Und der Kirche zu gewinnen,
Werde aus dem Friedensölzweig
Einen Kranz für deine Schläfen
Winden, der mit der Olive
Auch des Lorbeers Ruhm verbinde.

Glaube.

Ich, der Glaube, will aus diesem
Stamme (dessen Aeste gestern
Du auf deinen Schultern trugest,
Als er der Gerechtigkeit
Stab war, wie er's beim Gerichte
Auch, beim letzten, künftig sein wird)[96])
Unterdessen deiner Ehre
Thron dir zimmern; denn es hat
Ein katholischer Monarch
Keinen bessern Thron und Sitz,
Als das Kreuz, das immer prangt
Bei dem Tribunal des Glaubens.

Hoffnung.

Ich, die Hoffnung, kann dir jetzt
Noch nichts andres, als dies Schwert
Uebergeben, das im Schatten
Eines Bildes ich entwand
Aus der Hand des Alkoran,
Um dir hierdurch anzudeuten,
Daß, ihn so entwaffnen, heißt
Ihn dir selbst zu Füßen legen.
Dieses Schwert verheerte Spanien;
Dieses Schwert in deiner Hand
Soll es wiederum befreien.
Haben Glaube auch und Liebe
Ihre Siege schon gefeiert,
So behalt' ich mir den meinen
Vor noch; denn der Hoffnung Wesen

96) Eine Anspielung auf die Aehnlichkeit, welche die Executionen
Inquisition auch insofern mit dem jüngsten Gerichte haben, daß bei
das Kreuz vorangetragen wird, mit Bezug auf den Ausspruch
Herrn, daß am jüngsten Tage das Zeichen des Menschensohnes
Himmel erscheinen werde.

Ist's, daß stets sie den Triumph
Für die Zukunft aufbewahrt.

Liebe.

Größer wird er nicht, als meiner.

Hoffnung.

Doch vielleicht!

Liebe.

Wir streiten nicht;
Wir wetteifern nur. Wie kann er
Die Olive überragen?

(Sie hält den Oelzweig empor.)

Hoffnung.

Wenn sie mit dem Schwert sich kreuzt.

(Sie erhebt das Schwert kreuzweis über den Oelzweig der Liebe.)

Glaube.

Bleibt in dieser Stellung! achtet,
Ueber eurem Streite wölbet
Sich das Kreuz als Friedensbogen,
Grün und roth und purpurn schimmernd!

Der Glaube erhebt das Kreuz zwischen dem Oelzweig und dem Schwert, so daß sich das Wappen der Inquisition bildet [97]).

König.

Welche heil'ge Hieroglyphe,
Die Olive, Kreuz und Schwert

---

97) Das Wappen der Inquisition bestand in einem grünen Kreuz, das sich über einem Oelzweig und einem Schwert, welche einander kreuzen, erhebt. Die Bedeutung des Symboles liegt auf der Hand. Milde und Erbarmung (durch den Oelzweig angedeutet) soll mit Strenge und Gerechtigkeit (durch das Schwert bezeichnet) sich verbinden, zur Verherrlichung des Glaubens, dessen Symbol das Kreuz ist.

In der Luft dort bilden, zeigen
Glaube, Liebe hier und Hoffnung?

Es eröffnet sich ein Garten, aus welchem **Dominicus** hervortritt.

Dominicus.

Das will ich dir jetzt erklären
Aus des neuen Gartens Schooße,
Den ich in der Kirche pflanzte [98]).
Seine mannichfalt'gen Blumen
Sie bedeuten, daß in seiner
Mitte Martyrer, Bekenner;
Lilien sind's und Purpurnelken.
Und an seiner heil'gen Pforte
Wird, daß nie in diesen Hain
Judenthum, Apostasie,
Noch ein andrer Irrthum dringe,
Durch sein lautes Bellen schrecken
Dieser weiß und schwarze Hund,
Mit der Fackel in dem Munde
Licht in aller Welt verbreitend.
Und das Zeichen in der Luft,
Das dort schwebt, es wird als Wappen
Ueber meinem Schilde glänzen.

---

98) Dominicus erscheint hier vollkommen als der Ordensstifter, der heil. Dominicus selbst. Der Garten ist das Symbol seines Ordens, welcher der Kirche viele Heiligen, unter ihnen auch Martyrer, geschenkt hat. Zum Verständniß der nachfolgenden Verse muß man sich daran erinnern, daß nach der Legende die Mutter des heil. Dominicus vor der Geburt des Heiligen ihre Leibesfrucht in der Gestalt eines Hundes, der eine Fackel im Munde trug, um mit derselben die ganze Welt zu entzünden, erblickte, ein Symbol, daß der von ihrem Sohne gestiftete Predigerorden, einem wachsamen Hunde gleich, durch sein Gebell die Kirche vor dem Eindringen der Irrlehre beschützen und mit dem Licht seiner Lehre (vor allem in dem heil. Thomas von Aquin) die Welt erleuchten würde. Deshalb bildet der Hund mit der Fackel die Devise des Dominikanerordens. Insofern dann später dieser Orden es war, der in Spanien mit der Leitung der Inquisition betraut wurde, eignete er sich in dieser Eigenschaft auch das Wappen derselben an.

Isidor und Leander.

Da er nun durch uns ermuthigt —

Glaube, Hoffnung und Liebe.

Da durch uns er inspirirt —

Dominicus.

Können Alle wir zugleich nun
Rufen:

Alle.

Komm', Fernando!

Musik.

Komm'!

Alle.

Um im Triumph der Hoffnung zu gewinnen
Verdienst, das Lieb' und Glaube hat erworben.
Nun zu den Waffen, auf! nun zu den Waffen!

Trommeln und Trompeten hinter der Scene. Der König erwacht.

König.

Welch' ein neuer Lärm von Trommeln
Und Trompeten konnte stören
Mit so krieg'rischem Getöse
Diesen schönen Traum, in welchem
So glückselig ich geruht?

Der Alkoran tritt auf.

Alkoran.

Wohin soll ich mich verbergen
Jetzt, da mir mein Schwert genommen,
Und schon wieder mich erschrecket
Das Geschrei, das ich vernehme,

Und in dem zu gleicher Zeit
Schrecken sich mit sanften Tönen,
Grausamkeit mit Frieden mischt?

Alle.

Zu den Waffen! auf, nun zu den Waffen!

König.

Holla! was für Trommeln, was für
Lärm ist das? Was giebt's?

Das Judenthum tritt auf.

Judenthum.

Es kommen
Jene Truppen an, o Herr,
Die du selber hast entboten.

Der Greis tritt auf.

Greis.

Die Großmeister der drei Kreuze[99]),
Die Balleien und die Ritter
Sankt Johann's, sie grüßen dich
Bei der Ankunft militärisch
Mit der Salve.

Rusticus tritt auf.

Rusticus.

Nun ist's Zeit, daß
Ich die Hacke niederlege,
Und das schlichte Bauernwamms
Mit dem Harnisch wohl vertausche.

99) „Der drei Kreuze" d. h. der drei schon oben erwähnten Ritterorden, welche alle ein Kreuz auf ihrem Mantel tragen, die Ritter von Sant-Jago ein rothes einfaches Kreuz, die von Calatrava ein rothes Lilienkreuz, die von Alcantara ein grünes Lilienkreuz.

König.

Ha, wie sie gelegen kommen!
Heiliger Patron! ich räche
Deine Schmach in Cordova!
Und in eurem Namen, heil'ge
Hirten, geh' ich nach Sevilla!
Dein Gebet, Dominicus,
Gebe Stärke meinem Heere!
Und ihr Tugenden! verlaßt mich
Nicht, bin unwerth ich auch euer!

Dominicus.

Niemand soll dir fehlen; Alle
Rufen wir in deiner Hoffnung
Freude:

Alle.

Komm', Fernando, komm'!

König.

Zu den Waffen!

Alle.

Zu den Waffen!
Um im Triumph der Hoffnung zu gewinnen
Verdienst, das Lieb' und Glaube hat erworben!

Alkoran.

Welchen Sieg kann er gewinnen,
Wenn ich, meiner Teufelskünste
Zauberwerk entfaltend, vor ihm
In der Sultana Gestalt[100])

100) „In der Sultana Gestalt." Im zweiten Theile ist es die weibliche Person der Sultana, welche den Koran, den Muhamedanismus, symbolisch repräsentirt.

Meinen Schrecken sende her,
Um Almanzor, Aben-Jussuf[101])
Jetzt zu warnen, zu ermuntern,
Seine Heere zu vernichten?

Rusticus.

Das wird lehren —

Alkoran.

Was wird lehren?

Rusticus.

Dieses Autos zweiter Theil,
Der sogleich jetzt folgen soll.
Doch am Schlusse dieses ersten
Laßt noch einmal jetzt uns rufen,
Während der Verfasser sich
Wirft in Demuth euch zu Füßen:

Musik und Alle.

Komm', Fernando, komm'!
Um im Triumph der Hoffnung zu gewinnen
Verdienst, das Lieb' und Glaube hat erworben!

---

101) Aben-Jussuf ist der im zweiten Theile auftretende König von Sevilla.

König Ferdinand der Heilige.

Zweiter Theil.

König Ferdinand der Heilige.

Zweiter Theil.

Personen:

Aben-Jussuf, König von Sevilla.
Sultana (der Muhamedanismus).
Der heilige König Ferdinand.
Prinz Alfonso, sein Sohn.
Don Pelay Correa, Großmeister von Santjago.
Fernan Ordonez, Großmeister von Calatrava.
Don Perianez, Großmeister von Alcantara.
Don Ramon Bonifaz, Admiral.
Fernan Ruiz, Groß-Prior der Johanniter.
Garzi-Perez de Vargas, königl. Bannerherr.
Don Arias, Erzbischof von Santjago.
Don Ramon, Bischof von Segovia (später Erzbischof von Sevilla).
Tropezon, Soldat.
Zwei Engel.
Eine Erscheinung der allerseligsten Jungfrau.
Spanische und Maurische Soldaten. Volk und Gefolge.

Man erblickt Aben-Jussuf[1]), schlummernd in seinem Zelte. Sultana, als maurische Dame gekleidet, tritt herein und nähert sich ihm.

Sultana.

Heldenmüth'ger Aben-Jussuf,
Den mit hohem Ruhm die Fama
Als Sevilla's König feiert,
Und als Allah's Arm begrüßt,

---

1) Aben-Jussuf ist ein vom Dichter fingirter Name. Der letzte König von Sevilla hieß Aben-Hud, und war bei der Einnahme der Stadt entweder schon gestorben, oder hatte sich nach Afrika zurückgezogen. Ob, wie Einige behaupten, in den letzten Jahren vor der Eroberung in Sevilla eine republikanische Regierungform geherrscht habe, bleibt zweifelhaft. Gewiß ist nur, daß als Befehlshaber und Feldherr ein gewisser Arataf während der Belagerung kommandirte, derselbe, welcher dem heil. Ferdinand bei der Einnahme die Schlüssel der Stadt übergab. Calderon theilt seinem Aben-Jussuf hier durchweg die Rolle des historischen Arataf zu.

Wache auf beim hellen Klange
Ihrer Tuba! oder wenn er
Nicht genügt, beim leisen Hauche
Meiner Klage!

Aben-Jussuf.

Ha, wer ruft mich?

Sultana.

Und wer könnte wohl zu dieser
Stunde in dein Zelt gelangen,
Und des Ruhebettes Vorhang
Lüften, der dich birgt, wenn nicht
Jene Botin des Propheten,
Die in Traumesphantasieen,
Ob auch wesenloser Schatten,
Leib und Seele hier gewinnt,
Das Gesetz, die Sekte, welche
Von der Sklavin Agar stammt
Und von Ismael, weshalb man
Ismaliter, Agarener
Jene Völker nennt, die zwischen
Afrika und Asien wohnend,
Mahomet dem Großen folgen.
Alkoran bin ich!

Aben-Jussuf

(erschrocken aufstehend).

Was treibt dich,
(Sei'st du Teufelsspuck, von meiner
Marabuten [2]) Kunst erregt,

---

[2]) Zauberkünste und mannichfacher Aberglaube war bei den Arabern in Spanien durchweg verbreitet. Marabuten oder Morabiten hießen bei den Mauren die durch Ascese und Gelehrsamkeit ausgezeichneten sogenannten Heiligen, welche die Stelle der Priester bei ihnen vertraten.

Oder meines eignen Hirnes
Schreckensbild) was treibt dich, daß du
Als ein irr'nder Schatten Leib und
Stimme annimmst?

Sultana.

Sollst es hören.
Seit der dritte Ferdinand
Von Castilien unvermögend
Fama machte, ihn zu rühmen,
Und dem Zephir seine Flügel
Nahm; denn seiner Tugend Glanz
Ist so groß, daß ihnen fehlen
Federn um ihn aufzuzeichnen,
Zungen um ihn auszusprechen;
Seit Nachkommenschaft ihm wurde
Durch Beatrix (o wie quält's mich
Daß von Oestreich sie entstammt!);
Seit er auch durch seine Mutter
Erbe wurde von Leon,
Da, als angestammte Kön'gin
Dieses Reiches, sie zu seinem
Gunsten dieser Kron' entsagte[3]):
Will er, noch zufrieden nicht
Mit zwei Kronen, aus Toledo
Einen Sammelplatz der Heere
Machend, alle Wurzeln, welche
Seit Rodrigo und Pelayo[4])
Afrika bisher geschlagen
In Europa, nun entreißen
Dieser Erde; denn wenn immer

[3]) Vergl. I. Theil, Anm. 18.

[4]) Rodrigo war der letzte Gothenkönig, welcher in der unglücklichen Schlacht bei Xeres de la Frontera umkam. Ueber Pelayo vergl. I. Theil, Anm. 24.

Abgemäht auch ward die Saat,
Blieb die Wurzel doch im Boden [5]).
Doch, was Wunder, daß er solcher
Kühnen Hoffnung lebt, wenn Alle,
Da zu gleicher Zeit geliebt er
Und gefürchtet ist, ihm folgen
So ergeben, so begeistert,
Daß er über Seelen mehr als
Ueber Leiber scheint zu herrschen?
Seine Heere mögen's sagen!
Kein Vasall ist unter ihnen
Der den Lehnsgehorsam nicht
In freiwill'gen Dienst verwandle.
O wie gut wird Jener kämpfen,
Dem's in edlem Stolz genügt,
Daß sein König nur ihn sehe,
Ohne daß er nöthig hätte
Um den Lohn sich zu bemühen,
Auf Papier die Hoffnung gründend [6])!
Weiter mag dir das beweisen,
Daß in seinem Leben keine
Schlacht er schlug, die nicht ein Sieg [7]);
Daß er keine Stadt belagert,
Die er nicht erobert; daß er
Keinen Feind, noch Widersacher
Je bekämpft, den überwunden
Er nicht sah zu seinen Füßen.
So von Glanz und Glück umgeben,
Wer kann zweifeln, daß er siegreich

---

5) D. h. wenn auch die Macht der Mauren durch manche Niederlagen schon geschwächt ist, so sind sie doch immer noch in Spanien mächtig genug, um sich noch lange behaupten zu können.

6) Der Sinn ist: es bedarf bei ihm, um zur Anerkennung des erworbenen Verdienstes zu gelangen, keiner Empfehlungen und Bittschriften.

7) Die Geschichte weiß in der That von einer Niederlage des heil. Ferdinand in seinen Kriegen gegen die Mauren nichts zu berichten.

Weiter seine Heldenthaten
Tragen konnte, kühn die Kette
Von Sierra Morena sprengend,
Trotz der Mauer ihrer Berge,
Bis in Andalusiens Felder [8])?
Cordova, Jaën und Baza
Weinen drüber, und am meisten
Cordova wohl von den dreien.
Denn, nachdem Almanzor, einst sein
König, ihres Schutzpatrones
Stadt, die sie zu seiner Ehre
Sant-Jago genannt, geplündert,
Und vom Grabe des Apostels
Alles Silber, alles Gold,
Aller Edelsteine Zierrath
Fortgeraubt, ja ohne selbst die
Thürme zu verschonen, ihre
Glocken auf der Christensclaven
Rücken, dem sie aufgebürdet,
Schleppen ließ nach Cordova:
Da belagert' Ferdinand
Um's zu rächen (ist die Zücht'gung
Anders Rache) Cordova,
Ließ es stürmen, nahm es ein,
Und gewann die ganze Beute
Siegreich triumphirend wieder,
Und von Mohrensklaven ließ er
Heim sie nach Santjago tragen [9]).

8) Vergl. I. Theil, Anm. 25.

9) Die Eroberung von Cordova durch den heil Ferdinand fiel in das Jahr 1236. Lucas Tudensis berichtet darüber in seiner Chronik: „Obsessa fuit civitas Cordubensis undique properante Christianorum exercitu: et cum quotidie ab utraque parte gladiis mortiferis et jaculis fortiter certaretur, tandem laboribus multis et fame victi Saraceni, regi glorioso Fernando Cordubam civitatem inclitam tradiderunt. Ingressus est Rex Ferdinandus Cordubam cum

Doch das Glück schien sich zu wenden;
Es entspann sich eine Schlacht
In den Klüften des Gebirges
Von Sierra Morena, wo
Mit der Vorhut eingedrungen,
Von der Hauptmacht abgeschnitten,
Don Pelay Correa schon,
Der Großmeister von Santjago,
Von der Uebermacht der Uns'ren
Sich erdrückt fast sah; als plötzlich
Aus des Himmels dunklen Wolken,
Welche drohend niederschwebten,
Es wie Schnee und Purpur leuchtet.
Und aus der Gewitterwolke
Dringt ein weißes Roß hervor,
Das auf Windesflügeln einen
Ritter trägt von weißen Waffen,
Auf der Brust ein rothes Kreuz,
Das in Purpurglanz erglühet.
Und so schnell fliegt er durch alle
Reihen dieses Schlachtgefildes,
Daß die Luft selbst seines Rosses
Huf nicht spürt und nicht empfindet.
Unsre Schaaren treibt sein Anblick

---

gloria et laetitia magna, et, eliminata omni spurcitia Mahometi, Pontifices sacri in festo Apostolorum Petri et Pauli, ad honorem D. N. Jesu Christi et Genitricis ejus Reginae coelorum Mariae in eadem urbe divina mysteria peregerunt, magnumque illud Saracenorum oratorium Genitricis Dei Mariae nomine decorantes. Inventae sunt ibi campanae, quas ob insigne ab ecclesia S. Jacobi Apostoli Rex Cordubensis olim detulerat Almanzor, et Rex Catholicus, Fernandus fecit eas Saracenorum humeris ad ecclesiam S. Jacobi reportari . . . . O quam beatus iste Rex, qui abstulit opprobrium Hispanorum, evertens solium Barbarorum, et restituens ecclesiae S. Jacobi campanas suas cum magno honore, quae multo tempore fuerant Cordubae, ob injuriam et opprobriam nominis Christi!"

In die Flucht, und da der Abend
Jene am Verfolgen hindert,
Hält die Sonne an ihr klares
Licht, dem Ruf des Meisters folgend.
Doch was staun' ich, was erschreck' ich?
Denn: „Maria, halte deinen
Tag!" so rief er. Wer Maria
Anruft, kann in ihrem Namen
Ja der Sonne selbst gebieten
Durch Gebet[10]). Drei volle Stunden

10) Die wunderbare Thatsache, welche hier erzählt wird, fand, nach der Sage, bei Segura, am Fuße der Sierra Morena, im Gebiet von Cordova statt. Die Acta Sanctorum (die 30. Maj. tom VII. Maji. pag. 334) berichten darüber: „Huic Pelagio Correae tribuitur (in relatione Romana) quod de ordine Sancti Regis juxta oppidum de Segura, persequens Saracenos, et committens cum illis proelium, quia sol inclinabat, commendavit se gloriosissimae Virgini, ut sol sisteret, donec victoriam consequi posset: et sol miraculose stetit per notabile spatium et quia dicta die, sciens Rex, quod proelium committendum esset, continuo Deum oravit, ut sibi concedere victoriam dignaretur contra infideles; ideo fuit successus hujusmodi miraculi orationibus sancti Regis, mediante ejus Generali, reputatus .... Dasselbe erzählt Rades de Andrada in historia trium ordinum, lib I., cap. 16, wozu Papebroch die Bemerkung macht: „Denique narrat proelium a Pelagio commissum ad Sierram Morenam, ubi hodieque stat ecclesia, in memoriam praedicti miraculi ab eo constructa, vulgo dicta S. Maria de Tudia, quod traditio vulgi interpretatur sic abbreviate dici pro S. Maria de „Ten tu dia," eo quod Magister, solem sistens, dixerit: „Ten tu dia" i. e. siste diem tuum. — Dieselbe Begebenheit erwähnt Mariana (libr. 13, cap. 22) mit folgenden Worten: „Otros dicen que su cuerpo (i. e. de Don Pelayo Correa, Maestre de Santiago, muy esclarecido por las grandes cosas, que hizo en guerra y en paz) enterraron en Santa Maria de Tudia, templo que el edificò desde sus cimientos a las haldas de Sierra Morena en memoria de una batalla, que los años passados ganò de los Moros en aquel lugar, muy señalada, tanto que vulgarmente se dixo y entendiò, que el sol se paró y detuvo su carrera, para que el dia fuese mas largo y mayor el destrozo de los enemigos y mejor se ejecutasse el

Weilte zögernd noch der Tag;
Und dieselben Stunden waren's,
Welche im Gebet verharrte
Ferdinand. So stimmten deutlich
Zwei Umstände hier zusammen:
Zweiter Moses und auch zweiter
Josua war er; Jener betend,
Dieser siegend; und dem heil'gen
Texte blieb der Sonne Stillstand
Selbst nicht die Erfüllung schuldig [11]).
Wohl noch könnt' ich dir berichten,
Wie ein ähnlich seltnes Wunder
Auch Alfonso einst vor Xeres
Sah, sein Sohn, als in der Luft

---

alcanze. Dicen otrosi, que aquella iglesia se llamò al principio de Tentudia, por las palabras que el Maestre dixo, vuelto a la Madre de dios: Señora, ten tu dia!" Doch scheint er nicht geneigt, ein solches Wunder hier, als wirklich geschehen, anzunehmen, denn er fügt hinzu: „A la verdad, alterados los sentidos con el peligro de la batalla, y entre el miedo y la esperanza, quien pudo medir el tiempo? Una hora parece muchas por el deseo, aprieto y cuydado. Demas desto, muchas cosas facilmente se creen en el tiempo del peligro y se fingen con libertad." — Was die Erscheinung des weißen Rosses mit dem Ritter von weißen Waffen und dem rothen Kreuz auf der Brust betrifft, so wird in der spanischen Geschichte zu wiederholten Malen dem Apostel Jacobus eine solche übernatürliche Hilfe in den Kämpfen gegen die Mauren zugeschrieben, zuerst in der berühmten Schlacht bei Clavijo (844 unter dem König Don Ramiro); eine andere Erscheinung des Apostels erwähnt Mariana, als zur Zeit des heil. Ferdinand in Estremadura in einer Schlacht bei Merida stattgefunden (lib. 12. cap. 15): „Dixose por cosa cierta, que el Apostol Santiago y en su compañia otros Santos con ropas blancas en lo mas rezio de la batalla esforzaron a los nuestros y amedrentaron a los contrarios." Bei Xeres soll (siehe unten Anm. 12) dasselbe stattgefunden haben.

11) Anspielung auf den Sieg der Israeliten gegen die Amalekiter, während Moses auf dem Berge im Gebet seine Hände erhob, und den wunderbaren Stillstand der Sonne bei Gabaon, während des Kampfes des Josua mit den Amorrhitern.

Kämpfte ein geflügelt Heer [12]).
Doch, was ich gesagt, genüge,
Die Gefahr dir anzudeuten,
Die dir droht an jenem Tage,
Wo er gen Sevilla einst
Richtet seines Heeres Zug.
Da dir also nicht verborgen,
Daß ein junger, kräft'ger König,
Den solch hohe Gaben zieren,
Dich in deinem eignen Hause
Zu besuchen sich schon rüstet,
Nicht gefolgt nur von Soldaten,
Die ihn lieben, und von Meistern,
Die mit Glanze ihn umgeben,
Von Prälaten, die ihn schützen
Mehr noch durch des Rathes Weisheit,
Als mit ihres Schwerdtes Schärfe,
Sondern selbst von seinem Gotte
Unterstützet und vertheidigt:

12) Es ist hier offenbar von dem Siege die Rede, welchen Prinz Alphonso, der Bruder des Heiligen, bei Xeres im Jahre 1234 erfocht. Der Dichter hat hier auf den Sohn gleiches Namens, den nachmaligen König Alphons X. (den Weisen) übertragen, was die Geschichte vom Bruder des heiligen Ferdinand berichtet. Was jene wunderbare himmlische Hilfe betrifft, so erzählt darüber die größere Chronik: „Grande eo die miraculum in favorem Christianorum creditur operatus fuisse Deus, misso ad eos in proelio juvandos sancto Apostolo Jacobo, idque duabus de causis sustineri potest. Primum quia impossibile erat, Christianos tam paucos de Mauris decuplo pluribus reportare victoriam istiusmodi absque simili auxilio: deinde, quia plurimi ipsorummet Maurorum dixerunt, se vidisse Equitem, equo albo invectum, cum vexillo albo in manu una, gladio evaginato in altera, quem alii multi Equites albi sequebantur: vidisse etiam per aërem discurrentes Angelos; quodque Equites isti multo plus damni inferebant Mauris, quam ipsismet Christiani, quorum etiam aliqui idem se conspexisse testati sunt.“ (Act. Sanct. l. cit. pag. 323.)

Wie noch kannst du dann dem Schlafe
In wollüstigem Genusse
Fröhnen, wie so träge schlummern,
Wie so thatenlos noch ruhen?
Wache auf! mit dir erwache
Nun des Afrikan'schen Stammes
Tapferkeit, der durch fünfhundert
Jahre Spanien unter seiner
Gäste Herrschaft hielt gefangen
In dem eignen Vaterlande [13])!
Und da andre Königreiche
Unterworfen schon beweinen
Ihren Fall [14]), so laß Sevilla
Ihres Schmerzes Thränen trocknen!
Und bedenke, daß Sevilla
Jetzt der letzte Rest geworden,
Den Fortuna unsrer Ehre
Ließ, ein Bollwerk, eine Mauer
An den Grenzen Afrika's
Und Europa's. Und da jetzt
Zur Vertheid'gung dieser Feste
Des Propheten Geist durch mich
Zu dir redet, welcher meine
Brust entflammt und meiner Stimme
Athem leiht, und meinen Körper
Hier beseelt und meinen Zorn
Aufregt, meine Wuth entflammt;
So erwart' es nicht, bis jener

---

13) „Durch fünfhundert Jahre," d. h. seit der Schlacht bei Xeres de la Frontera im Jahre 711.

14) Um diese Zeit war bereits Valencia durch den König Jaime von Arragonien im Jahre 1138 erobert, Murcia dem heil. Ferdinand tributpflichtig gemacht (1224), Granada ebenfalls zu einem Bündniß gezwungen (so daß dessen König den heil. Ferdinand später bei der Belagerung von Sevilla mit seinen Truppen unterstützen mußte), ferner Cordova und zuletzt auch Jaën erobert.

Lärm und Wiederhall es thut,
Der in fernem, abgemessnen
Klange unter Trommelwirbeln
Und Trompetenschall dort ruft:

Trommeln, Trompeten und Geschrei hinter der Scene.

Sultana und Stimmen

(hinter der Scene).

Zu den Waffen; auf, zum Kriege!

Aben-Jussuf.

Höre! warte! bleibe noch,
Reizend Bild der Phantasie!

Sultana.

Was begehrst du?

Aben-Jussuf.

Daß so schnell nicht
Du enteilest, deiner hohen
Schönheit Licht entschwinden lassest
Meinen Augen; sei'st du auch,
Wie ich meinte, Trugbild nur,
Zauberei, Gespenst und Spuck;
Bleibe treu noch deiner Rolle!
Bist du wirklich das Gesetz,
Dem ich huld'ge, nun so muß ich
Dich für eine Dame halten,
Die mir zu vertheid'gen ziemt
Mit dem Leben, mit dem Schwerte,
Ohne daß man andren Grund
Als, zu schützen dich, verlange!
Drum entfern' dich nicht, damit
Selbst du Zeugin seist; mit Vortheil
Kämpft ja immer der, der kämpft
Unter'n Augen seiner Dame.

Bleibst du mir zur Seite, wirst du
Sehn, wie wenig mich erschreckt
Ferdinand mit seiner Macht,
Führt er mit den Thurmeszinnen
Und den Löwenkrallen auch
Von Castilien und Leon [15])
Mit sich Meister und Prälaten.

Sultana.

Wohlgesprochen! Die Erlaubniß
Also brauchend, die gewährt ja
Immer wird, daß hier Geschichte
Mit Allegorie sich eine,
Werd' ich, in dem Doppelscheine
Dich begleiten.

Aben-Jussuf.

Zu den Waffen
Drum; mit dir, die jetzt ich mir
Hab' zur Sultanin erkoren,
Macht mich nicht Castilien's Heer,
Nicht sein Glaube jemals zagen.

Sultana.

Und die afrikan'sche Mohrin
Wird, heidnische Göttin spielend,
Dir zur Seite fortan fechten
Nun als Pallas und Bellona [16]).

Aben-Jussuf.

Zu den Waffen!

---

15) Anspielung auf das Wappen von Castilien und Leon. Vergl. I. Th. Anm. 18.

16) „Pallas und Bellona," die Göttinnen des Krieges in der griechischen und römischen Mythologie.

Stimmen.

Auf zum Kriege!

Andere.

Halt, das Losungswort erschalle!

Alle.

Halt, das Losungswort erschalle!

Die Scene verwandelt sich in das spanische Heerlager. Unter Trommelschlag treten auf: **Garzi-Perez de Vargas**[17]), mit einer weißen Standarte, auf der einen Seite das Bild der heiligen Jungfrau mit goldgeblümten Gewande und dem göttlichen Kinde auf den Armen (wie Nuestra Senora la Antigua in Sevilla abgebildet wird[18]) und auf der anderen Seite das Wappenschild von Castilien und Leon; ferner **Don Pelay-Correa**, Großmeister von Sant-

---

17) Garzi-Perez de Vargas, einer der gefeiertsten Helden, welche die spanische Geschichte aufzuweisen hat, der Schrecken der Mauren, der namentlich bei der Eroberung von Sevilla Wunder der Tapferkeit verrichtete, welche mit Vorliebe und besonderer Ausführlichkeit von den alten Chronisten erzählt werden (— einst ging er allein sieben maurischen Rittern entgegen, welche, als sie ihn erkannten, ihm nicht Stand zu halten wagten —) und dem die besondere Ehre zu Theil wurde, daß die noch heute vorhandene, über dem Xeresthor von Sevilla befindliche alte Inschrift, ihn allein neben dem heil. Könige als Miteroberer der Stadt nennt: „El rey Santo me ganò con Garci-Perez de Vargas.“ Er war gleichsam der Achilles bei der Belagerung dieses spanischen Troja und daß ihm Calderon in seinem Auto eine so untergeordnete Rolle angewiesen und darauf verzichtet hat, seine Heldenthaten mit hinein zu verweben, könnte befremden, wenn man nicht gerade hierin die kunstvolle Besonnenheit des Dichters erkennen müßte, dem es darauf ankam, die ganze Aufmerksamkeit allein auf den heiligen König zu lenken und den beabsichtigten Eindruck und die Einheit des ganzen Gedichtes durch kein störendes Nebenwerk zu beeinträchtigen.

18) Daß der König ein solches Bild der heiligen Jungfrau in allen seinen Kriegen bei sich geführt, wird in den Lektionen des Matutinum am Feste der Dedikation der Cathedrale von Sevilla (welche wir bereits im I. Theile, Anm. 93 citirt haben) erwähnt: „Constanti traditione receptum est, quod pius Rex, tum alias, tum in eo bello Deiparae Virginis, cujus sacram venerandae majestatis imaginem, quocunque iret, in exercitu secum ducebat ac mira devotione et honore prosequebatur, praesentem opem non semel sensit.“

jago[19]); **Fernan Ordoñez**, Großmeister von Calatrava; **Don Periañez**, Großmeister von Alcantara; **Fernan Ruiz**, Prior der Johanniter; Alle in voller Rüstung, mit Commandostäben, Jeder sein Ordenskreuz auf der Brust; endlich **Don Arias**, Erzbischof von Santjago[20]); **Don Ramon**, Bischof von Segovia[21]); der Infant Don Alfonso[22]) und zuletzt der **König Ferdinand**.

König.

Castilianer! Leoneser!
Ritter! denen heut die Kirche
Geistlicher und ird'scher Waffen
Tapfre Führung anvertrauet!
Seht Sevilla dort! — den Markstein,
Wo sich enden Spaniens Lande,
Und wo anfängt Spaniens Meer!
Hercules, der es gegründet,

Calderon versetzt dieses Marienbild auf das königliche Banner und läßt es eine Copie jenes alten wunderbaren Bildes sein, das unter dem Namen Santa Maria la Antigua im Dome zu Sevilla verehrt wird, und an das sich jene in den „Vorbemerkungen“ oben erwähnte Legende knüpft, welche er, aus den dort angeführten Gründen, nicht in das Auto mit aufgenommen hat, um in dieser Weise derselben wenigstens einigermaßen Rechnung zu tragen.

19) Auch dieser Held war einer der hervorragendsten in den Kämpfen gegen die Mauren, was schon der Umstand beweist, daß seine Thaten mit so wunderbaren Legenden verflochten wurden. Vergl. oben Anm. 10.

20) Der greise Erzbischof Don Arias, der schon im ersten Theile, bei dem Bericht der Plünderung von Santjago durch die Saracenen, sich einem poetischen Anachronismus fügen mußte, wird auch hier, im zweiten Theile, vom Dichter mit poetischer, mit der Geschichte nicht übereinstimmender Freiheit behandelt. Die Chroniken berichten von ihm nur, daß er mit seinem Gefolge, als die Belagerung bereits eine Zeitlang gedauert hatte, im Lager des Königs anlangte, bald aber erkrankte, und durch die Bitten des Königs noch vor der Eroberung der Stadt sich zur Heimkehr bewegen ließ.

21) Don Ramon (Raymundus), Bischof von Segovia, war der Beichtvater des Königs, welcher ihn stets begleitete und später von ihm zum Erzbischof von Sevilla gemacht wurde.

22) Der älteste Sohn des heil. Königs, nach dessen Tode er als Alphons X. den Thron bestieg, durch seine Gelehrsamkeit und sein berühmtes Gesetzbuch „Las siete partidas“ sich unsterblichen Ruhm erwarb und später selbst vorübergehend zum römischen Kaiser erwählt wurde.

Mög's bezeugen[23])! Sein Gestade
War's, wo er die Säulen pflanzte
Als Grenzpfähle jeder Hoffnung,
Daß dort drüben noch mehr Welt
Zu erobern[24]). Blinder Wahn!
Ob noch mehr Land dort, ob nicht,
Gott nur weiß es, wem er's wahret,
Ob noch andrem Ferdinande[25]),
Würd'gem Erben eures Ruhmes!
In so angenehmer Gegend,
Fruchtbar durch des Wassers Fülle,
Ueberreich an goldnen Früchten,
Blühend wie ein Frühlingsgarten,
An des stolzen Stromes Ufer,
Den Guadalquivir, den großen
Fluß, in ihrer Mohrensprache
Jetzt sie nennen, (denn dort heißt[26])

---

23) Sevilla rühmt sich, von Hercules erbaut zu sein. Ueber dem Xeresthor steht die Inschrift:

Hercules me edificò	D. h.: Hercules hat mich erbaut;
Julio Cesar me cercò	Julius Cäsar hat umgeben
De muros y torres altas;	Mich mit Mauern und mit Thürmen.
Un rey godo me perdiò;	Mich verlor ein Gothenkönig,
El Rey santo me ganò	Und ein Heil'ger nahm mich wieder,
Con Garzi Perez de Vargas.	Unterstützt von Perez Vargas.

24) Anspielung auf den bekannten Ausspruch, der dem Hercules, als er seine Säulen (in der Meerenge von Gibraltar) pflanzte, zugeschrieben wird: Non plus ultra! d. h. nicht weiter; hier hört die Welt auf! Carl der Fünfte ließ, als Amerika entdeckt war, das spanische Wappen von zwei Säulen, mit der Inschrift: Plus ultra! (d. h. noch weiter!) einschließen, wie sich dasselbe heute noch auf den spanischen Thalern findet.

25) Bekanntlich wurde Amerika unter der Regierung Ferdinand des Katholischen im Jahre 1492 von Columbus für die Krone Spaniens entdeckt. Daher die Inschrift im Dome von Sevilla auf dem Grabe des dort ruhenden Sohnes des Columbus: Por Castilla y Leon hallò unevo mundo Colon. D. h.: Für Castilien und Leon fand die neue Welt Colon.

26) Das Wort Guadalquivir ist eine Corruption der arabischen Worte Wadi Kebir.

Quivir: groß und Guadal: Strom)
Ward's gegründet und erbaut,
Und so stark und schnell bevölkert,
Daß, da bald der Raum zu enge
Ward für soviel reiches Streben,
Sich in beide Ufer theilen
Mußte die Bevölk'rung, so daß
Auf dem einen dort Triana[27])
Und auf diesem hier Sevilla
So wetteifernd sich erheben,
Daß der Fluß, den Streit zu schlichten,
Sich als Friedensstifter mußte
Zwischen beide drängen; und
Daß nicht des Verkehres Austausch
Der krystall'ne Wall verhindre,
Mußt' er dulden, daß von Barken
Eine Brücke ihn beschwere.
Julius Cäsar dann erwählt' es
Sich zu röm'scher Colonie,
Krönte es mit hohen Thürmen
Und umgab's mit starken Mauern[28]).
Hispalis, so ward's genannt
Nach dem erstgebornen Sohne
Hispalus des Hercules.
Doch der Zeiten Wechsel, welcher
Fremden Völkern, fremden Zungen
Einlaß gab, Vandalen, Skythen,
Hunnen, Sueven, endlich Gothen,
Unter deren Herrschaft Spanien

27) Die große und berühmte Vorstadt von Sevilla, auf dem anderen Ufer des Guadalquivir gelegen und mit Sevilla durch eine Schiff=Brücke von Alters her verbunden, welche erst in neuester Zeit einer prachtvollen steinernen weichen mußte.

28) Vergl. die oben (Anm. 23) mitgetheilte Inschrift auf dem Stadtthor von Sevilla.

Durch Rodrigo und die Cava[29])
An Arabien ward verrathen,
Aenderte den alten Namen
Also, daß aus Hispalis
Erst Hispalia, dann, der Mohren
Kehle anbequemt, Suitia
Wurde, bis in castilian'scher
Rede man's Sevilla nannte,
Welcher Name ihm geblieben.
Dies Sevilla, wie ich sagte, —
Da ja Spanien die Natur
Als Halbinsel abgerundet
Wohl zu einem Lande, welches,
Von zwei Meeren rings umgeben,
Nur den Ocean als Grenze
Und das Mittelmeer kann dulden
Und der Pyrenäen Kette,
Die mit Frankreich es verbindet, —
Dies Sevilla ist's, wohin
Hohen Geistes Drang uns heute
Treibt. Und daß ihr seht, nicht Ehrgeiz
Sei nach dem Besitz mein Trachten,
So vernehmt und achtet drauf,
Welcher Grund mich hier bewegt.
Gebt das Zeichen jetzt zum Ave,
Das ja stets mein erster Gruß.

(Es erschallen neun Trommelschläge [30]). Alle knieen nieder vor dem Marienbilde auf der Fahne.

---

29) Rodrigo, der letzte Gothenkönig, der bei Xeres (711) erlag, entehrte die vom Volke la Cava genannte Tochter des Grafen Julian, wodurch dieser veranlaßt wurde, die Saracenen aus Afrika nach Spanien, um an dem Entehrer seiner Tochter sich zu rächen, herüberzurufen, und durch diese Verrätherei den Grund zum Unglücke des christlichen Spaniens zu legen.

30) Im spanischen Heere wurde später, als das Gebet des Angelus allgemein in der Kirche eingeführt war, das Zeichen dazu, in Ermangelung von Glocken, durch neun Trommelwirbel gegeben. Der Anachronismus darf beim Dichter nicht befremden.

Jungfrau! die zu seinem Tempel
Und zur Tochter sich der Vater
Hat erkoren! die erwählte
Sich der Sohn zur reinen Mutter,
Und zu jungfräulicher Braut der
Heil'ge Geist! Du, voller Gnaden,
Durch erhabne Auserwählung
Ohne Sündenschuld Empfangne!
Ach du weißt's, da du bei allem
Meinem Hoffen ja und Streben
Meiner Nächte Stern gewesen,
Meiner Tage Morgenroth:
Keine Heeresfahrt begann ich
Je, die nicht berathen worden
Wär' mit dir; ja ich betheur' es,
Was mich je dazu getrieben,
War nicht Gier nach größrem Reiche,
Nicht Verlangen größren Ruhmes.
Nur den Glauben auszubreiten,
Und aus harten Sklavenbanden
Unsre Kirchen zu erlösen,
Die, verwandelt in Moscheen,
Ein unrein Gesetz entweihet,
Zu erstatten den Altären
Die Gefäße des hochheil'gen
Sakraments, und deine Bilder,
Deine Statuen den Kapellen, —
Das allein ist all' mein Trachten[31])!

---

31) Diese Worte, welche der Dichter hier dem heiligen Könige in den Mund legt, haben eine historische Grundlage. Die größere Chronik erzählt (pars 3, cap. 39): „Interrogatus, cur longe plus regni fines auxisset, quam multi ejus progenitores, quippe qui recuperavit, quod illi perdiderunt, respondisse fertur verbum suo auctore et sempiterna commemoratione dignum: Patres, inquit, mei fortassis animo gerebant principatum terrenum exaltare potius, quam fidem plantare, augere sibi populum multum, sed non stabilire divinum

Blick' es huldvoll an, o Herrin!
In solch innigem Vertrauen
Bin ich sicher, daß dein Schutz
Deine Fürbitt' mehr mir nütze,
Als mein Heer. Dir sei's geweiht,
Und vergieb, wenn, da nur Gott
Erste Ursach alles Wirkens,
Ich noch andrer Hilfe traue.
Doch, da Wunder ich nicht fordern
Kann, so muß ich ja wohl ird'scher
Mittel mich bedienen. Diese
Leg' ich aber dir zu Füßen.

(Er erhebt sich.)

Da ich solches nun gelobt,
Laßt Garzi-Perez de Vargas,
Ihr mein Bannerherr, die Fahne
Mit der heil'gen Jungfrau Bild
Hoch auf meinem Zelte wallen.

Vargas.

Ja, wohl weiß ich, hoher Herr,
Daß dies Bild als höchste Wache
Ueber deinem Zelte schwebt.

Ab.

König.

Ihr, Correa, hoher Meister
Von Santjago, seh't, ob's möglich
Nicht, den Strom zu überschreiten
Mit den Euren, und von jener
Seite dann der Brücke Zugang

---

cultum; quare decepti sunt in adinventionibus suis. Itaque ad coelum oculos vertens, Tu Domine, qui scis corda et renes hominum, nosti, quia non meam, sed tuam gloriam quaero, non tam caducorum regnorum, quam fidei tuae Christianaeque religionis augmentum desidero."

Zu versperren, bis Don Ramon
Bonifaz, (dem ich befohlen,
Als dem Admiral der Flotte.
Von Biscaya aufzubrechen,)
Mit den Schiffen, die er rüsten
Konnte, ankommt.

Correa.

Bau' auf mich;
Wenn nur irgend eine Stelle
Ich gefunden, wo die Tiefe
Des Guadalquivir, in breit'rem
Bette strömend, sich vermindert,
Will, ob mit, ob ohne Fuhrt,
Deinen Auftrag ich vollziehen [32]).

Ab.

König.

Ihr, Großmeister Don Fernan
Ordoñez, von Calatrava,
Zieht mit eurer Schaar hinaus
Von Carmona bis Tablada,
Und verwüstet rings die Felder.
Und damit der Feind nicht suche
Dies durch Ausfall zu verhindern,
So besetzet Ihr, Periañez,

---

32) Auch hier liegt ein historisches Faktum vor. „Pelagius autem Correa, Magister Ordinis S. Jacobi, cum equitatu suo, tam Fratrum quam saecularium, circiter ducentorum septuaginta capitum, fluvium natatu transivit subtus Aznalfarache. Audax profecto consilium: ad eam enim partem posuerat sese, transitum exercitui prohibiturus, Abenamafon, Rex Nieblae; tota autem exinde terra erat Maurorum, numero fere infinitorum et ex toto districtu plurimi undique accurrebant. Ita Magister cum Equitibus suis quotidie pugnare debuit, modo cum unis, modo cum aliis, nullam ei requiem permittentibus, et nihilominus semper remanebat victor etc." (Größere Chronik cap. 14. loc. cit.)

Mit Alcantara's Gefolge
Jeden Ausgang nun der Veste.
Ihr, Groß-Prior Fernan Ruiz
Mit dem weißen Kreuze, säubert
In der ganzen Gegend hier
Alle Weiler, alle Dörfer
Von den maurischen Bewohnern,
Daß kein lauernder Spion
In der Nähe mir verweile[33]).

Calatrava.

Meine Sorge sollst du sehn —

Alcantara.

Meinen Eifer —

Prior.

Mein Verlangen —

Alle Drei.

Zu vollziehn, was du befohlen.

(Die Drei entfernen sich.)

König.

Und ihr, Erzbischof Don Arias
Von Santjago, dem beschieden,

---

33) In Betreff der hier ertheilten Befehle erzählt dieselbe Chronik: „Erat autem intra oppidum Axataf Maurus, qui cum equitibus trecentis frequentes ac damnosas Christianis faciebat eruptiones. Ideo mandavit Rex omnes hortos, vineas, segetemque succidi, quo viso Maurus, non ausus ibi diutius subsistere, egressus inde sese Hispalim recepit." Ferner: „Desolatione autem circa Carmonam, quanta potuit, facta, Rex cum exercitu abiit Alcalam Guadayrae." Und weiter unten: „Translatis in Tabladam castris, impetum in ea Mauri fecerunt ex ea parte, quam tenebant Magistri Calatravae et Alcantarae. Quod intuens Ferdinandus Ordoniez, Magister Calatravae, aliique Magistri una cum suis Fratribus celeriter insecuti sunt Mauros etc."

Als des Heeres Feldkaplan,
Ist der Seelen Regiment,
Sorgt dafür, wie sich's geziemet
An dem Tage vor der Schlacht,
Oder einer Veste Sturm,
Daß all' meine Krieger halten
Allgemeine Communion.

Arias.

Wenn sie deines Beispiels Lehre
Sehen, streben sie wetteifernd
Alle, ohne Widerstand,
Ja zum Bessren; denn der König
Ist der Spiegel der Vasallen,
In dem Alle sich beschauen.

Ab.

Segovia.

(für sich).

Großer Gott! was für verschiedne
Vorstellungen und Gedanken
Kreuzen sich in meinem Geiste[34])!

Prinz Alfonso.

Herr, erlaube, daß bescheiden,
Im Vertrau'n auf deine Liebe,
Ueber dich ich Klage führe[35]).

König.

Ueber mich du Klage?

34) Der Beichtvater des Königs versinkt voll Bewunderung der Heiligkeit des Königs in tiefes Nachdenken und giebt dadurch zu der später folgenden Scene, wo er mit dem König allein bleibt, Veranlassung.

35) Die Gegenwart des Prinzen Alphonso bei der Belagerung ist zwar ein historisches Faktum, doch kam derselbe erst später an. Von den Heldenthaten desselben erzählen die Chroniken nichts, wohl aber von denen des gleichnamigen Bruders des Königs, dessen Sieg bei Xeres schon oben vom Dichter dem Sohne des Königs zugeschrieben wurde.

Prinz.

Grund wohl
Hab' ich; da du alle Andren
Solcher Gnade würd'gen wolltest,
Sie auf Posten zu entsenden,
Wo sie Ehre finden, hast du
Für mich keinen Auftrag. Hab' ich
Dir so schlecht gedient bei Xeres,
Daß ich unwerth —

König.

Spar' die Worte,
Bis du sieh'st, was ich dir selber
Für ein Wagniß zugedacht.
Dieses ist's: daß du Sevilla's
Mauern mit den Heereshaufen
Meiner auserlesnen Wachen
Selbst dich nahest, zu erspähen
Ihre Stärke und mir bringest
Kunde der Befestigungen,
Wo am stärksten ihre Kraft
Und wo ihre schwächste Seite,
Sollt' ich, eh' sie sich verstärken,
Etwa mich zum Sturm entschließen.

Prinz.

Herr! mein Wort geb' ich dir drauf,
Daß bis an Sevilla's Mauern
Ich mich wage, käme auch
Mir die ganze Stadt entgegen.

Ab.

König
(allein mit dem Bischof von Segovia).

Don Ramon!

Segovia.

Herr!

König.

Welch Gebahren?
Da ich in der Hoffnung doch
Von Segovia nach Sevilla
Dich beschieden, daß von dir
Hier auch ich getrennt nicht bleibe,
Trennst du nun von mir dich, Vater?
Von dem, was ich angeordnet,
Sag', was hat dir so mißfallen,
Daß du, so in dich vertieft,
Schweigend, deinen Blick mir weigerst?
Womit hab' ich dich betrübt?
Deinem Amt ja wirst du untreu.
Dir vertraut' ich mein Gewissen,
Meines Lebens, meiner Seele
Trost und Frieden, und du schweigst,
Mahnst mich nicht an meine Fehler?

Segovia.

O wie deutet doch so anders
Deiner Demuth Weisheit, Herr,
Was in meiner schwachen Einsicht
Ich kurzsichtig hier erwogen!

König.

Und woran hast du gedacht?

Segovia.

Herr, kaum weiß' ich's mehr.

König.

Behandle
So nicht meine Liebe. Wissen

Will ich's. Ach, bei meinem Leben,
Thu' mir den Gefallen!

Segovia.

Wirst du
Zürnen nicht?

König.

Daß ich nicht zürne
Geb' ich dir mein Wort; und bessern
Will ich, was du rügst.

Segovia.

Ich stand,
(Und zwei mächt'ge Gründe hatt' ich,
Die in meinem Geist sich kreuzten)
In Betrachtung, Herr, versenkt,
Bei dem Anblick eines Königs
Der im Felde Durst und Hunger,
Frost und Hitze und Ermüdung
Theilt mit Allen und dem Jeder
Freudig folgt mit seinem Kreuze,
Und der dann auf sein Gebot
Sich zerstreu'n nach allen Seiten
Läßt die Seinen, seinen Auftrag
Zu vollzieh'n — und Alles dies
Zu dem Zweck, um zu erlösen
Aus der Sklaverei sein Volk!
Was doch Alles Bild und Abglanz
Und Nachahmung und lebend'ge
Mahnung an die unermessne
Güte und Erbarmung, welche — [36])

---

36) Der Bischof erblickt in den Handlungen des Königs eine besondere Aehnlichkeit mit Christus. Vergl. I. Th. Anm. 82.

König.

Still, o sage solches nicht!
Denn nicht gut wär's, wenn, da Andre
Auf Allegorie hier stoßen,
Ich in Eitelkeit verfiele.
Um von Anderem zu reden:
Ich bin müde.

Segovia.

Und kein Wunder
Ist's wohl, denn ein starker Marsch
War's von Jaën bis hierher:
Und, obwohl Kraft meines Amtes
Ich und meiner grauen Haare
Selbst Gehorsam fordern könnte,
Den du, Herr, mir ja gelobet,
Will ich doch nur bitten. Dort
Steht dein Zelt; o gönn' dir Ruhe
Jetzt ein Weilchen.

König

Ich will folgen,
Weil du's wünschest.

Segovia.

Daß kein Lärm dich
Störe, will ich sorgen gehn.
Ab.

Der König tritt in ein offenes Zelt und kniet nieder zum Gebet.

König.

Ach wie sehn't ich mich, o Herr,
Jetzt mit dir allein zu bleiben!
O verzeihe den Verzug;
Blieb ich auch von dir getrennt,
War ich doch in deinem Dienste
Nur beschäftigt, dir Sevilla

Zu gewinnen. O beschütze
Du, erhabne Gottesmutter,
Dieses Streben! Dir gelob' ich,
Wird es mein, dort eine Kirche
Zu erbauen, die als achtes
Wunder prange in der Welt[37]).
Und in ihr will einen Altar
Und Kapelle ich dir weihen,
Und zum Grabmal mir bestimmen,
Daß im Todesschlafe auch
Ich dort ruhe Dir zu Füßen[38]).
Doch — kaum sprach ich Grabmal aus,
Da umschattet meine Sinne
Tiefer Schlaf, als wollt' mich's mahnen,
Daß, wenn auch der Tod noch zögert,
Doch der Schlaf sich naht, der an ihn
Täglich uns erinnert. Ach,
Menschenleben! bist du immer
Auch ein königliches, achte,
Daß, wenn schlummernd du zu rasten
Meinst, auch ohne Tod du stirbst[39]).

Er legt sich nieder und schläft ein. **Musik** ertönt. Es öffnet sich eine von Sternen durchschimmerte Wolke, in deren Mitte ein von Engeln getragener Thron erscheint, auf welchem **die Mutter Gottes** mit dem Kinde sitzt (wie in der Kapelle des heil. Ferdinand im Dome zu Sevilla). Zu beiden Seiten stehen **zwei Engel**, welche abwechselnd mit der **Musik** singen. Während des folgenden Gesanges schwebt die Erscheinung langsam nieder[40]).

---

37) Die Spanier nennen die Cathedrale von Sevilla (vielleicht nicht ganz mit Unrecht) das achte Weltwunder.

38) Der Leib des heil. Ferdinand ruht im Dome von Sevilla in der Muttergottes-Kapelle hinter dem Hochaltar, worin die Statue der Jungfrau, welche unter dem Namen Nuestra Señora de los Reyes bekannt ist, verehrt wird, dieselbe, deren wunderbare Vollendung durch Engelhände Calderon zum Gegenstande seiner Dichtung im vorliegenden Auto gemacht hat.

39) Calderon liebt es, die Aehnlichkeit zwischen Schlaf und Tod öfters poetisch auszuführen. Man vergl. das Auto: Das Nachtmahl des Balthasar (Bd. II. S. 67 u. ff.).

40) Die hier vom Dichter in Scene gesetzte Erscheinung, an welche sich, am Schluß das Auto, das Wunder mit den Engeln knüpft, welche dem

Erster Engel
(singt).

Geflügelt' himmlisch Heer!

Musik.

Geflügelt' himmlisch Heer!

Zweiter Engel.

Das heut' verlassen muß —

Musik.

Das heut' verlassen muß —

Erster Engel.

Auf Wegen von Smaragd —

Musik.

Auf Wegen von Smaragd —

---

heiligen Könige sein Traumgesicht treu nachbilden, beruht auf einer Tradition, welche in den Actis Sanctorum (tom. cit. pag. 355) als Aussage eines in Neapel vernommenen Zeugen bei dem Heiligsprechungsprozesse (art. 26 in Summario) angeführt wird. Dort heißt es: „Dixit, quod cum sancto Regi apparuisset imago quaedam Deiparae cum puerulo promittens victoriam in conflictibus, ille similitudinem monstratae sibi imaginis factam volens plures pictores (an sculptores?) accessiverit, quorum nemo cum voto ejus posset facere satis, secundum ea, quae memoriae habebat impressa lineamenta, demum oblati sint duo, qui opus susceperint unumque in locum simul clausi absolverint intra dies aliquot: sed opere completo inventi amplius non sint, proinde creditum: fuisse Angeli, et hanc ait devote servari sub altari in capella Regia, atque ita et vidisse se saepius et ex antiqua parentum traditione accepisse." Dies ist die einzige Notiz, welche in der so umfassenden Arbeit der Bollandisten aufzufinden ist in Betreff dieser Tradition, welche Calderon in so herrlicher Weise in sein Auto verwebt hat, während er den von allen Chronisten ausführlich berichteten extatischen nächtlichen Gang des Königs in die feindliche Stadt, um dort vor einem alten aus der christlichen Zeit zurückgebliebenen Marienbilde zu beten (N. S. La Antigua) mit Stillschweigen übergeht.

Zweiter Engel.

Paläste von Krystall.

Musik.

Paläste von Krystall.

Beide Engel.

O flieget, schwebet, eilet —

Musik.

O flieget, schwebet, eilet —

Beide Engel.

Es senkt sich, zu erhellen —

Musik.

Es senkt sich, zu erhellen —

Beide Engel.

Die Wetternacht des Krieges,
Der milde Friedensbogen.

Musik.

Die Wetternacht des Krieges,
Der milde Friedensbogen.

Erster Engel.

O flieget, schwebet, eilet;
Denn groß ist euer Glück;
Wohin die Kön'gin wandelt,
Ihr folgt ihr dienend nach.

Musik.

O eilet, schwebet, flieget!

Zweiter Engel.

O flieget, schwebet, eilet!
Und beu't dem Throne dar
Zur Lehne eure Flügel,
Zum Fußgestell den Nacken.

Musik.

O eilet, schwebet, flieget!

Erster Engel.

O flieget, schwebet, eilet!
Vom Himmel senkt zur Erde
Sich heut zwar Manna nicht,
Doch Manna's Wolke nieder[41])

Musik.

O eilet, schwebet, flieget!

Zweiter Engel.

O flieget, schwebet, eilet!
Und rings bestreut den Pfad
Mit Palmen von Sethim,
Mit Rosen von Sennar.

Musik.

O eilet, schwebet, flieget.

Erster Engel.

O flieget, schwebet, eilet!
Mit Lilien überall
Vermischt der Blumen Fülle;
Nur Dornen streuet keine.

---

41) „Manna's Wolke" wird die heil. Jungfrau genannt, weil ihr Schooß das wahre himmlische Manna in sich barg.

Musik.

O flieget, schwebet, eilet!

Zweiter Engel.

O eilet, schwebet, flieget,
Daß Sie mit gleichem Glanz —

Erster Engel.

Wie sie gen Himmel schwebte [42]),
Zur Erde nun sich neige.

Beide und Musik.

O flieget, schwebet, eilet!
Es senkt sich, zu erhellen
Die Wetternacht des Krieges,
Der milde Friedensbogen.

Maria.

Das Sehnen deiner Andacht,
Dein Eifer, Ferdinand,
Hat mich herabgerufen
Um dir durch dieses Traumes
Geheimnißvoll Gesicht
Ein Unterpfand zu geben,
Wie sehr dein Glaube konnte
Bewegen meine Liebe.
Und daß die Hoffnung auch
Zurück nicht länger bleibe,
Weil's ja die Hoffnung ist,
Die immer eilt voran,
So mög'st du, da du glaubst
Und liebst, nun hoffen auch,
Daß in Sevilla finde

---

42) Bei ihrem Tode (ihrer Himmelfahrt) nämlich.

Ihr Ziel der Andacht Freude
Und Lohn der Arbeit Müh'[43]).
Zur Ehre meines Sohnes
Sollst du errichten dort
Dem Gottesdienst den Tempel,
Altar dem Sacrament;
Daß meiner Chöre Lieder
Mit süß'rer Melodie
Noch wiederholen können
Zu deines Eifers Lobe:

Zugleich mit den Engeln und der Musik.

Geflügelt himmlisch Heer!
Das heut verlassen muß
Auf Wegen von Smaragd
Paläste von Krystall!
O flieget, schwebet, eilet,
Es senkt sich zu erhellen
Die Wetternacht des Krieges
Der milde Friedensbogen.
O flieget, schwebet, eilet!

Die Erscheinung verschwindet. Trommeln, Trompeten und Geschrei hinter der Scene. Der König erwacht.

König.

Himmel! was konnt mir verschaffen
Solcher Offenbarung Ehr'?

Stimmen

(hinter der Scene).

Auf, zum Kriege, auf!

---

43) Zugleich eine Anspielung auf den wenige Jahre nach der Einnahme von Sevilla erfolgten Tod des Heiligen, mit Rücksicht auf das kurz vorher durch seine Betrachtungen über den Schlaf erweckte Memento mori. Siehe oben S. 135.

König.

Doch wer
Stört das Traumbild?

Stimmen.

Zu den Waffen!

König.

Ach, ich sah's entschwinden kaum,
Und schon naht der Sorgen Schaar.
Welches Leid, ach! wär' nicht wahr,
Welche Freude nicht ein Traum?

Trommeln von der einen Seite.

Ha, ihr Wachen! auf, zur Stelle!
Wer verursacht solch' Getümmel
Rings umher?

Der Erzbischof von Santjago tritt auf.

Santjago.

O Herr, beim Himmel!
Sende Unterstützung, schnelle,
Dem Don Pelay. Eilig trieb er
Sein' Schaaren hin zum Fluß.
Da die Fuhrt er missen muß,
Wollt er ihn durchschwimmen lieber;
Und kaum sah' man ihn sich schwingen
Auf des andern Ufers Saud,
War's von Mohren schon bemannt;
Schaarenweis hervor sie dringen,
Und nicht kann er widerstehen;
Allzu zahlreich ist ihr Heer[44]).

---

44) Vergl. oben den Bericht der Chronik über den gefährlichen Stand des Don Pelay Correa Anm. 40.

König.

Wer wird hingesendet, wer?
Selbst will in Person ich gehen;
Folge mir, wer irgend kann!

Trommeln von der anderen Seite.

Stimmen
(hinter der Scene).

Zu den Waffen, auf zum Kriege!

König.

Da zum Wasser hin ich fliege,
Ruft mich Erde wieder an?
Seht doch, was es giebt!

Der Bischof von **Segovia** tritt auf.

Segovia.

Befiehl,
Herr, daß man dem Prinzen schleunig
Hilfe sende; denn als, mein' ich,
Seines kühnen Wagens Ziel,
Sie erkannt, da bis zur Stadt
Und zur Mauer er gedrungen,
Kamen sie hervorgesprungen
Ueberzahlreich, und er hat
Schweren Stand, ob auch zum Schutze,
Um den Ausfall zu erschweren,
Calatrava abzuwehren
Sucht der Feind mit kühnem Trutze.

König.

Ihm zu Hilfe muß ich eilen!

Neuer Trommelschall.

Stimmen.

Auf, zum Kampfe!

König.

Doch das Leben
Pelay's wäre aufgegeben,
Wollt' ich, ihm zu helfen, weilen.
Er war's, der zuerst mich rief,
Drum zu ihm zuerst auch eil' ich [45]).

Trommeln von der anderen Seite.

Stimmen.

Zu den Waffen!

Segovia.

Ist nicht heilig
Dir des Sohnes Leben? Schlief
Deine Sorg' um ihn?

König.

Hast Recht.

Trommeln von beiden Seiten.

Santjago.

Ja, 's ist billig. Doch ist hier
Groß auch die Gefahr.

---

45) In der größeren Chronik kommt die Stelle vor (cap. 14): „Videns autem Ferdinandus Rex, quanto in discrimine versaretur Magister, Non est aequm, inquit, partitio inter nos et eos qui sunt trans flumen: hic enim sumus ad mille equites, et illi trecentos non numerant: oportet ergo ut aliqui adhuc eis se jungant.“ Diese Worte erinnern einigermaßen an die Reden, welche der Dichter hier dem Könige in den Mund legt. Von einer Gefahr des Prinzen Alphonso wissen dagegen die Chroniken nichts. Die ganze Scene ist eine Erfindung des Dichters, um den Edelmuth und hochherzigen Sinn des Königs in's Licht zu setzen.

König.

Weh' mir!
Alle Beide habt ihr Recht.
Drum, was ich beschlossen schon,
Bring' ich Hilfe dem Vasallen!

Segovia.

Und dem Sohne nicht vor Allen?

König.

Jeder Krieger ist mein Sohn.

Stimmen.

Auf zum Kampf!

Andere.

Das Schwerdt zur Hand!

König.

Mit zwei Trieben muß ich streiten,
Ruft man mich von beiden Seiten!

Neuer Lärm. Im Hintergrunde der Bühne sieht man ein Schiff erscheinen, auf dem sich der Admiral Don Ramon Bonifaz mit Soldaten befindet.

Admiral

(von fern).

Ankert nun; an's Land!

Soldaten.

An's Land!

König.

Hört den dritten Ruf erklingen!

Admiral

(wie oben).

Werft das Boot aus, dort am Straud;
Niemand folge mir an's Land.

Segovia.

Ja; doch dieser scheint zu bringen
Glück dir; eine Flotte schwimmt
Dort mit vollen Segeln her;
Ihre Wimpel sind Gewähr,
Wie man's deutlich wahr schon nimmt,
Daß hier deine Schiffe kommen.

Santjago.

Hilfe, die der Himmel sendet,
Ist's; das Blatt hat sich gewendet;
Von Bestürzung eingenommen
Flieht das Mohrenvolk, das dort
An dem Ufer schwärmend stand,
Da die Segel es erkannt,
Hinter seiner Thore Hort.

König.

Jede Flotte schrecket immer,
Wo sie ankommt; welche Loose
Sie verbirgt in ihrem Schooße,
Weiß man nie.

Segovia.

So ist nun nimmer
Weder Alphons noch Pelay
In Gefahr, die abzuwenden!

König.

Ach, Ramon! von höher'n Händen
Kommt die Gunst; deß sicher sei.

Vieles wir besprechen müssen;
Doch allein und später erst.

Der Admiral Don Ramon Bonifaz tritt von der einen Seite und der **Prinz Alphonso** v der anderen Seite auf.

Admiral

(zum König).

Knieend grüß ich dich zuerst.

Prinz.

Laß die Hand mich, Vater, küssen.

König.

Sei Alphonso, mir willkommen!
Seid gegrüßt auch herzlich mir,
Admiral! und wenn mich hier
Doppelsorge eingenommen,
Die das Herz mir theilte, kann
Jetzo auch nur Seel' und Leben
Ich getheilt zum Gruß euch geben.
Laßt umarmen euch und dann,
Da nach eürer Kunde trachtet
Nun mein Geist, so saget mir,
Bonifaz, zuerst denn Ihr,
Was für Schiffe Ihr mir brachtet?

Admiral.

Was in solcher Schnelligkeit
Um dir Beistand zu verschaffen,
Irgend nur war aufzuraffen,
Zwei Kriegsschiffe sind's, bereit
Für den Kampf und stark gebaut,
Und mit Mannschaft wohl bestellt.
Diesen hab' ich zugesellt
Andre sieben noch, vertraut
Mit dem Kriegsdienst auch, doch kleiner,

Wohl versehn in voraus schon
Mit Bemannung, Munition;
Deren fehlt es da an keiner[46]).
So, mit Gott, Herr, kann ich hoffen,
Willst die Stadt du schließen ein,
Dir von ein'gem Dienst zu sein.
Denn noch immer eingetroffen
Ist die Regel, wahr und alt,
Die des Krieges Lauf beschreibt,
Daß, wer Herr des Meeres bleibt,
Auch am Lande hat Gewalt.
Drum, nicht zweifl' ich, wenn die Bai
Ich durchkreuze an den Küsten,
Wird vergeblich Zufuhr rüsten
Selbst die ganze Berberei.

Prinz.

Alles, was ich konnt' erspähen
An den Mauern rings umher,
Ist, o Herr, daß äußerst schwer
Sie zu stürmen, würde gehen,

---

46) Ueber die Flotte, mit welcher der Admiral Ramon Bonifaz von der Seeseite dem König zu Hilfe kam, berichtet die größere Chronik (cap. 13): „Oppido huic muniendo dum intendit Ferdinandus, nuntiatum ei est, Raymundum Bonifacium venire quidem cum classe ab epibatis militibus annona et omni apparatu bellico optime instructa, in magno tamen periculo positum esse propter ingentem vim copiarum ex Tanger, Zeuta atque ipsa Hispali terra marique venientium in occursum“ und weiter unten: „Mauri coeperunt acriter oppugnare naves Christianorum. Qui viso discrimine, nequaquam dimiserunt animos, sed generosissime proeliantes, Deoque, cujus causa agebatur, fidentes, adjuvante eos benedicta Virgine Maria suique Regis Ferdinandi fortuna, adeo strenue rem egerunt contra fidei inimicos, ut, turbatis eorum ordinibus, triremes tres ceperint, unam combusserint, tres mari merserint, ceteras in fugam egerint, quae usque triginta advenerant, cum Raymundus solum tredecim numeraret.“

Wenn auch alle Macht der Welt,
All dein Muth es wollte wagen.
Solchen Stoß kann sie vertragen,
Und solch Heer besetzt sie hält,
Solch unzählbar Volk! Und wenn
Auch vom Meer die Zufuhr hindern
Kann der Admiral; nicht mindern
Kann den Landverkehr er; denn
Bei Triana hält die Brücke
Täglich neue Zufuhr offen,
Und umsonst ist alles Hoffen
Eher, bis es uns nicht glücke,
Herr, durch ungewöhnlich Wagen
Zu verhindern den Verkehr.

Don Pelay Correa, Großmeister von St. Jago, tritt auf.

Pelay.

Als ein Zeuge komm' ich her;
Kann's genauer noch euch sagen.
Von des Flusses Seite hab' ich
Mir's beschaut, und war's auch nicht
Die Gefahr, so war's die Pflicht,
Die mich zwang, daß auf dort gab' ich
Weitren Angriff, dir zu melden,
Daß, wenn nicht Triana wird
Abgesperrt, die Hoffnung irrt,
Käm auch eine Welt von Helden.
Für den Proviant und für
Rekrutirung frischer Leute
Ist von solchem Werth noch heute
Ihnen dieser Brücke Thür',
Daß, so lange sie noch steht,
Nichts von Uebergab' wir hören.
Schwierig ist's, sie zu zerstören;
Denn wer nah' sie schauen geht,
Wie ich selbst sie da besucht,

Wie mit Ketten, festgehammert,
Bark' an Barke da geklammert,
Voll von schwerer Steine Wucht,
Dem wird's klar, daß sie zu brechen
Menschenkraft nicht ausreicht[47]).

Admiral.

Doch
Wär' es möglich immer noch!
Kann ich's dir auch nicht versprechen,
Herr', so will ich's doch versuchen[48])!
Gieb mir drum Erlaubniß hier,
Daß ich geh, empfohl'n von Dir,
Ihre Kraft zu untersuchen.

Ab.

---

47) Die größere Chronik berichtet hierüber: „Habebant Mauri pontem ligneum, navigiis instratum et catenis ferreis perquam firmiter connexum, ea parte, qua transibatur ab urbe Trianam; qui pons magno commodo obsessis erat, sublatus autem, ad extremam eos poterat rerum omnium penuriam perducere.“ Alonso Morgado, in seiner Geschichte von Sevilla (in Sevilla 1585 erschienen) giebt eine noch genauere Beschreibung dieser Befestigungen, durch welche die Mauren die Verbindung mit Triana aufrecht zu erhalten suchten. Er erwähnt unter anderem: „Ut vero naves cis pontem stantes et occupantes grande illud, quod ante urbem protenditur fluminis spatium, ab omni incursu securiores consisterent, ad Turrim auream affixa erat ingens catena ferrea, quam, quoties visum fuerat, tendere poterant trans ipsum flumen, affigendam cuidam firmissimo muro, hodiedum manenti in platea quadam Trianensi, ab inde nomen Parietinae habenti.“ Dieselbe Thatsache erwähnt die alte spanische Heiligenlegende, die unter dem Titel Flos Sanctorum zur Zeit Ferdinand des Katholischen verfaßt wurde: „Prope Trianense castrum tensa erat catena perquam grandis trans ipsum fluvium a Turri aurea usque ad alteram partem.“

48) „Quidam autem, Romanus Bonifacius dictus, civis Burgensis, dixit Regi: Habeo navim valde bonam, quacum, si bonum ventum annuerit Deus, velis expansis provectus, intendo catenam istam perfringere“ (Flos Sanctorum ibid.).

König.

Alphonso, Don Pelay, geht!
Ruhe wird euch wohl jetzt thun;
Und bedenkt, daß euer Ruh'n
Sei ein würdig Dankgebet
Für des Himmels Schutz und Gnade,
Wirksam stets zum Heil des Heeres.
Du, Alfonso, denk an Xeres!
Du, wie Sonne deine Pfade
Einst erhellt[49])! Auch ich will gehn
Gott zu danken, daß Ihr hier.

Die Beiden.

Ist nur immer Gott mit dir,
Wer kann dann uns widerstehn?

Die Beiden gehen ab.

König.

Erzbischof Don Arias! euch
Möcht' ich ein Geschäft vertrauen.

Santjago.

Stets bereit sollst du mich schauen.

König.

Laßt verkünden denn sogleich,
Daß aus allen meinen Landen
Man die Meister der Skulptur,
Wer geschickt und tüchtig nur,
Bald mir sende; denn zu Handen
Soll die edle Kunst mir sein,
Für ein Werk, das mir vonnöthen[50]).

---

49) Anspielung auf die wunderbare himmlische Hilfe, welche die Beiden bei Xeres und bei Segura einst erfahren. Vergl. oben Anm. 10 und 12.

50) Siehe oben Anm. 48.

Santjago.

Gleich geschieht, wie du gebeten.

Ab.

König

(zum Bischof von Segovia).

Jetzt will ich, da wir allein,
Wohl von aller meiner Sorgen
Größesten dir Kunde geben.
Als ich, Vater, wollte eben
Von dem Schlafe Kraft mir borgen,
Der, betrachtet man genau
Das Geheimniß seines Strebens,
Halb wohl Räuber ist des Lebens,
Halb des Todes Bild, da schau' —
(Doch ich weiß nicht, ob ich schaute!)
Träum' ich', (doch ich träumte kaum!
Denn nicht Schauen war's, nicht Traum
Träumend ich zu schauen traute!)
Daß des Himmel Azurschleier
Riß, und aus ihm sah ich gleiten,
Neuen Himmel; niederschreiten
Sah ich neuer Sonne Feuer.
Und wie Morgenrothes Wonne
Sah den neuen Tag ich glüh'n,
In Maria ihn erblüh'n,
Und den Sohn wie neue Sonne.
Ihu im Arm, sprach sie zu mir:
„Bald wird deine Sorge enden;
Tempel und Altäre spenden
Wird mein Sohn zum Lohne dir[51])!"

---

51) In den letzteren Worten ist ein schöner Doppelsinn enthalten. Zunächst bezog sich die Verheißung auf die Wiedergewinnung der christlichen Kirchen in Sevilla; zugleich will aber der Dichter dadurch andeuten, daß man dem heil. Könige selbst, nach seiner Heiligsprechung, Kirchen und Altäre dediciren würde.

Da ich nun zu zweifeln wage
Nicht, noch auch zu glauben hier,
Eh's berathen ist mit dir,
Ob ich's glauben darf, mir sage!

Segovia.

Wo sich's handelt, zu entwirren,
Ob Gesichte Wahrheit sind,
Kann, da unser Geist so blind,
Auch die höchste Tugend irren.
Denn, da Wahrheit stets und Schein
Gleicher Formen Bilder theilen,
Hüllt Versuchung auch zuweilen
Sich in's Kleid der Andacht ein.
Drum, um hier zu unterscheiden,
Müssen wir nicht blos betrachten
Was sie *sind*; wir müssen achten
Welche *Frucht* erfolgt aus Beiden.
Hast du damals Trost empfunden,
Fand'st du heiter dich und froh?

König.

Nein; zerknirscht nur war ich so,
Und von Ehrfurcht überwunden.

Segovia.

Und was ist zurückgeblieben
Von der Rührung, von dem Schauer?

König.

Eine süße Herzenstrauer,
Und ein trosterfüllt' Betrüben.

Segovia.

Wünschest wieder du zu sehen,
Was du sahst[52])?

König.

Unwürdig wähn' ich
Dess' mich, und nur darnach sehn' ich
Mich, daß vor den Augen stehen
Möchte stets mir, was ich sah,
Daß zurück davon mir bliebe
Größre Ehrfurcht, größre Liebe,
Als vorher ich fühlt'; und da,
Daß an Besserung ich dächte,
Und um frömmer jetzt zu leben,
Sehr ich wünsche, daß umschweben
Die Erinnrung stets mich möchte,
Die mir der Gedanken Lauf
Nur zu Gottes Glorie lenkte,
Daß ich nimmermehr ihn kränkte,
Trug Don Arias ich auf,
Künstler mir herbei zu senden.
Großes Glück verschaffte mir
Solch' ein Bild Maria's hier,
Das, könnt' ich zu ihm mich wenden,
Meinen Eifer neu belebt,
Wenn es treu mir stellte dar,
Was mir da erschienen war,
Wie mir's vor der Seele schwebt.
Scheint bedenklich dir die Sache
Etwa, Vater? Ohne dein
Weis' Ermessen möcht ich —

---

52) Der Bischof benimmt sich hier, seiner Pflicht als Beichtvater gemäß, ganz nach den Regeln, welche die Ascese in Betreff der Beurtheilung und Prüfung außergewöhnlicher, mystischer Erscheinungen vorschreibt.

Segovia.

Nein;
Keinen Skrupel da dir mache;
Nichts bezweckt ja dein Verlangen
Als durch dieses Bildes Schauen
Deine Andacht zu erbauen,
Neuen Eifer zu empfangen.

König.

Dann auch ich es recht befinde;
Erd' und Himmel soll gefallen
Dieses Bildes Werk!

Trompetenstoß in der Ferne. Man hört die Stimme des Admirals von den Schiffen herübertönen.

Admiral.

Mit allen
Segeln auf nun vor dem Winde!

Soldaten.

Hebt die Anker!

König.

Horch, was klingt
Auf den Schiffen für Signal?

Segovia.

'S war der Ruf des Admiral.
Meine Eile bald dir bringt
Kunde, was er hat erwogen.

König.

Sicher ist er seines Sieges.
In die Wetternacht des Krieges
Senkt sich mild der Friedensbogen[53])!

Beide ab.

---

53) Vergleiche oben den Gesang der Engel S. 137.

Die Scene verwandelt sich in die Gegend bei der Brücke von Triana, mit einer weiten Aussicht auf den Fluß. Auf der einen Seite erblickt man einen Theil der Mauern von Sevilla; vor ihnen, dicht am Fluß, einen hohen Thurm mit Zinnen[54]). Die spanische Flotte nähert sich, mit vollen Segeln stromaufwärts fahrend; voran zwei große Kriegsschiffe mit eisernen Sturmböcken an ihrem Vordertheil, auf deren einem sich der Admiral befindet, mit Soldaten, unter denen auch Tropezon.

Admiral.

Nun alle Segel spannt!
Schon rauscht die Fluth; den Guadalquivir bannt
Zum Rückfluß nun ihr unaufhaltsam Strömen,
Und wider Willen muß er sich bequemen
Das Meer zu fliehen jetzt; und da er gegen
Den eignen Lauf muß seine Wellen regen,
Da ihm das Meer der Fluthen Mischung weigert,
Und auch des Seewinds frisches Weh'n sich steigert,
So laßt uns solchen Vortheil nicht verlieren,
Daß Wind und Fluth die Schiffe vorwärts führen;
Setzt alle Segel aus!
Daß allen andern eilend hier voraus,
Die beiden Schiffe nur, die starken, großen,
Mit aller Kraft jetzt auf die Brücke stoßen!
Der Stoß, er muß entscheiden,
Ob sichren Untergang wir Alle leiden,
Wenn unser Kiel zerbricht
Und in den Schiffbruch Alle uns verflicht,
Vom Wellengrab verschlungen,
Ob uns Zertrümmerung des Werks gelungen,
Das dort die Barken hält mit eh'rnen Schlingen[55]).

---

54) Den sogenannten „goldenen Thurm," der, von den Römern (angeblich von Cäsar) erbaut, und von den Mauren in eine Art Festung verwandelt, unmittelbar am Ufer des Guadalquivir, außerhalb der eigentlichen Stadtmauern, steht.

55) Ueber dies kühne und in der Geschichte einzig dastehende Wagniß, so daß sein Gelingen wohl nicht mit Unrecht von Vielen nur dem Gebete des heil. Königs zugeschrieben wurde, und das am 3. Mai 1248, am Feste Kreuzerfindung stattfand, berichtet die größere Chronik: „Post Iongam deliberationem imprimis placuit accipere e toa

Wohlan drum, meine Leute,
Es gilt zu sterben, oder durchzudringen!
Bleib hinten Jeder, der zu furchtsam heute
Um mir zu folgen! Daß ich Kämpfer werde,
Will ich euch zeigen, wie man glorreich sterbe!

Tropezon.

O fürchte nicht für unsre Tapferkeit!
Nur vorwärts jetzt; wir Alle sind bereit.
Ich, Tropezon, der Stolperer, geheißen[56]),
Will vor dir noch beweisen,
Daß in den Lebensfährlichkeiten allen
Zuerst das Stolpern kommt, und dann das Fallen!

Alle.

Wohlan zum kühnen Ringen!

Admiral.

Es gilt zu sterben, oder durchzudringen!

Alle.

Es gilt zu sterben, oder durchzudringen!

---

classe navigia majora ac firmiora duo, eaque instruere omni necessario apparatu, ac denique expansis velis immittere in pontem. Intravit autem Raymundus in unum eorum cum congruo numero suorum: alterum vero conscenderunt ii, quos idem Raymundus ad hoc delegerat . . . Dies sanctae Crucis sacer agebatur et mensis Majus, quando tentanda res erat. Iussit igitur Ferdinandus Rex, pro sanctae fidei exaltatione servituris navibus aplustria imponi crucibus sericeis signata: quae cum tensis, quantum ventus aspirabat, velis, sursum proveherentur, subito requievit aër et remittens se ventus moestitiam movit Christianis. Sed brevi alius, isque valentior ventus insurrexit; quo impellente provectae sunt naves etc." — Daß zugleich die Fluth, welche bis Sevilla sich geltend macht, zu Hilfe kam, wird zwar von den Chroniken nicht erwähnt, ist jedoch höchst wahrscheinlich.

56) Tropezon, von tropezar, stolpern.

Trommeln und Trompeten auf den Schiffen. Auf den Zinnen des Thurmes, welcher die Aussicht auf den Fluß beherrscht, erscheint **Sultana** mit Gefolge.

Sultana.

Zu sterben also, oder durchzudringen
Beschloß er, kühnen Strebens?
Denn auf die Brücke stürmt er; doch vergebens!
Unsichres Wagniß, deß er sich befliß!
Durchdringen nicht, nein, Sterben ist gewiß.

Aben-Jussuf erscheint auf der Stadtmauer, und ruft zu ihr hinauf.

Aben-Jussuf.

O Sultana, mein Leben!
Du mein Gesetz, dem huldigt meine Treue,
Und deren Schönheit Zauber wohl gegeben
Dem Thurme dort zum „goldnen Thurm" die Weihe!
Sag' an von deiner Warte,
Wo du erspähst des ganzen Flusses Karte,
Wie viele Schiffe fliegen
Den Strom herauf?

Sultana.

Ich müßte wahrlich lügen,
Wollt mehr ich sagen, als, daß sie besiegen
Mit Windeseile den krystallnen Raum,
Mit Sturmesflügeln Berge da von Schaum.
Zwei Schiffe, größren Bau's
Als alle andern, unbekümmert ob
Erzürnt Triana und Sevilla drob
Den Angriff rüste, ziehen stolz voraus,
Nicht achtend in der Eile
Die Wurfgeschosse, Steine, Speere, Pfeile[57])!

---

57) Die Chronik berichtet weiter: „Frustra id conantibus impedire Mauris, qui per Arenariam dispositi, arcubus balistisque et fundis atque omnis generis machinis jaciebant majora minoraque tela, quod idem fiebat a custodibus Turris aureae et ex altera ripa a praesidiariis Trianensibus, sed exiguo utrinque cum damno."

All' ihre Segel lassen
(Kein einz'ges ruht) vom Winde sie erfassen.
Ein schwimm'nder Adler saust das eine hin;
Das andre scheint ein fliegender Delphin.
Doch wie sie athemlos einher auch flieh'n,
Und um die Wette jagen,
Bald wird sich rächen ihr zu kühnes Wagen,
Wenn an der Brücke Klippen
Zerscheitern ihre ungestümen Rippen.
Schon nah'n sie sich der festen Barken Raud,
Vom Sturmwind fortgetrieben.
Schon schallt ihr toller Angriffsruf von drüben.

Stimmen

(von den Schiffen).

Hilf, heil'ge Jungfrau! deinem Ferdinand!

Trommeln und Trompeten und starkes Krachen hinter der Scene.

Sultana.

Doch, wehe! da mein Hoffen ich gespannt,
Zu schauen, wie zersplittern
Die mächt'gen Kiele bei des Stoßes Zittern,
Und zu erblicken ich gehofft noch immer
Als Leichentuch die Segel, Sarg die Trümmer:
Ist nicht nur ganz geblieben
Ihr Bau bei solchen Stoßes Riesenkraft,
Auch in der Brücke er sich Durchgang schafft;
Denn von dem Stoße seh' ich sie zerstieben!
Zerborsten sind die Ketten;
Nichts kann die Barken vor Zerstörung retten.
Ach, aller Widerstand, er ist dahin,
Und über ihre Trümmer stolz nun zieh'n
Die Schiffe weiter, wo die Brücke stand,
Mit Jubelruf[58]).

---

58) Die Chronik erzählt: „Itaque prior navis, quae secundum latus arenariae provehebatur, acta in pontem est, sed confracto in quod

Alle

(von den Schiffen).

Es lebe Ferdinand!

Aben-Jussuf.

Weh' mir! Wenn jetzt zerstöret ist die Brücke,
Trianas Zufuhr so uns abgeschnitten,
Sevilla überlassen dem Geschicke,
Wird zur Vertheidigung umsonst gestritten.

Sultana.

Ein Mittel nur noch zeigt sich meinem Blicke.

Aben-Jussuf.

O nenn' es, daß ich handle!

Sultana.

Nun die Belagerung in Schlacht verwandle;
Daß uns den Lebensnerv nunmehr zerschneide
Das stumpfe Schwert des Hungers, nimmer leide!
Soll unsre eigne Menge uns verderben?
Ist's einmal uns beschieden doch zu sterben,
So sei's des blanken Schwertes scharfe Schneide,
Die unsres Volkes Schicksal nun entscheide!
Laß drum in's Feld uns rücken;
Wer Sieger bleibt, der lebe;

---

impegit navigio, ipsum pontem frangere ac perrumpere non potuit. Hoc autem fecit navis altera, qua Raymundus Bonifacius vehebatur, magno cum plausu spectantium rem eminus Christianorum, quorum Rex Ferdinandus, volens, fracto jam ponte, tutum navibus praedictis receptum parare, cum filio Alfonso multisque Equitibus ac numeroso milite impetum fecit in Mauros arenariam insidentes omnesque retrusit in civitatem. Ex hinc coeperunt Mauri rebus suis omnino diffidere, praecisa cum ponte etiam spe omnis ulterioris subsidii."

Um blut'gen Preis nur soll es Spanien glücken,
Daß ich ihm Raum hier gebe,
Wo meine Wurzeln ich so fest geschlagen.

Aben-Jussuf.

So laß im Felde unser Glück uns wagen!

Sultana.

Zum Kampfe denn!

Aben-Jussuf

(und Gefolge).

Zum Kampfe ohne Zagen[59])!

Das königliche Lager. Trommeln und Trompeten. Der **König**, der **Prinz**, die **Prälaten**, die **Großmeister** und Gefolge treten auf.

König.

Seh't doch, welch' ein Lärm das ist
Auf den vorgeschobnen Posten,
Der sich dort erhebt, nach dieser
So gewaltigen, so neuen,
So glorreichen That, die ewig
In dem Nachruhm leben wird!

Der **Prior** der Johanniter tritt auf.

Prior.

Ich, von meinem Streifzug eben
Wiederkehrend, kann den Grund dir
Melden. Aben-Jussuf hat
In Verzweiflung, da er nimmer
Ohne Zufuhr von Triana

---

59) Die Chroniken erwähnen zwar nach der Zerstörung der Brücke noch verschiedene Ausfälle der Mauren und mehrere hartnäckige Gefechte; die entscheidende Schlacht jedoch, von welcher hier die Rede, ist eine Fiktion des Dichters.

Die Vertheid'gung weiter führen
Kann, da nun dem Hunger sicher
Bald Sevilla muß erliegen,
Jetzt beschlossen, noch in offner
Schlacht zum letzten Mal sein Glück
Zu versuchen; darum wirft er
Seine Leute nun aus allen
Thoren in geschloss'nen Reihen;
Rückt schon gegen's Lager vor.

Trommeln und Geschrei hinter der Scene.

Aben-Jussuf

(von fern rufend).

Hoch nun Mahomet!

Stimmen.

Er lebe!

Sultana

(ebenso).

Sein Gesetz beseel' euch heute!

Stimmen.

Zu den Waffen!

Andere.

Auf zum Kampfe!

König.

Freunde! Eurer Tapferkeit
Kann mein Glück wohl hier getrost
Diese Waffenthat vertrauen.
Jeder nun auf seinen Posten!
Seid mir Alle Gott befohlen
Und der heil'gen Jungfrau Schutze!
Und damit hier Niemand glaube

Daß ich euer Leben wage,
Während ich das meine schone,
Eil' auch ich auf meinen Posten,
Und der erste sei es heute:
Bei der Vorhut will ich fechten.

Trommeln.

Don Pelay.

Und da diese meiner Führung
Anvertrauet, und du selber
Unter mein Gebot dich stellest,
Wirst du, dem Gehorsam fügend
Dich, nur größren Ruhm erwerben;
Denn nicht tauglich ist der Krieger
Der nicht folgt, ob er auch siege.
Und somit befehl ich dir,
Dich vom Zelt nicht zu entfernen
Weiter, als bis dort an's Ufer,
Wo zu deinem Schutze stehen
Deine auserlesnen Wachen;
Daß, wenn dir die Kunde käme,
Wie, nach Gottes Rathschluß, diese
Schlacht für uns verloren ginge,
Du nicht selber uns verloren,
Und in einem jener Boote
Dann dich rettest.

Calatrava.

Billig ist's;
Denn was nützt es, wenn Sevilla
Wird gewonnen, ohne dich?

Alcantara.

Wär' Sevilla auch die Welt,
Nicht's ja wiegt es, gegen dich!

Prior.

Wolle nicht, geh'st du ins Treffen,
Daß die Rücksicht auf dein Leben
Einzig dann nur uns beschäft'ge
Und an andern Pflichten hindre!

König.

Laßt mich meine Pflicht erfüllen;
Diese ist's; erfüllt die euren.

Trommeln.

Stimmen

(hinter der Scene).

Halt! ruft's weiter durch die Reihen!

König.

Was für Stimmen schallen dort?

Vargas tritt auf.

Vargas.

Herr! Das Heer will nicht marschiren
Weiter, bleibst du nicht zurück.

Stimmen

(hinter der Scene).

Lebe du! und laß uns Alle
Dich vertheidigend nur sterben!

König.

O du alte span'sche Treue!
Solchem Drängen muß ich weichen.
So begleite denn in meinem
Namen, Alphons, du den Meister.
Zwischen mir und meinem Sohne
Laßt den Wettstreit hier uns theilen;

In des Kampfs Gefahr entsend' ich
Ihn, mich selber dort vertretend,
Da ich bleiben muß.

Prinz.

Mit Freuden
Theil' mit ihm ich die Gefahr;
An des rothen Kreuzes Seite[60])
Werd ich tapfer sie bestehn.

Segovia.

Nicht des eignen Sohnes schont er.
Welch ein Bild der unermeßnen
Güte und Erbarmung Gottes!

Stimmen.

Zu den Waffen!

Andere.

Auf zum Kriege!

Alle ab, außer dem **Könige** und den beiden **Prälaten**.

Stimmen der Mauren.

Allah lebe! Spanien sterbe!

Stimmen der Spanier.

Spanien lebe! Nieder Mohren!

Kriegsgetümmel hinter der Scene.

König.

Herr! beschütze deine Sache!
Dein ja ist sie, nicht die meine;
Nicht für mich, für dich nur streb' ich

---

60) D. h. an der Seite des Großmeisters von Santjago. Daß die vorhergehende und nachfolgende Scene in das Gebiet der Di gehört und in den Chroniken keinen Anhaltspunkt hat, ist schoı erwähnt worden.

Nach dem Siegeslorbeer; deine
Ehre ist mein einz'ges Ziel,
Deine Tempel und Altäre.
Und du, Königin der Engel
Und der Menschen, o vergilt mir
Jene Mühe meiner Künstler,
Die dein Bild mir meißeln sollen,
Ach, durch eines, das dir gleicht!

Neuer Schlachtlärm hinter der Scen.

Stimmen.

Allah lebe!

Andere.

Spanien lebe!

Segovia.

Ha, schon rückt im Sturmesmarsch
Jetzt das Heer dem Feind entgegen.

Trommeln.

Santjago.

Schon beginnt der Reiterei
Leicht Geplänkel mit dem Feind.

Segovia.

Schon erhebt sich, sie verstärkend
Jetzt der Truppen ganze Macht
In den Waffen; denn der Kampf
Gleicht der Asche, wo ein Funken
Schnell zu wilder Loh' entglüht.

Trommeln.

König.

Dieser Trommeln und Trompeten
Ton, er schneidet mir durch's Herz,
Als ob er mir sagen wollte —

Tropezon

(hinter der Scene).

'S war ein Unglückstag, fürwahr!
Der mich zum Soldaten machte[61])!

Er klimmt durchnäßt aus dem Strome empor.

König.

Wessen Stimme klagte dort?

Segovia.

Ein Soldat, soviel ich sehe,
Ist's, der aus des Stromes Wellen
Auftaucht.

König.

Will ihm helfen gehn,
Denn mich dauert sein Geschick.

Segovia und Santjago.

Du, Herr?

König.

Und warum denn nicht?
Soll die Wahrheit ich gestehen,
Fürcht' ich, wenn ich dort ein Heer
In dem Kampfgewühle schaue,
Und hier, ringend in Bedrängniß,
Einen Unterthan, weit mehr
(Und die Furcht, sie ist begründet!)
Meines Unterthanen Fluch,
(Wenn mit Grund er sich beklagt)
Als das ganze Heer der Mohren!
Freund! ermann' dich, fasse Muth!
Was geschah dir? Was bedarfst du?

---

61) Es scheint fast, als habe Calderon in diesem Tropezon die Person des Grazioso Rusticus, welche im ersten Theile dieses Auto auftritt, unter einem anderen Namen hier wieder einführen wollen. Man vergleiche die Aeußerung des Rusticus am Ende des ersten Theiles S. 104.

Tropezon.

Nichts, in deiner Gegenwart.
Ein Soldat Fortuna's bin ich
Herr! der auserlesen ward,
Bei dem Sturme auf die Brücke,
In dem Augenblick, wo unsre
Schiffe drangen durch, geschickt sie
Zu erspringen, um mit Ein'gen
Sie zu halten, während Andre
Bei der Bresche thätig waren.
Aber da bei diesem Stoße
Unser Schiff ins Schwanken kam,
Und ich schief stand, fiel ins Wasser
Ich, aus dem ich nun mich rettend,
Mich beklagte, über dich nicht,
Herr, nur über mein Geschick.

König.

Klagtest du auch über mich,
Hätt' ich's dir gedankt vielleicht,
Weil Verzeihung ich dann üben
Konnte. Nimm die Kette hier,
(Er übergiebt ihm eine goldene Kette von seiner Rüstung.)
Ruh' dich aus und kleid' dich an,
Und dann komm' zu meinem Zelte;
Ich will seh'n, ob ich zu einem
Dienst dich brauchen kann, der deiner
Neigung mehr entspricht.

Tropezon.

Fürwahr!
Solchen König lob' ich mir,
Der mit eignen Händen lohnet.
Nicht nur will ich mich erholen,
Sondern in den Kampf auch will ich

Wieder eilen; tausend Leben
Würd' ich gern für dich verlieren.
Ha, ihr Mohren! kommt nur her!
Mit dem Lohn, den ich erworben,
Sollt ihr zum Kamin mir dienen,
Meine Kleider dran zu trocknen.

Ab.

Trommeln.

König.

O wer doch erspähen könnte,
Wie's um meiner Waffen Schicksal
Steht!

Segovia.

Der Staub hüllt Alles ein,
Und unmöglich ist's, auch nur ein
Kleines Zeichen zu entdecken.

Aben-Jussuf

(von fern).

Auf, zum Rückzug, Afrikaner!
Zu den Thoren, zu den Wällen,
Daß, ist auch die Schlacht verloren,
Doch nicht Alles untergehe!

Trommeln.

Stimmen

(hinter der Scene).

Auf! verfolgt sie! eh' die Mauern
Ihnen Schirm und Schutz gewähren.

Aben-Jussuf.

Sultana!

Sultana.

Ach, Aben Jussuf!

Aben-Jussuf.

Folge mir!

Sultana.

Wenn ich auch wollte,
Könnt' ich nicht. Mein scheues Roß
Folgt dem Zügel nicht und reißt mich
Fort, weiß nicht wohin!

Santjago.

Es sprenget
Dort heran, wie's aus der Ferne
Scheint, ein Afrikan'scher Reiter,
Fliehend.

König.

Wenn er fliehen wollte,
Würd' er hierher doch nicht sprengen.

Segovia.

Ja; so eilig fliegt er her,
Daß, o Herr, sich überstürzend
In dem wilden Lauf, zu Füßen
Dir schon Roß und Reiter sinken.

Sultana tritt auf, vor dem Könige niederstürzend.

Sultana.

Weh' mir Unglücksel'ger! daß ich,
Wohl in tiefem Doppelsinn,
Ohne Zaum, Gesetz und Zügel,
Hier zu eines Christenkönigs
Füßen, mich im Staub muß wälzen!

König.

Sprich, wer bist du? ob auch menschlich
Deine Züge hier erscheinen,
Füllt dein Anblick mich mit Grauen.

Sultana.

Wohl erklärlich ist's; ich bin ja
Die Verkörp'rung der Idee,
Daß mein Sturz zu deinen Füßen,
Und der Sieg, den du gewannst,
Hier dasselbe nur bedeutet,
Und dir laut verkündet:

Alle

(hinter der Scene).

Heil
Ferdinand, dem hohen Herrscher
Von Castilien und Leon!

König.

Bist du selbst mir auch ein Räthsel,
G'nügt für jetzt mir doch dein Sturz;
Denn er deutet wohl mir an,
Daß ich Alkoran's Gesetz
Nun in meiner Macht, gefangen,
Hier erblicke.

Sultanin.

Doch in Zukunft
Wird's nicht immer also sein.

König.

Doch für jetzt nehm' ich dich auf,
Da Gefangenschaft genügt.
Künftig mag ein andrer König
Dich, wenn's an der Zeit, vertreiben [62]).

62) Der heil. Ferdinand gewährte in den von ihm eroberten Provinzen d Mauren freie Religionsübung; erst viel später, unter Philipp II wurden sie durch strenge Edikte aus Spanien vertrieben, nachdem durch wiederholte Aufstände die Ruhe des Reiches gestört hatten.

Führt sie fort als Sklavin nun,
Wo als Königin sie herrschte.

Sultanin.

Mehr als Sklavin noch, da jetzt
Meiner Sekte Irrthum wird
Ins Gesicht mir vorgeworfen,
Während dort sich Alle nahen,
Siegestrunken, triumphirend.

Pauken und Trompeten. Während **Sultana** fortgeführt wird, treten **Alle**, aus der Schlacht zurückkehrend, auf.

Alle.

Lange lebe Ferdinand!

Stimmen

(von weitem).

Lebe, triumphire, siege!

Alle.

Sieh' uns, Herr, zu deinen Füßen!

König.

Könnte ich mein Herz jetzt theilen
Um euch Allen es zu schenken!

Pelay.

Aben-Jussuf's Uebermuth
Ist gezüchtigt. So geschlagen
Floh er hinter seine Mauern,
Daß, mit Beute ganz bedeckt,
Er das Schlachtfeld uns gelassen.

Prinz.

Neidisch schaut der Strom es an,
Der nur rauhe Trümmer dir
Bieten konnte.

König.

Deines hohen
Muthes kostbar' Unterpfänder
Sind es.

Prior.

Blickst du auf das Feld,
Wirst du sehn, wie, was am Morgen
Grüne Saat noch war, am Abend
Wie ein Mohnfeld roth erglänzt[63]).

Calatrava.

Wie ein Garten blüht das Ufer
Dort in bunter Turbanpracht[64]).

Alcantara.

Und von Fahnen und Standarten
Ist das ganze Thal ein Teppich.

Vargas.

Und ein Berg von Leichen starrt
Wie ein Katafalk zum Himmel.

Prinz.

Doch, was ist dir, Herr? du weinst?

König.

Ja, Alfonso; muß beweinen
Ich soviel verlorne Seelen
Nicht in soviel tausend Leichen?

---

63) D. h. die Niederlage war so blutig, daß das ganze Schlachtfeld von Blut geröthet erscheint.

64) Die verschiedenfarbigen Turbane der gefallenen Mauren sind gleichsam die Blumen, welche das Feld bedecken.

Wollt'st du mich zum Sieger machen,
Herr, o wär's doch ohne Blut!

Ein Trompetenstoß ertönt von der Mauer.

Stimmen

(aus der Stadt herübertönend).

Ob verloren auch der Ruhm,
Laßt uns Gut und Leben retten!

Pelay.

Ein Signal war's von der Mauer.

König.

Laßt ein Antwortszeichen geben.

Trompetenstoß aus dem Lager.

Prinz.

Unterhandeln will der Feind.

König.

Wohl; Gefahr kann hier nicht drohen.
Bleibt zurück; denn selber will ich
Hören, was der Mohr begehrt.

Ab; die Andern ziehen sich zurück.

Vor den Mauern von Sevilla. Der **König** tritt auf und nähert sich der Mauer, während oben auf der Mauerzinne Aben-Jussuf erscheint 65).

Aben-Jussuf.

Ha, dort unten! Castilianer!
Leoneser! Ihr vom stolzen
Hofhalt König Ferdinand's!

---

65) Die nun folgende, durch ihre großartige Einfachheit an Shakespeare's historische Dramen erinnernde Scene beruht natürlich nur auf der Erfindung des Dichters, wenn auch die Chroniken Aehnliches in Betreff der allmählichen Herabstimmung der Bedingungen der Uebergabe berichten.

König.

Ha, dort droben! Mohren ihr
Auf der stolzen Mauerzinne
Von Sevilla!

Aben-Jussuf.

Friede mit dir!

König.

Dir auch Friede! Was begehrst du?

Aben-Jussuf.

Sage deinem König, wenn er
Die Belag'rung dieser Stadt
(für sich.)
(O verwünscht der Tag, wo meiner
Seele Hälfte in Sultana
Mir entrissen und gefangen!)
(laut.)
Wen'ger blutig wünscht zu enden,
Mög' er, um zu unterhandeln,
Jemand senden, der mit seiner
Vollmacht dazu ausgerüstet.

König.

Und wer bist du?

Aben-Jussuf.

Aben-Jussuf
Siehst du vor dir.

König.

Nun, so denke,
Daß, was du mit mir verhandelst,
Solche Gültigkeit und Kraft
Habe, wie wenn du's bespráchest —

Aben-Jussuf.

Rede!

König.

Mit dem König selber.

Aben-Jussuf.

Ha, schon hab' ich dich erkannt.
Sagten mir's auch innre Zeichen
Schon, du sei'st es, lehrt mich's jetzt
Deutlich doch die Ehrfurcht, welche
Mir dein Anblick weckt! Und da,
Schon in Cordova und Jaën
Gleiches früher vorgegangen,
Sei Sevilla nun, wie jene,
Dir gehorsam mit Tribut und
Steuern, Lasten, als dein Lehn;
Auch Besatzung mag es dulden
Deiner Truppen, giebst du eine
Kriegsgefangne frei dagegen.

König.

Rede nicht von der Gefangnen!
Unberührt bleib' hier ihr Wesen;
Denn von ihr weiß Wirklichkeit
Nichts; nur der Idee Phantom ja
Ist sie, sinnbildlich zu deuten,
Wie der Glaube Afrika's
Nun in Spanien gefesselt.
Für Sevilla aber laß' ich
Jenen Vorgang nimmer gelten;
Denn Sevilla ist die Veste
An der Grenzmark Afrika's,
Welche mehr als andre nieder
Ist zu halten.

Aben-Jussuf.

Nun, verwirfst du
Meinen Vorschlag, so belagre
Weiter!

König.

Wohl, ich bin's zufrieden.

Aben-Jussuf.

Auf zum Kampf dann!

König.

Auf zum Kampfe!
Und, daß du dich rüsten könnest,
Wisse, eh' der Morgen graut,
Stürm' ich mit dem ganzen Heere.

Stimmen
(aus der Stadt).

Laß ihn so sich nicht entfernen!
Stell' ihm andere Bedingung!

Aben-Jussuf.

Ehrlos Volk! wie läßt du schwierig,
Tausendköpf'ges Ungeheuer,
Dich doch leuken! Ha, Fernando!

König.

Was verlangst du noch?

Aben-Jussuf.

So höre.
Laß' den Streit uns so entscheiden,
Daß das Eigenthum wir theilen.
Will die Hälfte dir der Stadt

Geben; eine Mauer soll sie
In der Mitte dann durchschneiden.
Und, da dir als afrikan'sche
Grenzmark diese Stadt so wichtig,
Nimm' die Seite du des Meeres,
Laß die andre mir verbleiben.

König.

Mit mir bring' ich viel Geleite,
Vielen Adel und Vasallen.
Ich bedarf der ganzen Stadt;
Denn die Hälfte faßt nicht Alle.

Aben-Jussuf.

Du willst 's nicht bewill'gen?

König.

Nein.

Aben-Jussuf.

Nun — wenn du auch das verwirfst,
Stürme denn!

König.

Es soll geschehn.

Aben-Jussuf.

In den Kampf denn!

König.

Zu den Waffen!

Stimmen

(wie oben).

Wenn dem Hunger wir erliegen,
Wer soll kämpfen, wer vertheid'gen?

Aben-Jussuf.

Ja, wenn solch' empörten Pöbels
Aufruhr Niemand dämpfen kann!
Ha, Fernando! Ha, Fernando!

König.

Rufst vergeblich mich zurück.

Aben-Jussuf.

Bleibe! Höre doch!

König.

So sprich.

Aben-Jussuf.

Nun es sei! Die Stadt ist dein,
Wenn das Lebende du schonest,
Und auch Allen zugestehest
Freien Abzug mit den Weibern,
Kindern und Besitzthum, Schiffe
Ihnen gebend, daß zurück nach
Afrika sie kehren, wenn sie
Unter deiner Herrschaft nicht,
Ihren Glauben ferner übend,
In Sevilla bleiben wollen.

König.

Dieses hätt' ich zugestanden
Auch, wenn selbst sie's nicht begehrten.
Denn des Leben's hier zu schonen,
Ist der Milde Pflicht; das Gut
Nicht zu rauben, fordert Großmuth;
Zeit auch zu gewähren, daß sie
Sich bekehren können, heischet
Frömmigkeit; da also hier

Milde, Großmuth, Frömmigkeit
Ueben kann mein Eifer, magst du
Nun erkennen, daß nicht grausam
Meine Waffen, und daß Habsucht
Nicht Triebfeder meiner Thaten.

Aben-Jussuf.

Nun, wenn du's zufrieden bist,
Eil' ich, dir das Thor zu öffnen.
Ab.

König.

Herr! wie dank' ich's dir, daß Sieger
In der Unterhandlung auch,
Ohne Blut ich triumphire!
Das Gefolge des Königs tritt auf.
Freunde! unser ist Sevilla!
Freudig eilt in meine Arme!

Alle.

Deine Knie' sind unser Ziel!

Santjago und Segovia.

Unser Lorbeer deine Hand!

König.

Meine Hand, sie gälte nichts,
Wär's nicht, um der Kirche Säulen
Aufzurichten und zu stützen.
Trompetenstoß.

Prinz.

Sieh', schon öffnen sich die Thore
Dort der Stadt.

Pelay.

Und Aben-Jussuf
Tritt hervor.

König.

Den Königsmantel,
Diadem und Scepter bringt mir!
Und ihr Alle dann geleitet
Ihn zu meinem Zelte hin.
Immer muß den Feind man ehren,
Auch besiegt, und sei er auch
Andern Glaubens; das verlangen
Alle kriegrischen Gesetze.

Der **König**, der **Prinz** und die **Prälaten** entfernen sich.

Pelay.

Und so laßt uns bei der Trommeln
Und Trompeten Schall nun rufend
Geh'n: Es lebe Ferdinand!

Alle.

Leb' er hoch und triumphire!

Alle ab nach der Seite des Stadtthores.

Die Scene verwandelt sich in das königliche Lager. Man erblickt den **König** in seinem Zelte mit Mantel, Krone und Scepter, zu seiner Seite den **Prinzen** und die beiden **Pr** **Aben-Jussuf** erscheint, begleitet von den Uebrigen, eine Schüssel tragend, in welcher Schlüssel liegen. Pauken und Trompeten erschallen.

Prinz.

Schon naht sich Sevilla's König,
Der Besiegte, Herr, mit allen
Kriegesehren deinen Füßen.

Aben-Jussuf.

Ruhmgekrönter Ferdinand!
Nimm' Sevilla's Schlüssel hin,
Und zieh' ein in seine Mauern
Triumphirend, während ich
Als Besiegter von ihm scheide.
Und dein Ruhm und meine Schmach,

Wenn man's einst im Bilde schauet,
Wie, in deiner Hand die Schlüssel,
Du vor dir mich knieen siehst[66]),
Sei ein Sinnbild, welches sage:
Das, o Menschen, ist das Glück;
Heute günstig, morgen widrig!

König.

Aben-Jussuf, diese Schlüssel
Die du jetzt mir übergiebst,
Ich empfang' sie heute nur,
Um sie morgen abzuliefern
Als Verwalter jenem König,
Der allein in Wahrheit herrscht.
Und da jetzt ich sie empfangen
Als mein Eigenthum, so steh' nun
Auf, und komm' in meine Arme.
Und das Sinnbild möge ändern
Dahin seiner Deutung Räthsel,
Daß für Glück den Spruch es setze:
Andres Glück giebt's nicht, als Gott.
Weine nicht! hemm' deine Thränen!
Müßte selbst sonst mit dir weinen;
Denn ob dein Gesetz entgegen
Auch dem meinen, spricht hier lauter
Das Gesetz noch der Natur,
Das zum Mitleid mich bewegt.

Aben-Jussuf.

Da du selbst mich hier willst trösten,
Herr, so denke an dein Wort,

66) Der heil. Ferdinand wird sehr häufig in der hier erwähnten Situation abgebildet. Alfonso Cartagena, Bischof von Burgos, sagt in Bezug hierauf (Anacephalaeosis Rerum Hispanicarum cap. 83): „Depingitur Fernandus armatus in equo prope civitatem Sevillam, quodam Arabe dante ei claves: quia civitas illa per longam et strictam obsidionem ab eo afflicta, in deditionem ejus devenit."

Das als König du gegeben,
Und gewähr' mir, darum fleh' ich,
Schiffe nun, und die Erlaubniß
Daß nach Afrika ich gehe,
Diesen Trost nur mit mir nehmend,
Daß, wenn ich besigt auch scheide,
Du es warst, der mich besiegt.

König.

Admiral!

Admiral.

Erhabner Herr!
Womit kann ich hier dir dienen?

König.

Gieb sogleich von deinen Schiffen
Aben-Jussuf, was ihm nöthig,
Für ihn selbst und alle seine
Leute [67]).

Aben-Jussuf.

Mög'st du ewig leben!

König.

Mög' der Himmel dich beschützen!

---

67) Die oft citirte größere Chronik berichtet: „Rex mandavit ituris mari naves atque triremes consignari, terra autem discessuris jumenta et custodes praeberi, qui salvos, ubi optassent, sisterent;" und Morgado erzählt (in seiner Geschichte von Sevilla): „Centum millia hominum mari se commiserunt, quibus Rex indulsit quinque naves, per Baetim subductas usque Hispalim cum decem triremibus et una carraca (quam Navim Asianam praegrandem interpretantur Lexicographi); hae tamen naves debuerunt saepius ivisse et redivisse, ut tanta turba eveheretur." (Acta Sanct. tom. cit. pag. 351.)

Aben-Jussuf.

Ach, Sultana! holde Schöne!
Klage doch nicht meine Liebe
An, weil du in Spanien nun
Als Gefangne bleiben mußt!
Denn, wenn du noch jenes Sinnes
Der Metapher dich erinnerst,
Bist du mein Gesetz ja; mit mir
Gehst du, bleibst du auch zurück!

Ab.

Vargas.

Da nun der Besitzergreifung
Ceremonie jetzt vorüber,
Muß als Bannerherr ich auch
Meine Pflicht allhier erfüllen.

Ab.

König

(zum Bischof von Segovia).

Als Sevilla's Erzbischof
Tritt du ein an meiner Seite [68]).
Und anstatt zum Königsschlosse
Laß' uns unsre Schritte lenken
Jetzt zuerst hin zur Moschee,
Daß zur Kirche du sie weihest.

Stimmen

(aus der Stadt).

Ferdinand, der große, lebe!

---

68) Wie oben schon erwähnt wurde, machte der König den Bischof von Segovia zum Erzbischof von Sevilla. Die größere Chronik erzählt: „Primum autem opus Regis hic fuit, restituere pridem vacantem Sedem Episcopalem ad Dei Matrisque ejus honorem, cui ecclesia ipsa est dedicata, stabilire in ea Canonicatus ac dignitates alias, perquam bene fundatas, dotare illam multis possessionibus . . . praeter ingentem gazam, quam donavit primo ejus Archiepiscopo Raymundo."

Alle.

Hoch und immer!

Prinz.

Wie das Heer,
Ruft die Stadt, ihr Volk und Adel,
Jeglicher nach seiner Weise
Jubelnd, dich als König aus,
In verschiedner Sprachen Lauten.

Vargas erscheint auf der Mauer und pflanzt das königliche Banner auf dieselbe. Während der folgenden Ausrufe ziehen Alle unter Musik und Trompetenschall in der Stadt ein. **Sultana** tritt unterdessen in der Tracht einer Gefangenen auf.

Vargas
(auf der Mauer).

Sieg für König Ferdinand!

Alle.

Sieg für König Ferdinand!

Vargas.

Den unüberwundnen Herrscher —

Alle.

Den unüberwundnen Herrscher —

Vargas.

Von Castilien und Leon!

Alle.

Von Castilien und Leon!

Vargas.

Er lebe, er herrsche, gebiete und siege!

Musik.

Er lebe, er herrsche, gebiete und siege!

Alle.

Er lebe, er herrsche, gebiete und siege[69])!

Sultana

(allein zurückbleibend, während die Musik und der Trommelschall in der Ferne sich verliert).

Sevilla für Ferdinand
Von Castilien und Leon?
O der Wuth, der Angst, des Zornes,
Der in meinem Herzen brütet,
Einer Natter gleich vergiftend,
Doch den Giftzahn nimmer leerend!
Hätt' ich niemals, in des Menschen
Form mein allegorisch Wesen
Kleidend, mich in der Gestalt
Hier in Spanien gezeigt,
Wo ich einst so siegreich herrschte,
Um, vom Throne nun gestoßen,
Als Gefangne drin zu leben,
Während meine Schmach ein Jeder
Nun ins Angesicht mir wirft!
Doch auch hier noch hat mein Schimpf,
Hier noch meine Schmach kein Ende!
Denn ich sehe – durch der Zeiten
Flug mich eilend weiter schwingend,
(Da als Geist ich ja die Zukunft
Schaue, eh' sie sichtbar wird)
Nicht nur, wie jetzt Ferdinand
In Sevilla friedlich herrschet,
Und wo Mahomet's Moschee einst
Staud, der Christen Cathedrale
Sich erhebt; ich muß auch schauen,
Wie er sich zum Grabmal dort
Eine fürstliche Kapelle

69) Die Uebergabe von Sevilla fand statt am 23. November 1248.

Baut[70]), zum Zeichen, wie ein König,
Der des Todes eingedenk,
Nach noch höherm Königreiche
Strebt; und wie er, seiner Andacht
Zu genügen, um mit würd'gem
Bild Maria's sie zu zieren,
Nimmer ruhet, bis ihm eines
Wird gemeißelt, das dem Urbild
Wie er's schaute, ähnlich sieht.
Doch, weshalb betrübt mich das?
Warum treibt's mich zur Verzweiflung?
Giebt's doch Keinen, dem's gelänge
Ihre Schönheit darzustellen.
Welchen Künstler kennt die Welt
Der im Stande, Sie zu treffen?
Sprechen heilige Gesänge
Nicht von Ihrer Schönheit also,
Daß Verwegenheit es wäre,
So begünstigt sich zu wähnen?

Die zwei Engel treten auf in Pilgertracht und singen in der Weise von Wanderern, die um Almosen bitten.

Die beiden Engel

(singen).

Tota es pulchra, amica mea,
Macula non est in te[71]).

---

70) Vergl. oben das Gelöbniß des Königs S. 135.

71) Diese bekannten, dem Hohenliede entlehnten Worte: „Ganz schön bist du, meine Freundin, und kein Makel ist an dir," welche die Kirche auf die allerseligste Jungfrau anwendet, enthalten für Sultana einen Grund der Hoffnung, daß kein menschlicher Künstler je im Stande sein werde, den Wunsch des Königs, ein die wirkliche Schönheit Maria's treu darstellendes Bild anzufertigen, zu erfüllen. — Nachdem der im ersten Theile verheißene Triumph der Hoffnung durch die Einnahme von Sevilla sich nunmehr verwirklicht, hat der Schluß des Auto von

Sultana.

Ha, was hör' ich? Fremde Pilger
Sind's, die da in ihrer Weise
Und in ihrer fremden Sprache
Sich des Weg's Beschwerde kürzen
Durch Gesang. Auf meinen Zweifel
Gaben günst'ge Antwort ihre
Töne! Sprachen sie's nicht aus,
Daß, um so viel Reiz zu malen,
Menschenkräfte nicht genügen?
Gaben sie nicht, meinem Zwecke
Ganz entsprechend, zu verstehen,
Daß Sie nur ihr eigner Spiegel[72]),
So durchsichtig, rein und klar,
Daß kein Makel je ihn trübt?
Freudig lausch' ich diesen Tönen;
Denn verzweifeln muß wohl Jeder,
Der Ihr Bild zu bilden wagt!

Die Engel

(singen).

Per Virginem Matrem
Dominus det nobis salutem et pacem[73])!

---

jetzt an die Aufgabe, die höhere geistige Erfüllung der Hoffnung des heil. Königs, in Betreff des von ihm ersehnten Bildes und des im künftigen Leben ihn erwartenden Lohnes, zu zeigen. Der Dichter verläßt nun das Gebiet der Geschichte und giebt sich allein seinen eigenen poetischen Erfindungen hin, mit denen er die Anm. 48 erwähnte Sage ausstattet. Erst der Tod des heiligen Königs giebt ihm Veranlassung, noch einmal an die Geschichte anzuknüpfen und die Berichte der alten Chroniken wieder zu benützen.

72) D. h. daß sie selbst nur im Stande ist, ein treues Bild von sich selbst zu geben.

73) D. h.: „Durch die jungfräuliche Mutter verleihe uns Gott Heil und Frieden.“

Sultana.

Doch, o weh! In Ihrem Namen
Könnten dennoch wohl von Gott
Künstler solche Gunst erlangen,
Denn was bliebe dem verweigert,
Der in Ihrem Namen bittet?

Die Engel

(singen).

Da nobis virtutem
Contra hostes tuos[74])!

Sultana

(hervortretend).

Pilger, deren seltsam Lied
Meine Sinne hier, wie Schlangen,
Hat beschworen[75]), sprecht, wer seid ihr?
Wohin eilt' ihr? Welch' Gesang
Ist das, der ans Ohr mir tönt,
Schmeichelnd bald, und bald mir drohend?

Erster Engel.

Nicht zu dir sprach unser Lied;
Denn dein Irrthum beut uns keine
Zeichen, die uns leiten können
Hier auf unsrer Pilgerfahrt.

Zweiter Engel.

Sklavin bist du und verirrt;
Doch wir suchen Jene, welche

---

74) D. h.: „Gieb uns Kraft gegen deine Feinde.“
75) Die Schlangen lassen sich bekanntlich durch Musik zähmen und beschwören.

Nie als Sklavin[76]), nie verirrt,
Schon im Anfang war geboren.

Erster Engel.

Wie doch konnt'st du thöricht wähnen —

Zweiter Engel.

Wie so unvernünftig glauben —

Beide.

Daß zu dir je reden könne
Unsres Liedes Ton und Sprache?

Erster Engel.

Darum halte hier nicht auf —

Zweiter Engel.

Unsern Pfad und störe nicht —

Beide.

Unsres Liedes weitres Klingen.

(Sie singen:)

Dignare me laudare te
Virgo sacrata[77])!

Sultana.

Dennoch — aber, wehe mir!
Will ich Antwort auch euch geben,
Nicht vermag ich's; kann nicht reden!
Denn erstarrt ist meine Zunge,
Meine Lippen zittern, meine

---

76) D. h. in Folge ihrer unbefleckten Empfängniß nie eine Sklavin des Teufels, wie es alle anderen Menschen bei ihrer Geburt durch die Erbsünde sind.

77) D. h.: „Würdige mich, dich zu loben, heilige Jungfrau."

Stimme stockt; geblendet bin ich;
Euch zu sehen, wie zu hören,
Schreckt mich; fliehen muß ich weit,
Eurem Anblick, euren Tönen
Mich entziehn, verwirrt, entsetzt!

Ab.

Zweiter Engel.

In ein übles Land gekommen
Sind wir, da das Erste, was uns
Auf der Pilgerfahrt begegnet,
Die geduldete Vermischung
Der Ungläub'gen mit den Christen!

Erster Engel.

Noch ist an der Zeit sie; mag' es
Uns zum Troste doch gereichen,
Daß wir bald nun an der Schwelle
Jenes Königsschlosses stehen,
Das den gläub'gen Ferdinand
Hier beherbergt, den das Volk
Jetzt den Heiligen schon nennet.

Zweiter Engel.

Und wohl billig ist's, daß ihn
Heute schon des Volkes Stimme
Heilig spricht, in ahnungsvoller
Hoffnung späterer Regiernng [78]),
Die einst glücklich wird erleben
Auch der Kirche Heiligsprechung.

Beide ab.

Die Scene verwandelt sich in einen Platz vor dem Alkazar (königlichem Schloß) in Sevilla [79]).
Die beiden Engel treten wieder auf.

---

78) Der des Königs Carl's II. nämlich, vor dem das Auto aufgeführt wurde und auf dessen Betrieb die Heiligsprechung zum Abschluß kam.

79) Der König bezog nach der Besitzergreifung der Stadt den Alkazar, das ehemalige Schloß der maurischen Könige von Sevilla.

Erster Engel.

Da wir nun vor seinen Thoren
Steh'n, so laß uns, daß bemerklich
Wir uns machen, weiter jetzo
Unsre Pilgerrolle spielen,
Daß für Wandrer man uns halte.

Beide
(singen).

Tota es pulchra, amica mea,
Macula non est in te.

Tropezon
(tritt aus dem Thore).

Welche süßen Klänge setzen
In Verwundrung hier die Luft?

Die Engel
(singen).

Per Virginem Matrem
Dominus det nobis salutem et pacem.

Tropezon.

Und die Luft nicht nur, nein jedes
Menschlich Ueberlegen auch,
Das, zum Himmel sich erschwingend,
Andachtsvoll Gebete stammelt.

Die Engel
(singen).

Da mihi virtutem
Contra hostes tuos.

Tropezon.

Wie die Sinne mir umnebelt
Sind vom Hören und vom Sehen!
Er erblickt sie, während sie, an ihm vorüber, eintreten wollen.

Die Engel

(singen).

Dignare me laudare te
Virgo sacrata.

Tropezon.

Ha, zwei Pilgerlein von seltner
Schönheit sind's. Nicht blos zu singen,
Auch geschickt herein zu schlüpfen
Wissen sie. Heda! ihr Herren,
Bleibt zurück!

Erster Engel.

Und wer bist du,
Um den Eingang uns zu wehren?

Tropezon.

Einer der, bevor der König
An die Pforte ihn gekettet,
Schon ein Kettenträger war [80]).
Denn im Frieden, wie im Kriege
Trug mich meiner Neigung Trachten
Stets zum Kettentragen hin.
Darum tracht' ich das Betragen
Jener hier mir zu betrachten,
Die des Pförtners Tracht nicht achten,
Und ihn zu verachten trachten [81]).

---

80) Anspielung auf das Geschenk der goldenen Kette, die er vom König erhalten. (Siehe S. 167.)

81) Im Original lauten diese Verse, welche sich in der Uebersetzung nur nachbilden, aber nicht wörtlich wiedergeben lassen:

Es mi porte ser Portero,
Y portador de cadena;
Y asi me importa portarme
Con quien aporta á esta puerta.

Wollt Almosen ihr begehren,
So verweilt hier an der Pforte,
Bis Er selber kommt, um's Allen
Eigenhändig auszutheilen.
Und bis dahin habt Geduld, und
Gebt mir noch ein Lied zum Besten;
Denn ihr singt wie Himmelssänger,
Und, versteh' ich auch den Text nicht,
Hör' ich doch die Melodie.

Zweiter Engel.

Nicht Almosen, Audienz nur
Wollen wir — drum, mache Platz.

Tropezon.

Geb ich selbst euch nicht Lizenz,
Komm't ihr nicht herein.

Der **König** und **Don Ramon** (nunmehr Erzbischof von Sevilla) treten auf.

König.

Was giebt's?

Tropezon.

Diese beiden Wandrer wollen
Bis zu dir hinein.

König.

Und wann
Schloß sich jemals mein Gemach
Einem Pilger, wann versagt' ich
Meiner Wohnung Pforte ihm?
Nicht ins Zimmer nur, zur Tafel
Ist der Zutritt ihnen offen.
Gebt Almosen ihnen, Vater[82])!

---

82) Der Erzbischof ist in dieser Eigenschaft zugleich Groß-Almosenier des Königs.

Segovia.

Nie in meinem Leben sah ich
Zwei so liebliche Gestalten!

Der zweite Engel.

Wär' Almosen anzunehmen
Unsrer würdig auch, dem Geber
Himmelslohn verdienen helfend[83]),
Ist doch heut', was wir begehren
Nicht Almosen.

König.

Nun, was ist's?

Erster Engel.

Als zwei fremde Künstler kommen
Wir aus weiter Ferne her.
Da wir hörten, wie so sehr
Dir ein Bildniß würde frommen,
Haben wie uns vorgenommen,
Deine Freude nur im Sinn,
Selbst zu dir zu pilgern hin,
Ob's gelänge unsern Händen,
Solch ein Bildniß zu vollenden
Von der Himmelskönigin.

König.

Auch die größten Künstler nicht
Haben meinen Sinn getroffen;
Was von ihnen zu erhoffen,
War nur matter Farben Licht,

---

83) Wohl ein vom Dichter beabsichtigter Gegensatz zu der Scene im ersten Theile, wo der Albigenser die Annahme des königlichen Geschenkes verweigert. (S. 51.)

Nur ein menschlich Angesicht,
Fern von der Vollkommenheit,
Wie im Geist sie mich erfreut.
Und viel wagt ihr, zarte Knaben,
Dort, wo irrten hohe Gaben,
Alter Meister Tüchtigkeit!

Zweiter Engel.

Trüg'risch ist des Auges Blick,
Gilt's, das Alter zu erfahren.
Aelter sind vielleicht an Jahren
Wir, als sich's verräth dem Blick.

Erster Engel.

Und wir übten mit Geschick
Allzeit uns in dieser Kunst,
Mit des größten Eifers Brunst.
Elternlos erschienen wir
An des hohen Meisters Thür,
Dem wir der Erziehung Gunst
Danken und den Unterricht.

König.

War's ein tücht'ger Meister?

Zweiter Engel.

Nicht
Kommt ihm einer gleich; er machte
Einst ein Standbild — dies beachte —
Blos aus Lehm [84]); dem Angesicht
Haucht' er solche Seele ein,
Daß, so wie man allgemein
Pflegt zu sagen, sein Genie
Es so herrlich schuf, daß —

84) Anspielung auf die Schöpfungsgeschichte.

König.

Wie?

Engel.

Er selbst Sprache ihm verlieh.

König.

Mit Vergnügen hör' ich euch.
Wie? so kunstreich war der Mann?

Erster Engel.

Und aus Knochen schnitzt er dann
Noch ein zweites, jenem gleich,
Das so schön, so lebensreich,
Daß Gefühl ihm kaum gebrach[85]).

König.

Selbst Gefühl?

Erster Engel.

Gewiß; doch ach,
So zerbrechlich war's, daß dies
Als an einen Baum[86]) es stieß,
Sich verletzte und zerbrach.

König.

(nach kurzer Pause).

Sagt mir, woher seid ihr?

Zweiter Engel.

Wir?

König.

Nun, was stockst du?

---

85) Der Leib der Eva wurde bekanntlich aus der Rippe des Adam gebildet.
86) Den Baum der Erkenntniß im Paradiese nämlich.

Zweiter Engel.

Aus dem hohen
Alemanien, von dem frohen
Hof des höchsten Kaisers.

König.

Hier
Wollt ihr an dem Bildwerk mir
Eurer Kunst Geschick bewähren?

Erster Engel.

Den Versuch könnt'st du gewähren.

Zweiter Engel.

Unsre Namen dann zu nennen,
Wenn wir's gut vollenden können,
Wir als einz'gen Lohn begehren.

Erster Engel.

Und um Eins noch bitten wir —

König.

Sprecht, gern bin ich euch zu Willen.

Zweiter Engel.

Um die Sehnsucht nach dem stillen
Vaterland zu wecken hier [87]),
Weil ja fremde Wandrer wir!

Erster Engel.

Drum begehren wir und flehen,
Wenn wir bei der Arbeit stehen,

---

87) Im Doppelsinn zugleich eine Anspielung auf die Todesahnung des Königs.

Daß, wie wir das Werk vollbringen,
Zu erspähen und zu sehen,
Niemand zu uns wolle dringen;
Ohne daß uns Jemand stört,
Mit uns spricht, mit uns verkehrt,
Müssen, bei verschlossnen Thüren
Unsre Arbeit wir vollführen.

König.

Also sei's, wie ihr begehrt.

Zweiter Engel.

Und so mögest Du nun wollen
Die Idee uns auch entrollen,
Welche dir vor Augen schwebt,
Die in deinem Geiste lebt,
Wie wir sie erfassen sollen.

König.

Denkt euch Maria mit dem Himmelskinde
Auf einem Thron, den goldne Wolken tragen;
Und von ihr dringt's wie rosenrothes Tagen,
Daß Nacht erhellt, und Tag gedämpft sich finde.
Denkt, wie mit Huld sich Majestät verbinde
In ihrem Taubenblick, wie nicht zu sagen
Der Locken Anmuth, die herniederragen;
Wie eine nur sich um den Hals ihr winde[88]).
Nach der Idee mögt ihr das Standbild malen,
Wie Ros' an Ros' und Stern an Stern sich schlingen.
Doch lauschen Andre sonst Originalen,
Müßt ohne Vorbild hier ihr's heut vollbringen;

---

88) Anspielung auf die Stellen des Hohenliedes (cap. 4): „Deine Augen sind Taubenaugen;" „Du hast mein Herz verwundet .... mit einem Haare deines Halses."

Denn zu solch' hehren Urbilds Himmelsstrahlen
Kann ird'sches Vorbild nimmer sich erschwingen.

(Er führt die Engel zu einer Thür im Schlosse.)

So denn zieh't euch nun zurück
Hier in dies Gemach, von Allen
Abgesondert, nach Gefallen.

(Zu Tropezon.)

Du die Instrumente schick',
Material, und was ihr Blick
Nur begehrt zur Nahrung.

Tropezon.

Ja,
Gern bin ich ihr Rabe[89]) da;
Alles trag' ich flink hinein
Was nicht selbst ich, schlau und fein,
Unterwegens aß.

Ab.

König.

Und da
Ihr zur Arbeit nun bereit,
Mögt beginnen ihr dort drinnen.

Er öffnet ihnen die Thüre.

Schließt die Thüre dann von innen.
Doch Erlaubniß mir verleiht,
Daß ich, nach Bequemlichkeit,
Ich allein, dann einmal seh',
Wie das Werk von Statten geh'.

Beide.

Kannst zu jeder Stunde kommen;
Daß von dir es wahrgenommen,
Ob wir trafen die Idee.

Sie treten ein und schließen hinter sich die Thüre.

89) „Ihr Rabe," der ihnen, wie jener Rabe des Elias, die Speise bringt.

König
(zum Erzbischof).

Habt Ihr Alles wohl beachtet?

Segovia.

Ja.

König.

Was dünkt euch von der Sache?

Segovia.

Weiß nicht, ob ich's kund dir mache —

König.

Was?

Segovia.

Wie Gottes Werk betrachtet
Hab' ich's.

König.

Ganz wie ich, Ihr dachtet.
Niemals sah ich schön're Knaben,
Größ're Anmuth, mehr Verstand!

Segovia.

Und der Meister, den sie haben,
Elternlos — deß Künstlerhand
Formt aus Lehm — welch' seltne Gaben!

König.

Nun, der Ausgang wird es lehren.
Doch, hier nebenbei gesagt,
Seltsam heft'ger Durst mich plagt,
Der mich gänzlich will verzehren;
Und ich fürchte abzuwehren
Ist ein Fieberanfall nicht.

Segovia.

Größ're Schonung ist hier Pflicht.

König.

Gottes Wille mag geschehen;
Eh' ich sterbe, möcht ich sehen
Noch Maria's Angesicht!

Beide ab.

Tropezon tritt auf mit einem Korbe mit Eßwaaren und einer Flasche Wein.

Tropezon.

Was ist das wohl für ein Ding,
Also sonderbar, daß weder
Wahrheit es noch Lüge, und doch
Lüg' und Wahrheit auch zugleich?
Räth es Niemand? Nun man wisse,
Dieses Räthsels Lösung ist das
Essen hier, das jenen Bürschlein
Ich in diesem Korbe bringe.
Denn's ist Wahrheit, daß ich's bringe;
Lüge daß ich's *ihnen* bringe.

Er ißt und trinkt.

Das beweis' ich durch den Bissen
Und den Schluck hier; wessen Scharfsinn
Kann wohl, hört er diesen Schluß,
Leugnen, daß ich's nicht beweise?
Doch kommt Bissen so zu Bissen
Schluck zu Schluck, so fürcht' ich sehr,
Werd ich bald aufhören müssen,
Weil ich gar nicht höre auf.
Gut ist *gut*; das ist gewiß.
Doch, wenn *gut* ist *gut*, was ist denn
Dann ein Bissen mehr wohl mehr,
Als für sie ein Bissen wen'ger?

Doch bei diesem und dergleichen
Bin ich ans Gemach gekommen.
Traun, das ist der erste Ruhplatz,
Den ich gern noch weiter wünschte.

Musik drinnen.

Himmel, was für Töne hör' ich?
Was für prächt'ge Instrumente
Klingen da? Und wer denn bracht' sie
Ihnen dort hinein? Sie haben
Ja zu ihrer Arbeit solche
Nicht verlangt, auch Material
Sich noch nicht erwählt zum Werke!
Doch bald werd' ich's wissen; denn
Oeffnen müssen sie mir sicher,
Wider Willen auch, bei Strafe
Daß sie ohne Essen bleiben.
He, ihr Herren Künstler drinnen!

Er klopft an die Thür.

Erster Engel

(von innen).

Wer ist da?

Tropezon.

Der Essen bringt.

Die Engel treten heraus und nehmen den Korb in Empfang.

Zweiter Engel.

Reich' es her und gehe wieder.

Tropezon.

Soll ich euch nicht drin bedienen?

Erster Engel.

Werden uns schon selbst bedienen;
Denn den Menschen ja verstehen

Besser wir zu dienen, als sie
Selber uns zu dienen wissen [90]).

Sie ziehen sich zurück und schließen die Thüre wieder.

Tropezon.

Nun, was heißt denn das, ihr Herren?
Ohne Hammer, Stein und Griffel
An die Arbeit sich begeben?
Essen nur und musiciren?
O das könnt' ich selber. Will's dem
König sagen.

Der König tritt auf.

König.

Nun was hast du
Ihm zu sagen?

Tropezon.

Gar kein übles
Mittel wählten diese Fremden,
Um sich gütlich hier zu thun,
Wenn die List noch lange ihnen
Glückt —

König.

Womit denn?

Tropezon.

Nun, mit Essen.
Nichts, Herr, haben sie verlangt,
Was zu ihrer Arbeit nöthig;
Brachten etwas sie mit sich,
War es Musikantenwerkzeug,
Herr, doch keine Instrumente,

---

90) Anspielung auf die Naschhaftigkeit des Tropezon.

Wie Bildhauer sie gebrauchen.
Statt der Hammerschläge hört man
Nur Akkorde; und dabei
Nahmen sie ganz gut das Essen,
Das ich brachte; darum denk' ich
Paßt allhier wohl die Geschichte,
Die bekannte, von dem Manne,
Der leichtsinnig einst versprochen
Einem König, abzurichten
Einen Elephanten, daß er
Sprechen lerne, und der dachte:
„Bis der Unterricht zu Ende,
Eß ich wenigstens und trinke;
Und bis dahin stirbt gewiß
Von uns Dreien Einer: ich,
König oder Elephant."

König.

Stirbt gewiß, ich, König oder
Elephant? Ein Weiser und ein
Thor, sie geben Beide mir
Zum Nachdenken Stoff! Der Eine
Ließ im Meister da, im Lehm mich
Ein Geheimniß ahnen; dieser
Spricht mir von Musik und keiner
Arbeit, und fügt dran die Mahnung,
Daß vom König bis zu Thier
Alles sterblich! O Erinnrung!
Weckten sie nicht schon die Leiden,
Die im Körper ich verspüre?
Doch was leg' ich auf Zufäll'ges
Solchen Werth? Weiß ich denn nicht,
Daß bei Gott es keinen Zufall
Giebt? Und drum, da mich Verlangen,
Zu erfahren, was gefördert
Schon die schönen Pilger haben,

Eh' ich diesen Menschen hörte,
Hierher trieb mit heft'gem Drange,
Und sie selbst es ja erlaubten,
Daß ich komme, ich allein,
Ihre Werkstatt zu besuchen,
Will ich seh'n nun, was sie machen.

Indem er auf die Thüre zugeht, ertönt Musik von innen.

Aber, Himmel! was vernehm' ich?
Wahr ist's, keinen Thoren giebt's,
Der zuweilen nicht vernünftig [91]).
Dennoch will ich weiter lauschen,
Ob's nicht Täuschung?

Tropezon.

Wie ist's möglich,
Wenn zum Ton der Instrumente
Nun Gesang auch schallte?

König.

Still!

Die Engel singen drinnen in Begleitung von Instrumenten.

Erster Engel.

Hoch preise meine Seele,
Hoch preise nun den Herrn!

Zweiter Engel.

Frohlocke, o mein Geist,
Erfreu' in Gott, in deinem Heile dich!

91) Diese Worte des Königs erinnern an die ihm in der Legende Flos Sanctorum bei einer anderen Gelegenheit kurz vor seinem Tode zugeschriebenen Worte: „Tum vero Rex, inquit, etiam ex ore fatuorum prudentia quandoque consilia proficisci audivi saepius,“ obgleich die dort erwähnte Veranlassung eines Gespräches des Königs mit einem Parasiten (truhan) mit der hier vom Dichter dargestellten Scene nicht im geringsten Zusammenhange steht.

Musik.

Hoch preise nun den Herrn!

König.

Anzuklopfen wag' ich nicht,
Den Gesang zu unterbrechen.

Erster Engel.

Er schaute gnädig an
Die Demuth seiner Magd.

Zweiter Engel.

Drum werden selig preisen
Mich noch der Menschen späteste Geschlechter.

Musik.

Hoch preise nun den Herrn!

König.

Wahrheit ist es, keine Täuschung!
Doch, weshalb hält mich gebannt hier,
Was mich neu beleben sollte?
(Er klopft an die Thür.)
He, ihr Himmelspilger, drinnen,
Oeffnet! Ich bin's.

Tropezon.

Keine Antwort.
Neu erschallen die Gesänge.

Erster Engel.

Denn Großes that an mir
Ja seiner Liebe Macht.

Zweiter Engel.

Die Stolzen warf er nieder,
Die Demuthsvollen hat er hoch erhöht[92]).

Musik.

Hoch preise nun den Herrn!

König.

Unrecht wär' es, noch zu warten;
Was aus rechtem Eifer stammt,
Ist kein unerlaubtes Wagniß.
Hören sie nicht, und kann selber
Ich die Thür nicht öffnen, muß ich
Mein Gefolge rufen. Holla!

Er versucht vergeblich die Thüre zu öffnen. Alle treten eilig auf.

Alle.

Herr, was giebt es, was befiehlst du?

König.

Weiß ich's selber? Sprengt die Thüre!
Daß wir seh'n, was dort es giebt.

Die Thüre wird erbrochen.

Alle.

Sieh', schon steht sie offen.

König

(hineinblickend).

Nicht nur
Die des Zimmers sprengtet ihr;

---

92) Der Gesang der Engel ist die fast wörtliche Uebersetzung des Magnificat. (Luc. 1.)

Denn wohl kaun ich sagen, daß des
Himmels Pforten ihr gesprengt!

Indem die Thüre sich öffnet, sieht man in der Halle die Jungfrau auf einem Throne, wie sie früher erschien, unbeweglich als Statue; zu beiden Seiten schweben die **Engel** singend empor. Den Fuß des Thrones bildet ein Altar, auf welchem Brod und Wein liegen. Alle sinken auf die Kniee.

Segovia.

Welch' ein Anblick!

Santjago.

Welch Erstaunen!

Prinz.

Welch Ereigniß!

Einige.

Welch' Erlebniß!

Andere.

Welch' ein Schauspiel!

König.

Welch' ein W u n d e r
Sagt vielmehr; denn dort erblick' ich
Wachend jetzt dasselbe Bild,
Das im Traum' ich damals schaute!

Die Engel

(während des Gesanges emporschwebend).

Hoch preise meine Seele,
Hoch preise nun den Herrn!
Frohlocke, o mein Geist!
Erfreu' in Gott, in deinem Heile dich!
Er schaute gnädig an
Die Demuth seiner Magd.
Drum werden selig preisen

Mich noch der Menschen späteste Geschlechter!
Denn Großes that an mir
Ja seiner Liebe Macht;
Die Stolzen warf er nieder,
Die Demuthsvollen hat er hoch erhöht.
Hoch preise meine Seele,
Hoch preise nun den Herrn!
Frohlocke, o mein Geist,
Erfreu' in Gott, in deinem Heile dich!

Sie verschwinden.

König.

Doch, wo sind die Pilger hin?

Prinz.

Mit den Tönen schwanden sie auch;
Nur das Bild blieb hier zurück.

Segovia.

Und die Speisen unberührt.

Santjago.

Und auf dem Altare dort
Brod und Wein.

König.

O Herr des Himmels!
War es nicht genug, Maria's
Holdes Bildniß hier zu finden,
Durch der Engel Kunst vollendet
Ohne Werkzeug, ohne Stoff?
Sollten auch noch die Gestalten
Des hochheiligsten Mysteriums
Dort auf dem Altare thronen?
Doch — sagt' sie im Traum mir nicht,
Daß die Mühen meiner Arbeit

Bald zu Ende? Wohl versteh' ich's;
Mir ihr Bildniß hier zu schenken,
Ausgeführt von Engelhänden,
Daß ich's auf mein Grabmal stelle,
Wenn mein Grabmal ich erbaue,
Und dann hier zurück zu lassen
Ungekostet Brot und Wein,
Daß ich selber es genieße
Als Wegzehrung für die Reise —
Sagt 's mir nicht, daß nun die Zeit
Da ist, wo mit Simeon
Ich in heil'ger Freude rufe:
Lasse, Herr, nun deinen Diener,
Zeit ja ist's, in Frieden scheiden.
Denn dein Wort hast du erfüllt,
Daß noch meine Augen schauen
Einst das Heil, das du bereitet
Vor dem Angesicht des Volkes
Hier zur Ehre Israel's [93]).
So erfüll' denn auch das andre,
Was du damals mir verheißen.

Er sinkt ohnmächtig in die Arme der beiden Bischöfe.

Prinz.

Ach! ohnmächtig sinkt er nieder.

Segovia.

Ich vermuthe, Ohnmacht nicht,
Nein, Entzückung riß ihn hin.

Mehrere.

Herr! o Herr!

---

93) Vergl. (Luc. 2.) das Canticum Simeonis. Es bildet dies g maßen einen Gegensatz zu dem Magnificat, das soeben von den gesungen wurde.

Prinz.

Ganz ohne Athem,
Ohne Stimme und Empfindung!

Admiral.

Alle lasset uns sogleich zu
Bett ihn bringen.

Pelay.

Doch er kommt
Zum Bewußtsein.

Prinz.

Dank dir, Himmel!

König

(zu Segovia).

Euch, Erzbischof von Sevilla
An des Vaters Statt empfehl' ich
Meinen Sohn. Und sorgt dafür
Daß man dieses Bildniß stelle
Auf mein Grab; und bringt sogleich
Mir die Sterbesacramente!

zu Santjago:

Und Ihr laßt vom Sängerchor
In der Stunde meines Scheidens
Das Te Deum laudamus singen [94]).

Sie tragen ihn fort.

Prinz.

Welch' ein Schmerz!

---

94) Alle Chroniken stimmen darin überein, daß der Heilige in seiner Sterbestunde das Te Deum habe singen lassen.

Alcantara.

Welch' harter Schlag!

Vargas.

Welch' ein Unglück!

Pelay und Calatrava.

Welcher Kummer!

Santjago.

(allein).

Himmel, was bedeutet dies?
Das Tedeum läßt er singen
In der Stunde seines Sterbens?
Den Gesang, der nur für jene
Paßt, die schon in Seligkeit
Sind verklärt? Doch ist's vielleicht
Ein weissagend Zeichen, daß ihm
In dem Lauf der Jahre einst noch
Heiligsprechung ist beschieden!

Ab.

Sultana tritt auf.

Sultana.

Und wann käme solch' ein Jahr?
Werde ich nicht, ob gefangen
Jetzt auch, meine Sklavenketten
Noch zerreißen, meine Leute
Sammeln und in Spanien wieder
Herrschen? Wie wird dann der Glaube,
Wenn auflodert meine Flamme,
Wenn mein Zorn sich neu entfesselt,
Tempel und Altäre finden
Für der Heiligsprechung Feier,
Für den Cult des Ferdinand?
Und nicht fern mehr ist die Zeit,

Wo ich solches mir verspreche;
Nahe ist sie, fehlt erst er,
Er, vor dem allein ich zittre!
Und, nicht zweifl' ich, bald geschieht's;
Denn schon liegt er in den letzten
Lebenszügen, wie des Volkes
Laute Klagen es verkünden.
Und, — noch sicherer verbürgt mir's
Jene Eile, die ich sehe,
Wie der Erzbischof ihm heimlich
Dort schon bringt das Sakrament;
Und wie Alle ihn begleiten,
Ritter und Prälaten, Volk und
Adel, offenkundig klagend,
Das Geheimniß laut verrathend.
Weil ja im Gedränge Niemand
Meiner achtet, will auch ich
Zeugin sein von dem Ereigniß,
Schreckt mich's auch, was schon ich höre.

Musik

(hinter der Scene).

Te Deum laudamus,
Te Dominum confitemur.

Sultana.

Doch — weh' mir! sein feur'ger Glaube
Seine Liebe reißt ihn fort
Zu der Hoffnung höchsten Höhen,
Daß er bald in Gott sich freue!
Da des Herren Nah'n er höret,
Da verläßt er Bett und Zimmer;
An die Pforte ihm entgegen
Eilt er, in ein härnes, grobes
Bußgewand gehüllt, das selbst er
Sich zum Sterbekleid bestimmte,

Einen Strick um Hals und Lenden,
Dem Verbrecher gleich, geschlungen!
Doch, wen könnte das befremden?
Wie er lebte, will er sterben!
Von Extremen zu Extremen
Uebergehend tauscht den Purpur
Er mit grauem Büßerkleid,
Und den blanken Stahl mit hanfnem
Strick. In Bußtrophäen sollen
Sich die krieg'rischen verwandeln,
Und die Schlachtmusik in Hymnen[95])!

---

95) Die Chronik erzählt: „Quando autem sensit moriendum sibi esse .... petiit praeberi sibi Corpus D. N. Jesu Christi. Quod ubi inferri a sacerdote vidit, cum humilitate profundissima volens excipere, de lecto in genua se conjecit, collumque laqueo assumpto implicans postulatam Crucifixi imaginem ante se collocavit ... multaque cum contritione et lacrymis pectus percutiens, peccatorem se maximum fatebatur et delictorum veniam postulabat a Deo. Deinde protestatus est, se firmiter tenere et credere omnes fidei Christianae articulos, in eaque fide mori velle. Tum vero petiit corpus Domini, quod sibi exhibitum adoravit devotissime, manus in coelum elevans, oculisque in illud defixis pronuntiavit preces aliquas, magnae fidei atque contritionis formulam continentes, atque ita demum adoratum sanctissimum Sacramentum suscepit de manu D. Raymundi Archiepiscopi Hispalensis." — Die Legende Flos Sanctorum führt die Worte des Königs selbst an, von denen sich verschiedene Anklänge in der nun folgenden von Calderon ihm in den Mund gelegten Rede wiederfinden. Dort heißt es: „Recepturus Corpus Christi surrexit de lecto, seque in terram prostravit dicens: Domine, unde merui, ut venires ad me? Et prius quam ipsum susciperet, accepit restim colloque circumjecit, tum genibus ac cubitis terrae innixus, dixit: O Domine mi, amore mei passus es àliam magis crudelem restim collo tuo circumdari: ego vero miser quid feci pro te? Obsecro, Domine, ne consideres, quam male possim tibi rationem reddere eorum, quae mihi commendasti et temporis impensi: sed considera, qualis ipse sis et miserere mihi. Atque ita cum multis lacrymis recepit Dominici corporis Viaticum, petens ab omnibus sibi ignosci, si cui gravis fuisset vel causam querendi de se dedisset .... Denique Clerum totum ibi

Musik.

Te Deum laudamus,
Te Dominum confitemur.

(Der **König** tritt auf in der oben beschriebenen Tracht, gestützt auf den Arm des **Prinzen** und des **Erzbischofs** von Santjago, welche Kerzen in den Händen tragen.)

König.

Bringt mich weiter, bis zur Schwelle
Des Palastes; denn wohl muß ich,
Zu empfangen solch' erhabnen
Gast, bis dorthin mich bemühen.
Bald erscheint er — unterdessen
Soll mein Rufen zu ihm dringen,
Denn sein Ohr ist mir ja nahe,
Ruf ich ihn auch aus der Ferne.
Herr! Du kommst mich aufzusuchen?
Du in meine Herberg', da ich
So unwürdig, daß bei mir du
Eintrittst? Doch ich hoffe auf dein
Heilig Wort, daß nicht um meiner
Schwachen Werke, nein um deiner
Allerbarmung Willen, du
Meiner Seele im Gerichte
Gnädig wirst die Schuld verzeihen.
Und in diesem Glauben tret' ich
Hier vor dich mit allen Zeichen
Eines überführten Frevlers.
Und zum Preis dir und zum Danke,
Daß du mir noch Frist gewährest
Um Verzeihung hier zu flehen,
Ruf ich, ob auch voll von Fehlern:

praesentem, post recitatas Litanias, praecepit canere Te Deum laudamus. Sumptaque in manus candela et Cruce ante se posita, inclinavit caput et magna cum devotione animam tradidit Creatori in urbe Hispali die 30. Maji, anno Domini 1252, regni vero sui 35.“

Er und Musik.

Te Deum laudamus,
Te Dominum confitemur.

König.

Und das Reich, das du mir schenktest
Leg' ich wieder jetzt zu deinen
Füßen nieder. O verzeihe,
Daß so wenig ich's verbessert
Durch mein Walten! Laß mich hoffen,
Daß, was ich versäumt, Alphonso's
Tugend nun ersetzen werde.
Doch, nicht dich allein nur, Herr,
Bitt' ich um Verzeihung; Alle
Fleh' ich drum, daß Euch mein Leben
Bessres Beispiel nicht gegeben.

Er nimmt eine Kerze in die Hand.

Diese Flamme sei mir Zeuge,
Daß zerknirscht ich hier bekenne,
Wie, gleich ihr, ich wohl verdiente
Einst in Ewigkeit zu brennen.
Und, wär' das dein heil'ger Wille,
Dann geh' deine Ehre vor
Meinem Wünschen und Behagen.
Mag ich brennen; ich ergebe
Willig mich in dein Verfügen!
Und da in der Hölle nicht mehr
Ich dich loben könnte, Herr!
Ruf ich noch, so lang' ich lebe:

Er und Musik.

Te Deum laudamus,
Te Dominum confitemur!

König.

Komm drum, Herr! und wenn dir einst,
Dir, dem ew'gen Wort des Vaters,
Nicht gegraut, durch des allmächt'gen
Geistes Kraft im Jungfrauschooß
Aus des Menschen Blut und Wesen
Leib und Seele anzunehmen[96]),
O so grau' dir jetzt auch nicht
Bei mir Sünder einzukehren.
Hast du in dem Schooß Maria's
Auch mit andrem Himmel deinen
Nur vertauscht, und steigst du hier
In den Abgrund aus dem Himmel,
Bist du deshalb ja du selber,
Und auch ich bin stets nur ich.
Füll' den Abstand aus, und höre,
Wie ich aus der Tiefe rufe,
Stets und immer wiederholend:

Er und Musik.

Te Deum laudamus,
Te Dominum confitemur.

Prinz.

Jetzo naht er.

Santjago.

Würd'ger eignet
Herr, sich deine Schloßkapelle
Zum Empfang; dort harre seiner.

---

96) Anspielung auf den Vers im Te Deum: „Tu ad liberandum suscepturus hominem, non horruisti Virginis uterum."

König.

Dünkt es so Euch angemessen,
Führt, Ihr Beide, mich hinein;
Und ich will nun, als der Erste
Mit Euch Allen im Vereine
Jetzt das Sakrament begleiten.
Diese Kerze, die ich nahm,
Als ein Sinnbild meiner Strafe,
Werde mir zur Leuchte nun
Und zum Sinnbild meines Trostes,
Wenn ich, Ihm zu Füßen dort,
Meine Stimme mit des ganzen
Volkes Stimmen jetzt vereinend,
Dann am Ende des Tedeum —

Musik.

Te Deum laudamus,
Te Dominum confitemur.

König.

Bald, des Hymnus Strophen kürzend,
Bis zum letzten Verse komme:
In te Domine speravi,
Non confundar in aeternum.

Musik.

In te Domine speravi
Non confundar in aeternum.

Während des Gesanges zieht sich der **König** mit seiner Begleitung an die Thür der Kapelle zurück. Hierauf erscheint der **Erzbischof von Sevilla** mit dem Allerheiligsten, begleitet von dem ganzen Gefolge und schreitet langsam über die Bühne, während Alle niederknieen und zu beiden Seiten eine Gasse bilden. Der **König** erwartet ihn an der Thüre der Kapelle und folgt ihm, nachdem er eingetreten, zuerst hinein, dann alle Anderen. **Sultana** bleibt allein zurück.

Sultana.

Hab' ich ein so seltsam Schauspiel
Auch geschaut, so geb' ich dennoch

Nicht die Hoffnung auf, noch einst
Mich als Königin zu schauen
Hier in Spanien.

Die beiden Engel treten auf.

Erster Engel.

Hoffe immer,
Doch vergeblich ist's; ein andrer
König wird die kühnen Pläne
Dir durchkreuzen und vernichtend
Bald aus Spanien dich werfen.

Sultana.

Welcher denn?

Zweiter Engel.

Der dritte Philipp,
Der, als Ferdinand's vierzehnter
Sproß, mit einem Schlag dann deine
Wurzeln aus dem Boden reißt[97]).

Erster Engel.

Diesem wird der vierte folgen,
Der in seiner Frömmigkeit
Dann die Andacht des erhabnen
Sakramentes und Maria's
Ganz besonders wird erhöhen.
Jenem wird er in dem eignen
Hause würd'ge Herberg' geben,
Und für diese um Dekrete
Bitten, daß die Unbefleckte
Ueberall man hoch verehre[98]).

---

97) Siehe oben Anm. 70.

98) Philipp IV. erbat sich das Privilegium, das Sanktissimum in seiner Hauskapelle haben zu können und verwandte. sich in Rom für die

Zweiter Engel.

Endlich wird dann Carl der Zweite,
Solchen Glückes würd'ger Erbe,
Ferdinand in voller Glorie
Schau'n, wenn erst der zehnte Clemens
Seine Tugend heilig spricht,
Und mit Messe und Officium
In der Kirche ihn verherrlicht[99]).

Sultana.

Mag er immer — doch vorher
Hör' die Welt —

Alle

(hinter der Scene).

Alphonso lebe!

Der Prinz und alle Anderen treten auf.

Prinz.

O mit wie betrübtem Herzen
Hör' ich euren Jubelruf!

(damals schon ventilirte) Erkärung des Dogmas der unbefleckten Empfängniß mit solchem Erfolge, daß der damalige Papst Alexander VII. durch die Bulle: Sollicitudo omnium Ecclesiarum allen Gegnern der unbefleckten Empfängniß Schweigen auflegte.

99) Die feierliche Heiligsprechung des heiligen Ferdinand fand statt im Jahre 1671 den 4. Februar durch den Papst Clemens X., welcher das Fest desselben an seinem Todestage (den 30. Mai) in ganz Spanien sub ritu duplici zu feiern befahl und im Brevier ein besonderes Officium und eine eigene Messe für das Fest des Heiligen anordnete. Der König von Spanien, Carl II., hatte die Heiligsprechung mit großem Eifer in Rom betrieben und die Kosten derselben getragen. Wahrscheinlich verdankt das gegenwärtige Auto, wie schon in den Vorbemerkungen erwähnt wurde, dieser in ganz Spanien auf das glanzvollste begangenen Feier seine Entstehung.

Alle.

Alle theilen wir dein Leid!

Segovia.

Des Gerechten Tod, er sei
Uns vielmehr ein leuchtend Vorbild,
Als ein Schmerz. Alphonso lebe!

Alle.

Hoch und lange leb' Alphonso!

Sultana.

Weh' mir, die ich als Gefangne
Muß mit allen Andern rufen,
Daß er lebe! Zwischen Jubel
Hier und Thränen bitten Alle
Wir um Nachsicht unsrer Fehler!

Alle.

Wenn Thränen in Freude
Sich lösen, ist's sicher,
Daß Leiden sich kleiden
In Trostesgewand.

Druck von Robert Nischkowsky in Breslau.

Berufene und Auserwählte.

Erläuternde Vorbemerkungen.

Der Titel dieses Auto: „Berufene und Auserwählte" (Llamados y escogidos) läßt den Inhalt desselben mit ziemlicher Bestimmtheit errathen. Es ist das Gleichniß vom Hochzeitsmahle des Königssohnes (Matth. 22, 1—14), zu dem Alle geladen und berufen, bei welchem aber nur Wenige erschienen und zur wirklichen Theilnahme auserwählt waren, das dem Dichter, in seiner weitesten weltgeschichtlich-symbolischen Bedeutung erfaßt, den großartigen Stoff eines Dramas hergeben muß. wie es zur Verherrlichung der Eucharistie kaum tiefsinniger, allumfassender und erhabener componirt werden kaun. Dem theologischen Tiefblick Calderon's kounte die großartige Doppelsymbolik, die dieses Gleichniß einschließt, unmöglich verborgen bleiben, und mußte um so mehr in dem Auto ihre Berücksichtigung finden, das seiner Natur nach von selbst zu dergleichen symbolischen Verknüpfungen hindrängt. Das in Rede stehende Gleichniß schildert nämlich, wie das auch vielfach von den Kirchenvätern anerkannt wird, nicht nur die Vermählungsfeier der einzelnen Seele mit ihrem himmlischen Bräutigam iu der sakramentalen Vereinigung mit demselben, sondern auch die Verbindung Christi mit seiner Collektiv-

Braut, der Kirche. Wer die „göttliche Philothea" gelesen hat, dem wird die scheinbare Doppelnatur, welche sich hieraus für die Person der Braut ergiebt, nichts Fremdartiges mehr sein. Es ist kaum nöthig zu erwähnen, daß der König die Person des ewigen Vaters und der Prinz Christum den Herrn darstellt. Die Allegorie und Symbolik der übrigen Personen liegt auf der Hand und bietet keine Schwierigkeiten dar. Unter der Stimme ist die Predigt des Evangeliums zu verstehen, als deren persönlicher Träger und Repräsentant Johannes der Täufer, nach der Analogie anderer Autos, ihr die sichtbare Verkörperung leihen muß. Isaias und Daniel stehen derselben, als die vorevangelischen Hochzeitsboten, zur Seite. Zugleich repräsentiren sie die alttestamentalische Sehnsucht nach der verheißenen Gnade.

Berufene und Auserwählte.

Personen:

Der König.
Der Prinz.
Die Braut.
Der Glaube.
Die Stimme.
Die Wahrheit.
Die Lüge.
Das Heidenthum.
Die Synagoge.
Isaias.
Daniel.
Musik.

Isaias und Daniel treten von verschiedenen Seiten auf.

Isaias.

Allmächtiger Gebieter,
Des Sonu- und Meer-umkreisten Erdballs Hüter!
Der du regierst in Glück und Mißgeschick
Des Mondes Wechsel [1]) mit erhabnem Blick,
Vom ersten Morgenstrahl des Orientes
Bis zu dem letzten Glüh'n des Occidentes!

Daniel.

Herr über alles Laud!
Deß Majestät, deß schöpferischer Haud

1) „Des Mondes Wechsel," d. h. den Wechsel der Ereignisse auf der vom Monde beschienenen Erde, deren Charakter, gleich dem Mondlicht, die Unbeständigkeit ist.

Das Sein und Leben danket
Was sich bewegt und fühlt und wächst und rauket,
Vom Wesen, das mit Geisteslicht bekleidet,
Bis hin zu dem, was schwimmt und fliegt und weidet!

Isaias.

Vernimm' die Klagetöne,
Die heute deine Knechte, deine Söhne,
Für deines Reiches [2]) Heil zu dir entsenden!

Daniel.

Der Stimme wolle, Herr, dein Ohr heut spenden,
Die ihre Noth durch Daniels Mund verkündet!

Isaias.

Die Isaias durch sein Schrei'n begründet!

Eine **Klagestimme** singt hinter der Scene:

Laß zum Troste doch uns Armen,
Unser schweres Leid zu stillen,
Daniels Wochen sich erfüllen [3])!

Musik.

Hab' Erbarmen, Herr! Erbarmen!
Zur Befreiung deiner Armen,
Als des langen Elend's Lohn
Sende, Herr, uns deinen Sohn [4])!

Anderer Musikchor.

Hab' Erbarmen, Herr! Erbarmen!

Der **König** tritt auf.

---

2) „Für deines Reiches," des irdischen nämlich.

3) D. h. laß die Weissagung des Daniel in Betreff der Zeit der Ankunft des Messias in Erfüllung gehen, welche dieser Prophet bekanntlich nach Ablauf von 70 Jahreswochen bevorstehend verkündete.

4) Dieser Gesang ist ein summarischer Ausdruck der Sehnsucht und Verlangens der Altväter nach dem Messias.

Der König.

So flehentliche Stimmen,
Die kläglich in der Lüfte Weh'u verschwimmen,
Sie thun Gewalt mir an,
(Daß Thränen mir Musik, erkennt ihr dran)[5]),
Daß sich mein Mitleid regt,
Von Daniels und Isaias Lied bewegt!
Sprecht (ob auch kund mir eures Herzens Stimm')
Was fordern meine Leute?

Daniel.

So vernimm!
Aller Königreiche König,
Dessen unermeßner Macht
Alles Land zum Teppich dienet
Und zum Baldachin die Himmel!
Deine edelen Vasallen,
Die in zweierlei Gesetzen
Schon Gehorsam dir geschworen,
Einst in Adam, dann in Moses,
Weil ja des Naturgesetzes
Zwei Gebote übergingen
Im geschriebenen Gesetze
In die heil'ge Zahl von zehn[6]):
Heute haben sie erfahren,
Daß vollendet schon die Frist
Jener Wochen, die ich selber
Deinem Volk einst angekündet.
Drum in Demuth hingeworfen

---

5) Der Sinn ist: Die Thränen heiliger Sehnsucht, welche Gott zur Gnade und zum Erbarmen bewegen, üben gleichsam auf Ihn eine ähnliche Gewalt aus, wie die Töne der Musik auf die Stimmung des Menschen.

6) Vergl.: „Zu Gott aus Staatsklugheit," Anm. 145 im I. Bd. S. 269.

Flehn sie hier mit treuem Herzen,
Daß die Himmel niederthauen
Jenes neuen Manna's Süße,
Daß die Erde sich eröffne,
Um das Heil hervor zu sprossen;
Daß der Wolken Purpurgold
Niederträufle den Gerechten [7]).
Doch damit Allegorie
Ihren Sinn alsbald eröffne,
Nicht ist's Daniel, nicht Isaias,
Die heut selber zu dir reden,
(Daß der Zeitverwirrung Freiheit [8])
Nicht zu Zweifeln Anlaß gebe);
Nein, die große Weisheit Gottes,
Welche Daniel bezeichnet [9]),
Und das Heil, das kommt vom Herrn,
Wie man Isaias deutet [10]),
Sind die zwei, die zu dir rufen
Jetzt, damit dein Weisheitsblick
Und dein Heil des Volkes Friede
Werde und der Noth Erlösung [11]).
Diese Bittschrift, die in Demuth
Wir zu deinen Füßen legen,

---

7) Anspielung auf die bekannte Stelle bei Isaias, Cap. 45.

8) „Der Zeitverwirrung Freiheit," d. h. derjenigen, die sich der Dichter nimmt, indem er Isaias und Daniel zu gleicher Zeit auftreten läßt.

9) Vergl.: „Das Nachtmahl des Balthasar," Anm. 13 im II. Bde. S. 16.

10) Isaias bedeutet nach der hebräischen Etymologie: Heil Jehova's.

11) Die Namen der beiden Propheten geben dem Dichter Veranlassung, sie zu allegorischen Personifikationen jener Eigenschaften Gottes zu machen, welche ihre Namen andeuten. Unter „Heil Gottes," wie der Name Isaias gedeutet wird, ist dann zu verstehen die in Gott vorhandene Geneigtheit, den Menschen Heil angedeihen zu lassen. Diese, in Verbindung mit seiner Weisheit, welche dieses Heil (d. h. die Erlösung) zu bewirken versteht, sind die beiden bewegenden Faktoren, also gleichsam die beiden Bittenden, welche die Sendung des Erlösers von Gott erflehen.

Sagt, daß du den großen Fürsten,
Deinen Sohn, in dem Palaste
Deiner Herrlichkeit nicht länger
Noch verschlossen halten wollest
Vor den Blicken deiner Leute,
Welche traurig und verlassen
Ohne ihn dir trostlos dienen.
Ihre Treue klagt darüber,
Daß sie nnr in Schattenbildern
Ihn verehren und nicht sehen;
Da's doch Zeit schon, daß der Welt
Seinen Herrscherglanz er zeige,
Daß du Haus und Braut ihm gebest[12]).
Dieses, höchster Herrscher, ist
Unserer Gesandschaft Inhalt,
Und des tiefbetrübten Volkes
Bitte.

König.

Gnädig nehm' ich's auf,
Und damit nun die Vasallen
Wissen, wie ich diese ihre
Bittschrift ehre, die sie mir
In dem Buche überreichen,
Dessen siebenfaches Siegel
Nur das Lamm zu lösen wußte[13]),

12) Die Grundanschauung, auf der das ganze Auto beruht, ist die schon im Alten Bunde von den Propheten angedeutete und von Christus durch das Gleichniß vom Hochzeitsmahl bestätigte Vergleichung der Ankunft des Erlösers mit einer Vermählung, die er mit seiner Braut, der Kirche, feiert.

13) Der Sinn dieser Anspielung auf das im 5. Capitel der Apocalypse erwähnte geheimnißvolle Buch, das mit sieben Siegeln verschlossen ist, welche nur das Lamm, d. i. Christus, zu lösen vermag, unter welchem Bilde auch Daniel seine Weissagungen bezeichnet (Dan. 12, 4), dürfte wohl folgender sein. Das versiegelte Buch, das Symbol der Geheim-

Soll der Prinz, mein ew'ger Sohu,
Dieses himmlischen Palastes
Thron, wo nur in Schattenbildern
Ich ihn zeigte [14]), bald verlassen
Und als menschgewordner Fürst sich
Seinen treuen Dienern zeigen.
Bald wird er sich sehen lassen
Und zur Welt herniedersteigen;
Schon hab' ich sein Haus gebaut [15]),
Dessen neue Diener jene
Waren, die er selbst erwählte [16]).
Erstling seiner Gnade, war's
Wohl ein klarer Morgenstern;
Denn von seinem Strahl erleuchtet
Glänzt' es vor der Morgenröthe [17]).
Und zu desto größrer Freude
Meiner Leute, die noch weilen
In des Limbus düstren Schatten,
Werd ich solche Braut ihm geben,
Daß sie Daniel begrüßen
Wird als Fürstin, Königstochter [18]).

---

nisse der Zukunft, oder mit anderen Worten, der verborgene ewige Rathschluß Gottes, enthält euere Bitte und ihre Gewährung. Daß sie in Erfüllung geht, war nur vom Willen des Lammes selbst abhängig; nur dieses konnte die Siegel des Buches lösen, weil die Erlösung die freie That seiner Erbarmung ist.

14) D. h. in den Vorbildern und Weissagungen des alten Bundes.

15) „Sein Haus," d. h. Maria, seine Mutter, die schon erschaffen und mit allen Gnadengaben ausgerüstet ist, welche sie würdig machen, die Mutter des Erlösers zu werden.

16) D. h. die Apostel.

17) Maria ging dem Aufgange der Gnadensonne in Christo wie ein Morgenstern voran, der jedoch sein Licht von den Strahlen der nachfolgenden Sonne selbst erhielt.

18) Wohl eine Anspielung auf Psalm 44, (45), 10 und 14. Unter der Braut ist die Kirche zu verstehen. Die in der Vorhölle (dem Limbus) auf die Erlösung wartenden Altväter werden ihr Erscheinen mit Jubel begrüßen, weil auch sie durch dieselbe gerettet werden.

Und da Wort und Werk in mir
Eins sind, sollt ihr gleich, zum Zeugniß
Und zur Bürgschaft des Verheißnen,
Beides, Haus und Braut, erblicken.
Und beachtet, daß in diesen
Allegorischen Gesichten,
Euch der Zeiten Wechsel nimmer
Störe, wenn allhier ihr schauet,
Was gewesen und was künftig.

Es erscheint der Wagen des Ezechiel mit den vier geheimnißvollen Thieren.

Dorthin wendet eure Augen,
Schau't den Wagen des Ezechiel,
Seines Hauses Bild und seiner
Doppelten Natur; ihn ziehen
Vier geheimnißvolle Thiere,
Die der jungfräulichen, reinen
Wohnung, die zur Welt ihn bringt,
Geist und Glauben, Flug und Stärke
In prophet'schem Bilde zeigen:
Engel, Löwe, Aar und Rind[19]).

---

19) Der geheimnißvolle von vier wunderbaren Thieren gezogene Wagen, auf welchem die Herrlichkeit Gottes zur Erde niederfährt, eine zu den vielfachsten Deutungen Veranlassung gebende Vision, mit der Ezechiel seine Weissagungen eröffnet (Cap. 1), wird hier vom Dichter in allegorischer Weise als ein Sinnbild Marias aufgefaßt, welche gleichsam der Wagen gewesen, in welchem Gott zur Erde niedergestiegen. Ob diese Auffassung auf der Idee irgend eines Kirchenvaters beruht, oder dem Dichter eigenthümlich ist, vermochten wir nicht zu ermitteln. Cornelius a Lapide, der auf nicht weniger als 15 Folioseiten die mystischen Erklärungen dieses Gesichtes bespricht und eine Menge hierauf bezüglicher Stellen von Kirchenvätern zusammengetragen hat, erwähnt nichts von einer solchen Deutung. Jedenfalls ist sie eine höchst geniale und poetische, und eines Calderon würdig. Wohl sind die vier geheimnißvollen Thiere schon öfter, wenn auch etwas gezwungen, mit den vier Cardinaltugenden in Bezug gebracht worden; doch scheint die hier ausgesprochene moralische Deutung derselben wiederum dem Calderon eigenthümlich zu sein. Der Engel (oder das Menschenangesicht) ist

Auf des Meeres Fläche auch
Lasset eure Blicke schweifen,
Und ihr werdet in den Wogen,
Die der Angst und Trübsal Bild,
Dort ein prächtig Schiff erblicken,

(— Es zeigt sich ein Schiff, und in ihm erblickt man den **Prinzen**, die **Braut** und Seeleute. —)

Das des sanften Südwinds Hauch
Ueber jene Silberfläche
Unruhvollen Schaumes treibt,
Ohne daß es fürchten müßte
Ungestümen Nordwinds Brausen
Noch des Westwinds wildes Wehen.
Wenn auch Sturm und böses Wetter
Es zuweilen überfällt,
Wird's doch niemals untergehen;
Denn ein göttlich, treues Bild
Von der auserwählten Braut
Ist des Kaufmanns Schiff; es kommt
Sich in Bethleh'ms vollem Speicher
Reich mit Weizen zu befrachten[20]).

---

dann auf den Geist, das Rind auf den Glauben (wohl wegen des geduldigen Tragens des Joches), der Adler auf den Flug, oder geistigen Aufschwung, und der Löwe auf die Tugend der Stärke zu beziehen. Schwieriger ist der Grund aufzufinden, der den Dichter in dem geheimnißvollen Wagen ein Bild der „doppelten Natur" Christi erblicken läßt. Vielleicht glaubte er dies durch die Doppelform der Räder angedeutet, von denen eins im anderen befindlich war. (Vergleiche Ezech. 1, 16.)

20) Das Schiff ist offenbar ein Symbol der Kirche, welche zugleich ihre allegorische Personifikation in der Braut findet, die mit Christus, ihrem göttlichen Bräutigam, in dem Schiffe fährt. Doch symbolisirt die Braut nur jenen Theil der Kirche, der aus den frommen und gerechten Seelen besteht, welche wirklich Bräute Christi sind. Ueberhaupt ist die Bedeutung der Braut in diesem Auto fast genau dieselbe, wie die der „Philothea" in der „Göttlichen Philothea," worüber vergl. die „Erläuternden Vorbemerkungen" zu diesem Auto im II. Bd. S. 331 ff.

Und die Kaiserin des Ostens[21])
Trägt es, die als edle Zofen
Alle Tugenden bedienen;
Unter ihnen als die schönste
Und die mächtigste von Allen
Zeichnet sich der Glaube aus.
Seht, schon kommen sie; besiegt
Sind des Meeres Fährlichkeiten,
Und sie steigen nun ans Land;
Menschlich schau'n zum ersten Mal
Jetzt den Fürsten die Vasallen.
Seinem Siege jubelt zu
Irdisch — himmlische Musik.

Isaias.

Welche Freude!

Daniel.

Welches Glück!

Musik.

Schiff, das Sturm nicht kann gefährden,
Wagen, den die Lüfte wehen,
Glück und Heil sollt ihr uns werden.

Alle.

Ehre sei Gott in den Höhen,
Und dem Menschen Fried' auf Erden!

---

21) Die „Kaiserin des Ostens" wird die Braut wohl deshalb genannt, weil der Orient die Geburtsstätte der christlichen Kirche war, welche, der Sonne gleich, von Osten nach Westen ihren Weg um die Erde gemacht hat.

Musik.

Schiff, das hin zur Erde trug
Eine Perl' von höchstem Werth[22]),
Wagen, dessen sel'ger Zug
Erd' und Himmel ein'gen lehrt,
Lande glücklich, senk' den Flug!
Enden soll'n des Kriegs Beschwerden,
Gnädig will der König werden,
Ew'ger Friede soll entstehen.

Alle.

Ehre sei Gott in den Höhen,
Und den Menschen Fried' auf Erden!

Der Prinz

(tritt mit der Braut aus dem Schiffe).

O holde Michol, süße Rachel[23]), blenden
Muß deiner Schönheit überird'scher Glanz
Des Menschen wie des Engels Auge ganz:
Der wird zur Gnad' sich, der zur Hoffnung wenden[24]).
Aus goldnen Wolken soll Aurora spenden

---

22) Bekanntlich vergleicht Christus selbst das Himmelreich, d. h. die Gnaden, welche seine Erlösung den Menschen gebracht hat, mit einer kostbaren Perle.

23) Wie David und Jakob oft als die Vorbilder Christi bezeichnet werden, so erscheinen auch ihre Bräute, Michol und Rachel, als Typen der Kirche.

24) Wörtlich übersetzt lautet diese Stelle: „Mensch und Cherubim werden beim Anblick deiner unermeßlichen Vollkommenheit vor Staunen außer sich gerathen, dieser über deine Gnade, jener über deine Hoffnung.“ Der Sinn dieser ziemlich dunklen Worte dürfte sein: Die Engel finden den Grund ihres Staunens in der Fülle der Gnade, welche der erlösten Seele zu Theil wird, und wodurch dieselbe wieder in jenen Zustand erhoben wird, der den Engeln nie verloren gegangen; für den Menschen ist es die ihm selbst durch die Kirche dargebotene Hoffnung auf die Wiedergewinnung der Seligkeit, welche seine Liebe zu ihr am meisten motivirt.

Für deinen Hals zum Schmuck des Prachtgewand's
Von Purpurrosen einen Hochzeitskranz,
Von Lilien, die des Himmels Auen senden[25]).
Solch hoher Gnad' und Tugend köstlich' Gut,
Himmlische Esther, ruht in deinem Schooß,
Daß du die Schuld'gen All' befreist vom Tod[26]).
Du sammelst deine Aehren, edle Ruth,
Auf Bethl'hems Fluren, o glückselig Loos,
Für's Brod der Engel, für's lebend'ge Brod[27]).

Die Braut.

Liebreicher Jakob, starker David! gerne
Will deine Rachel ich und Michol sein,
Wenn hier Geduld Prüfstein der Liebe dein[28]),
Wenn aus dem Streite deine Kraft ich lerne[29]).
Denn deiner Siegeskrone goldne Sterne
Umflicht der Palme Blatt und stiller Wein[30]).
Es hemmt die Sonne ihrer Strahlen Schein,
Um sie zu küssen von des Zenith's Ferne.
Durch mich, o mächt'ger Ahasver! befreist du
Dein Volk! Und Esther kann sich glücklich preisen,
Die deiner Liebe dankt solch mild Gebot.

---

25) Diese himmlischen Blumen, welche die Braut schmücken, sind wohl Symbole der Tugenden und Gnaden, mit denen die erlöste Seele durch ihren himmlischen Bräutigam ausgerüstet wird. Der Anklang an bekannte Stellen des Hohen Liedes ist unverkennbar.

26) Ein anderes Bild der Kirche ist in der Person der Esther erhalten. Wie diese dem Volk der Juden Gnade bei Ahasverus erwarb, so befreit die Kirche durch ihre Heilmittel die Menschen vom Zorne Gottes und der verdienten Strafe.

27) Endlich gewährt auch Ruth, die Aehrensammelnde, ein Vorbild der Kirche mit besonderer Beziehung zur Eucharistie.

28) D. h. wie Jakob seine Liebe zu Rachel durch das geduldige Ausharren im Dienste des Laban bewährte.

29) D. h. wie David seine Stärke im Kampf mit seinen Feinden bewies.

30) Vielleicht eine Anspielung auf den Einzug Christi in Jerusalem am Palmsonntage und die bald folgende Einsetzung des heil. Abendmahles.

Doch Größres noch in deiner Gnad' verleihst du,
Wenn Ruth du willst die Aehren sammeln heißen
Für's Brod der Engel, für's lebend'ge Brod.

König.

Dieses Festtags froher Jubel
Soll sich nicht beschränken heute
Nur auf meiner Leute Schaaren;
Auch die Fremden soll'n ihn theilen [31]).
Und so will ich, daß, indessen
Meine Macht und meine Liebe
Hier zu zeigen sich bestreben,
Welche Größe meines Hofes
Grüner Lorbeerkranz umschließe
In dem neu'n Jerusalem
Bei der hohen Hochzeitsfeier
Des Infanten, meines Sohnes,
Ihr ein allgemein Entbot
Zu dem Fest verkünden geht
Jedem Klima, jeder Zone,
Wo der Sonne Strahlen leuchten.
Saget Allen, die ihr findet,
Allen Königen der Welt,
Daß Ich, Israels Monarch,
Ich, der große Fürst von Juda,
Sie entbiete zu der Hochzeit
Meines Sohnes, daß sie Alle
Kommen, um mit mir zu speisen.

Daniel.

Ja, wir Beide theilen uns
In die Welt; kein Laud soll's geben,
Wo wir deiner Kunde Samen
Nicht mit vollen Händen streuen.

---

31) Nicht blos Israel, sondern alle Völker der Erde sind zur Theilnahme an den Gnaden der Erlösung (zur Hochzeit des Lammes) berufen.

Isaias.

Hört' ihr Menschen!

Daniel.

Höret, achtet,
Sterbliche!

Isaias.

Der große König
Dieser Welt —

Daniel.

Der höchste Herrscher —

Isaias.

Rufet euch durch Isaias!

Daniel.

Ladet euch durch Daniel[32])!

Beide ab.

König.

Elias und Jeremias
Soll'n die andren Boten sein.
Viele seien die Berufnen,
Denn die Auserwählten werden
Wen'ge nur!

Der Prinz.

Und unterdessen,
Bis die Mahlzeit sich bereitet,

---

32) Die Propheten werden vom Dichter als die Boten bezeichnet, welche alle Völker zu dem Hochzeitsmahl des Königs laden, weil sie in ihren Weissagungen mehrfach darauf hingewiesen haben, daß die Herrschaft des Messias alle Völker umfassen werde.

Sei in diesen holden Gärten
Alles Freude nur und Jubel,
Daß mir meine schöne Braut
Fröhlich unterhalten werde.
Bis die Hochzeit wird gefeiert,
Soll die Freud' der Welt nicht fehlen [33]).

Eine Stimme singt hinter der Scene.

Stimme.

Freude, ihr Menschen, ja Freude verlang' ich!

Einer.

Warum denn?

Ein Anderer.

Weshalb denn?

Stimme.

Weil sich ja menschlich heut Allen hier zeiget
Der Erbe, der Sohn unsers Königs und Herren.
O Seligkeit, Fröhlichkeit, nimmer zu fassen!

Alle.

Ihn preise die Erde, ihn lobe der Himmel.

Alle entfernen sich und es treten auf die Wahrheit, ländlich gekleidet, mit einem Mantel, und die Lüge in bloßem Wamms. Beide wiederholen den letzten Vers, wie nachsinnend über seine Bedeutung.

---

33) Der Sinn dieser Worte dürfte sein: Die alttestamentalische Kirche, die verlobte Braut des künftigen Erlösers, soll, bis er kommt, um die Hochzeit mit ihr zu feiern, unterdessen wenigstens in der Hoffnung auf die künftigen Gnaden, die sich in den von Freude, Jubel und Dank erfüllten heiligen Liedern des alten Bundes, welche die Propheten gesungen haben, ausspricht, unterhalten und, da die Wirklichkeit noch fehlt, durch immer sich erneuernde trostreiche Verheißungen dafür entschädigt werden.

Beide.

Ihn preise die Erde, ihn lobe der Himmel!

Wahrheit.

Wiederholt die süßen Laute,
Die solch' frohe Botschaft künden.

Lüge.

Möcht' der Schall ein Ende finden;
In der Seel' mir vor ihm graute.

Wahrheit.

Denn des Himmels Argonaute
Bringt die Perle, klar und licht[34]).

Lüge.

Menschlich schaut man sein Gesicht;
Er erfüllt des Volkes Hoffen.

Wahrheit.

Wahrheit bin ich; glaub' es offen.

Lüge.

Ich, die Lüge, glaub' es nicht.

Wahrheit.

Wer ist Jener, wie der Nacht
Düstrer Schatten dort erscheinend,
Trüb und unmuthsvoll verneinend,
Während Alles freudig lacht?

---

[34]) Vergl. Matth. 13, 45. 46. Das im Evangelium mit einer kostbaren Perle verglichene Himmelreich ist durch Christus, der hier unter dem Argonauten des Himmels zu verstehen ist, auf die Erde gebracht worden.

Doch sein Mund mir's kund wohl macht,
Da er hier vorbei muß kommen.
Hört'st du?

Lüge.

Nichts hab' ich vernommen.

Wahrheit.

Einer Stimme lautes Schrei'n
Auf der ganzen Erde?

Lüge.

Nein,
Hörte nichts.

Wahrheit.

Ich hab's vernommen.

Lüge.

Und was sagte diese laute
Sonderbare Stimme denn?

Wahrheit.

Wenn ich's selbst dir sagen, wenn
Ich erzähl'n soll, was ich traute
Selbst zu hör'n, da ich dich schaute:
Wisse: daß mit Menschenleben
Sich der Fürst bekleidet eben,
Seinen Leuten sich zu zeigen,
(Sprach sie), daß zum Hochzeitsreigen,
Nach dem Wort, das er gegeben,
Mit der holden Braut, nur fehlet —

Lüge.

Eitle Täuschung!

Wahrheit.

Daß sich sammeln —

Lüge

(bei Seite).

Zorn und Wuth nur kann ich stammeln.

Wahrheit.

Alle Völker, die erwählet.

Lüge.

Und das glaubst du? (bei Seite.) Wie mich's quälet!

Wahrheit.

Seiner Gottheit Wahrheit bin ich.

Lüge.

Schweige, schweig! (bei Seite.) Zu Eis gerinn' ich!

Wahrheit.

Wie? du zitterst?

Lüge.

Wohl erzittert
Lüge, wenn sie Wahrheit wittert.
Kein Erstaunen drob gewinn' ich.

Wahrheit.

Daß ich selbst dich nicht erkannt,
Freut mich, denn ich wäre nimmer
Wahrheit, kennt' ich Lüge immer[35]).

---

35) Unter dem „Erkennen," von welchem hier die Rede, ist natürlich nur dasjenige zu verstehen, das den Begriff der Billigung, der inneren Verwandtschaft, einschließt.

Lüge.

Ich würd' Lüge nicht genannt,
Wenn ich's ohne Schmerz empfand,
Dich hier vor mir zu erblicken.

Wahrheit.

Willst zum Glauben dich nicht schicken,
Freudig hier nicht Achtung weih'n
Jener Stimm' Geheimniß?

Lüge.

Nein.

Wahrheit.

Kann sie täuschend denn berücken?

Lüge.

Ja; die höchste Herrlichkeit
Wird sich niemals also neigen,
Und zur Welt herniedersteigen;
Ihrer Unermeßlichkeit
Beut sich Menschheit nie zum Kleid;
Schranken kennt das Ew'ge nicht.

Wahrheit.

Dazu nimmer ihm gebricht
Wohl die Macht, und Mittel findet,
Ohne daß die Gottheit schwindet,
Er für's Menschen-Angesicht.
Und, da ich die Wahrheit bin,
Und als wahr es muß erfinden,
Geh' der Welt ich's zu verkünden.

Lüge.

Und auch ich, ich eile hin
Es zu leugnen.

Wahrheit.

Störr'scher Sinn!
Wenn dies Lüg' und Wahrheit heute
Sagen, sprich, wem soll'n die Leute
Glauben?

Lüge.

Mir; denn wurden nicht,
Selbst in Adam, wie man spricht,
Alle Menschen mir zur Beute,
Damals, als verstohlner Weise
Allzuerst das Sein und Leben
Mir des Weibes Ohr gegeben
Und der Schlange Zischen leise[36])?

Wahrheit.

Wenn sie, in gewundnem Kreise
Um des Baumes Ast geschlungen,
Jene täuschte, war gelungen
Halb der Sieg nur, denn ein neuer
Baum[37]) erhebt sich einst, und theuer
Büßt sie's, wenn auf's Haupt geschwungen
Sich ihr eines Weibes Fuß.

Lüge.

Wird ihn beißen.

---

36) Daß man der Lüge auf Erden leichter glaubt, als der Wahrheit, dafür beruft sich die erstere auf den ersten Conflikt, in welchen die Lüge mit der göttlichen Wahrheit auf Erden getreten. Wie damals die Lüge über die Wahrheit den Sieg errang, so wird es auch fernerhin bleiben. Die Wahrheit hingegen erinnert in den folgenden Versen daran, daß dieser Sieg kein endgültiger gewesen, daß vielmehr damals schon in der Verheißung des künftigen Erlösers die Bürgschaft für die endliche Ueberwältigung der Lüge durch die Wahrheit gegeben worden.

37) Das heilige Kreuz.

Wahrheit.

Falsch du trauest.

Lüge.

Daß du's nimmermehr erschauest,
Raub ich dir zum Abschiedsgruß
Jetzt das Leben, denn es muß
Meine Wuth dich doch vernichten.

Sie ringen mit einander.

Wahrheit.

Gnäd'ger Fürst! ach eil' zu schlichten
Diesen Streit, den auf der Erde,
Daß dem Zweifel Raum nicht werde,
Wahrheit kämpft mit Truges Dichten [38]).

Lüge.

Hilfe schwerlich dir verschafft
Solch' Gebet.

Wahrheit.

Ist nicht der Fürst
Höchster Richter?

Lüge.

Nein, du irrst;
Mir auch läßt er Meisterschaft.

Sie wirft die Wahrheit zu Boden.

---

38) Der Kampf, der sich hier zwischen der Lüge und der Wahrheit entspinnt, ist der symbolische Ausdruck der Hindernisse und Verfolgungen, welche sich der Ausbreitung der göttlichen Wahrheit auf Erden nach dem Rathschluß Gottes von Anfang an entgegensetzten und in welchem die Wahrheit, obgleich ihr endlicher Sieg gewiß ist, nur zu oft den Kürzeren zieht.

Wahrheit.

Diesmal fehlte mir die Kraft.

Lüge.

Wenn du jetzt am Boden liegst,
Wirst du dich noch widersetzen?

Wahrheit.

Ja; wohl kannst du mich verletzen
Heut', da du mich überfliegst;
Niemals doch du mich besiegst.

Lüge.

Siegt' ich nicht, da ich gezwungen
Dich zur Flucht?

Wahrheit.

Wenn ich entfloh',
Rett' ich mich.

Lüge.

Und wie denn?

Wahrheit.

So!

ie **Wahrheit** entflieht und die **Lüge** entreißt ihr den Mantel, so daß sie halb nackt bl
Unterdessen tritt das **Heidenthum** auf, und die **Wahrheit** flieht unter seinen Schuß.

Heidenthum.

Wie bist du hierher gedrungen

Wahrheit.

Deinen Fuß halt' ich umschlungen,
Heidenthum, (die Zeit mich drängte),
Daß dein Arm mir Schutz jetzt schenkte[39])!

Lüge.

Zittre Welt vor meiner Wuth,
Wenn um sich, als sichre Hut,
Lüg' der Wahrheit Mantel schwenkte!

Sie wirft sich den Mantel um.

Heidenthum.

Welcher Grund bewegt euch Beide
Zu so bitter blut'gem Zwist?

Lüge.

Dir's zu sagen leicht mir ist.

Wahrheit.

Daß ich's dir erzähle, leide.

Heidenthum

(zur Lüge).

Sprich du, — (zur Wahrheit) du die Rede meide,
Daß ich Alles recht erfahre.

Wahrheit.

Ich soll schweigen?

---

39) Die Wahrheit flieht unter den Schutz des Heidenthums, das ihr in den Weg tritt — ein allegorischer Ausdruck der Thatsache, daß die christliche Wahrheit von der Lüge der Juden verfolgt, sich zum Heidenthum wandte, obgleich auch hier die Lüge sich Eingang zu verschaffen weiß und die Wahrheit in ihrem schlichten und einfachen Gewande, — von dem Dichter künstlerisch durch das Entreißen ihres Mantels durch die Lüge angedeutet, — bald verschmäht wird und einer neuen Verfolgung entgegengeht.

Heidenthum.

Ja.

Wahrheit.

Ins Klare
Komm ich nun, und daß die Lüge,
Die bekleidet, mehr hier wiege,
Als die Wahrheit, ich gewahre,
Wenn sie nackt ist.

Lüge.

Durch die Welt
Schallte einer Stimme Ton,
Daß ein hoher Königssohn
Komm', der Gott und Mensch enthält.
Dies zu glauben hier gefällt
Diesem unvernünft'gen Tropfe.
Daß er schier verrückt im Kopfe,
Sagt ich; denn ich muß verneinen,
Daß sich Gott und Mensch in einem
Wesen finde. Darum klopfe
Ich ihn aus hier, und so kamen
Wir zum Streite.

Wahrheit.

Hör' mich an!
Wer kann zweifeln wohl daran,
Wenn der Fürst aus Gottes Samen
Stammt?

Heidenthum.

So nenn' das Gottes Namen.

Wahrheit.

Ein Gott ist nur.

Lüge.

Also soll,
Wie die Rede hier erscholl,
Nicht mehr Gott sein, (so doch war's?)
Jupiter, Saturn und Mars
Pluto, Merkur und Apoll?

Wahrheit.

Klar ist's, nimmer sind sie Götter,
Wenn getheilt so ihre Macht,
Daß sie gänzlich keinem lacht.

Heidenthum.

Schweige, schweige, frecher Spötter;
Wohl Verrath wär's meiner Götter,
Hört' ich ferner dich noch an.

Wahrheit.

Also glaubst du wirklich dran,
Heidenthum, was Jener sprach?

Heidenthum.

Ja, der Wahrheit Kleid bestach
Mehr, als deine Rede kann.
Dreißigtausend Götter ehre
Ich; wenn deines Fürsten Segen
Nicht wie jenen goldnen Regen
Jupiters ich fallen höre [40]),
Nimmer ich um ihn mich kehre.
Und damit du's nie mehr wagest,
Und nicht fürder Kunde tragest

40) Anspielung auf die bekannte Fabel von der Danaë.

Mir von solch' verborgnen Zeichen,
Bann' ich dich aus meinen Reichen[41]).
Hast nicht Ursach, daß du klagest;
Größ're Strafe dir gebührte,
Als Verbannung aus dem Lande;
Fast macht meinem Zorn es Schande,
Daß er dich zum Tod nicht führte.

Wahrheit.

Wenn auch Haß die Flamme schürte,
Daß Verfolgung du und Bann
Mir gewährest, nimmer kann
Ich die Todesstrafe leiden[42]).

Heidenthum.

Warum nicht?

Wahrheit.

Weil mir bescheiden
Wollt' der Himmel (denk daran!)
Ein unsterblich', ewig' Leben;
Weun auch Kummer mich betrübt,
Zittr' ich nicht; der Wahrheit giebt
Kraft des heil'gen Geist's Umschweben.

Ab.

Heidenthum

(ihr nachrufend).

Wenn so hoffnungsvoll dein Streben,
Bleibe, warte! Welcher Schrecken!
Kann kein Glied mehr frei ausstrecken.

---

41) Das Heidenthum und die Wahrheit, die hier zunächst als die religiöse Wahrheit aufzufassen ist, schließen einander gegenseitig aus, d. h. überall wo das Heidenthum herrscht, ist die Wahrheit verbannt.

42) Die Wahrheit kann die Todesstrafe nicht erleiden, weil es unmöglich ist, daß sie jemals ganz von der Erde verschwinde.

Einer Bildsäul' gleich ich schier;
Treiben konnt' ich sie von mir;
Ihr zu folgen kann entdecken
Ich kein Mittel[43]).

Lüge.

Da verderben
Du die Wahrheit selbst nicht kannst,
Ob von dir du sie auch bannst,
Möge, wer sie redet, sterben.

Heidenthum.

Meine Gunst soll nie erwerben,
Wer nicht zu den Göttern fleht.

Lüge.

Da den Krieg ich nun gesä't,
Folg' ich ihr[44]) und wirke so,
Daß, da sie zum Himmel floh,
Mir die Erde nicht entgeht.

Ab.

Heidenthum.

Stimme, die mit frechem Muth
Lästert meiner Götter Schaar,
Zunge, aller Ehrfurcht baar,
Kann ich hören dich (o Wuth!),
Während schlaff und träge ruht
Meine Macht? Wie nahm sie nicht

---

43) In dieser plötzlichen Unentschlossenheit des Heidenthums und den unwillkürlichen Schrecken, den es erfährt, nachdem es die Wahrhei von sich verbannt hat, ist die Thatsache angedeutet, daß ihm trotz seine Irrthums doch stets eine unvertilgbare Sehnsucht nach der Wahrhei und ein dunkles Bewußtsein derselben innewohnte, während anderer seits seine Philosophie ein schlagendes Zeugniß für die Unmöglichkeit die Wahrheit zu finden, nachdem sie einmal verloren gegangen, ablegte

44) Ihr, d. h. der Wahrheit.

Dir das Leben? War's nicht Pflicht,
Daß mein strenger Zorn entbrannte,
Da sie Gott und Menschen nannte
Ihren Fürsten, andre[45]) nicht?
Schauer rieselt durch die Glieder
Mir; ich glüh' in Fieberhitze.
Halte deiner Rache Blitze
Jupiter zurück noch! Wieder
Zügle deines Zornes Hyder,
Mars! Besänftig't euern Groll[46])!
Holla!

Die Musiker treten auf.

Einer.

Was dein Wunsch?

Heidenthum.

Es soll
Meiner Völker bunter Kreis
Singen mannichfalt'gen Preis
Meinen Göttern, daß der Zoll
Solcher Ehre wieder sühne,
Was durch Lauheit ich verschuldet.

Musik.

Erbarmen, o Götter! es kann eure Menge
Ja nicht das Gerücht eines Einzigen[47]) stören!

---

45) Meine falschen Götter nämlich.

46) Die plötzlich wieder entbrennende Wuth des Heidenthums gegen die Wahrheit ist die Wirkung der Lüge, die ihm den fanatischen Eifer für die Ehre seiner falschen Güter einhaucht, welche es als durch die Stimme der Wahrheit gekränkt und beleidigt ansieht, und als auf das Heidenthum selbst aufgebracht, daß es der Wahrheit nicht den Garaus gemacht und sie anstatt mit Todesstrafe nur mit Verbannung belegt.

47) „Das Gerücht eines Einzigen," d. h. die durch die Wahrheit ausgestreute Kunde, daß nur ein Gott der wahre sei.

Eine Stimme.

Wenn Venus die Luft und Merkur ist die Erde,
Wenn Wasser Neptun und wenn Pluto das Feuer,
Wenn Jupiter Blitzstrahl und Mars ist der Donner,
Diana der Mond und Apollo die Sonne.

Alle.

Erbarmen, o Götter! es kann eure Menge
Ja nicht das Gerücht —

Daniel tritt auf.

Daniel.

Es schweige die Stimme
Solch abgöttischen Gesanges;
Ihrer süßen Töne Schwirren,
Das so hell die Luft durchzittert,
Sterbe schnell jetzt in der Luft.

Heidenthum.

Wer bist du, der ohne Scheu
Hier zu unterbrechen wagt
Meiner Götter Preis und Lob
Die anbetend ich verehre?

Dauiel.

Ein Gesandter bin ich, von des
Himmels und der Erde höchstem
Herrscher an dich abgesendet [48]).

---

48) Daniel wird vom Dichter als Bote Gottes, der das Heidenthum zu seinem Hochzeitmahle laden sollte, hier eingeführt, weil er in der That die besondere Mission hatte, den heidnischen Chaldäern und ihren Königen (Nabuchodonosor und Baltassar) Kunde vom wahren Gotte zu bringen.

Heidenthum.

Ist's der große Jupiter?

Daniel.

Nein.

Heidenthum.

Wer sonst?

Daniel.

Juda's König ist's,
Dessen Name Sabaoth.

Heidenthum.

Kenn' ihn nicht und hatte niemals
Mit ihm irgendwie Gemeinschaft.
Drum nimmt's Wunder mich, daß du
Sagst, wie dieser große Herrscher
Dich an meinen Hof gesendet,
Und daß Juda's König meiner
Sich erinn're.

Daniel.

Diese Zweifel
Werden schwinden, wenn du mir
Jetzt Gehör schenkst.

Heidenthum.

Achtsam hör' ich.

Daniel.

Dieser höchste Herrscher ist's,
Herr des Himmels und der Erde,
Der der Welt das Sein gegeben,
Der dem Menschen gab die Seele,

Der der Blume Leben, der
Die Bewegung gab dem Thiere,
Floß' dem Fisch, dem Vogel Federn,
Licht der Sonne, — denn es ist
Selbst Jehova, Gott der Götter.
Damit hast du schon die Antwort
Auf den ersten Zweifel.

Heidenthum.

Nein;
Doch zum zweiten geh' nun über;
Alles will genau ich wissen.

Daniel.

Daß er deiner sich erinnert,
Dies geschah, weil edelmüthig
Seiner Macht und Liebe Größe
Er zu zeigen hat beschlossen
Bei der Hochzeit seines Sohnes.
Zur Vermehrung seines Ruhmes
Ließ er nah' und fern die Völker
Zu dem Feste alle laden.
Und so komm' in seinem Auftrag
Ich zu dir, um dir zu sagen,
Daß er, wenn du willst erscheinen,
Deine Gunst dir danken wird,
Und an seiner Tafel Platz dir
Geben —

Heidenthum.

Schweige, spar' den Athem;
Doppelt hat mich schon beleidigt
Dieser stolze Antrag; einmal,
Weil er zu versteh'n mir giebt,
Daß er selbst der höchste Herr
Sei der Welt, und überdies,

Weil er hochmüthig vermeinet,
Daß zur Gnade ich mir's schätze,
Platz an seinem Tisch zu nehmen.
Bin ich selbst die Kön'gin nicht
Aller Völker? Ist der Lorbeer
Meiner Siege, der die Schläfen
Mir umflicht, nicht meiner Thaten
Immer grünender Beschützer?
Bin ich's nicht, die, unbesiegbar,
Mich von allen Nationen
Ließ verehren, von des Ostens
Thor, bis zu des Abends Pforte?
Wenn er Juda's König ist,
Will Nabuchodonosor
Ich entsenden, daß er schleppe
In mein Babel es gefangen[49]).
Geh' und sage deinem König,
Daß die Antwort, die ich gebe,
Lautet: da ich jetzt beschäftigt
Mit der Anbetung und Ehre
Meiner Götter, kann bei seinem
Freudenmahl ich nicht erscheinen.

Daniel.

Daß du deines Götzendienstes
Eitle Uebung unterließest,
Rief ich dich, da ich erkenne,
Daß es falsche Götter sind,
Die du ehrest. Du verehrest
Thon in Baal, in Dagon Stein,
Gold in Moloch, schwaches Zinn

---

49) Das stolze Heidenthum will nicht zugeben, daß der Gott eines so kleinen und verächtlichen Volkes, wie die Juden, den Vorrang vor seinen Göttern habe. Um dies zu beweisen, soll das Volk dieses Gottes Gefangener seines Herrschers werden.

In Adramelech, gemeines
Eisen nur in Belphegor,
Plumpes Blei in Anamelech,
Niedres Erz in Astaroth —
Alles Götter ohne Macht,
Ohne Leben und Bewegung.
Nur des Teufels Stimme ist's,
Der sie ihren Schutz verdanken.

Heidenthum.

Wer sagt dieses?

Daniel.

Daniel,
Seine eignen Worte sind's[50]);
Um des Tadels deiner Götzen
Wird mein Name „Gottes Weisheit"
Auch verdollmetscht.

Heidenthum.

Und deshalb
Soll ein dunkler Kerker auch
(Das Heidenthum wirft ihn zu Boden und tritt ihn mit Füßen.)
Heut' dein Lohn sein, ohne daß dich
Der Gesandtschaft unverletzlich
Recht beschütze. Bindet ihm
Alsogleich jetzt Händ' und Füße.
Da wie ein vernunftlos Thier
Er gesprochen, seien Thiere
Seine Henker; werft ihn vor
Jener Löwen wilder Wuth.
(Sie ergreifen ihn.)

---

50) Die obige Rede Daniels enthält Anspielungen auf verschiedene Stellen seiner prophetischen Schriften.

Des Amphitheaters Scenen
Sind ein festlich Schauspiel ja
Für die Götter, die er schmähte[1]).

Daniel.

Jener, dem ich Ehre weihe,
Wird vor ihrer Wuth mich schützen.

Heidenthum.

Bis von ihm dir Hilfe kommt,
Sollst du meine Rache fühlen.

Daniel.

Diese Antwort mag die Luft
Hin zu meinem König tragen.

Heidenthum.

Ja sie soll's; mit ihr die Lieder,
Die zum Preis der Götter schallen.

Daniel.

Mög' der Himmel sie verwandeln
In des Herren Lobgesänge.

Heidenthum und Musik.

Erbarmen, o Götter! es kann eure Menge
Ja nicht das Gerücht eines Einzigen stören!

Daniel und Musik.

Wohl kann es; denn dieser, der einzige, wahre
Stieg, alle besiegend, zur Erde herab.

Alle entfernen sich.

1) Bekanntlich wurde Daniel deshalb in die Löwengrube geworfen, weil er es wagte, trotz des königlichen Verbotes, den wahren Gott zu verehren.

Die Synagoge mit einigen Begleitern tritt auf[52]).

Synagoge.

Laßt mich sterben, denn mich tödtet
Der Verzweiflung wilder Schmerz.

Einer.

Sprich, was hast du?

Synagoge.

Weiß es nicht.

Ein Anderer.

Wohin eilst du?

Synagoge.

Dieses auch
Weiß ich nicht; ich weiß allein,
Daß ich blindlings in Verwirrung
Vorwärts stolp're, daß zugleich
Blind und taub und stumm ich bin.
Himmel! welch' verschiedne Stimmen
Hallen widersprechend heute
Durch die Welt und füll'n mit Staunen
Meinen Geist? Die Einen sagen,
Daß der Fürst von Israel
Schon gekommen; Andre künden
Vieler Götter Herrschaft an.
Beide Widerspruch enthalten
Doch für mich, die Synagoge,
Israels unbesiegte Herrin;

52) Nachdem die verschiedene Aufnahme und Wirkung, welche Wahrheit und Lüge beim Heidenthum fanden, im Vorigen geschildert worden, wird nun ihr Einfluß auf das Judenthum dargestellt, das ebenfalls zu der großen Menge der zum Hochzeitmahl des himmlischen Königs Berufenen gehört.

Diese, da sie laut verkünden,
Daß mehr als ein einz'ger Gott;
Jene, da sie glauben machen,
Daß er wirklich schon gekommen,
Da doch sich noch nicht erfüllet
Die verheißnen Jahreswochen,
Und am Himmel und auf Erden
Jene Zeichen nicht erscheinen,
Die sein Kommen deuten. Noch nicht
Hemmt die Sonne ihren Lauf,
Und des Mondes Kreise haben
Sich noch nicht verwirrt, die Sterne
Ihren Glanz noch nicht verloren,
Und der Wolken Schooß gebar
Keine Blitze; ihren düstren
Schleier hat die Nacht noch nicht
Finster drohend ausgebreitet
Ueber'n Leichnam dieser Welt.
Wo bleibt der Propheten Zeugniß,
(Wenn ich ihren Worten traue,)
Welche sagen, daß in Schrecken
Sich des Fürsten Ankunft kleidet[53])?
Kann mir Niemand die Verwirrung
Meiner Sinne lösen?

Die **Wahrheit** und die **Lüge** treten auf, und nehmen die **Synagoge** in die **Mitte**.

Beide.

Ja.

Synagoge.

Wer wird mir's erklären?

Beide.

Ich.

---

53) Vergleiche die ganz ähnliche Rede der Synagoge in dem Auto: „Zu Gott aus Staatsklugheit." I. Bd. S. 243.

Synagoge.

Einen nur hab' ich gefragt,
Und von Zweien kommt mir Antwort?

Lüge.

Ja, damit du nach Belieben
Deine Meinung ändern kannst.

Wahrheit.

Nein, damit die bessre du,
Synagoge, frei erwählest.

Synagoge.

Nun so sag' mir, nacktes Traumbild[54]),
Sprich', bekleidetes Gespenst[55]),
Die ihr meines wirren Geistes
Widerstreitende Affekte[56]),
Wie versteht ihr das?

Wahrheit.

So höre.

Lüge.

Sprich nur; ich werd' widersprechen.

Wahrheit.

Ein Gott ist nur.

---

54) D. i. die Wahrheit, welcher in der obigen Scene die Lüge ihren Mantel geraubt hat.

55) D. i. die mit dem Mantel der Wahrheit bekleidete Lüge.

56) Wahrheit und Lüge werden von der Synagoge hier die widerstreitenden Affekte ihres wirren Geistes genannt, nicht als ob sie blos eine rein subjektive Existenz in ihrem Geiste hätten, sondern weil dieser ihr Geist, je nachdem er von ihnen affizirt wird, sich zu ihnen in widerstreitender Weise hingezogen fühlt.

Lüge.

Das ist wahr.

Wahrheit.

Doch so eben erst verneint' es
Deine Stimme[57]).

Lüge.

Weil ich Jedem
Rede, wie er es verlangt.

Wahrheit.

Dieser[58]) soll zur Erde kommen.

Lüge.

Wahrheit ist's[59]).

Wahrheit.

Und schon erschienen
Ist die Zeit.

Lüge.

Das leugne ich,
Denn noch boten keine Zeichen
Himmel, Sonne, Mond und Sterne,
Die Verwundrung uns erregten!

Wahrheit.

Wenn uns die Propheten sagen,
Daß des ew'gen Vaters Sohn

---

57) Nämlich bei der obigen Unterredung mit dem Heidenthum.

58) Dieser d. i. der oben erwähnte eine Gott.

59) Die Lüge giebt der Synagoge gegenüber die Erwartung der Menschwerdung Gottes zu, weil offenbar die Tradition des Judenthums den Messias als wahren Gott bezeichnete.

Komme unter Schreckenszeichen,
Donnern, Blitzen und Verwirrung,
Sprechen sie nicht von dem ersten
Kommen, wo er menschlich kommt.

Lüge.

Und von welchem denn?

Wahrheit.

Vom zweiten,
Wenn als Rächer er erscheinet,
Um die Welt durch Feu'r zu richten;
Deshalb kann er heute kommen,
Ohne daß die Schreckenszeichen
Seiner Ankunft Nähe deuten;
Denn in Frieden kommt er, sich ja
Zu vermählen.

Synagoge.

Irrthum ist's.

Sie stellt sich auf die Seite der Lüge.

Wahrheit.

Stellst du dich auf dessen Seite?

Synagoge.

Ja, denn dieser sprach mir hier
Mehr noch mit der Wahrheit Mantel.
Wenn ich selbst die Braut ja bin,
Wie kann zur Vermählung er
Kommen, ohne daß ich's wisse?

Wahrheit.

Weil der Zweifel, den du hegest,
Da die Stimme du doch hörtest,

Und die falsche Rechnung deiner
Jahreswochen hat bewirket,
Daß beim Gastmahl jenes höchsten
Ahasverus du geworden
Die verstoß'ne Vasthi; eine
Andre wird die Esther[60]).

Synagoge.

Schweige!
Weiter hör' ich dich nicht an.
O wie hat der Löwe meines
Wappens[61]) seine Fieberhitze
Mitgetheilt mir! Welches Zittern
Faßt mich plötzlich? Wie ist's möglich,
(Ha, ich sterbe schier vor Wuth!
Und der Athem fehlt mir!) daß —
Heute (ein Vulkan ist meine
Brust, ein Aetna wird mein Herz!)
Esther die erwählte, und
Die verstoßne Vasthi ich!
Wer sagt dieses?

Wahrheit.

Isaias.

Synagoge.

Wo?

(Isaias tritt auf.)

---

60) Vasthi und Esther werden von den heil. Vätern öfters als Typen der Synagoge und der Kirche gedeutet.

61) „Der Löwe meines Wappens." Der sterbende Jakob sprach zu Juda, dessen Stamm den Juden den Namen gegeben, die prophetischen Worte: „Ein junger Löwe ist Juda, zur Beute erhebst du dich, mein Sohn! Du ruhest, du lagerst dich dem Löwen gleich und gleich der Löwin. Wer reizt ihn auf?" Genes. 49, 9.

Isaias.

In seiner Weissagung,
Die Manasse er verkündet.

Synagoge.

Wie?

Isaias.

Ich sah' auf seinem Throne
Gott den Herrn; zur Seite standen
Seiner Liebe Seraphim;
Sechsfach waren ihre Flügel,
Zweie deckten ihr Gesicht,
Zwei die Füße, und mit zweien
Flogen sie, und riefen: Heilig,
Heilig ist Gott Sabaoth;
Und die Erd' ist voll —[62])

Synagoge.

Hör' auf!
Laß das thörichte Versuchen,
Mich mit deinem Wort zu täuschen.
Denn du würdest nur als Schlange
Durch die Rede mich beschwören[63]).

---

62) Im sechsten Kapitel des Isaias, dessen Eingangsworte hier citirt werden, ist allerdings jene Weissagung von der Verwerfung des auserwählten Volkes enthalten, welche Isaias der Synagoge, die ihn nicht aussprechen läßt, sondern mitten in seiner Rede unterbricht, hier ins Gedächtniß rufen will, um ihr zu beweisen, daß sie die „verstoßene Vasthi" sei. Denn dort heißt es (V. 10): „Verblende das Herz dieses Volkes, verstopfe seine Ohren und schließe ihm die Augen, daß es nicht sehe mit seinen Augen, noch höre mit seinen Ohren, noch fühle mit seinem Herzen, noch sich bekehre und ich es heile u. s. w."

63) D. h. deine Rede würde mich meiner wahren Natur entäußern, wie die Beschwörung den Schlangen ihre natürliche Bösartigkeit raubt.

Moses sagte, daß des Herren
Antlitz Niemand schauen werde
Und noch leben; wenn du selbst dich
Rühmest, es geschaut zu haben,
Da du lebst, bist du ein frecher
Uebertreter des Gesetzes[64]).
Deshalb sei dein Todesurtheil
Nur die Antwort, die ich gebe
Jenem König, der dich sendet,
Und den ich nicht kenne. Schleppt ihn
Fort sogleich, und daß noch größer
Werde seiner Strafe Marter,
Soll das Schwert nicht, nein, die Säge
Seines Leibes Rumpf durchschneiden[65]).

Isaias.

Wahrheit, für dich sterb' ich; bringe
Diese Kunde meinem König.

Sie schleppen ihn fort.

Synagoge

(zur Wahrheit).

Und du weich'st aus meinen Reichen.

Wahrheit.

Ja, zur Wüste wend' ich mich,
Bei den Thieren will ich leben;
Denn mit größrer Liebe werden
Für die Wahrheit Sinn bezeugen
Die unsinnigen Geschöpfe.

Ab.

---

64) Ein Sophisma, das an die Argumentation des Talmud erinnert.

65) Nach einer alten Tradition ließ der König Manasses den Propheten Isaias zersägen. (Vergl. 4. Kön. 21, 16.)

Synagoge

(zur Lüge).

Du bleibst bei mir; denn von heut' an
Bist du mein vertrauter Rath.

Lüge.

Wenn ich mit dir bin, wird zittern
Bald die Welt vor deiner Stärke.

Synagoge.

Ja sie wird's; denn nicht allein
In dem Blute des Propheten
Und Gesandten will ich hier
Meine Hände färben; nein,
Wenn er selber wird erscheinen,
Der den großen Fürsten sich
Nennt von Israel, wird mein Zorn
Ihn zu tödten wissen, ob auch
Schreck und Graus die Welt durchzittre,
Ob der Himmel wanke, Sturmwind
Heule, und das Meer erbrause;
Ob der Berge schwer Gewicht
Aus den Fugen weiche, ihren
Düstren, grauf'gen Schleier Nacht
Ueber's Erdenrund ausbreite,
Ohne Schönheit, ohne Glanz
Mondeslicht in Ohnmacht sinke,
Sonne selbst in Krämpfen liege!

Alle entfernen sich. Der **Prinz** tritt auf von der einen Seite; von der anderen die **Braut**

Prinz.

Du holde Gottesbraut!
Bei deren Glanz verwandelt wird in Schatten
Das Licht, und trübe schaut
Der Tag, und Sonne selber läßt ermatten

Den hellen Strahl, und gerne
Vertauscht' mit deinen Blumen ihre Sterne!

Braut.

Himmlischer Bräutigam!
Wohl zum Dezember wird des Maies Blühen,
Da du so wundersam
Läßt deiner Schönheit Majestät erglühen,
Wenn über Rosen schreitet
Dein Fuß, und neues Blüh'n allum verbreitet.

Prinz.

Um seinen Durst zu stillen
Sucht kein verwundet Reh des Bächlein's Welle
So heiß, wie zu erfüllen
Eilt meine Sehnsucht sich an deiner Quelle,
Wo, Liebe zu empfangen,
Mich drängt der eignen Liebe heiß' Verlangen.

Braut.

Um in des Hirten Armen,
Von seiner treuen Sorge angezogen,
Erschöpfet zu erwarmen,
Kommt nicht so schnell durch grüne Au'n geflogen
Das Schäflein, das verloren,
Wie deiner Lieb' Umarmung ich erkoren.

Prinz.

Bald, o geliebte Braut,
Wird unsrer Hochzëit sel'ge Stunde kommen.

Braut.

Angstvoll mein Auge schaut,
Daß soviel Zeit sich Daniel genommen
Und Isaias.

Die **Wahrheit** tritt auf.

Wahrheit.

Ach! wo eil' ich hin?
Auch nicht vom Echo Antwort ich gewinn'?
Muß von den Heiden fliehen,
Nackt, wie die Wahrheit, und verfolgt; wer giebt
Jetzt Schutz wohl meinen Mühen?

Prinz.

Wohin, o Wahrheit, eilst du so betrübt?

Wahrheit.

Zu dir, zu dir, Herr, eben;
Denn du bist Weg, bist Wahrheit und bist Leben.
Drum Leben sucht und Weg
In dir die Wahrheit, von der Welt verachtet,
Und kehrt zum Centrum, wo ihr erster Steg.
Verkleidet schon die Lüg' zu herrschen trachtet.
Von Ihrer Tyrannei
Jetzt Daniel und Isaias Zeuge sei.
Die Synagoge, blind,
Und Heidenthum, wohl nicht mit hellerm Blicke,
(Als beide Boten eilten hin geschwind
Um sie zu laden), wanden ihr[66]) die Stricke
So fest, ganz nach Verlangen,
Daß Einer todt, der Andre liegt gefangen,
Den Löwen preisgegeben.
Vou Jezabel verfolget flieht Elias,
Und mit blutdürst'gem Streben
Gesteinigt hat Egypten Jeremias[67]);
Empört hat sich der Völker Meer erhoben[68])!

---

66) Ihr, d. i. der Lüge.

67) Daß der Prophet Jeremias in Aegypten vom Volke gesteinigt wurd erwähnt das röm. Martyrologium den 1. Mai.

68) Wohl Anspielung auf Ps. 2. „Quare fremuerunt gentes etc."

Prinz.

O höchster König, ew'ger Vater droben!
Die Unbill geht mich an;
Gieb mir Erlanbniß, Herr, dem Sohn, dem deinen,
Daß ihrer Thorheit Wahn
Bestrafe mein Erscheinen,
Daß in gerechtem Kriege
Der Erde Völker gänzlich ich besiege!

Braut.

Wenn, wer von dir gesendet
Kam, Herr, auf solche Weise ward behandelt,
Wohl keine Ehrfurcht spendet
Man dir selbst.

Prinz.

Fürchtest du?

Braut.

O, Herr, es wandelt
Mich Furcht an, du könnt'st sterben.

Prinz.

Auch sterbend siehst du mich Triumph erwerben.
Doch wie? Des Todes Mahnung
Läßt zittern mich und Traurigkeit empfinden,
Da doch des Sieges Ahnung
Gewiß ist?

Braut.

Ach, dem Antlitz sich entwinden
Purpurne Tropfen schon[69]).

---

[69]) Anspielung auf die Todesangst und den Blutschweiß Christi am Oelberge.

Wahrheit.

Betrübt sich Tugend, daß der Sünde Lohn[70])
Sich meldet also klüglich?

Prinz.

Ob auch den Tod ich fürcht', ich ihn erflehe;
Und dennoch, wenn es möglich,
Geh' dieser Kelch vorüber, den ich sehe;
Doch, ob's auch bitter scheine,
Dein Wille nur geschehe, nicht der meine.

Die Stimme tritt auf mit dem Kreuz, und der **Glaube** mit dem Kelche und hinter der **König**.

König.

Was du, o Prinz, begehrt
Von mir in deiner Liebe,
Mein Mitleid dir's gewährt,
Das ungerührt bei solcher Noth nicht bliebe.
Geh' in den Streit, doch erst
Will ich, daß du das Hochzeitsmahl gewährst,
Und feierst mit den Gästen[71]).

Braut.

Mit welchen Völkern, Herr, da nicht gekommen
Die Könige und Fürsten zu den Festen,
Die wohl den Ruf vernommen?
Bin ich allein, so bleibt mein Ruhm nur klein;
Denn ich bin nur der Gläubigen Verein.

---

70) Der „Sünde Lohn," d. i. der Tod.

71) Dem Leiden und Tode des Herrn ging die Einsetzung des heil. Amahles vorher.

König.

Wenn stolze Königreiche
Mir weigern ihre Leute,
Und sich empört entziehen meinem Reiche,
Denn deine Stimme jetzt zu laden schreite,
Auf Wegen und auf Gassen,
Die fremden Pilger, die sie besser fassen;
Und in der Dörfer Schranken
Die Blinden, Lahmen, Schwachen und die Kranken;
Und die an öden Plätzen
Sich immer finden, laß zur Tafel setzen.
Denn dort, wo Demuth, (wisse!)
Der eitlen Größe Pracht ich gern vermisse.

Prinz.

Du, meine Stimm', Johannes,
Durch die ich rede, rufe in der Wüste;
Nicht mehr verwehrt sein kann es
Den Armen, nach dem Feste das Gelüste.
Niemand sei ausgenommen;
Die Krücke wie die Krone soll heut kommen!

Die Stimme

(singt).

Kommt herbei, ihr Menschen alle,
Ein köstlich Hochzeitmahl ist euch bereitet!

Der Glaube

(singt).

Eilt, ihr Sterblichen, herbei,
Bereitet steht für euch gar süße Speise!

Stimme.

Kommt in hochzeitlichem Kleide
Her zu des Palastes Stufen.

Glaube.

Wenn auch Alle sind berufen,
Wen'gen wird der Auswahl Freude.

Stimme.

Keiner diese Ladung meide
Zu dem hohen Festesmahle.

Glaube.

Weinstock füllet euch die Schale,
Weizenähre giebt euch Speise!

Stimme.

Menschen! macht euch auf die Reise!

Alle.

Ein köstlich Hochzeitsmahl ist euch bereitet!

Glaube.

Eilt, ihr Sterblichen, herbei,
Bereitet steht für euch gar süße Speise.

Alle gehen ab. Die Lüge tritt auf.

Lüge.

Schlange bin ich; Schlangenweise
Ist's, daß sie Musik verscheuchet.
Darum waffnet sich der Himmel
Gegen mich mit süßen Tönen.
Doch, was gilt's? Genügt' es nicht,
Daß ich von der ganzen Erde
Wahrheit weit verbannet habe,
Daß in jener eignem Kleide
Lüge jetzt die Welt besitzet,
Um in Frieden hier zu herrschen?

Muß sich wieder eine Stimme
Jetzt erheben, die begleitet
Wird vom Glauben, für die Wahrheit,
Um mir neuen Krieg zu bringen?
An den Enden schon der Erde
Hört man sie; 's ist unvermeidlich,
Daß sie, da sie Gottes Stimme,
Diesen Erdkreis ganz erfülle.
Ha! wenn meine Kunst bewirken,
Meine Schlauheit, mein Verrath,
Könnte, daß die Synagoge,
Sie nicht höre, nicht vernehme!

Die Synagoge tritt auf, mit den Geberden, die die folgenden Verse bezeichnen.

Ja, sie wird es, ja sie kann es,
Denn verwirret und verblendet,
Wie verrückt und wie von Sinnen
Eilt sie überall umher,
Und verirrt sich überall.
Bald blickt zitternd sie zum Himmel,
Will in der Verzweiflung Wuth
Sich das Herz zerreißen, stottert,
Sucht vergeblich nach den Worten;
Ihrer Zweifel Widersprüche
Hüllen ihren Geist in Dunkel
Und umnachten die Gedanken;
Stößt auf solche auch zuweilen
Ihr verstörter Geist, — ich sorge,
Daß sie nie in sie verfalle[72]).

Synagoge.

Nein, es kann nicht, kann nicht sein,
Daß der Mensch da sei der Fürst!
Ein Verführer ist's, ein toller,
Ein Samaritaner, der

---

72) „In sie verfalle," d. h. der Wahrheit dieser Gedanken nachsinne.

Seinen Namen stahl! Nun bin ich
Auf die Wahrheit erst gestoßen!

Sie fällt, die Lüge hebt sie auf.

Lüge.

Richtig; da ich deine Wahrheit,
Mußtest du auf mich wohl fallen,
Ich dich halten [73]). Sprich, was hast du?

Synagoge.

Eitle Täuschungen und Träume,
Einbildungen, dumme Zweifel,
Fragen, Räthsel und Probleme,
Die in mir sich wild bekämpfen,
Die mich ängstigen und quälen.
Eine zweite Stimme hört' ich [74]),
Deren Worte jetzt die Welt
In Partheiungen zerspalten,
So, daß schon das Heidenthum,
Das so lange widerstand,
Fängt zu wanken an, zu weichen.
Seinen Göttern zur Verachtung
Rufen tausend Nationen
Als den wahren Sohu des Cäsar,
Ihn, den ich verschmähte, aus.
Weh' mir! doppelt, dreifach weh' mir!
In phantast'schen Traumgebilden
Scheint mir's, daß die Völker ich
Seh' zu seinen Füßen liegen.
Petrus, einen armen Fischer,
Paulus, der ein Weiser einst

---

73) Symbolischer Ausdruck der Thatsache, daß die Synagoge in i Entschuldigungsgründen, weshalb sie an Christus nicht glauben zur Lüge ihre Zuflucht nimmt.

74) Die Predigt des Evangeliums nämlich.

War in meiner Wissenschaft,
Sah' die Römer ich verführen.
Dort in Pathmos seh' Johannes
Seines hohen Geistes Flug ich
Bis zur Offenbarung schwingen.
Und in Scythien begründet
Seine Lehre schon Andreas.
In Heliopolis, der Sonnen-
Stadt, sä't sie Philippus aus;
Und Mathias, Barnabas
In dem Reiche von Seleucia,
Und in Cypern's Archipel.
Und in Indien ist's Thomas,
Zu Meliapur am Hofe,
Und bei vielen andern Völkern;
Simon, Judas dann in Persien;
In Aethiopien Matthäus;
Barthol'mäus in Armenien[75]).
In Jerusalem sind's zweie,
Die Jakobus heißen; einer,
(Mir noch größre Qual zu geben)
Geht nach Spanien, macht zu edlem
Ehrenmal ein rothes Kreuz,
Das mit seinem Blute färben
Wird, wenn er in meine Hände
Kommt, sein Fürst[76]). Wenn ich auch weiß,

---

[75]) Die hier genannten Länder sind die von der Tradition den einzelnen Aposteln als Schauplatz ihrer apostolischen Thätigkeit angewiesenen Orte.

[76]) Anspielung auf die Stiftung des geistlichen Ritterordens von Santjago, der, zu Ehren des Apostel Jakobus des Aelteren, den bekanntlich Spanien als seinen Patron verehrt, gestiftet, ein rothes Kreuz zu seiner Devise hat, als Symbol des von Christus für uns vergossenen, und von den Rittern für Christus zu vergießenden Blutes. — Unter dem „sein Fürst" ist also Christus zu verstehen, der, als er in die Hände der Synagoge fiel, sein Blut vergoß und dadurch dem Ritterorden die Farbe seiner Devise gab.

Daß wohl Glauben nicht verdienen
Diese armen, niedren Leute[77]),
Daß, wenn sie auch Alles lassen
Seinetwegen, nichts sie opfern
Als ein Paar zerrißne Netze,
Eine Hütte, eine Barke:
Setzt in Wuth mich doch und quält mich
Der Gedanke, daß mit dieser
Niedern Rotte Siegstrophäen,
Seine Hochzeit heut er feiern
Will, und sie zur Tafel setzen,
Wo ich selbst geladen war,
Daß er Himmelsspeise ihnen
Bietet, deren wunderbare
Neuheit also mich verblendet,
Daß ich, ohne Steuerruder,
Ohn' Gesetz und Klugheit faselnd,
Hier in deine Arme fiel,
Wo der Schmerz, der mich bedrängt,
Die Verwirrung, die mich drückt,
Und die Zweifel, die bestürmen
Meinen Geist, mich aus mir selbst
Gänzlich reißen, daß lebendig
Nicht, noch todt, ich schier vergehe!

Lüge.

Was willst du mir geben, wenn
Ich's mit List und Täuschung wage

77) Die Apostel nämlich, welche Alle den niederen Ständen angehörten und, wenn sie auch für Christus Alles verließen, doch in Wirklichkeit bei ihrer Armuth nicht viel aufopferten. Dem Dichter scheint hier die bekannte Stelle des heil. Gregorius vorgeschwebt zu haben (hom. 5 in evangel.): „Sed fortasse aliquis dicat: iste piscator quid aut quantum dimisit, qui pene nihil habuit? Sed in hac re affectum debemus potius pensare, quam censum. Multum reliquit, qui sibi nihil retinuit; multum reliquit, qui quantumlibet parum, totum deseruit etc."

Zu der Hochzeit mich zu schleichen
Um von seinem Tisch zu stehlen
Jene wunderbare Speise,
Daß du sie dann profaniren
Und mißhandeln und verspotten
Kannst [78])?

Synagoge.

Wenn du sie mir verkaufest,
Dann verpfänd' ich meinen Schmuck dir,
Und wenn Pfänder dir genehm nicht,
Zahl ich dich in Silbermünzen.

Lüge.

Dreißig stellen mich zufrieden.

Synagoge.

Abgemacht ist dieser Handel.

Lüge.

Ja.

---

78) Die Lüge redet hier die Sprache des Judas, die er an die Pharisäer bei der Unterhandlung um den Verrath Christi richtete. Zugleich scheint darin auch eine Anspielung auf die öfters vorgekommenen Profanirungen heiliger Hostien durch die Juden zu liegen, wenn sie im Stande waren, solche zu entwenden, Greuel, welche bis in die neueste Zeit hinab nachweisbar sind, und die ein eigenthümlich grauenhaftes Licht auf den selbstbewußten Unglauben des verworfenen Volkes werfen, der durch den Haß noch überboten wird und auf Augenblicke selbst vor der Gelegenheit, diesen befriedigen zu können, schwinden muß. Beachtenswerth ist hier die der Natur des Auto ganz angemessene allegorische Identifikation des Verrathes des Judas am sterblichen Leibe Jesu Christo mit dem fortwährenden Verrath des verstockten Judenthums an seinem eucharistischen Leibe.

Synagoge.

(Man hört in der Ferne Trommeln und Trompeten.)

Doch weile, warte, horche!
Hörtest in der Luft du nicht
Ferne Kriegsmusik erschallen?

Lüge.

Ihren Marsch lenkt her zu uns
Eine Schaar dort aus verschiednen
Nationen, und als Feldherr
Führt sie an das Heidenthum[79]).

Synagoge.

Hören wir, was sie begehren.

Das **Heidenthum** tritt auf mit Soldaten in seinem Gefolge. Trompetenschall.

Heidenthum.

O Jerusalem, das stolz du,
Um mit Wolken dich zu krönen,
Lagerst auf den sieben Hügeln,
Möge meine Gegenwart
Dich nicht schrecken, noch mein Anblick
Dich erfüll'n mit banger Furcht[80]),
Da du mich auf deinen Mauern

---

79) Das Heidenthum nahte sich dem Erlöser zuerst in der Person der drei Weisen aus dem Morgenlande. In ihrer dem Sohne Gottes dargebrachten Huldigung erkannte man stets den ersten Ursprung der allgemeinen, christlichen Kirche, die erste Ankunft der zu dem Hochzeitsmahle des Lammes geladenen Gäste. Dem Dichter wird diese Thatsache hier allgemeines Symbol der Stellung des Heidenthumes zu Christus einerseits und zur Synagoge andererseits.

80) Anspielung auf Matth. 2, 3: „Als Herodes dies hörte, erschrak er und ganz Jerusalem mit ihm."

Hier erblickst mit Kriegeszeichen
Und mit solcher wohlgeschulter,
Starker Heeresmacht erscheinen.
Komm ich auch in kriegerischer
Ordnung, komm ich doch nicht feindlich,
Sondern friedlich; dieser Oelzweig
Auf dem Stab' hier zeigt es an.

Synagoge.

Heldenmüth'ges Heidenthum!
Der Erklärung nicht bedarf's für
Meinen Muth, daß friedlich deine
Ankunft; wär' sie feindlich auch,
Würde wenig mich's bekümmern.
Dieses sag' ich, daß du wissest,
Daß ich niemals zittre, wenn selbst
Wider mich der Berge Schooß
Völker wollt' gebären. Sprich, was
Willst du?

Heidenthum.

Daß den Durchzug nur
Durch dein Land du mir gewährest.

Synagoge.

Und wohin geht hier dein Weg?

Heidenthum.

Bin von einem Stern gerufen,
Der schon einmal mich geleitet;
Such' des großen Cäsars Sohn,
Der sein Hochzeitsmahl will feiern;
Selbst will ich bei ihm erscheinen
Hier mit diesen Völkern, welche
Seine Gottesstimme, die in
Vielen Sprachen tönte, rief.

Lüge.

Du, die früher du doch warest
Dieses Fürsten Feindin, da er
Deiner Götter-Menge leugnet,
Suchst ihn?

Heidenthum.

Ja, zu ändern wissen
Muß oft Klugheit ihren Rathschluß.
Als du ihn verlassen hattest,
Sah' das Licht ich.

Synagoge.

Wie? erzähle.

Heidenthum.

Petrus, (welchen ich bedeute,
Weil die Hauptstadt meines Reiches,
Rom, sein Sitz ist)[81]) sah' ein großes
Linnentuch, das angefüllt war
Mit unreinen Thiergestalten.
Gott befahl ihm, sie zu essen,
Und eröffnet ihm dadurch
Seines wahren Wortes-Sinn,
Daß kein Einz'ger ausgenommen.
Und da Keiner ausgenommen,
Ging zum Heidenthume über
Seine Lehre; also bin ich
Selbst des Weinberg's Erbin worden
Wegen deines Ungehorsams.

---

81) Man darf nicht vergessen, daß trotz der so eben sehr deutlich getretenen speziellen Beziehung zu den Magiern das „Heide seinen allgemeinen, allegorischen, weder an Ort noch an Zeit denen Charakter festhält.

Darum such' ich ihn; bei dir
Will ich Kunde von ihm holen.

Synagoge.

Wenn ich selber ihn nicht kenne,
Wie kann Kunde ich dir geben
Ueber ihn? Magst selbst ihn suchen;
Wenn in meinem Reiche auch
Schwerlich du ihn finden dürftest.
Denn der Fürst, den ich erwarte,
Kam noch nicht.

Heidenthum.

Nun so erlaube,
Daß ich friedlich weiter ziehe.

Synagoge.

Auf denn! nicht verwehr' ich's dir.

Heidenthum.

Durch die Lüfte mögen schallen
Meine Trommeln und Trompeten.

Lüge.

Mit dem Mantel hier der Wahrheit
Werd ich, listig mich verstellend,
Unter seine Leute mich
Mischen können.

Synagoge.

Zögre nicht;
Misch' dich unter sie und dann,
Sieh, daß du von seinem Tische
Mir den besten Bissen raubest.

Lüge.

Schon entfern' ich mich mit ihnen.

Die Lüge mischt sich unter die Soldaten des **Heidenthums.**

Synagoge.

Und ich folge dir von weiten,
Bis sich die Gelegenheit
Mir zur Rache bietet. Himmel!
Wie viel Vipern birgt mein Busen!

Heidenthum.

Rauh, beschwerlich sind die Wege,
Die zum ew'gen Heile leiten!
Fleh't drum, flehet jetzt zum Himmel,
Daß den Pfad er uns erleuchte.

Alle.

Herr! zu dir ja dringen wir;
Zeige uns den rechten Weg!

Die Stimme

(singt).

Sei willkommen!

Der Glaube.

Sei willkommen!

Beide.

Du der Gläubigen Gemeinde,
Welche du die Kirche bildest!

Heidenthum.

Da Musik den Weg uns zeigt,
Gebe Antwort unsre Salve.

Alle.

Sei willkommen, sei willkommen!

Trommeln und Musik. Die **Braut**, der **Glaube** und die **Wahrheit** treten auf.

Braut.

Meine Arme euch empfangen
Alle ohne Unterschied,
(Da ihr selbst ja meine Arme)
Daß aus euerem Vereine
Sich mein eigner Körper bilde [82]).

Wahrheit.

Kehr' zu meiner Einfalt wieder [83]),
Denn heut' ist ein Freudentag,
Und ein Mahl giebt's — wenn ihr nur
Es zu nützen wohl verstehet.

Heidenthum.

Sieh' uns All' zu deinen Füßen,
Und den Samen, den gesäet
Gottes Stimme, nun erkenne
An der Früchte reichem Segen.
Petrus beut in mir dir Rom,
Spanien bringt in mir Jakobus,
Und der jüng're [84]) in mir Syrien;
Asien bietet dir Philippus,
Cypern Barnabas, Mathias;

---

82) Die Braut, als Repräsentantin der Kirche, nennt die Gekommenen mit Recht ihre eigenen Glieder.

83) D. h. ich will wieder meiner harmlosen, scheinbar thörichten Freude mich hingeben. Die Wahrheit übernimmt in ihrer Einfalt in diesem Auto gewissermaßen die Rolle des Grazioso.

84) „Der jüngere" Jakobus nämlich, der Alphäide.

Persien Simon und Judas;
Aethiopien schickt Matthäus,
Und Armenien Bartholomäus;
Scythien führt dir zu Andreas,
Und von Pathmos schickt Johannes
Dir des Glaubens Fundamente;
Thomas hat dir unterworfen
Indien und andre Völker.

Wahrheit.

Hört' es, hört' es! Solcherweise
Wird figürlich und im Vorbild
Doppeltes euch dargestellt.

Lüge.

(bei Seite) Zitternd steh' ich. (laut) Babylon, —
(bei Seite) (Deß Verwirrung meine Brust
Wohl jetzt birgt) (laut) sich selber hat es
Freiwillig dir unterworfen;
In mir liegt's zu deinen Füßen.

Braut.

Sei willkommen bei dem Feste!

Wahrheit.

Ha, was seh' ich? Achtung, Herrin!
Denn der täuscht mit diesem Mantel
Dich, denn dieses ist die Lüge.

Braut.

Wenn er zu den Gläub'gen sich
Hat gesellt, und gläubig nennt sich,
Kann ich nicht —

Wahrheit.

Wie?

Braut.

Meine Thore
Ihm verschließen; ob in Gnade,
Ob in Sünde er erscheinet,
Sich an meinen Tisch zu setzen,
Dieses, Wahrheit, mag er selber
Seh'n im eigenen Gewissen[85]).
Lohn und Strafe wird der König
Ihm ertheilen; dieser dringt
Ins Verborgne; doch die Kirche
Kann's Verborgene nicht richten.
Glaube, ruf' den Fürsten jetzt;
Unterdessen will den Tisch ich
Vorbereiten mit den Worten
Die Isaias einst geredet:
Erde öffne deinen Schooß
Sprosse den Erlöser!

Wahrheit.

Solchem
Machtgebot wohl ohne Wunder
Tisch und Tafeln leicht entsprießen,
Und die Täuschung[86]) wird entschuldigt.

Es erscheinen an beiden Seiten zwei prächtig geschmückte und erleuchtete Kredenztische und in der Mitte eine große Tafel, auf welcher ein Lamm aufgetragen ist, das am Spieße steckt. Neben demselben zwei Kerzen. Später dreht sich die Tafel, so daß ihre Rückseite erscheint, woselbst der Kelch mit der Hostie sich zeigt. Die **Musiker** treten auf. Dann der **König**, der **Prinz**, und die **Synagoge** von verschiedenen Seiten. Der **König** und die **Synagoge** bleiben im Hintergrunde.

Musik.

Komm' o edler Fürst, erscheine!
Denn zu deinem Himmelsmahle

---

85) Symbolischer Ausdruck der Wahrheit, daß die Kirche äußerlich Gute und Böse, Weizen und Unkraut, in ihrem Schooße beschließt. Die endliche Sonderung und Sichtung steht nicht der Kirche, sondern dem Gerichte Gottes zu.

86) „Die Täuschung," d. h. die nun folgende Verwandlung der Scene.

Viele die Berufnen sind,
Wen'ge nur die Auserwählten.

Prinz.

Holde Braut! Mein ew'ger Vater
Läßt zu seiner Rechten Niemand
Sitzen, der noch lebt; drum hat es
Seine Güte angeordnet,
Daß am Tage meiner Hochzeit
Ich um meinen Tisch versammle
Alle, ohne Unterschied[87]).

(Alle setzen sich.)

Setzt euch; du, zu meiner Seite,
O geliebte, holde Braut!
Dies ist des Gesetzes Lamm,
Das zur Feier der Encänien,
Und am hohen Passahfeste,
Ward genossen, hier mit diesen
Bittern, grünen Kräutern, welche
Buße sind und Reuethränen.

Lüge.

Von dem Lamme des Gesetzes
Muß ich kosten, daß der Himmel
Wisse, daß ich schon mißbrauchte
Jenes ersten Mahles Fleisch[88]).

Prinz.

Wehe Jenem, der ungläubig,
Ohne wahrer Buße Schmerz,

---

87) Der Sinn ist: An dem Tische des Vaters, d. h. im Himmel kan Niemand erscheinen, der nicht bereits gestorben ist; die noch Lebende versammelt nur der Sohn um seinen Tisch auf Erden.

88) Schon im alten Testamente war eine symbolische Entweihung de Tisches des Herrn durch unwürdigen, d. h. ungläubigen Genuß de vorbildlichen Mahles möglich.

Mit mir taucht die freche Hand
In die Schüssel.

Lüge.

Dies zu hören
Zittr' ich.

Der König

(für sich im Hintergrunde).

Hier zurückgezogen
Hinter dieser Thür von Glas,
Diesem Himmel von Krystall [89]),
Werd' ich meiner Größe höchstes
Wunder schauen.

Die Synagoge

(ebenso).

Könnt' ich nur
Hier von fern das Ende schauen
Dieser Ceremonien.

Prinz.

Dieses
Lamm, es war Figur und Schatten
Eines großen Sakramentes,

(Der Tisch dreht sich herum.)

Das die Speise, die euch bietet
Hier der Glaube. Brod und Wein
Ist mein eignes Fleisch und Blut.

Lüge.

Dieses, dieses muß ich stehlen,
Um es zu verkaufen dann
An die Synagoge.

---

89) Der Himmel, aus dem unsichtbar Gott auf seine Werke auf Erden herniederschaut, wird vom Dichter höchst poetisch eine Thüre von Glas, von Krystall, welche durchsichtig ist, genannt.

Der König.

(hervortretend).

Halt!
Gottesräuber! Fort, zurück!
Wage nicht, es zu berühren!
Und von dieses Mahles Tafel
Hebe fort dich! Nicht verdienst du
Diesen Platz, den freventlich du
Eingenommen [90]).

Er ergreift die Lüge. Diese erhebt sich, und läßt ihren Mantel in seinen Händen.

Lüge.

Himmel! Jetzt
Ist mein Urtheilsspruch gefällt!

Synagoge.

Den Verrath erkannt' der König.

König.

Wie war's möglich, daß du kamest
Ohne hochzeitlich Gewand,
Welches ist das Feierkleid
Wahrer Reue, wahrer Buße?
Und da dieses —

Lüge.

Wehe mir!

König.

Das du trägst, gestohl'nes Gut,
Stellst du's nicht zurück der Wahrheit?

---

90) Vergleiche die Stelle des Gleichnisses, wo es heißt: „Der König abe ging hinein, um die Gäste zu beschauen und er sah daselbst eine Menschen, der kein hochzeitliches Kleid an hatte. Und er sprach zu ihm Freund, wie bist du hereingekommen, da du kein hochzeitliches Klei anhast? Er aber verstummte. Da sprach der König zu den Dienern Bindet ihm Hände und Füße und werfet ihn hinaus in die äußerst Finsterniß." Matth. 22, 11—13.

Hier vor diesem Festgeheimniß
Giebt's nicht Wahrheit, die erheuchelt,
Hier hat Lüge keine Stätte,
Wo die Wahrheit selbst vorhanden.
Flieh' von hier, verpestet' Glied!
Abgeschnitten mußt du werden
Jetzt von diesem Leibe [91]), daß du
Ihn nicht kränkest und beschädigst.

Lüge.

Weh! bei deiner Stimme Laut
Sträubt das Haar sich mir zu Berge,
Deine Gegenwart verwirrt mich!
Reden kann ich nicht, noch will ich
Dich um Gnad' und Schonung flehn.
Nur Verzweiflung bleibt mir übrig,
Blinde, falsche Synagoge!
Denn nicht kann Verzeihung finden
Jenes Kaufvertrages Schuld
Den ich schloß; dem Tempel will ich
Deine Silbermünzen geben,
Mir genügt fortan der Strick [92])
Meiner Wuth, und der Verzweiflung,
Die mich ängstigt, mich erstickt,
Die mich quält, die mich vernichtet.

Ab.

Synagoge.

Wenn durch dich ich nicht erlange
Meinen Zweck, dann rüst' ich selbst jetzt
Krieg dem Fürsten und dem Himmel;
Seinen Wundern ewig feindlich
Steh' ich ihm auf offnem Felde!

---

91) D. h. vom Leibe der Kirche.

92) Judas, der von der Synagoge gemiethete Verräther, ist der treue Repräsentant der Lüge in ihrem Verhältniß zum Sakrament.

Prinz.

Morgen zieh' ich aus ins Feld;
Sterbend werd' ich überwinden.

Synagoge.

Da du solchen Muth hier zeigest,
Wart' ich deiner auf dem Felde.
Sehen sollst du, wie erzittern
Wird die Welt bei meiner Wuth,
Wie ihr unermeßlich All'
Wiederkehrt zum ersten Chaos[93]),
Wie mein Stolz vernichten wird
Das Geheimniß deiner Braut.

Braut.

Nein; denn wenn im Kampf der Fürst auch
Stirbt, bleibt er lebendig immer
In der Speise dieses Tisches,
Dessen großes Sakrament
Wird fortan mein ew'ger Sieg.

Synagoge.

Ist dies mehr als Brod und Wein?

Braut.

Ja, es ist sein Fleisch und Blut.

Synagoge.

Brod nur seh' ich, Brod nur fühl' ich.

Braut.

Wenn ihm auch des Brotes Schein
Bleibt, so ist des Brotes Wesen
Doch gefloh'n.

---

93) Anspielung auf die Naturereignisse beim Tode Christi.

Synagoge.

Was blieb dafür?

Braut.

Seines Fleisch's und Blutes Wesen.

Synagoge.

Wer verbürgt's?

Braut.

Die Wahrheit selbst.

Synagoge.

Wer ist die?

Prinz.

Ich selber bin's,
Der ich's sage [94]).

Synagoge.

Schweig, hör' auf!

(Sie fällt zu Boden.)

Denn bei diesem Wort: „Ich bin's"
Sind gebrochen meine Kräfte;
Doch so sehr nicht, nein, so sehr nicht,
Daß nicht Athem noch und Kraft
Mir geblieben dich zu tödten.
Himmel, Sonne, Mond und Sterne!
Jetzt schon lad' ich euch zu schauen
Bald den blutigsten der Kämpfe!

Ab.

König.

Daß der Sieg gesichert bleibe,
Sei die Hochzeit jetzt vollzogen.

Prinz.

Braut, nun reiche mir die Hand!

---

94) Vergl. Joan 14, 16.: „Ich bin die Wahrheit" und Joan. 18, 5.

Braut.

Mit dem Worte, mit dem Schwure,
Dein zu sein jetzt ewiglich!

Wahrheit.

Auf Musik! Heb' an zu singen!

Braut.

Daß wir jubilirend feiern
Dies unendliche Geheimniß!

Prinz.

Dieses Wunder aller Wunder!

König.

Meiner Größe höchsten Gipfel!

Heidenthum.

Daß wir demuthsvoll begehren
Hier in dessen Namen, welcher
Gern dir dienet, edle Stadt,
Nachsicht auch für unsre Fehler[95])!

Musik.

Um von dieses heil'gen Tisches
Himmelsspeise zu genießen,
Sind wohl viele die Berufnen,
Wen'ge nur die Auserwählten!

---

95) D. h. im Namen des Dichters für die Fehler der Schauspieler.
Auto scheint, wie diese Worte andeuten, von dem Ayuntamiento
Stadtrath) von Madrid beim Dichter bestellt worden zu sein,
vielleicht die Kosten der Aufführung getragen hat.

Druck von Robert Nischkowsky in Breslau.

Amor und Psyche.

Erläuternde Vorbemerkungen.

Unter dem Titel Psiquis y Cupido, den wir im Deutschen urch die bei uns geläufigere Bezeichnung „Amor und Psyche" iedergeben, hat Calderon zwei verschiedene Autos geschrieen, von denen das eine, von dem vorliegenden durchaus zu nterscheidende, bereits durch Freiherrn von Eichendorff ins Deutsche bersetzt ist (im zweiten Bande der „Geistlichen Schauspiele" on Calderon, Stuttgart 1853). Beiden Auto's liegt die bekannte Nythe zu Grunde, welche der Poesie wie der bildenden Kunst so oft hon willkommenen Stoff dargeboten hat und deren Inhalt kurz olgender ist. Ein König hatte drei Töchter, von denen die jüngste n Schönheit der Venus selbst gleichkam. Amor, der Gott der Liebe, ußte es zu veranstalten, daß sie auf Betrieb ihrer neidischen Schweern an einem wüsten Orte ausgesetzt würde. Von dort entführte r sie in einen prächtigen, durch seine Göttermacht erbauten Palast, oselbst sie an seiner Seite des höchsten Glückes genoß, jedoch ohne en Geliebten zu sehen, der nur in dunkler Nacht mit ihr verkehrte ınd ihr untersagte, nach ihm zu forschen. Sie wünschte, ihre Schwestern wiederzusehen; doch diese brachten, als Amor Psyche's Wünsche erfüllte, Unheil über sie; denn, voll Neid über das Glück ›er Schwester, überredeten sie dieselbe, daß ein Ungeheuer allnächtlich ın ihrer Seite ruhe und daß es ihre Pflicht sei, dasselbe zu tödten. In der folgenden Nacht erhob sich Psyche von ihrem Lager, nahm ›ine verborgen gehaltene Lampe, erblickte den Götterjüngling schlafend ıuf seinem Lager und konnte nicht müde werden, in seiner Betrachtung zu schwelgen; doch durch ihre Unvorsichtigkeit fiel ein Tropfen Oel auf seine entblößte Schulter, er erwachte und entfloh zürnend und Psyche in Verzweiflung zurücklassend. Endlich aber ward sie auf Amors Bitten von Jupiter in den Olymp unter die Götter aufgenommen und mit Amor feierlich verbunden. Calderon, der in den Kreis seiner Autos auch mythologische Stoffe aufnimmt, indem er dieselben symbolisch oder allegorisch auf christliche Wahrheiten zu deuten weiß, hat die Sage von der Psyche in höchst tiefsinniger Weise symbolisch auf das Geheimniß der Eucharistie anzuwenden gewußt und den reichen Stoff, den sie darbietet, in zwei seiner tiefsinnigsten Autos behandelt. Die Anwendung, die er hier von dieser Sage macht, welche am ausführlichsten bei Apulejus (Metamorphoseos sive de Asino aureo lib. 4—6) erzählt wird, dessen Werk wohl unter jenem „alten Fabelbuch" zu verstehen ist, das im Auto selbst erwähnt wird und in welchem der Haß dieselbe gelesen, ist folgende. Der Vater jener drei Töchter ist die Welt, die Töchter selbst stellen die drei Weltalter dar, von denen das erste (die Zeit des Naturgesetzes) mit dem Heidenthum, das zweite (die Zeit des mosaischen Gesetzes) mit dem Judenthum, das dritte (die Zeit des Gesetzes der Gnade) mit Christo, dem himmlischen Amor, vermählt wird. Von der Welt verstoßen und auf einer wüsten Insel ausgesetzt, erbaut ihr Christus, ihr göttlicher Bräutigam, daselbst einen prachtvollen Palast, das Abbild des himmlischen Jerusalem, seine Kirche. Hier verkehrt er mit ihr geheimnißvoll, aber ohne daß sie ihn schauen darf, in der Nacht des Glaubens und unter dem Schleier des Sakramentes der Liebe. Aber die Psyche repräsentirt nicht blos das ganze dritte Weltalter, die Gesammtheit der Gläubigen in der Kirche, sondern auch die Einzelwesen in ihr und als solches ist sie des Ungehorsams und der Sünde fähig. Sie läßt sich verleiten, durch Sünde und Zweifel nach verbotener Erkenntniß zu streben und verliert zur Strafe all' ihr Glück, gewinnt es aber wieder durch Reue und Buße. Es leuchtet ein, wie bei solcher Auffassung es kaum noch einen tiefsinnigeren Stoff für ein Auto geben könne. So klar indessen auch der Grundgedanke des Ganzen ist, so bieten doch die Einzelheiten bei solcher Durchführung höchst bedeutende Schwierigkeiten und es darf nicht befremden, wenn dieses Auto bei all' seiner Schönheit doch viele Dunkelheiten enthält, für deren Aufhellung ein weit ausführlicherer Commentar, als er hier gegeben werden konnte, nothwendig wäre. Was die Personen betrifft, so sind sie sämmtlich allegorischer Natur. Als Gegensatz steht dem himmlischen Amor die dämonische Gestalt des Hasses gegenüber. Der Psyche (dem dritten Weltalter) stehen die Gestalten der Einfalt und der Bosheit zur Seite, von denen die erstere in gewisser Weise die Rolle des Graziosо übernimmt. Die Erscheinungen der Nacht und des Tages schweben nur in einer Scene, als gute Genien vorüber, welche die Psyche in ihren Palast einführen. Ueber die Abfassungszeit des Auto fehlen alle bestimmten Andeutungen, wenn man nicht die geheimnißvolle Tiefe des Ganzen für einen Grund ansehen will, es für ein Produkt der spätesten Zeit des Dichters zu halten.

Amor und Psyche.

Personen:

Die Welt (Greis).
Das erste Weltalter,
Das zweite Weltalter,
Das dritte Weltalter, (Psyche). } Töchter der Welt.
Das Heidenthum.
Das Judenthum.
Der Haß.
Amor (Jüngling).
Die Bosheit.
Die Einfalt.
Die Nacht.
Der Tag.
Musik und Gefolge.

Es öffnet sich im Hintergrunde der Bühne ein Felsen, aus welchem der Haß, auf einem schwarzen Rosse reitend, als Dämon gekleidet, hervortritt. Zu gleicher Zeit erscheint auf der anderen Seite der Bühne, die einen Theil des Meeres darstellt, Amor, auf dem Rücken eines Delphines sitzend. (Der Haß spricht, Amor singt.)

Haß.

Du, des Himmels hohe Curie,
Lichtumfloßner Hofstaat Gottes!
Wo in ewig währ'ndem Tage
Nichts ist Nacht und Alles Sonne!

Amor.

Du des Feuers Region!
Du der Winde luft'ger Ort!
Wo des Lichtes Vögel ziehen [1]),
Als gefiederte Kometen!

---

1) „Des Lichtes Vögel," d. i. die Sterne, weil sie, wie die Vögel, im Luftraum zu fliegen scheinen.

Haß.

Du der weiten Meeressphäre
Eingekerkert' Ungestüm,
Das du, ob des Kerkers Mauern-
Sand auch sind, sie nie erbrichst [2])!

Amor.

Du der ganzen Erde Umkreis,
Du des Menschen fruchtgebärnde
Wohnung, dem gehorsam dienen
Thier und Baum und Fels und Blume!

Haß.

Ha, du ganzes schönheitstrahl'ndes
Kunstgebäude dieser Schöpfung!

Amor.

Ha, du Nichts, das Alles wurde
Auf das „Werde" einer Stimme!

Haß.

Höre meiner Klagelaute
Furchterfülltes Angstgeschrei!

Amor.

Höre meiner stillen Seufzer
Süßen, schnell verhall'nden Laut!

Haß.

Durch mich heult der wilde Nordwind
Grimmer Hasseswuth.

---

2) Das Meer ist in seinen Gestaden gleichsam durch Mauern von Sa eingekerkert, welche trotz ihrer Schwäche hinreichen, sein Ungestüm Zaume zu halten. Vergl. Hiob 38, 8—11.

Amor.

Durch mich säuselt sanfter Zephir
Göttlicher Liebesgluth.

Haß.

Kund sei dir mein kühnes Wagen,
Wie auf diesem ungezäumten,
Wilden Thier ich jetzt die ganze
Weite Welt rastlos umkreise,
Trotzend auf den kecken Muth
Solch abtrünn'gen Zorneseifers,
Daß ich mich zu messen wage
Selbst mit Gott; denn jener, welcher
Sah auf weißem Roß den Sieger,
Sah auch mich auf schwarzem reiten [3]).

Amor.

Kund sei dir mein ruhmvoll' Streben,
Wie die wilden Wasserwogen,
Die der Trübsal Drang bedeuten,
Ich besänftigend durchziehe
Hier auf des Delphines Rücken,
Nicht bedeutungslos; denn dieser
Ist des Menschen Liebe Zeichen,
Da vor Stürmen er ihn warn't [4]).

Haß.

Und daß ich Gehör mir schaffe,
Steig' aus dieses Felsens Höhle

[3]) Apocalypse 6, V. 2 und 5. Der Haß offenbart hierdurch seine dämonische Natur, daß er sich als den Reiter des schwarzen apocalyptischen Rosses bezeichnet.

[4]) Die Delphine, welche gern in der Nähe der Schiffe sich zeigen und dem Menschen sich freundlich und anhänglich erweisen (vergl. die bekannte Sage von Arion), sind ein treffendes Symbol der Liebe.

Ich ans Licht, das sonst mir fremd.
Hier soll Fuß mein Schrecken fassen;
Denn durch mich heult wilder Nordwind,
Grimmer Hasseswuth.

Er steigt ab und betritt die Bühne.

Amor.

Und, da deshalb ich erscheine,
Daß nicht seinen Zweck erreiche
Jenes Ungeheu'r, will lauden
Ich in diesem Thal der Thränen;
Denn durch mich weht sanfter Zephir
Göttlicher Liebesgluth [5]).

Er betritt die Bühne.

Haß.

Doch, welch' widersprechend' Echo
Ist's, das stets mir Antwort giebt,
Und auf jeden meiner Sätze
Einen Gegensatz erwiedert?

Amor.

Jenes, welches unaufhörlich
Deiner Spur verfolgend nachsetzt;
Bin ich Liebe, bist du Haß,
Ist der Widerspruch wohl nöthig.

Haß.

Ist's zu hör'n schon unerträglich
Mir, daß du, des Schattens Licht,
Meinen wirren Tritten folgest,

---

5) Dieses Zwiegespräch von Haß und Liebe, mit dem der Dichter das Auto eröffnet, ist eine allgemeine symbolische Darstellung des Kampfes zwischen den himmlischen und den dämonischen Mächten und Einflüssen, welcher auf Erden stattfindet und den die ganze Handlung des Auto uns näher vor Augen stellen wird.

Wohin immer ich sie lenke,
Will ich doch den angebotnen
Streit nicht meiden, zu dem heute
Einer neu'n Idee Ersinnen [6])
Dich beruft, auf welche ich
Hoffnung setze, daß sie mir
Allegorisch hier im Bilde
Eines deutungsvoll'n Begriffes
(Wohin treibt mich meine Angst?)
Jetzt ein neu' Gesetz erkläre,
Das ich fürchte [7]). Will mich schützen;
Will nicht unvertheidigt sterben;
Sagt ja doch ein heil'ger Text,
Daß ein wohlgestähltes Schild
Scharfem Speere widersteht [8]).

Amor
(spricht).

Deine Absicht wohl durchschauend,
Bin zum selben Zwecke ich
Dir gefolgt, daß du erkennest
In der kunstvoll wahren Täuschung
Der Idee, daß dies Gesetz
Dein Verderben und mein Ruhm.

Haß.

Dieses wird Erfahrung lehren.
Jetzo kehr' ich den Gebilden
Meiner Phantasie mich zu.

---

[6]) Des Dichters nämlich, der dich zu diesem Zweck auftreten läßt.

[7]) Der Sinn ist: Ich will eingehen auf die Allegorie des Auto und in demselben mitspielen. Vielleicht gelingt es mir dadurch, mein Schicksal zu erfahren, das zur Zeit des Gesetzes der Gnade, des dritten Weltalters mir beschieden ist, dessen Natur ich noch nicht kenne, und dessen Beziehung zu dem Kampfe zwischen Liebe und Haß, der auf Erden stattfindet, das Auto darstellen soll. Die ganze Scene ist als eine Art von Prolog zur eigentlichen Handlung zu betrachten.

[8]) Vielleicht Anspielung auf Jerem. 46, 34 oder Eccli. 37, 5.

Amor.

Diese ist wohl mächt'ger noch
In mir selbst, als je in dir;
Werd' dein Echo weiter werden,
Um zu mildern deines Schreckens
Graus mit meiner Harmonie.

Haß.

Also Achtung nun!

Amor.

Ja, Achtung!

Haß.

Meine Furcht soll heute weichen!

Amor.

Meine Neigung soll sich zeigen!

Haß.

Denn durch mich heult wilder Nordwind
Grimmer Hasseswuth!

Amor.

Denn durch weht sanfter Zephir
Göttlicher Liebesgluth.

Haß

(singt abwechselnd mit **Amor**).

Wisset also, zwei Gesetze
Sah in zweien ihrer Alter
Schon die Welt: das der Natur,
Dessen mildes, sanftes Joch —

Amor.

Als natürliches Gebot,
Um sich tief schon einzuprägen,
Andres Mittel nicht bedurfte
Als des Herzens zarte Tafel [9]).

Haß.

Das Geschrieb'ne, als das härt're,
Rauhere, ward eingedrücket —

Amor.

In den Marmor, und zum Griffel
Diente Gottes eigner Finger [10]).

Haß.

Und wenn auch zu meiner Qual,
Meiner Angst und meinem Schrecken —

Amor.

Es genügte, daß als Gottes
Töchter beide sind geboren — [11])

Haß.

Fürcht' ich mehr doch noch das Dritte,
Welches diesen folgen soll —

---

9) Das Naturgesetz, welches die erste Weltepoche bezeichnet, beruht allein auf der inneren Stimme des Gewissens.

10) Das geschriebene Gesetz wurde zuerst von Gott selbst auf die steinernen Tafeln geschrieben, welche Moses auf dem Sinai erhielt.

11) Das Naturgesetz und das geschriebene, mosaische Gesetz sind beide Töchter Gottes, stammen beide von ihm her und treten darum den Bestrebungen des dämonischen Hasses feindlich entgegen, dienen ihm zum Schrecken.

Amor.

Als die selige Erfüllung
Der erhabenen Verheißung —

Haß.

Daß der Morgenröthe Wolken
Regnen sollen den Gerechten —

Amor.

Wohl als süßen, milden Thau
Auf das schneeig weiße Fell [12]).

Haß.

Und da dieser Wink und andre
Heute, wie du siehst, mir drohen —

Amor.

Da die Welt in dieser Hoffnung
Lebt, und du in dieser Furcht —

Haß.

Soll Gelegenheit zum Schutze
(Schon ja sagt ich's) mir gewähren
Eine Fabel [13]). Warum schweigst du,
Fährst nicht fort?

---

12) Der Thau, welcher auf das Fell des Gedeon fiel (Buch der Richter 6, 37—38), war ein Vorbild des Erlösers, der vom Himmel in den Schooß der Jungfrau hinabstieg, wie er auch sonst bei den Propheten unter dem Bilde des Thaues und Regens dargestellt wird. („Rorate coeli desuper et nubes pluant justum.")

13) Die aus Apulejus (wie in den Vorbemerkungen bereits nachgewiesen worden) geschöpfte Fabel von der Psyche nämlich.

Amor.

Weil eine Fabel
Niemals sein kann, was ich rede [14]).

Haß.

Da du also meiner Rede
Freies Feld nunmehr gestattest [15]),
Sollst du selbst der Erste werden
Der mich hört.

Amor.

Ich höre achtsam.

Haß.

In der Fabel von der Psychis — [16])
(Schon der Name schreckt mich fast;
Klingt's doch beinah' wie's Latein'sche
Si quis, jene ersten Worte
Welcher heilige Concilien
Sich bedienen, wenn Dekrete
Ueber'n Glauben sie erlassen) [17])
In der Psychis-Fabel also
Las ich, daß ein großer, mächt'ger
König einst drei Töchter hatte.
Zweien gab er Land und Güter,
Doch die dritte setzt im Meer er
Aus, durch Neid der beiden anderu.

---

14) Die Liebe repräsentirt nämlich allegorisch die Person Christi, welcher von sich sagt: „Ich bin die Wahrheit."

15) D. h. mich nicht mehr, wie oben, durch deine Worte in der Erzählung ablösest.

16) Psychis, die lateinische Form für das griechische Psyche.

17) Bekanntlich beginnen die Canones der Concilien, in denen häretische Lehren verworfen werden, in der Regel mit den Worten: Si quis dixerit etc.

Bis hierher nur, weiter nicht,
Las ich; denn da hieraus schon
Ich des Mannes Geist erkannte,
Schien mir Weitres überflüssig.

Amor.

Jenes Buch, das im Gesetze
Du, dem strengen, liegen lassen,
Setz' ich in dem gnadenvollen
Fort vielleicht [18]); doch rede weiter.

Haß.

Da ich also zwei der Töchter
Ausgestattet sah, die dritte
In das Meer verwiesen, dacht' ich
So bei mir, da ich bemerkte
Daß heut' zwei Gesetze schon
Ihre Ausstattung empfangen,
(Denn vollkomm'ne Güter sind wohl
Das Gesetz und die Natur
Für's Naturgesetz und für
Das Geschriebene), und daß
Leer bisher noch ausgegangen,
Jenes dritte, das der Gnade; —
Dacht ich, sag ich, daß bei jener
Innigen Verknüpfung welche
Heil'ge Schriften und profane
Haben [19]), mein Verlangen wohl

---

18) Da die Töchter des Königs in der Allegorie die drei Weltalter bedeuten, und du nur bis zur Vermählung der zweiten, welche das geschriebene, mosaische Gesetz bedeutet, die Fabel gelesen hast, so ist dir unbekannt, daß ich, Christus nämlich, durch das Gesetz der Gnade, das ich geben werde, das dritte Weltalter, die Psyche, mit mir selbst vermählen werde.

19) Unter dieser innigen Verknüpfung zwischen heiligen und profanen Schriften versteht der Dichter hier nur, daß Vieles in der Mythologie

Könnt' in der Allegorie
Dichterischer Täuschung hier
Jetzt zu seh'n versuchen, ob,
Eh's zur Ausstattung gelangte,
Meinem Hasse es gelänge
Es ins Meer gestürzt zu schauen,
(Denn es ist die Trübsal ja
Und der Schiffbruch dieses Lebens
Stets des Meeres tiefe Deutung).
Zu dem Zwecke nehm' ich an,
Daß die Welt, der hohe Herrscher
Ueber alle Königreiche,
Jenen Mächtigen bedeute,
Dessen Töchter jene drei;
Nehm' ich ferner an, daß zweie
Er schon ausgestattet; denn als
Mitgift hat er schon gegeben
Einer 's röm'sche Kaiserreich,
Und der andern Sion's Krone;
Nehm' ich an, daß dann die dritte,
Welche ohne Land geblieben,
In Erwartung eines Fürsten[20])
Lebe, dessen Majestät
Jener beiden Glanz verdunkle;
Und damit sie's nicht erlange,
Da sie an Vollkommenheit
Wohl der Schönheit Preis gewinnt,
Ist es leicht, daß hier der Neid,
Der ihr folgt, dazwischen trete;
Denn ob jene beiden auch
An sich selbst vollkommen sind,
Können sie sich doch verschlechtern

---

auf alten Traditionen der Unwahrheit beruht und eine wenn auch dunkle und verworrene Symbolik christlicher Wahrheiten enthält.

Des Erlösers nämlich.

Durch die Fehler ihrer Herren [21]).
Doch daß besser man verstehe,
Was ich hier im Sinne führe,
Will' ich, daß mir dies erkläre
Jetzt der Handlung Wirklichkeit.
Und um's besser noch zu zeigen
Kehr ich zur Betrachtung wieder,
Wie die Welt sie ausgestattet
An dem Tage ihrer Hochzeit.
Also lautet's Hochzeitslied:

Musik

(hinter der Scene).

In Fortunas Tempel weihet
Heut zum Opfer sich die Liebe.

Haß.

Mit Fortuna dich vergleicht man.

Amor.

Nein; wohl weißt du's, Ungeheuer,
Daß von ird'scher Lieb' sie reden,
Und daß ich des Himmels Liebe.

Der **Chor** tritt auf; nach ihm das **Heidenthum**, das **erste Weltalter** an der Hand führe
Alle in römischer Tracht mit Lorbeerkränzen und goldgestickten Festgewändern. Hierauf d
Judenthum mit dem **zweiten Weltalter**, in jüdischer Tracht; endlich die **Welt**, als Gr
mit **Psyche**, (dem dritten Weltalter); die Letzteren in spanischer Tracht.

Musik.

In Fortunas Tempel weihet
Heut zum Opfer sich die Liebe.
Sel'ge Zeit, in der die Welt verheißet
Ew'ge Freundschaft zwischen Glück und Liebe.

---

21) Die beiden ersten Gesetze, das Naturgesetz und das Geschriebene, si insofern vollkommen, als sie von Gott gegeben sind. Sie verschlechte sich aber durch die Fehler ihrer Herren, mit denen sie vermählt sin d. h. der Völker, denen sie gegeben sind, und die sie nicht in ihr wahren Bedeutung verstehen und nicht nach ihnen leben.

Heidenthum.

Ueberselig ist sie wohl,
Da in ihr der Welt gelang,
So verschiedener Partheien
Sel'ge Einigung zu schauen.
Dies bezeuge, daß verdienet
Hat mein Glücksstern deine Gunst.

Musik und Heidenthum.

In Fortunas Tempel weihet
Heut zum Opfer sich die Liebe.

Erstes Weltalter.

Und nicht minder dies bezeuge,
Daß, auf deine Herrschaft achtend,
Mit den Stimmen deines Chores
Meine Stimme sich vermischet.

Musik und Erstes Weltalter.

Sel'ge Zeit, in der die Welt verheißet
Ew'ge Freundschaft zwischen Glück und Liebe.

Haß.

Wenigstens hat doch das erste
Weltenalter schon gesündigt.
Dies bezeug' in Babylon
Bel, in Senaar Nimrod,
Und hier jene, die, beherrschet
Von dem Heidenthum, Anbetung
Schon Fortunas Gottheit eilet
Darzubringen.

Amor.

Weh' des Irrthums!
Daß sie, gegen das Naturgesetz, nicht achtet,
Daß kein größ'res Glück, als Gott, ist in der Welt[22]).

Musik.

Nicht weiht in Fortuna's Tempel
Heut zum Opfer sich die Liebe.
Eine selg're Zeit verheißet ja der Welt
Eines einz'gen Gottes Glaube, mehr als vieler.

Judenthum.

Wenn Fortuna's unbeständ'ger
Göttin wohl der Heide huldigt,
Und auf Einen nur ich hoffe[23]),
(Ohn' um jenen[24]) mich zu kümmern,
Von dem heute Viele sagen,
Daß er in der Lieb' Verkleidung
Jetzt die Welt durchzieh') — wenn also
Heiden der Fortuna huld'gen,
Ob auch sie das Glück mir gab
Solch' erhabenen Besitzes:

---

22) Es würde zu weit führen, hier den tiefen Sinn all' dieser einzelnen Sentenzen zu analysiren. Er ergiebt sich für den denkenden Leser, wenn er den Schlüssel dafür, die zu Grunde liegende Allegorie, festhält, von selbst. Daß das römische Heidenthum, welches hier als Repräsentant aller der Völker, die unter dem Naturgesetz leben, vorgeführt wird, dasselbe in seiner Reinheit durch die Anbetung der Fortuna corrumpirt, hat wohl seinen Grund, nach der Intention des Dichters, hauptsächlich darin, weil das römische Reich seine Herrschaft hauptsächlich auf das Glück des Krieges gegründet hatte.

23) Dem Messias nämlich, welchen das Judenthum erwartet.

24) D. i. um Christum, den das Judenthum nicht für seinen Messias gelten lassen will.

Musik und Judenthum.

Nicht weiht in Fortunas Tempel
Heut zum Opfer sich die Liebe.

Das zweite Weltalter.

Recht hast du, und da nur jenem,
Der Fortunas Herr, des Cultes
Huldigung gebührt, so woll'n wir
Keinem Andern Ehr erweisen.
Anzubeten komm den Heil'gen,
Worte unserm Opfer leihend:

Musik und das zweite Weltalter.

Eine selg're Zeit verheißet ja der Welt
Eines einz'gen Gottes Glaube, mehr als vieler.

Die Beiden treten ab.

Haß.

Auch das zweite Weltenalter
Hat nicht weniger gefehlt,
Das des Judenthums, denn da es
Dich[25]) zwar sah, schenkt's doch nicht Achtung
Dir, und glaubt nicht, daß erfüllt schon
Die Propheten.

Amor.

Weh' des Irrthums!
Daß sie, gegen's schriftliche Gesetz[26]), nicht glaubet,
Daß zur Welt er schon im Kleid der Lieb' gekommen!

---

25) „Dich," d. i. die Liebe, Christum, den es verworfen.

26) D. h. gegen das Zeugniß, welches die Schrift in ihren Weissagungen von mir giebt.

Welt.

Da nun deiner beiden Schwestern
Lebenspfade sich getrennt,
Weil hier jede folgen wollte
Ihres Bräut'gams Religion;
Wähle, welcher du willst folgen,
Daß ich selbst der andern folge;
Denn Lieblosigkeit würd's scheinen,
Trennten wir von beiden uns.
Selbst bestimme, wer du nachziehst!

Psyche

(weinend).

Keiner; folgt' ich ihnen beiden
Im Geborenwerden auch,
Doch im Sterben nie[27])!

Welt.

Du weinest?
Welch' Gefühl? welch' leidenschaftlich
Wesen?

Psyche.

Ach, ich weiß nicht, Herr;
Denn allein weiß ich von mir,
Daß mir (wehe!) ach mein Herz
In der Brust will schier zerspringen,
Und zu dem Gesang mich dränget:

Musik und Sie.

Nicht im Tempel der Fortuna
Weihe sich die Liebe heute;

---

27) Das dritte Weltalter folgte den beiden Andern, ist das jüngste Allen; es wird aber beide überleben und nicht wie sie, nachdem Zeit erfüllt ist, wieder einem anderen weichen.

Noch auch dem, den jene künftig hofft, nicht glaubend
Daß zur Welt er schou im Kleid' der Lieb' gekommen.

Welt.

Höre, warte! Denn es scheint,
Daß ein Wahnsinn, ein Phantom,
Eine Täuschung dich dir selber
Hat entrissen; welche Kunde
Eines Menschen, eines Gottes,
Kann das sein, die ich, der selber
Ist die Welt, nicht hätt' gehört?

Psyche.

Nicht ist von der Welt mein Grund[28]).

Haß.

Uebel nicht beginnt die Prüfung,
Denn die Anspielung beginnt
Schon im dritten Weltenalter
Auf ein dritt' Gesetz.

Amor.

Für mich
Steht es ebenfalls nicht schlecht,
Da von meinem größten Siege
Schon der Schattenriß beginnt.

Welt.

Räthsel sind mir deine Worte,
Deine Handlungen mir Räthsel;
Trockne nun die Thränen, finde
Wieder deiner Wangen Farbe,
Und bedenke, welch' ein Irrthum

Anspielung auf die Worte Christi: „Mein Reich ist nicht von dieser Welt."

's ist, daß nicht der Welt entnommen
Sei der Grund, den dein du nennest.

Psyche.

Ohne daß du ihn bestätigst,
Will ich doch ihn wiederholen:
Nicht im Tempel der Fortuna
Weihet sich die Liebe heute.

Das Heidenthum und das erste Weltalter tritt auf.

Beide.

Welch' vermessner Ton ist dies,
Der hier unsern Ritus störte?

Psyche.

Noch auch dem, den jene künftig hofft, nicht glaubend,
Daß zur Welt er schon im Kleid der Lieb' gekommen.

Das Judenthum und das zweite Weltalter tritt auf.

Beide.

Welch' unzeitig freches Klagen
Unterbricht hier unsre Feier?

Psyche.

Jenes das dich ganz, dich theilweis
Gotteslästerlich erfand.

(Zum Heidenthum.)

Gänzlich dich, da du im Irrthum
Ueber's höchste Grundprinzip;
Denn wenn einer Vielheit du
Götteranbetung erweisest,
Leugnest du den ersten Grund,
Und begreifst nicht, daß es nie
Mehr als Eine Macht kann geben,
Eine Weisheit, Eine Liebe.

(Zum Judenthum.)

Und dich theilweis, denn wenn auch
In dem ersten Grundprinzip
Nicht dein Urtheil irrte, Einen
Gott verehrend, irrt es doch,
Da es Daniels Rechnung leugnet,
Deß' geheimnißvoller Wochen
Zahl erfüllt ist[29]), in dem Mittel,
Die Gesichte nicht verstehend
Von des Moses feur'gem Dornbusch,
Von des Jakob Himmelsleiter,
Von dem Sturmwind des Elias,
Von dem Fell des Gedeon,
Von dem Ringe der Thamar[30]),
Von dem Mantel des Booz[31]),
Von der Rahab rothem Bande[32]),

---

29) Anspielung auf die siebenzig Jahreswochen, welche Daniel als die Zeit bezeichnete, nach deren Ablauf der Erlöser erscheinen werde.

30) Vergl. Genes. 38, 18. Thamar gehörte trotz ihrer Unwürdigkeit zu den Ahnen Christi, wie später die unten erwähnte Rahab.

31) Ruth 3, 9. Der heil. Hieronymus sagt hierüber (prooemium in Osee): „Salmon virum justum Booz de Rahab meretrice generavit, qui Ruth Moabitem pinna pallii sui operiens et jacentem ad pedes ad caput evangelii transtulit." Vergleiche das Auto: „Der Thurm von Babel," Anm. 22.

32) Josua 2, 18. Der heil. Augustinus schreibt in Psalm. 86: „Memor ero Rahab. Quae est ista? Meretrix illa in Jericho, quae suscepit nuntios et alia via ejecit, quae praesumpsit in promissione, quae timuit Deum, cui dictum est, ut per fenestram mitteret coccum, id est, ut in fronte haberet signum sanguinis Christi. Salvata est ibi, et ecclesiam gentium significavit." Und der heil. Ambrosius lib. 5. de fide cap. 4. „Videt hoc meretrix, et quae in excidio civitatis remedia desperaret salutis, quia fides vicerat, signa fidei atque vexilla Dominicae Passionis attollens, coccum in fenestra ligavit, ut species cruoris mystici, quae foret mundum redemptura, veneraret. Ita foris Jesu nomen (i. e. Josue) fuit praeliantibus ad victoriam, intus species Dominicae Passionis periclitantibus ad salutem."

Und des Phares seidnem Faden[33]),
Von des Achaz Zeichen endlich[34]),
Der im fruchtgebär'nden Schooße
Der jungfräulichen Aurora
Frucht und Blüthe sah gesegnet.

Heidenthum.

Schweige, schweige!

Judenthum.

Still, hör' auf!

Heidenthum.

Wag' es nicht mit frechem Muthe
Gotteslästerlich und treulos
Meine Götter zu beleid'gen!

Judenthum.

Wolle, frevelhaft und gottlos,
Der Verstocktheit nicht mich zeihen,
Daß als Gott nicht, noch als Menschen
Ich ihn glaube, der die Wochen
Daniels noch nicht erfüllte[35])!

---

33) Genesis 38, 27. Cornelius a Lapide erklärt den allegorischen Sinn dieser Stelle nach dem Vorgange des Rupertus Tuitiensis folgendermaßen: „Zara, qui prior manum protulit, est Judaeus, qui prior legem accepit, sed manum coccineo filo ligatam retraxit, qui conscientiam Christi sanguine pollutam a Deo et salute avertit, unde ei praelatus est Phares, id est, gentilis populus, qui prior ad lucem fidei venit, et Deo natus est, rupitque materiam inimicitiarum inter Deum et homines per Christi sanguinem."

34) Isaias 7, 11 rc. Die sämmtlichen hier angeführten Vorbilder beziehen sich auf die Geburt und Abstammung des Messias und hätten dem Judenthum im Gesetze selbst Gelegenheit geboten, zu seiner Erkenntniß zu gelangen.

35) D. h. die Weissagung des Daniel von den siebzig Jahreswochen, die bis zur Ankunft des Erlösers verfließen sollten.

Das erste Weltalter
(zum Heidenthum).

Still, besänft'ge deinen Zorn.

Das zweite Weltalter
(zum Judenthum).

Deiner Wuth gebiete Schweigen.

Welt.

O wie groß ist die Verwirrung
In den Meinungen der Welt!

Erstes Weltalter
(wie oben).

Nur der Neid ist's, mich so glücklich,
Wie ich bin in meiner Macht,
Zu erblicken!

Zweites Weltalter
(wie oben).

Nur der Neid ist's,
Mich als deine Braut zu schauen
So beglückt!

Erstes Weltalter.

Denn da du selbst das
Heidenthum bist, dem den Namen
Gab die große Völkermenge,
Welche deine Kraft beherrscht —

Zweites Weltalter.

Da das Judenthum du bist,
Gottes auserwähltes Volk —

Erstes Weltalter.

Kann es, mich als Kaiserin
Dieser Welt zu schau'n —

Zweites Weltalter.

Und mich als

Israels Kön'gin —

Erstes Weltalter.

Nicht befremden —

Zweites Weltalter.

Daß mein Glanz —

Erstes Weltalter.

Daß meine Ehre —

Zweites Weltalter.

Sie verdrossen —

Erstes Weltalter.

Da sie sah —

Beide.

Daß kein ebenbürt'ger Freier
Sie für sich zur Braut begehrt!

Psyche.

Wollet nicht mit trübem Dunste
Einer flüchtig irr'nden Wolke
Meiner Ehre Ruhm verkleinernd,
Meinen edlen Stolz begeifernd,
Ihren Glanz der Sonne rauben!
Denn da stets in mir geblieben
Rein in seiner ersten Klarheit
Das Naturgesetz, in seinem
Zweiten Glanz auch das geschriebne,
Ohne Schatten, die verfinstern
Könnten je das sanfte Glühen

Ihrer Reiuheit[36]), kann es Neid wohl
Nimmer sein, nein, Mitleid nur,
Das für Euch ich fühle; nimmer
Kann mir Muth und Trost auch rauben,
Daß kein Freier mir erschien noch.
Denn so eitelen Begehrens
Werd' ich nimmer mich vermessen,
Bis ich jenen Gott erschaue,
Jenen Unbekannten, welchem
Huldigt der Areopagit[37]).
Auf ihn hoffend werd' ich immer
Und auf's neue wiederholen
Ob's euch beide auch verdrieße:

Zugleich mit der Musik.

Nicht im Tempel der Fortuna
Weihe sich die Liebe heute;
Noch auch dem, den jene künftig hofft[38]), nicht glaubend
Daß zur Welt er schon im Kleid der Lieb' gekommen!

Psyche entfernt sich.

Viele Stimmen

(zugleich mit der Musik).

Unsere Infantin lebe,
Der als zweiter Ruhm beschieden,
Daß sie, jünger zwar an Alter,
Doch an Schönheit höher strahle!

Das Gesetz der Gnade (des Evangeliums), schließt in sich das Naturgesetz in seiner ursprünglichen Reinheit und das geschriebene Gesetz, das sich in ihm erfüllt und dadurch erst verständlich wird.

Dionysius Areopagita, welcher durch die Predigt des heil. Paulus zu Athen vom unbekannten Gotte bekehrt wurde, und dessen Suchen nach dem unbekannten, wahren Gotte Calderon in einem besonderen Auto („Zu Gott aus Staatsklugheit" im I. Bde. dieser Sammlung) dargestellt hat.

D. h. dem falschen Messias, den das Judenthum jetzt noch vergeblich erwartet.

Welt.

Ihrer Schönheit halber hat das
Volk sich jetzt für sie empört!

Erstes Weltalter.

Jener Neid, den ich in ihr
Argwöhnt', ist in mir entstanden,
Da ich ihren Beifall höre.

Zweites Weltalter.

Und auch mich verzehrt er ganz.

Erstes Weltalter.

Welcher Aerger!

Zweites Weltalter.

Welcher Schmerz!

Judenthum.

Welche Wuth!

Heidenthum.

Welch' Leid!

Welt.

Welch' Schrecken!

Haß.

Muß ihr nach; nicht aus den Augen
Laß ich sie; belauschen muß ich
Jedes Wort und jede Handlung.

Ab.

Amor.

Ich auch, ihrer mich zu freuen.
Himmel! o wie sehr geziemt es,

Daß in solch vollkommne Schönheit
Liebe selber sich verliebe [39]).

Ab.

Heidenthum.

Und bei solchem tollen Wahnsinn —

Judenthum.

Solch' verblendetem Vermessen —

Erstes Weltalter.

Solch' verwegnem Unternehmen —

Zweites Weltalter.

Solchem sakrileg'schen Irrthum —

Heidenthum.

Wie zum Bräut'gam zu begehren —

Judenthum.

Jenen unbekannten Gott —

Erstes Weltalter.

Welcher Lästerung dann folget —

Zweites Weltalter.

Daß man alle rufen höret:

Stimmen

(hinter der Scene).

Daß sie, jünger zwar an Alter,
Doch an Schönheit höher strahle!

) Das dritte Weltalter stellt, da es hier das Gesetz des neuen Bundes repräsentirt, zugleich die Kirche, die Braut Christi, dar.

Alle Viere.

Kannst du Welt so zaudernd stehen,
Ohne ihren Wahn zu strafen?

Welt.

Weiß ich doch nicht, ob im Himmel,
Ob ich auf der Erde stehe[40])!

Heidenthum.

Nun, so glaub' es mir, o Welt,
Dafür sollst Genugthuung
Du mir geben, Dir zum Schaden.

Ab.

Erstes Weltalter.

Da von heute ab zum Feinde
Dir das Heidenthum geworden,
Werd' auch ich, ob metaphorisch
Deine Tochter auch, doch folgen
Meines Bräut'gams Religion,
Werde deiner Auen Grün
Durch Besprengung mit dem rothen
Naß von Strömen Menschenblutes
Bald in Purpur dir verwandeln[41]),
Wohl der Welt zum Aergerniß.

Ab.

Judenthum.

Eben das verheiß' ich dir.

Zweites Weltalter.

Was das Aergerniß betrifft,
So wird Niemand wohl ein größres

---

40) Die Welt wird hier stets als indifferent und schwankend geschildert, weil sie in sich allen Religionen Raum gewährt, obgleich sie in ihrer Allgemeinheit sich nie mit Bestimmtheit für die wahre entscheidet.

41) Durch die Verfolgungen nämlich, welche das Heidenthum gegen die Kirche in der Welt entzündete.

hum

Beide ab.

Ab.

ie Bosheit in Bauerntracht.

keine eigene Meinung.

Bosheit.

Niemand fühlt so sehr als ich
Wohl ihr Unglück.

Einfalt.

Doch, nur stille!
Denn dort kommt schou jene wieder,
Die mich überall verfolgt.

Bosheit.

Sag', was machst du hier im Garten,
Einfalt?

Einfalt.

Nur wie ich's verstehe,
Einen Strauß ich binden gehe,
Um mit Blumen aufzuwarten
Unsrer Herrin, wie sich's ziemt.

Bosheit.

Welcher? Denn wir haben Drei.

Einfalt.

Daß er für die Schönste sei,
Traust du der, die sich nicht rühmt,
Dich zu lieben, wohl nicht zu?

Bosheit.

Für die Aelt'ste, das ist klar,
Wird er sein.

Einfalt.

Warum nicht gar!

Bosheit.

Wie?

Einfalt.

Gewiß, hier irrest du.

Bosheit.

Nun, ist sie die Schönste nicht?

Einfalt.

Mag sie dir auch wohl gefallen,
So gefällt sie doch nicht Allen.

Bosheit.

Wie die Einfalt klug doch spricht!
Sage, ist es denn die zweite
Welche dir gefällt?

Einfalt.

Noch nicht.

Bosheit.

Und warum denn?

Einfalt.

Ihr gebricht,
Daß sie zweite und zerstreute[44]).

Bosheit.

Also ist er für die Dritte?

Einfalt.

Wenn es drei nur, und wenn's keine
Ist von zweien, ich doch meine
Daß zur Wahl nur bleibt die Dritte.

---

44) „Zerstreute,“ d. h. weil sie den Messias in ihrer Verblendung nicht erkennt.

Bosheit.

Sag' warum sie dir gefalle?

Einfalt.

Dafür sei der Grund Verwalter —
(Zugleich mit der Musik.)
Daß sie jünger zwar an Alter,
Doch an Schönheit höher strahle.

Psyche tritt auf.

Psyche.

Wenn mich, thör'chten Eitelkeiten
Eines Volkes zu entkommen,
Das mich so in Gunst genommen,
In des Gartens Stille leiten
Meine Schritte, folgt selbst hier
Ihres Zurufs Lärm mir nach[45])!

Einfalt
(für sich).

Freu' dich, Herz! nur dies gebrach,
Sie zu seh'n, zum Glücke dir!

---

[45]) Die Empörung des Volkes zu Gunsten der dritten Tochter der Welt und die Ehre, die ihr wegen ihrer Schönheit erwiesen wird, deutet symbolisch das allgemeine Verlangen nach der Erlösung, nach Eintritt eines besseren Zeitalters an, welches bei allen Völkern zur Zeit der Erscheinung des Erlösers vorhanden war, den natürlichen Zug des menschlichen Herzens zum wahren Heile, seine innere Wahlverwandtschaft mit der Gnade, die es nicht verleugnen kann, und die unwiederstehliche Macht, welche die Gnade und Wahrheit des Christenthums auf die „anima naturaliter christiana" ausübt, wie sehr auch immer das Böse in der Welt das Uebergewicht behält. — Daß die Einfalt sich am meisten bemüht, der schönen Infantin ihre Huldigung zu erweisen, deutet an, daß diese kostbare Eigenschaft des Herzens dasselbe am besten vorbereitet für die Aufnahme des Heiles und daß die Erlösungsgnade im reichlichsten Maaße den Kleinen und Einfältigen, den Armen am Geist, zu Theil wird.

(zu Psyche.)

Da so glücklich ich gewesen,
Herrin, daß dem Aug' sich bot
Am Nachmittag Morgenroth,
Hab' als Gunst ich mir erlesen,
Daß ich dürfe dir verehren
Diese Blumen, nur geboren,
Daß für dich sie auserkoren.
Magst es selbst von ihnen hören.
Denn daß er für dich nur sei,
Wenn er demuthsvoll sich neigt
Und voll Ehrfurcht sich verbeugt,
Sagt dir der Jasmin hier frei,
Deiner Reinheit Ebenbild,
Diese schüchterne Levkoie
Der Narzisse echte Treue,
Diese Tulpe glutherfüllt.
Dieses sagt auch anmuthsvoll,
Schüchtern zwar nur und verschämt,
Dieser Rose Purpur. Nehmt
Auch von mir der Liebe Zoll,
Flüstert dieser Lilie Schnee
Und der Nelke blasses Roth,
Die so passend sich mir bot,
Daß sie in der Mitte steh!

Psyche.

Wenn auch in der kleinen Gabe
Nicht des Opfers Werth besteht,
Nehm ich's an doch, denn erhöht,
Wird durch Treue deiner Habe
Schlicht Geschenk.

Einfalt

(indem der Blumenstrauß ihr entfällt).

Das Sträußlein mein
Fiel verwirrt zu Füßen dir.

Amor und der Haß treten auf und während Beide den Blumenstrauß aufheben wollen, behält Amor die Blumen und der Haß die Dornen in der Hand.

Amor.

Ihr's zu bieten ziemet mir.

Haß.

Nein, mir ziemt's.

Psyche.

Was soll das sein?

Amor.

Ich hab' diesen Strauß gefunden,
Daß ich's sei, der ihn gegeben.

Haß.

Und an meinen Händen kleben
Nur die Dornen, die verwunden[46]).

---

46) Die Bedeutung dieser symbolischen Handlung dürfte folgende sein. Die Einfalt, welche dem neuen Zeitalter der Gnade ihre Huldigung erweisen will, ist so ungeschickt, den Blumenstrauß fallen zu lassen und er gelangt erst durch die Dazwischenkunft der göttlichen Liebe in die Hände der Psyche, um anzudeuten, daß auch die guten, für das Göttliche empfänglichen Regungen der menschlichen Natur aus eigenen Kräften unvermögend sind, sich mit dem Heil, zu dem sie sich hingezogen fühlen, in wirkliche Verbindung zu versetzen und dazu der Vermittelung der göttlichen Gnade, der Hilfe der göttlichen Liebe (Christi) selbst bedürfen. Der Haß (das dämonische Prinzip), der sich bei dieser Gelegenheit, d. h. anknüpfend an die natürliche Schwäche der menschlichen Natur, des Blumenstraußes bemächtigen will, um die Huldigung der Einfalt zu verhindern, zieht den Kürzeren und behält nur die Dornen in der Hand, weil er die gnadenreiche Vermittelung Christi nicht zu hindern vermag und überhaupt dem Zeitalter der Gnade keine Huldigungen darbieten, sondern nur Kränkungen zufügen kann, welche durch die Dornen symbolisirt werden. Wie die göttliche überirdische Liebe in der menschlichen Natur an der Einfalt einen Verbündeten hat, dem sie schützend und fördernd zur Seite steht, so findet der Haß (das überirdische Prinzip des Bösen) an ihrer natürlichen Bosheit einen Verbündeten, der seine Zwecke ihm fördern hilft.

Psyche

(abwechselnd zum Haß und zu Amor).

Welche Kühnheit! (Schauer faßt mich!)
Wie verwegen (welcher Reiz!)
Konnt man's wagen (wild mir dräut's!)
Hier (welch' Schönheitsglanz!) so hastig,
Ungestüm (welch' finstrer Feind!)
Ohn' Erlaubniß (welche Milde!)
Plötzlich (welch' abscheul'ger Wilde!)
Bis zu mir (wie sanft er scheint!)
Vorzudringen (athemlos
Macht er mich!), um aufzuheben,
(Dieser giebt mir neues Leben!)
Blumen die, ob's auch verdroß
Dort die Bosheit, mir als Zeichen
Jener Gottheit, die mein Wesen
Zu bedeuten ist erlesen,
Einfalt freundlich wollte reichen?

Haß.

Wenn der Antwort Recht mir würde —

Amor.

Wollt'st Gehör du mir gewähren —

Psyche.

Schweiget; keinen würd' ich hören;
Fort! (bei Seite) Ich lüge, daß ich's würde[47])!

---

47) Psyche, d. i. das dritte Weltalter, das zugleich ein Bild der Kirche darstellt, erblickt hier zum ersten Mal ihren wahren himmlischen Bräutigam in der Person der Liebe, und ihren grimmigsten und gefährlichsten Feind, den Teufel, in der Person des Hasses, und fühlt sich zu dem ersteren ebenso hingezogen, wie von dem letzteren abgestoßen, doch erkennt sie noch keinen von beiden in seiner wahren Bedeutung und verabschiedet beide, um von der lästigen Gegenwart des Hasses sich zu befreien und durch Freundlichkeit gegen die Liebe ihre jungfräuliche Schüchternheit nicht zu verletzen, obgleich sie im Inneren bereits von dem Pfeil des himmlischen Amor getroffen ist.

Amor.

Ich gehorch'; mit beſſ'rem Klange
Wird der Blumen Sprache reden,
Daß ſie ihrer Schönheit Eden
Aus der Liebe Hand empfange.

Psyche.

Jetzt entfernt euch! (bei Seite) Doch, welch' Leiden!
Wer ſah läſt'gern Zwang entſtehen?
Um den einen nicht zu ſehen,
Muß ich alle beide meiden!

Die Welt tritt auf.

Welt.

Gegen wen haſt du beſchloſſen
Alſo ſtreng dich zu beklagen?

Die Beiden ziehen ſich zurück, bleiben jedoch in einiger Entfernung ſtehen.

Haß.

Dieſe Dornen mögen's ſagen.

Amor.

Es bezeugen jene Roſen.

Welt.

Was ging vor?

Einfalt.

Die zwei da drüben
Pflückten Dorn' und Blumen dort,
Und dann machten ſie ſich fort.

Beide.

Wie du ſiehſt, ſind ſie geblieben.

Welt.

Kenne Keinen von den Beiden[48]).

(bei Seite)

Weh' mir Armen!

Beide.

Wohl es stünde
Mit der Welt, wenn sie verstünde
Lieb' und Haß zu unterscheiden!

Welt

(zu Psyche).

Da allein du jetzo bist,
Höre, was ich dir vertraue!
Thorheit scheint's zwar, (ach!) doch schaue,
Thorheit manchmal Klugheit ist.
Mich hat, Tochter, die Betrachtung
Heut', ob Manches auch mich beugt,
Deiner Gründe überzeugt.
Doch bedenkend die Verachtung,
Mit der jene aufgenommen
Heidenthum und Judenthum,
Bin ich wahrlich um und um
Schier von Zweifeln eingenommen;
Und nicht zu erklären wag' ich
Mich für dich, denn nimmer möcht' ich
Sie beleid'gen. Gut d'rum, dächt' ich,
Wär's, wenn um zu opfern (sag' ich)
Jenem Gott, dem Unbekannten,
Beide gläubig ihn bekennend,
Göttlich ihn und Menschlich nennend,
Wir zu reisen uns ermannten

---

48) Die Welt kennt weder Christum, denn dann würde sie ihn aufnehmen, noch den Teufel in seinem eigentlichen Wesen, denn dann würde sie ihm nicht dienen.

In dem Schatten dieser Nacht,
Die schon anbricht, hin zu einer
Felseninsel, welche meiner
List bekannt ist; dort gedacht'
Einen Altar ich zu bauen,
Wo wir opfern können heut.
Schon steht mir das Schiff bereit,
Welchem wir uns anvertrauen.
Wenn der Morgen dann gekommen,
Trägt es sicher uns zurück[49]).

Psyche.

Dankbar fall' für solches Glück
Ich zu Füßen dir.

Welt.

Genommen
Wird als Vorwand, zum Vergnügen
Eine Küstenfahrt. (bei Seite) Weh' mir[50])!

---

49) In der Fabel des Apulejus erhält der Vater der Psyche durch ein Orakel den Auftrag, seine Tochter auf einem wüsten Felsen auszusetzen, was dann auch offen, mit Einwilligung der Psyche, unter Trauergepränge vor sich geht. Calderon läßt die Welt sich hier einer List bedienen, um ihrer Tochter sich zu entledigen, ohne daß dieselbe von dem eigentlichen Vorhaben eine Ahnung hat. Die wüste Insel, auf der sie dann später einsam zurückgelassen wird und wo der Gott der Liebe kommt, um seine Vermählung mit ihr zu feiern, ist ihm das Symbol jener gänzlichen Verachtung und jenes Ausgeschlossenseins von der übrigen Welt, welche die ersten Anfänge der Kirche bezeichnet, die gleichsam als eine kleine von der großen Welt getrennte Oase in der Wüste erschien.

50) Trotz ihrer Grausamkeit gegen die eigene Tochter, bewahrt die Welt in dem Mitleid, das sie mit ihr empfindet, immer noch einen Rest von Liebe zu ihr, weil sie ja, wie feindlich sie sich auch gegen die Kirche verhält, in ihren Gliedern immer noch ihre eigenen Kinder erkennt.

Psyche.

Doch wenn's diese beiden hier
Seh'n und uns verrathen?

Welt.

G'nügen
Wird, um dieses zu verhindern,
Daß wir selbst sie mit uns nehmen.
Sich zum Schweigen dann bequemen
Müssen sie.

Psyche.

Ja, das wird mindern
Die Gefahr; denn wichtig hier
Ist Verborgenheit gar sehr.

Welt.

Bosheit! komm zu mir jetzt her!

Psyche.

Und du, Einfalt! komm zu mir [51])!

Bosheit.

Wann wär' ich dir fern geblieben?

Einfalt.

Wann hätt' ich dir je gefehlt?

Psyche.

Welches Glück hab' ich erwählt!
Edlen Bräut'gam wollt' ich lieben!

---

passend nimmt die Welt bei ihrem Vorhaben die Bosheit als
terin mit, während die unglückliche Getäuschte von der Einfalt
et wird.

Gottmensch ist, zu dem du flehst!
Was noch fehlt zum Glücke dir?

Welt

(bei Seite).

Wehe, Unglücksel'ger dir!
Weißt ja nicht, wohin du gehst!

Die Viere entfernen sich.

Amor.

Meine Sorge sie begleitet;
Großer Schaden wohl entsteht,
Wenn mit ihm die Bosheit geht,
Und mit ihr die Einfalt schreitet.

Ab.

Haß.

Ob meine Conjekturen,
Die oft mich leiten zu der Wahrheit Spuren,
Auch mir in seinem Plane[52])
Versteckte Absicht zeigen, die ich ahue,
Soll doch (weil's meiner List nicht immer glückt
Aus dem Gesicht das Herz zu späh'n geschickt),
Aufregen meine Wuth des Meeres Wellen,
Wo in geborgtem Glanz sich unterstellen
Die Sterne meinem Winke,
Daß ihr Reflex im Silberspiegel blinke.
Doch wenn's auch anders wäre,
Nennt meine Zorneswuth nicht Thier der Meere
Ein heil'ger Ausspruch[53])? Nannten
Mich Sturmwind andre nicht, die mich erkannten?
Hat man mich nicht beschrieben als Orkan,
Als fels'ge Meeresklippe? Nun, wohlan!

---

52) „In seinem Plane," d. h. im Plane der Welt, des Vaters Psyche.

53) Apocalypse 13, 1. 2.

So schrecke, quäle, ängstige, entsetze
Mein Graus die Welt jetzt, mein Wuth zerfetze
Zum zweiten Mal zu eis'gem Sarge sie!
O wie du gut jetzt eil'st Allegorie!
Zwei Töchter hat der Vater schon vermählt,
Und für die dritte hat er's Meer erwählt;
Schon ist das Schiff bestiegen.
Zu schauen, was sie treiben, will ich fliegen;
Entfesseln will ich alle meine Wiude,
Bis ich das Fahrzeug ganz zertrümmert finde.
So werd' ich dann, soweit ich sie gelesen[54]),
Erfüll'n der Psyche Fabel, wenn ihr Wesen
Im Sturme ich zerstöret.
Nun, Abgrund! Zu den Waffen!

Ab.

Scene verwandelt sich in eine felsige Insel. Auf dem sturmbewegten Meere erscheint das Schiff und in demselben die **Welt**, **Psyche**, die **Bosheit**, die **Einfalt** und **Matrosen**.

Stimmen

(von weitem).

Himmel, höret!

Eine Stimme.

Wohl hat's Gewölk den Sturm uns angezeigt!

Bosheit.

Des Nordsturms Weh'n sich nie zum Guten neigt.

Andere Stimmen.

Auf euren Posten, Leute!

Andere.

Die Segel ein!

Andere.

Geschwind!

---

⁴) Vergl. oben Seite 310.

Andere.

Nun rührt euch heute!

Psyche.

Hilf Himmel! Ach, wie taumelt doch die Welt
Im Meer der Meinungen, vom Sturm umgellt[55])!

Welt.

Wenn des Orkanes Wuth
Gebrochen schon des Steuers sich're Huth,
Der Kompaß in Verwirrung uns gerieth,
Wenn krachend stöhnet jedes Balkens Glied,
Die Masten selbst zersplissen
Und alle Tau' und Segel uns zerrissen,
Was bleibt da noch zu hoffen?

Eine Stimme.

Wenn jetzt sogar auf Grund das Schiff getroffen!

Psyche.

Ach, weh' mir, ich vergehe!

Welt.

Welch' Getümmel?

Einfalt.

Vor Schreck fiel sie in Ohnmacht.

---

55) Der entstandene Sturm erscheint der Psyche als symbolischer Ausdruck der Verwirrung, welche in der Welt die Verschiedenheit der in ihr herrschenden Ansichten und Meinungen hervorruft, und welche gerade bei dem Eintritt des dritten Zeitalters, wo die göttliche Wahrheit Ordnung in dieses Chaos brachte, ihren Höhepunkt erreicht hatte. Der Felsen der Kirche wird von dem Meere dieser weltlichen Irrthümer ebenso umbraust, wie die einsame Felseninsel, auf der die Psyche ausgesetzt wird, und welche hier zugleich symbolisch den Felsengrund, auf dem die Kirche ruht, andeutet.

Alle.

Hilf uns Himmel!

Einige Stimmen.

Die Himmel uns erhören;
Denn Frieden will gewähren
Des Sandes Mitleid uns, auf dem gestrandet,
Ohn' zu zerbersten, unser Schiff. Nun landet!

Welt.

Die Frist, die uns gegeben,
Benützt sogleich. Im Boote unser Leben
Laßt retten uns.

Einfalt.

Vor allen
Mög' es an's Ufer euch zu führ'n gefallen
Die Schönheit jetzt geschwind
Unsrer Infantin.

Welt.

Unglückselig' Kind!

Eine Stimme.

Im nahen Klippenstrand
Zeigt sich ein Hafen.

Alle.

Nun an's Land, an's Land!

ie steigen aus dem Schiffe über eine Klippe auf die Bühne herab. Die ohnmächtige Psyche wird von der **Bosheit** und der **Einfalt** getragen.

Welt.

Da auch der härt'ste Stein,
Vom Meer verschont, hat weichen Bettes Schein,

Laßt uns auf ihm die Arme niederlegen,
Und bis sie aufwacht, wollen wir erwägen,
Wo in der Nähe wir ein Obdach finden.

Alle.

Geh'n wir, zu späh'n in diesen Felsengründen!

Alle ab.

Welt.

Nur ich nicht; der mit Schmerz ich nun betrachte
Das Unheil, das ich dieser Schönheit brachte!
Doch wann sah' je die Welt sich nicht gezwungen,
Dem Mächtigen zu weichen, nothgedrungen?
Wenn grausam das Gesetz heidnischen Ruhmes,
Und wenn der Uebermuth des Judenthumes
An deiner Jugend Rand
Verlangen, daß schou flüchtig und verbannt
Du in den Bergen lebest,
Und fliehend der Verfolgung Wuth entschwebest[56]):
Dann sich mein Fehler gründet
Wohl drauf, daß ich die Welt, die stets —

Ein Matrose tritt auf.

Matrose.

Man findet,
O Welt, kein andres Rettungsmittel mehr,
Als daß zum zweiten Mal dem wilden Meer,
Wir jetzt uns anvertrauen.

Welt.

Wie?

Matrose.

Weil —

---

56) Anspielung auf die ersten Zeiten der Kirche, wo sie vom Juden und Heidenthum bedrängt, sich verbergen mußte, um vor ihrer folgung sich zu retten.

Welt.

O welches Grauen!

Matrose.

Weil dieser Fels, der Rettung uns gegeben,
Unfruchtbar, unbewohnt, nichts beut zum Leben.
Nur wilde Thiere hausen
Auf ihm, Nachtvögel sausen
Scheu durch die Luft, bald langsam, bald geschwind;
Geheul und Krächzen hier zu Hause sind.
Und da in sanftes Wehen
Die Winde übergehen,
Und die geschwollnen Wogen
Der Fluth das Schiff schon von der Sandbank zogen,
Die in dem Nebelraume
Herüberglänzt, bedeckt mit weißem Schaume,
Geh'n wir an Bord, wenn jenes holde Kind
Zu sich gekommen.

Andere.

Schon bereit wir sind,
Um sie zu tragen.

Welt.

Nein!
Wenn's auch mit meinem Willen stimmte ein,
Doch nicht mit meinem Unglück. Ja, zu Schiffe
Geh'n wir, doch sie bleibt hier.

Alle.

Auf diesem Riffe?

Welt.

Des Schicksals blindes Wüthen,
Wenn nicht vielleicht ein göttliches Behüten,

Verlangt, daß hier, aus unerforschten Gründen,
Sie von der Welt verbannt sich solle finden,
Daß Alle sie von ihr verlassen sehen.
Drum, Freunde, auf! Laßt uns zu Schiffe gehen!

Alle.

Und du erträgst ein solches Herzeleid?

Welt.

'S ist Schmerz des Richters um Gerechtigkeit.

Bosheit.

Daß Bosheit du, ist jetzt wohl klar geblieben,
Die mehr von Furcht, als Liebe wird getrieben!

Alle steigen zu Schiffe.

Welt.

Leb wohl, unglücklich Kind! Nun mögt ihr üben
Auf's neue eure Kunst an dem Getümmel
Des wild empörten Elements.

Psyche

(erwachend).

O Himmel!
Wie mag's um den Sturm jetzt stehen?
Doch — wo bin ich, was erblick' ich?
Besser wohl: wie steht's um mich?
Frag' ich jetzt, wenn ganz verschwunden
Ist das Schiff und ich Unsel'ge
Hier im Mittelpunkt des Abgrund's
Bin geblieben! Zwischen mir
Und dem Himmel hat des Meeres
Tiefe trennend sich gelegt!
Und wenn Niemand je vom Abgrund
Aus den Himmel hat erblickt,
Und des Abgrunds Kern hier ist,

Wie's die steilen bleichen Felsen
Dieser Wüste hier bezeugen,
Wer doch hat mich dann gebracht
In das öde Labyrinth
Solch' verworrenen Gestrippes?
War es Mitleid, wie dann fehlt es
Also gegen jede Liebe,
Mich *allein* hier lassend? War es
Grausamkeit, wie kommt es doch,
Daß man mich am Leben ließ?
Himmel! was ist mir begegnet?
Wohl grausam war die Gunst, daß *einen* Sinn[57])
Ich wiederfand, um viele zu verlieren!

Stimmen.

Meerwärts jetzt!

Ein Trompetenstoß ertönt vom Schiffe.

Psyche.

Doch welche Stimmen
Tönten jenseits dort herüber?

Eine Stimme.

Gute Fahrt!

Eine andere.

Glück auf, zur Reise!

Psyche.

Nicht gehört hab' ich allein;
Ja ich *seh'* des Schiffes Kiel dort
Flott schon, seh' die Segel schwellen.
Ohne mich eilt man davon!
Haltet! Hört! Ihr Schiffer! Hört!
Bleibt zurück noch!

---

es Gesichtes nämlich.

Welt

(vom Schiffe aus).

Hoffe nicht,
Daß mich deine Klagen rühren;
Von dem Schicksal heut gezwungen
Bin ich Schlange.

Bosheit.

Und die Ohren
Werde ich bei der Beschwörung
Deiner Klagen ihm verstopfen.

Psyche.

Freunde! Unterthanen! Diener!
So verlaßt ihr mich?

Eine Stimme.

Gewiß,
Weil zum Unheil ist geboren,
Wer als Wunderkind geboren [58]).

Stimmen.

Gute Fahrt!

Andere.

Glück auf zur Reise!

Psyche.

Höret! Kehrt zurück, verlaßt mich
So hartherzig nicht, so grausam,
So tyrannisch hier in dieser
Grausen Oede!

---

58) Die Kirche, dieses himmlische Wunderkind, muß eben wegen ihr wunderbaren Charakters die größten Verfolgungen von der W erdulden.

Welt.

Klage mich nicht,
Klage nur dein Schicksal an.

Andere.

Noch auch uns, die wir, geleitet
Von der Welt, nur das Gesetz
Kennen, daß der Mächt'ge lebe[59])!

Psyche.

Womit hab' ich euch betrübt?

Alle.

Daß zum Unheil du geboren,
Weil als Wunderkind geboren.

Das Schiff verschwindet.

Stimmen.

Gute Reise!

Andere.

Glück zur Fahrt!

Psyche.

Schon verhallen ihre Stimmen,
Daß auch der kleine Trost mir nicht mehr bleibe,
Gehört mich noch zu wähnen, da ich höre!
Wehe! was ist mir begegnet?
Ach erklärt mir's, heil'ge Himmel,
Sonne du und Mond, ihr Sterne,
Berge, Thäler, Bäume, Felsen,

---

59) D. h. die Welt preist stets denjenigen, der vom Glück begünstigt ist und den Erfolg für sich hat.

Thiere, Vögel, Quellen, Blumen,
Flüsse, Ströme, Meereswogen,
Was geht vor mit mir?

Einfalt

(hinter der Scene).

Weh' mir!

Psyche.

Echo hat es mir verkündet,
Eines Andern Trauerstimme,
Die in klagevollem Tone
Antwort giebt. O wie die Welt
Doch so eigenthümlich tröstet,
Daß dem Betrübten sie in Todesängsten
Betrübniß Andrer nur gewährt zum Troste!
Doch, wer's sei, will ich erforschen,
Daß ich, wenn's ein Thier gewesen,
Mich verbergen kann; denn schon
Senket, bei der Sonn' Erlöschen
Nacht herab sich.

Die Einfalt tritt auf.

Einfalt.

Wehe mir!
Wie soll ich den Weg jetzt finden,
Den im Walde ich verloren?

Psyche.

Sag' mir, Fremdling — doch, was seh' ich,
Einfalt, du?

Einfalt.

O meine Herrin,
Gott sei Dank, daß ich dich selbst
Hier zuerst gefunden habe;

Doppelt glücklich bin ich drum,
Daß ich nicht nur dich gefunden,
Sondern lebend und gesund.
Als in Ohnmacht du gesunken,
Ging ein Obdach ich dir suchen;
Doch in diesen wilden Schluchten
Irrt' umsonst ich und fand nur
Wilde Thiere, Ungeheuer.
Deshalb kehrt' ich bald zurück.
Flieh'n wir eilig! Doch wo sind
Denn die Andern hin?

Psyche.

Ach, Einfalt!
Meinem Troste hast geraubt du
Auch des Beispiels Eindrung jetzt.
Da ich einen zweiten Dulder
Glaubt' zu finden, bist nur du es[60])!
Und so kehrt zu seinem Anfang
Wiederum mein Schmerz; denn leidest
Du mit mir, leid' ich allein nur.
Ins Vermögen haben nur
Welt und ich sich jetzt getheilt;
Wenn Bosheit wir und Einfalt mit uns brachten,
Und jene mit ihr ging, bleibst du bei mir.

Einfalt.

Wie? Ich bleiben? Ha, was giebt's?

Psyche.

Wenn du siehst, wie flüchtig dort
Schon das Schiff von dannen segelt,

Die Einfalt, ein allegorisches Wesen, ist ja die eigene Einfalt des dritten Weltalters und darum eigentlich von ihm selbst nicht persönlich getrennt.

Das, als ein gefeit' Palladium
Gegen jenes Heer von Glas[61]),
Unterm Vorwand, hier zu opfern,
Um Verrath nur zu gebären,
An dem Felsgebirg gelandet;
Wenn du siehst, wie weit entfernt schon
Zwischen Wolken, in der Dämmrung,
Die der Tag noch kärglich spendet,
Unbestimmter Schimmer nur
Kaum mehr deutlich läßt errathen,
Ob ein Fisch, ein Vogel schwebe,
Wo sich Krystall dort mit Saphir verbindet,
Und Wolkenberge an die Wogen grenzen —
Was noch frägst du?

Einfalt.

Schöner Streich,
Den uns Beiden man gespielt,
Die auf einem Fels wir sitzen,
Wo, wenn nicht ein Wolf als Freund
Mitleid hat mit unserm Elend
Und in sein Hospiz uns aufnimmt,
Uns nur Zuflucht übrig bleibt
Zu den Tigern und den Löwen
Und den Basilisken! Andre
Herren giebt's hier nicht, noch Damen,
Die ein Gasthaus unterhielten.

Psyche.

Also bin ich heut geworden,
Da's Vergehen ich geerbt,
Ebenbild auch der Natur,
Die vom Paradies vertrieben.
Gebe Gott, feindliche Welt!

---

61) Das Meer mit seinen empörten Wogen nämlich.

Daß, da vor den Wasserfluthen
Dich der gelbe, grüne, rothe
Friedensbogen sicher stellte,
Den Gott ausgespannt, zum Zeichen,
Daß er nicht mehr seine Strafe
Will ein andres Mal vollziehen
Noch durch Wasser, sondern Feuer, —
Daß so hoch die Strafe steige,
Daß der Leuchtthurm dieses Schiffes,
Ein entzündeter Komet,
Niederfall' in Feuerfluthen,
So verhängnißvollen Sturzes,
Daß du selbst in deiner Asche
Seist dein eignes Monument[62]).
Doch, was klag' ich, (wehe mir!)
Und was fließen meine Thränen,
Wenn, um noch schneller seine Fahrt zu machen,
Die Augen Wasser, Wind ihm Seufzer geben?
Aber wie? Ist meine Einfalt
Wirklich denn bei mir geblieben,
Wenn sich meine Unvernunft
Hier in Rachewunsch ergießt?
Nein; Gott geb' es, daß vielmehr,
Stets von Wind und Meer begünstigt,
Glücklich du den Hafen findest,
Und zwar, wenn ich selbst ihn wählen
Könnte, wenn du erst umschiffet
Hast das Kap der guten Hoffnung,
(Gehst ja mit der Zukunft schwanger)
Den von Vera-Cruz, und den
Der in Ostia an die Hostie
Und in Cadiz an den Kelch mahnt,

---

62) Der Sinn ist: Die Welt, die durch göttliche Verheißung gegen eine zweite Wasserfluth sicher gestellt ist, wird ihre Strafe beim jüngsten Gericht einst im Feuer finden.

Dem auch der von Sankt Maria
Nicht gar fern und von Sankt Lukas[63]).
Mögen sie in ihrem weiten
Busen dich und deine beiden
Töchter dann mit ihren Männern
Sicher bergen, wenn, verfolget
Ferner mich zu seh'n, bereuen
Heidenthum und Judenthum.
Dafür, ja, nur dafür wird es
Meiner Liebe hier geziemen,
Daß dir, statt ergrimmt zu weinen,
Und beleidigt hier zu seufzen,
Um, wie sie können, dich zu unterstützen,
Die Augen Wasser, Wind dir Seufzer geben[64])!

Erdbeben und Donner hinter der Scene.

Der Haß

(hinter der Scene).

Bis die Welt zu jenen Häfen
Einst gelangt, soll neuer Sturm
Ihres Laufes Fahrt erst stören,
Soll sie in dem Graus der Nacht
Noch auf größre Klippen stoßen.

Donner

Psyche

Himmel! wer sah' je so plötzlich,
Auf des Donners Angriffszeichen,

---

63) Vergleiche zur Erklärung dieser Namen das Auto: „Das Schiff des Kaufmanns" IV. Bd. Anm. 96—104. — Was den Hafen von St. Lucas betrifft (wahrscheinlich ist der kleine Hafen San Lucar in der Nähe von Cadiz gemeint), so dürfte darin vielleicht eine Anspielung auf die vom heil. Lucas berichtete Weissagung Christi vom Untergange der Welt liegen.

64) Diese Scene ist die Darstellung der Thatsache, daß die von der Welt verfolgte Kirche, gleichwohl für dieselbe betet und nichts mehr, als ihr wahres Heil wünscht.

In den leeren Luftgefilden
Blut'ge Schlachten sich entspinnen,
Daß beim Blitzen und beim Brüllen
Jener himmlischen Geschütze
Berge und Gebäude beben?

Einfalt.

Wer dies sah, kannst du noch fragen?
Hast du mich denn ganz vergessen,
Die ich da bin und es sehe?

Psyche.

O wie lange, herbes Schicksal
Wirst du mich verfolgen?

Amor

(hinter der Scene).

Bis
Sich der Himmel gnädig zeigt,
(singt.)
Wenn durch mich der Zephir säuselt
Göttlicher Liebesgluth.

Einfalt.

Horch! Hier paßt das Sprichwort wohl:
Das ist anderer Gesang!

Psyche.

Wer mag's sein, der, da dem Schrecken
Ich in Ohnmacht schon erliege,
Also tröstend mich erquickt?

Fortwährendes Erdbeben.

Einfalt.

Hör' nur, welch' verschiedne Stimmen!

Haß

(hinter der Scene).

Wohlan nun, o Wuth!

Musik

(hinter der Scene).

Wohlan nun, Erbarmen!

Haß.

Zeit ist's nun zur Angst! .

Musik.

Zeit ist's nun zur Rettung!

Haß.

Verzweifeln nun soll sie beim mächtigen Angriff!

Musik.

Soll hoffen, vertrauen jetzt kräftiger Hilfe!

Haß.

Vermehrt ihre Leiden!

Musik.

Vermindert ihr Seufzen!

Haß.

Wenn durch mich der Sturmwind heult
Herber Schicksalsschläge.

Musik.

Wenn durch mich der Zephir säuselt
Göttlicher Liebesgluth.

Psyche.

Einfalt! was bedeutet dies?

Einfalt.

Wer soll das erklären können,
Wenn die Nacht es uns nicht sagt;
Denn in ihr ist's vorgegangen.

Psyche.

Die soll's sagen können?

Musik.

Ja.

Einfalt.

Antwort, scheint's, hat man gegeben.

Psyche.

Wie denn wird sie's sagen?

Einfalt.

Singend.

Musik.

Ehre sei Gott in der Höhe,
Und auf Erden Fried' dem Menschen[65])!

Psyche.

Welche Himmelsbotschaft hör' ich?

Die **Nacht** tritt auf in einem schwarzen, mit Sternen besäeten Gewande, eine Fackel in der Hand.

---

[65]) Die allegorische Figur der Nacht, welche hier erscheint, ist wohl das Symbol der Zeit der Bedrängniß und der Verfolgung, welche so oft die Kirche in Schrecken setzt, und die jedesmal in sich selbst die Hoffnung und Bürgschaft der himmlischen Hilfe trägt. Zugleich liegt darin offenbar auch eine Anspielung auf die Nacht der Geburt des Herrn, in welcher zuerst der Gesang: „Ehre sei Gott in der Höhe u. s. w." erklungen.

Die Nacht

(singt).

Nun mögen entfliehen die Schatten des Hasses,
Der in diesen Felsen dich grimmig verfolgte;
Den Nebel durchbreche die Flamme der Liebe;
Sie folgte ihm nach ja, und suchet dich auf.
Und daß du erkennest, wie sehr dich verpflichte
Solch' zärtliche Sorge besonderer Neigung,
(Denn nicht den Gesetzen der Liebe entspräch' es,
Wenn Liebe nicht wirkte besondere Werke)
So wirst du jetzt, folgend den glänzenden Strahlen
Der Fackel hier, sehen, wie in deinem Unglück,
Daß selbst von der Welt du verstoßen dich sahst,
Die Liebe dich birgt wohl in reichem Palaste.

Psyche.

Wie könnten, o Himmel, doch hier in der Wüste
Paläste sich finden?

Der Tag erscheint auf der Zinne eines Thurmes, der mit einem prächtigen Palast sich plötzlich erhebt 66).

Der Tag

(singt)

Sieh dieses Gebäude,
Das jenem auf Erden der Tag wohl vergleichet,
Das selber der Bräut'gam gebaut für die Braut,

---

66) Der Tag, als Repräsentant des Sonnenscheins, des Glückes und hier insbesondere der göttlichen Gnade, zeigt dem dritten Weltalter den Palast, den ihr göttlicher Bräutigam für sie gebaut, die Kirche nämlich, welche als ein Stück des himmlischen Jerusalem auf die Erde herniedergestiegen, wie es in der Offenbarung des heiligen Johannes heißt (cap. 21), von welchen Worten der folgende Gesang des Tages eine poetische Umschreibung ist: „Vidi civitatem sanctam Jerusalem novam descendentem de coelo a Deo, paratam sicut sponsam ornatam viro suo.“

Weun nun jenes Brautgemach, welches hernieder
Jetzt steigt, als ein Stück von des Himmels Saphir,
Wohl nennt eine edelsteinstrahlende Braut
Die Macht, die es selber gebildet, gebaut.

Die Nacht

(singt).

Tritt ein, denn geöffnet schon warten die Pforten,
Damit sie dir Schutz und Asyl nun gewähren.

Der Tag

(singt).

Tritt ein, denn der Bräutigam kommt, dich zu suchen,
Verhüllt zwar, verschleiert; nicht wird er erkannt.

Nacht.

Und nimm' dieses Licht, lasse nie es erlöschen.

Tag.

Und wache und antworte bald seinem Zeichen —

Nacht.

Wenn vor deinen Thoren die Nacht ihn umfängt —

Tag.

Mit schneeigem Thaue das Haar ihm bestreut [67]).

---

67) Cfr. Cantic. cantic. 5, 2: „Vox dilecti mei pulsantis: Aperi mihi soror mea, amica mea . . . . . quia caput meum plenum est rore et cincinni mei guttis noctium." Der Sinn dieser Anwendung der Fabel der Psyche auf Christus und die Kirche liegt auf der Hand. Wie Amor der Psyche, die auf seine Veranstaltung in der Wüste ausgesetzt wird, einen prächtigen Palast erbaut, so hat Christus für die ihn liebende Seele seine Kirche in der Wüste dieser Welt gebaut. In ihr pflegt er geheimnißvollen Umgang mit ihr, ohne sich erblicken zu lassen, verhüllt unter dem weißen Schleier des Sakramentes. Nur die Lampe des Glaubens leuchtet in diesem Palaste.

Psyche.

Tragend meines Glaubens Leuchte
Tret' ich ein; begleit' mich, Einfalt!

Einfalt.

Will es; doch laßt uns erfahren
Erst, ihr Schatten, die ich höre
Und nicht seh', wann kommt der Bräut'gam?

Die Beiden.

Bald, denn schon habt ihr's gehört:

Musik.

Fried' den Menschen auf der Erde;
Ehre sei Gott in der Höhe!

Alle entfernen sich.

Der Haß tritt auf.

Haß.

Welch ein neu' Jerusalem
Seh' ich in der Luft dort schweben,
Das, so scheint's, vom Himmel her
Niedersteigt, ein Paradies
Auf der Erde jetzt zu werden [68])?
Seine Mauern, wenn ich recht,
Hier bei meiner Blitze Leuchten

---

68) Diese Worte sind eine Umschreibung der Worte des Hymnus, d
römischen Brevier in Dedicatione Ecclesiae vorkommt und die
lichkeit des himmlischen Jerusalem, dessen Abbild die Kirche ist, be

„Coelestis urbs Jerusalem
Beata pacis visio,
Quae celsa de viventibus
Saxis ad astra tolleris
Sponsaeque ritu cingeris
Mille Angelorum millibus."

Ihre Zeichen unterscheide,
Die geheimnißvollen, hohen,
Siud aus Amethyst, Topas,
Chrysolith und Hyacinth;
Und der Graben, der sie schützet,
Ist ein Meer von flüss'gem Glas;
Und die Straßen und die Plätze
Haben Pflaster von Krystall.
Und zwölf Thore hat die schöne
Umfangsmauer; drei im Osten,
Drei im Westen, drei im Süden,
Und im Norden drei sie schützen[69]).
Wären's doch zwölf Stämme nicht,
Welche einst in spätrer Zeit
Zwölf Apostel richten sollen[70])!
O wie übel that ich (weh' mir!)

---

69) Vergleiche die Beschreibung der Pracht des himmlischen Jerusalem Apocal. 21. „Und er führte mich im Geist auf einen großen hohen Berg und zeigte mir die heilige Stadt Jerusalem, welche von Gott aus dem Himmel herabstieg ... Ihr Licht war gleich einem köstlichen Steine, wie Jaspis und Krystall. Sie hatte eine große hohe Mauer mit zwölf Thoren, auf den Thoren zwölf Engel und Namen darauf geschrieben, welches die Namen der zwölf Stämme der Kinder Israels sind. Von Morgen drei Thore, von Mitternacht drei Thore, von Mittag drei Thore, von Abend drei Thore. Die Mauer der Stadt hatte zwölf Grundsteine und darauf waren die zwölf Namen der zwölf Apostel des Lammes .... Und der Bau ihrer Mauer war aus Jaspis, die Stadt selbst aber war reines Gold gleich reinem Glase. Die Grundsteine der Mauer waren mit allerlei Edelsteinen geschmückt. Der erste Edelstein war ein Jaspis, der zweite ein Saphir, der dritte ein Chalcedon, der vierte ein Smaragd, der fünfte ein Sardonix, der sechste ein Sardis, der siebente ein Chrysolith, der achte ein Beryll, der neunte ein Topas, der zehnte ein Chrysopras, der elfte ein Hyazinth, der zwölfte ein Amethyst. Und die zwölf Thore waren zwölf Perlen, jegliches Thor war aus einer Perle und die Gassen der Stadt reines Gold, wie durchscheinendes Glas rc."

70) Vergl. Matth. 19, 28. „Ihr, die ihr mir nachgefolgt seid .... werdet auf zwölf Thronen sitzen und die zwölf Stämme Israels richten."

Eingebildeten Begriffen
Nachzuspüren, die zur Wahrheit
In dem Lauf der Zeiten werden.
Hätt' ich weiter jenes alte
Fabelbuch nur noch gelesen,
Wo die dritte Tochter sollte
Den Gefahren auf dem Meere
Grausam preisgegeben werden!
Denn ich hätte drin gefunden
Daß die Liebe sie beschützet[71]).
Doch, nicht geb' ich mich besiegt;
Denn auf meiner Seite stehen
Noch das röm'sche Reich und das der
Juden, und ich werde wissen,
Da sie beide, um die Welt

---

71) Es dürfte nicht ohne Interesse sein, die Beschreibung des Palastes, welchen Amor der Psyche erbaut, als Gegenstück zu jener Schilderung des himmlischen Jerusalems durch den heil. Johannes, zu hören, wie Apulejus (in jenem „alten Fabelbuch," von dem hier die Rede ist), sie giebt. Dort heißt es (Metamorph. vel de asino aureo lib. 5): „Prope fontis allapsum domus regia est, aedificata non humanis manibus, sed divinis artibus. Jam scires ab introitu primo, Dei cujuspiam luculentum et amoenum videre te diversorium. Nam summa laquearia citro et ebore curiose cavata subeunt aureae columnae, parietes omnes argenteo coelamine conteguntur . . . Mirus prorsum homo, imo semideus, vel certe Deus, qui magnae artis subtilitate tantum efferavit argentum. Enim vero pavimenta ipsa lapide pretioso caesim diminuto in varia picturae genera discriminantur. Vehementer iterum ac saepius beatos illos, qui super gemmas et monilia calcant! Jam caeterae partes longe lateque dispositae domus sine pretio pretiosae, totique parietes solidati massis aureis, splendore proprio coruscant, ut diem suum sibi domus faciat, licet Sole nolente: sic cubicula, sic porticae, sic ipsae balneae fulgurant. (Vergl. Apoc. 21: „Civitas non eget sole neque luna.") Nec secius opes ceterae majestati domus respondent: ut equidem illud recte videatur ad conversationem humanam magno Jovi fabricatum coeleste palatium. Invitata Psyche talium locorum oblectatione propius accessit et paulo fidentior intra limen sese facit etc."

Aufzusuchen, sich dem Meere
Anvertraut und jetzt auf seinem
Abgrund unruhvoll noch schwanken,
Sie durch Sturm dorthin zu lenken,
Wo von neuem sie beleidigt,
Zu vernichten sich entschließen —
Doch, die Zeit wird dieses sagen!
Denn für jetzt erlaubt mir nicht,
Länger hier noch zu verweilen,
Meine Furcht vor jener Stimme,
Die zu schützen sie verspricht.

Ab.

Musik.

Fried' den Menschen auf der Erde.
Ehre sei Gott in der Höhe!

Psyche und die Einfalt kommen verwundert aus dem Palaste.

Psyche.

Einfalt, hast du je gesehn
Solchen Reichthum, solche Pracht,
Majestät, und Glanz und Macht,
Wie sie hier beisammen stehn,
Im Palaste dort verborgen?

Einfalt.

Wenn die Welt sie früher nie
Noch besaß, wann oder wie
Konnt' ich sehen sie?

Psyche.

Besorgen
Muß ich fast, daß jener Traum,
Jene Ohnmacht, jener Schrecken
Noch andaure; da entdecken
In des prächt'gen Schlosses Raum

Ich den Herrn nicht kann. Wenn zwar
Hoffnung stets im Glück gekeimt,
Scheint doch dies hier mehr geträumt,
Als daß wirklich es und wahr!

Einfalt.

Rufe in das Schloß hinein,
Wenn man uns vielleicht nicht sah.

Psyche.

Hört! ist Niemand drinnen?

Musik
(hinter der Scene).

Ja.

Psyche.

Und es zeigt sich Niemand?

Musik.

Nein.

Einfalt.

Zauberwerk ist hier im Spiel!

Psyche.

Wer sah größ'res Wunder je?

Einfalt.

Ich; schon sagt' ich's, daß ich's seh'!

Psyche.

Wenn's den Winden nur gefiel,
Antwort mir zu geben da,
Sagt, wer führte mich hier ein?
Fehlt' ich, da ich eintrat?

Musik.

Nein.

Psyche.

Darf ich Schutz hier suchen?

Musik.

Ja.

Psyche.

Wem gehört dies Schloß?

Musik.

Der Gnade.

Psyche.

Wer erbaut' es?

Musik.

Reiner Glaube.

Psyche.

Wer bewohnt es?

Musik.

Seine Schönheit.

Psyche.

Wer belebt es?

Musik.

Seine Reize.

Psyche.

Größrer Zweifel noch mir bliebe.
Denn für wen erbaute sich
Der Palast wohl hier?

Musik.

Für dich.

Psyche.

Wer hat ihn gebaut?

Musik.

Die Liebe.

Psyche.

Wie? die Liebe könnt' für mich
(Stets noch muß ich zweifeln da)
Solche Schlösser bauen?

Musik.

Ja.

Psyche.

Welche Liebe ist das?

Amor tritt auf und löscht das Licht aus.

Amor.

Ich.
Scheint's auch zu der Liebe Kommen
Nicht zu passen, daß sie's Licht
Auslöscht, und zur Liebe nicht,
Daß des Feuers Gluth verglommen,
Bald vielleicht dein Geist erkennt,
Daß mir's größren Glanz gewähret
Und auch deinen es vermehret,
Wenn's erlischt, als wenn es brennt.
Höre also —

Psyche.

Erst befiehl
Licht zu bringen; noth mir's thut
Dich zu seh'n.

Amor.

Nicht wär' dir's gut.

Einfalt.

Aber mir; denn mein Gefühl
Ist hier Furcht.

Psyche.

Warum erlauben
Willst du's Seh'n nicht mir zum Heil,
Da ich dich doch höre?

Amor.

Weil
Das Verdienst es raubt dem Glauben;
Das Gehör nur ist dein Sinn;
Ohne daß dich Schau'n begleite,
Hör' und glaube; darum heute
Des Gehör's Triumph beginn'[72]).

Er singt:

O Schönheit, die verstoßen
Die Welt aus ihrem Schooß

---

[72]) Die Bedeutung der ganzen Scene ist keine andere als, daß Christus, der göttliche Amor, in seiner Kirche mit der Seele nur in der Dunkelheit des Glaubens verkehrt, daß er, obgleich persönlich gegenwärtig, in ihr nur gehört, nicht aber geschaut wird. Die nun folgende Scene schildert, mit einer Poesie, welche der des Hohenliedes würdig ist, den liebenden Verkehr des göttlichen Bräutigams mit der gläubigen Seele in seiner Kirche und steht an Erhabenheit und geheimnißvoller Tiefe wohl Allem ebenbürtig zur Seite, was je ein geistlicher Dichter über diesen Gegenstand gesungen hat, während die Form sich durchaus fern hält von jener weichlichen Ueberschwenglichkeit, in welche nur zu oft die geistlichen Liebesdichter verfallen sind.

Durch des Hebräers Haß
Und durch des Heiden Groll!
Vor aller Zeit, im Anfang
Schon hab' ich dich geseh'n [73]);
Ich selbst der erste Anfang,
Der nie ein Ende kennt.
Schon damals liebt' ich dich;
Erfüllen werd' ich's treu,
Aus Liebe selbst zu sterben,
Was Andre wohl versprechen,
Und sich in mir erfüllet

Zugleich mit der Musik.

In Wahrheit, denn ich bin's,
Den sterben sieht die Welt
Aus Liebe nur für dich.

Amor

(allein).

Dies möge dir beweisen,
Ob auch in einem Garten
Mich Eifersucht verletzte,
Als Jemand an den Blumen
Die Hand sich blutig ritzte [74]),
Daß dennoch ich gekommen,
Dich aufzusuchen, über
Der Berge rauhen Rücken [75]),
Am Tage, wo verfolget
Du meiner hier bedarfst.
Wär's edle Liebe nicht,
Dann würde sie's verdienen,
Daß auch von ihr man sagte:

---

73) Cfr. Jerem. 31, 3. „In charitate perpetua dilexi te."

74) Vergl. oben S. 332, Anm. 46.

75) Cantic. 2, 8. „Vox dilecti mei; ecce iste venit saliens in montibus transiliens colles."

Zugleich mit der Musik.

Daß sie, wie's Andre thaten,
Der Eifersucht Beschwerde
Im Unglück rächen wolle.

Amor

(allein)

Dich aufzusuchen komm' ich
In demuthsvollem Kleide,
Den Thron im Vaterlande
Verlassend, von Saphir;
Und wenn ich auf dem Wege
Auch manche Noth gelitten,
Die ird'sches Elend kennt,
Und wenn ich selbst ertragen
Ermüdung, Durst und Hunger,
So macht, für dich zu leiden,
Doch leicht mir meine Liebe;
Denn anderer Natur
Ist meine, als die fremde.

Zugleich mit der Musik.

Im Streit der Liebe sieget
Verdienstlos ja der Kämpfer,
Der niemals Leid gefühlt.

Amor

(allein).

Da ich nun dir zur Seite,
So möge deines Athems
Zephir jetzt wiederkehren
Und deiner Wangen Blüthe.
In diesem prächt'gen Schlosse
(Wohl Tempel könnt' ich's nennen,
Darin ich deiner Gottheit
Altäre hab' errichtet)
Sollst du als keusche Braut
Fortan mit mir nun leben.

Nie altert hier die Zeit;
In ewig gleichem Glücke
Muß Frühling hier bezeugen:

Zugleich mit der Musik.

Daß in der Monde Wechsel,
Der zwölfmal sich erneuert,
Hier nur der Mai bekannt.

Amor
(allein)

Das ganze Jahr begrüßen
(Kein Winter bricht herein)
Nur heitre Sommertage
Der Morgenröthe Strahlen;
Und wenn es dich verlangt,
Mit ihr dich zu erheben,
Um deiner Felder Pracht
Und Liebreiz zu betrachten,
Dann wird sie stets dir öffnen
Zu solcher Lust Ergötzung
Im purpurnen Palast
Die Fenster von Rubin.
Und Wettstreit sich erhebet:

Zugleich mit der Musik

Wer dann dich mehr erfreue,
Ob Thau durch seine Thränen,
Ob Morgenroth durch Lächeln.

Amor
(allein).

Dann wirst du schauen dort,
Wie tausendfach durchschlängeln
Des Cedrons klare Fluthen
Engaddi's Weingefilde.
Wirst sehen wie die Quellen
Von Raphidim die Cedern
Von Cades da bewässern,
Die Palmen von Sethim.

Der Morgen geht vorüber;
Und wenn dann am Zenith
Zur Siesta ruft die Sonne,
Senkt sanfte Dämmerung
Auf's Bett sich von Smaragd.

Zugleich mit der Musik.

Und ihre Schatten breiten
Von Rosen weiche Kissen
Auf Pfühle von Jasmin.

Amor

(allein)

Und wenn der Abend kommt,
Und sich der Hirt bereitet,
Zur Hütte heimzukehren,
Den Stall die Heerde sucht,
Dann wirst du mich verhüllet
An deiner Schwelle finden,
Denn so nur bleib ich immer
Bei dir, und ich verlange
Nur, daß du's glaubest blind,
Daß dies ein Werk der Liebe,
Wenn unter weißem Schleier
Und glänzendem Krystall
Der Liebe Gott verborgen;

Zugleich mit der Musik.

Doch dir nicht unbekannt,
Wenn mehr du dem Gehör
Als dem Gesichte glaubest.

Psyche.

Die Süße deiner Worte
Uebt solchen Zauber aus,
Daß leicht ich dir wohl glaube.
Denn wer so gütig kam,
Solch kräft'gen Trost zu spenden,
Wie könnte er betrüben?

Amor.

Wenn du mir treu nur glaubest,
Auch ohne Schauen, werd' ich
Solch' Liebeswerk dir thun,
Daß ich zu meiner Hochzeit
Festmahle Allen gebe,
Die nur erscheinen wollen,
Solch kostbar süße Speise,
Daß sie in sich beschließe,
Was in den Aehren Ruth's,
In Caleb's Traubenpracht,
Im Wein von Canaan,
Im Manna Sin's verborgen [76]).

Psyche.

So willst zur Hochzeit du
Auch Gäste laden?

Amor.

Ja.

Psyche.

Wohl ist's zu frühe schon,
Daß eine Bitt' ich wage?

Amor.

Nein; denn ich kenne nie
Der Zeit Beschränkung.

Psyche.

Nun denn,
Nicht um der Eitelkeit
Daß sie in deiner Macht

---

76) Die genannten Gegenstände sind sämmtlich Vorbilder der Eucharisti

Mich glücklich hier erblicken,
Doch um des Trostes willen,
Daß sie auch dich erkennen,
Laß durch den Boten, den du
Zu laden sendest, rufen
Auch meine Schwestern, laß
Den Vater auch, die Männer,
Des Glückes theilhaft werden,
Als Gäste deines Tisches[77]).

Amor.

Es sollen meine Pforten
Der ganzen Welt sich öffnen.
Auch jene wirst du bald
Hier seh'n, denn schon Erlaubniß
Gab dem ich, der sie bringt,
Ob auch zu andrem Zwecke
Er sie zu bringen glaubt[78]).
Doch achte, daß die beiden
Weltalter deinen Glauben
Dir nicht verkehren mögen,
Die dich von sich gestoßen.
Und da du selbst das dritte
Weltalter bist, so wirst du,
In meiner Gnade bleibend,
Aus ihr sich dann das dritte
Gesetz auch bilden sehen,
In dem du glücklich lebest.
Doch wenn, mit dem hebrä'schen
Und dem des Heidenvolkes
Vermischt, du dich verkehrest,

---

77) Unter ihrem Vater, den Schwestern und ihren Männern ist die gesammte Welt, Heidenthum und Judenthum, zu verstehen, welche ebenfalls Theil nehmen soll an dem Hochzeitmahle Christi.

78) Der Haß nämlich treibt sie, wie wir oben gesehen, durch die Stürme, die er erregt, herbei.

So wirst all' diesen Glanz du
In eitle, flücht'ge Schatten
Sich dann verwandeln seh'n.
Und, daß du nun erkennest,
Daß zu so hohem Zwecke
Ich Viele will berufen,
Doch Wen'ge auserwählen:
So horch'!

Stimmen

(hinter der Scene).

Zieht ein die Segel!

Welt

(gleichfalls hinter der Scene).

Zieht ein die Segel, bis
Der Morgen aufgegangen,
Daß in der Nacht wir nicht
Hier scheitern.

Stimme.

Segel ein!

Amor.

Schon meldet sich ihr Kommen.

Psyche.

Gieb mir Erlaubniß, daß ich
Entgegen ihnen gehe.

Amor

(singt).

Laß selber sie dich finden;
Für dich hat's schon gethan
Einst Salomon, im Throne,
Wo Künstlerhand gebildet

Auf goldnen Löwenklauen
Den Sitz von Elfenbein [79]).
Laß sie zu Tische sitzen,
Und gieb zu essen ihnen
Das weiße Brod, in welchem
Ich gegenwärtig bin,
Und deß Gestalt der Schleier,
Der deines Bräutigams,
Des Liebesgottes Leib
Und Blut verhüllen soll.
Und wenn die Nacht dann kommt,
Harr' meiner in dem Garten;
Denn nach dem Abendmahle
Fordr' ich Gethsemane
Als Recht des Bräutigams [80]).

Zugleich mit der Musik.

Eil' Beide [81]) zu bedienen
Wenn ich mich jetzt entferne,
Und geh' nicht fort von hier.

Ab.

Psyche

O bleib! Er ist verschwunden;
Schon naht sich ja der Morgen.
O Himmel was begiebt sich

---

79) 3. König̣. 10, 18—20. Ueber die mystische Bedeutung des salomonischen Thrones, welcher die Herrschaft Christi über alle Völker der Erde vorbildete, bemerkt Cornelius a Lapide: „Salomon hic repraesentavit potestatem judiciariam datam a Deo Christo, qua homo est, ejusque solium gloriosum, in quo residebit in die judicii judicabitque omnes tribus terrae.“ Der Sinn ist demgemäß: Schon Salomo hat durch das Vorbild seines Thrones die Völker zu meinem Feste geladen.

80) Cfr. Cantic. cantic. 5, 17 u. 6, 1. „Quo abiit dilectus tuus, e pulcherrima mulierum, quo declinavit dilectus tuus? et quaeremus eum tecum. Dilectus meus descendit in hortum suum ad areolam aromatum, ut pascatur in hortis et lilia colligat.“

81) „Beide,“ nämlich deine beiden Schwestern.

Wohl jetzo hier mit mir?
Das Schauen soll ich meiden,
Und Hören darf ich nur?

Einfalt.

Wenn also du erlangest,
O schöne Herrin mein,
Daß in dem Schlosse hier
Du glücklich leben kannst,
Was darfst als dritte Tochter
Du fürchten?

Psyche.

Daß in mir
Ein ungebändigt Sehnen
Noch zu vernichten strebt
Mein Glück[82]); doch, ach, was sag' ich?
Komm' Einfalt jetzt mit mir!
Wenn du nur bei mir bleibst,
So mögen immer kommen
Die Leute, deren Stimmen
Vom Meer herübertönen.

Das Schiff wird sichtbar mit der **Welt** und den **Uebrigen.**

Welt.

Zieht die Segel ein und da
Mit der Morgenröthe schon
Sich des nahen Eiland's Gipfel
Zeigen, auf, ans Land!

Stimmen.

Ans Land!

---

82) D. h. daß ich das Verlangen, gegen das Verbot des Bräutigan schauen zu wollen, noch nicht unterdrücken kann.

Das Judenthum.

Da sich friedlich schon die Winde
Legten, und des Meeres Wogen,
Die, o Welt, uns stets gefährden,
Kurze Ruhe jetzt gewähren,
Und an dieses Landes Küste
Glücklich wir gekommen sind,
Laß uns wissen, welch' ein Land
Dieses sei, da wir dem Meere
Uns mit dir ja anvertrauten,
Zu erfahr'n, wohin verbannt
Du die schuldbeladne Schönheit,
Jene unsre arge Feindin;
Denn wir fürchten, daß du nur
Sie vor uns verbergen wolltest,
Ohne jene Schuld zu strafen,
Daß sie unsre Religionen
So mißachtet, so verhöhnet.

Welt.

Hierin hab' ich euch genügt;
Denn, schon sagt' ich's, euren Zorn
Zu besänft'gen, setzt' ich sie
Auf die wild'ste, unwirthbarste
Insel aus, wo wilde Thiere
Hausen und Raubvögel nur,
Deren hungrig wilder Wuth
Sie gewiß schon längst erlegen.
Und damit ihr's selber sehet,
Da, nicht ohne höh're Fügung
Uns der Sturm hierher getrieben
Zur Erneurung meiner Qualen:
Dort könnt jenen Fels ihr schauen
Wo sie blieb; in jenen Schluchten
Sucht nach ihr; befried'gen wird es

Eure Rache, wenn ihr dort
Jener todten Schönheit Asche,
Ihres Unglücks Trümmer findet.

Zweites Weltalter.

Wie ist's möglich, wenn auf wüster,
Wie du sagst, und unfruchtbarer
Insel du sie hast verlassen,
Daß es diese sei, die dort so
Lieblich schön herüberglänzet
In der Morgenröthe ersten
Strahlen?

Heidenthum.

Und wie ist es möglich,
Daß auf ihr nur Ungeheuer
Und Nachtvögel schaurig hausen,
Wenn wir seh'n, wie dort bevölkern
Auf den grünen Wiesenmatten
Die der junge Frühling webte,
Süße Vögel die Gebüsche,
Sanfte Lämmer nur die Triften?

Erstes Weltalter.

Wie ist's möglich, daß die Insel
Unbevölkert, einsam, öde?

Judenthum.

Wie? wenn dort ein Prachtgebäude
Herrlich sich erhebt, deß kühner
Bau den Himmel mit der Erde
Glücklich zu vermitteln strebt,
Denn aus Blumen wächst's empor,
Und den Scheitel krönt's mit Sternen?

Welt.

Ihr habt Recht; den Strich verlor ich
Unsrer Fahrt; denn diese Zeichen
Kenn' ich nicht.

Alle.

Doch welche Insel
Mag dies sein, wenn's jene nicht?

Welt.

Weiß nicht; denn noch niemals kam ich
Früher schon auf meinen Fahrten
Bis hierher.

Alle.

Bist du die Welt nicht,
Kennst nicht, was du in dich schließest?

Welt.

Dieser Bau muß wohl vom Himmel
Stammen, weltlich ist er nicht[83]).

Heidenthum.

Ihn hat Jupiter gewiß,
Oder auch ein andrer Gott,
Sich erbaut zu seiner Lust,
Wenn er niedersteigt vom Himmel.

Judenthum.

Wie du heidnisch doch gesprochen!
Liegt's nicht näher, ihn zu halten
Für das erste Paradies,

---

lung auf die Worte Christi: „Mein Reich ist nicht von dieser

Aus dem die Natur sich einst
Sah durch Gottes Zorn vertreiben[84])?

Erstes Weltalter.

Alle Zweifel werden schwinden,
Wenn wir's untersuchen.

Zweites Weltalter.

Wohl,
Steuert in den Hafen ein!

Alle.

Holla! Dort im Schloß!

Musik
(hinter der Scene).

Wer ruft?

Alle.

Welche süßen Harmonien!

Heidenthum.

Wohl ist hier der Gottheit Sitz.

Judenthum.

Wohl ist hier das Paradies.

Beide.

Schiffer, die den Pfad verloren
Auf dem Meer —

Musik.

Sie sei'n willkommen.
Willkommen, willkommen,

---

84) Die Kirche wird von den heil. Vätern häufig mit dem irdischen dies verglichen.

Auf daß sie die schöne,
Gebieterin dieser
Gebirge erkennen,
Die Gattin der Liebe
Zu werden erwartet.
Willkommen, willkommen!

Psyche

(hinter der Scene).

Willkommen, willkommen!
Und weil das Gebäude
Des reichen Palastes
Ja dazu bestimmt ist,
Als Nordstern zu dienen
Für Alle, die steuern
Schiffbrüchig im Meere
Des irdischen Lebens[85]):
So öffnet die Pforten,
Und freudigen Klanges
Den Gruß wiederholet:

Es öffnen sich die Pforten des Palastes und man erblickt Psyche, auf einem Throne sitzend, umgeben von Gefolge und Musikchören. Die Einfalt steht ihr zur Seite.

Musik.

Willkommen, willkommen,
Willkommen, willkommen!

Judenthum und Heidenthum.

Was, o Himmel, geht hier vor?

Erstes und zweites Weltalter.

Götter! ist's die Schwester nicht?

---

85) Auch das ist eine Bestimmung der Kirche, durch ihre Wahrheit und Gnade für die Irrenden und die Sünder zum Polarstern für die Fahrt durch das Meer des Lebens zu werden.

Welt.

Auf erhabnem Throne find' ich
Jene, die ich todt geglaubt?

Judenthum.

Welche Ehre!

Zweites Weltalter.

Welche Pracht!

Heidenthum.

Welcher Pomp!

Erstes Weltalter.

Welch' hoher Reichthum!

Welt.

Welche Majestät und Größe!

Heidenthum und Judenthum.

Staunend wag' ich's kaum zu schauen.

Die beiden Weltalter.

Kaum vermag ich hinzublicken

Bosheit.

Einfalt! was bedeutet dies?

Einfalt.

Dies bedeutet, daß hier ohne
Dich, o Bosheit, ihre Unschuld
Nur mit mir zurückgeblieben,
Und gefunden, wer sie schütze.

Psyche.

Was verwundert's und erschreckt es
Euch, mich auf dem Thron zu finden,

Wenn der Bräut'gam, dem ich traute,
Mich beschützet und gehalten
Hat sein königliches Wort,
Daß der Berge rauhen Pfad er
Ebnen werde, und sich schauen
Lassen in der Wüstenei[86])?
Denken werdet ihr, daß ich
Mich nun rächen will, da ihr
Hier in meinem Reich erschienen.
Nein; nur liebend will ich meine
Arme euch entgegenbreiten.
Kommet, komm't, o schöne Schwestern!
Kommet Alle, denn für Alle,
Die nur immer mit der Welt
Her zu meiner Schwelle kommen,
Tönt der süße Freudenruf:

Zugleich mit der Musik.

Willkommen! willkommen!
Seid Alle willkommen!

Welt.

Ach dein Anblick wandelt meine
Traurigkeit in Freude jetzt.

Erstes Weltalter.

Daß ich dich so glücklich schaue,
Läßt mich dir nicht, nein mir selber
Glück nur wünschen.

(für sich)

Wie ich lüge!
Denn vor Neid möcht' ich zerplatzen!

---

[6]) Cfr. Jerem. 31, 1—3. „So spricht der Herr: Gnade hat gefunden in der Wüste das Volk, das dem Schwerdt entkam; Israel gehet ein in seine Ruhe. In der Ferne erscheint mir der Herr. Mit ewiger Liebe lieb' ich dich; darum erbarme ich mich deiner und ziehe dich zu mir."

Zweites Weltalter.

Ich nicht minder fühle Freude,
Dich so selig hier zu finden.
(für sich)
Wuth und Zorn läßt kaum die Worte
Mich hier finden, um zu reden.

Judenthum.

Für so große Seligkeit
Ist zu arm mein Glückwunsch. Möge
Ewig sie dir blüh'n!
(für sich)
O Wuth!

Heidenthum.

Gleiches wünsch' auch ich.
(für sich)
O Pein!

Psyche.

Tretet ein nun, daß ihr sehet
Ganz den Umfang meines Glückes;
Kommt, beschauet nun mein Schloß,
Meine Gärten, meine Schätze,
Meinen Schmuck, meine Kleinodien;
Seht die Tische dort gedeckt schon
Für die Feier meiner Hochzeit,
Die noch aufgeschoben bleibt,
Bis in Gnade wird befestigt
Erst des dritten Alters Glaube[87]).

---

87) Psyche repräsentirt nicht blos die Kirche im Allgemeinen, sondern auch die einzelne Menschenseele im Besonderen. Nur als letztere bedarf sie der Befestigung in der göttlichen Gnade und nur als letztere unterlieg sie auch später, wie im Gedichte selbst angedeutet wird, der Versuchung

Welt.

Ja, doch weshalb läßt der Bräut'gam
Sich nicht seh'n und sich nicht sprechen?

Psyche.

Weil so herrlich seine Gottheit,
So unendlich seine Größe,
Unbegreiflich so sein Wesen,
Unermeßlich, majestätisch,
Daß bisher er nur in Schatten
Zu mir sprach; doch bei der Mahlzeit
Wird er unter weißem Schleier
Gegenwärtig sein[88]). Nun kommt,
Denn all' diese Pracht und Freude
Ist jetzt eure, so wie meine.

(Der Speisesaal öffnet sich und man erblickt Tische und Geschirr. In der Mitte sieht man den Kelch mit der Hostie.

Judenthum.

Nicht geziemt sich's, wenn, wie eben
Du gesagt, du deinen Bräut'gam
Zu der Mahlzeit noch erwartest,
Wenn er selbst erscheinen will,
Daß er sitzend schon uns finde.
Laßt uns warten, bis er kommt.

Einfalt.

Immer seh' ich, daß der Jude
Ist ein Mann, der ewig wartet[89]).

---

8) Im Sakramente nämlich.

9) D. h. das Judenthum erwartet immer noch vergeblich die Ankunft des Messias.

Psyche.

Wär' er nicht zugegen schon,
Hätt' ich selbst wohl dran gedacht.

Alle.

Schon zugegen?

Psyche.

Ja.

Alle.

Doch wo?
Niemand hat ihn ja bemerkt.

Psyche.

Unter den Gestalten dort
Jener weißen, reinen Hostie
(Die der Schleier, der ihn deckt)
Ist mit Leib und Seele er
Wahrhaft da.

Der Haß tritt auf.

Haß

(bei Seite).

Nun ist es Zeit,
Daß mit meinem Geist ich ihre[90])
All' entzünde.

Laut (indem er ungesehen hinter ihnen steht und ihnen die Worte gleichsam einflüst
Welche harte —

Alle.

Welche harte —

---

90) „Ihre," d. i. die Geister der Welt und der Geschwister des Weltalters.

Haß.

Rede ist's,
Die zu glauben du verlangst!

Alle.

Welche harte Rede ist's,
Die zu glauben du verlangst[91])!

Psyche.

Seiner Liebe höchste Zartheit
Ist's für mich, des Gott's der Liebe,
Daß zu seiner Hochzeitsfeier,
Eh' den Bund er selbst vollziehet,
Er sein eigen Fleisch und Blut
Unter weißem Schleier giebt.

Alle.

Sprich nicht weiter! Schweige, schweige!

Judenthum.

Laßt mich jetzt für Alle sprechen.
Wenn hier deinem Ohr geschmeichelt
Seiner Liebe süße Stimme,
Magst du's glauben, doch nicht fordre,
Daß wir Andern auch es glauben.
Denn dies ist, wie's meine Zunge
Schon gesagt, gar harte Rede,
Daß hier Brod sei Fleisch und Blut.
Und wenn dich Unmöglichkeiten
Hier so schauerlich ergötzen,
Und wenn ohne weitre Prüfung
Du es glaubst, so glaub' es immer;

91) Worte der Juden, mit denen sie die Lehre Christi über das heil. Sakrament aufnehmen. Joan. 6, 61.

Ich werd' nicht nur nimmer glauben
Ein solch' ungewöhnlich Werk;
Sondern fällt er in die Hände
Mir, so werd' ich Tod ihm geben
Für solch' Aergerniß.

Heidenthum.

Und ich
Werd' dein Urtheil selbst bestät'gen [92]).
Komm' nun, Synagoge!

Judenthum.

Komm,
Heidenthum!

Heidenthum.

Nicht weiter acht' sie!

Judenthum.

Hör' sie nicht!

Beide Weltalter.

Ja offenbar ist's —

Erstes Weltalter.

Daß ich weiter sie nicht hören —

Zweites Weltalter.

Noch beachten dürfe weiter.

Alle

(höhnisch).

Schöner Gott, der im Gebirge
Dich gesucht!

---

92) In Pilatus nämlich.

Judenthum.

Der nur im Dunklen
Zu dir spricht!

Heidenthum.

Der unter Schleiern
Seine Gegenwart dich glauben
Machen will.

Zweites Weltalter.

Und da so thöricht
Du auch bist —

Erstes Weltalter.

Da so verblendet
Du dich zeigst —

Judenthum.

Da so im Irrthum
Du verharrst —

Heidenthum.

In solcher Täuschung —

Erstes Weltalter.

Bleibe, bleib' bei deinen Schätzen —

Heidenthum.

Bleibe, bleib' bei deinem Reichthum —

Zweites Weltalter.

Bleibe, bleib' mit deinen Gärten —

Judenthum.

Bleibe, bleib' in deinem Schlosse —

Alle.

Denn wir werden's nimmer glauben,
Eh' wir's nicht gesehen haben.

Die Viere ab.

Haß.

O wenn ich's noch fügen könnte,
Daß beim Flüstern meiner Stimme
Ihre Einfalt schliefe ein!

Einfalt.

Warum, Bosheit, bliebst du hier?

Bosheit.

Kann mich nicht bewegen; denn sie
Lassen hier mich angewurzelt.

Psyche.

Welt!

Welt.

O sprich jetzt nicht zu mir;
Denn solch' widersprechend Meinen
Macht die Welt erzittern; Alle
Läßt sie, was sie wollen, glauben.

Ab.

Einfalt.

Welcher Schlaf mich doch befällt!
Muß mich wirklich ihm ergeben[93]).

Ab.

---

93) Die Einfalt des Menschen schläft ein zur Stunde der Versuchung die Bosheit tritt an ihre Stelle.

Psyche.

Daß die Welt mich einst verließ,
Als unglücklich ich gewesen,
Durfte mich nicht Wunder nehmen;
Doch daß glücklich sie mich flieht,
Das ist neu! Wann hat die Welt
Sich vom Glücklichen getrennt?
Fast möcht' mir ein Zweifel kommen,
Wenn ich sehe, wie sie mich
Fliehet und den Andern folgt,
Ob ich's sei, ob sie mit Grund
Nicht so seltnem Wunder etwa
Ihren Glauben auch versagen?
Doch, still Zunge! Sprich's nicht aus.
Aber kann ich, Himmel! meistern
Der Gefühle mächt'gen Drang,
Die ein Weltenalter zeugte?
Mehr als ein Weltalter wär' ich,
Dritte Tochter ich der Welt[94])?
Ja, denn ich bin die Erwählte,
Daß in mir erst sich begründet
Gnade, als ein dritt' Gesetz.
Und was liegt d'ran, da noch nicht
Sich die Hochzeit hat vollzogen,
Wenn ich, wessen Braut ich sei,
Wissen will? Denn heißt dies nicht
Nur erforschen die verschiednen
Gründe, was wohl Ursach' war,
Daß die Liebe einst mich suchte,
Als verlassen gänzlich war
Alle menschliche Natur?
Und da ich nicht als Gesetz

---

[94]) Anspielung auf den doppelten Charakter der Psyche als Collektivum und als Einzelwesen.

Irre, wenn ich's will erfahren,
Sondern als ein Einzelwesen
Nur, das einst in jenem lebt[95]),
Ich's zu untersuchen strebe,
Was verschlägt es, wenn ich's wage?
Einfalt!

Bosheit

(für sich).

Diese schläft bereits;
Und da Nacht schon bricht herein,
Will ich ihren Platz vertreten;

(laut)

Was befiehlst du?

Psyche.

Daß das Licht
Du mir angezündet haltest,
Welches Liebe ausgelöscht.
Wenn ich's fordre, halt's bereit.

---

95) Die Psyche ist in dieser Scene, wo sie ihrem geheimnißvollen göt lichen Bräutigam ungehorsam wird und sich dadurch den Verlust all ihrer Herrlichkeit zuzieht, nicht die Repräsentantin der Kirche, des G setzes der Gnade, des dritten Weltalters, sondern nur die des einzelne Menschen, der in der Kirche, unter dem Gesetz der Gnade, im dritte Weltalter lebt und das Unglück hat, in Sünde und Zweifel zu falle denn die Kirche als solche kann, da sie immer rein und unbefleckt bleib einer solchen Versuchung nicht unterliegen; auf sie ist daher die Fab der Psyche nicht in ihrer Gesammtheit, sondern nur in Bezug auf d Einzelwesen, die in ihr leben, anwendbar. Um jedes Mißverständni zu beseitigen, läßt der Dichter sich die Psyche hier über die Bedeutun ihrer Person selbst aussprechen. Was übrigens diesen doppelten Ch rakter betrifft, den hier die allegorische Figur des „dritten Weltalter oder der Psyche hat, so ist eine solche Doppelbedeutung einzelner all gorischer Gestalten überhaupt bei Calderon nicht selten. Man ve gleiche namentlich die Person der Philothea in dem Auto die göt liche Philothea im II. Bde., welche in ganz analoger Weise z gleicher Zeit ein Collektivum und ein Einzelwesen darstellt.

Bosheit.

Wohl. (für sich) Die List ist mir gelungen,
Mit der Bosheit sprach sie, meinend,
Mit der Einfalt hier zu reden.

Ab.

Amor tritt auf, das Gesicht mit einem weißen Schleier verhüllt.

Amor.

Da ich nun mit weißem Schleier
Mich bedeckt, will ich in ihm auch
Mit dir reden; denn dies ist ja
Jene Tracht, in der du ewig
Mich bei dir einst sollst behalten [96]).

Psyche.

Und genügte, Herr, die dunkle
Nacht nicht, daß ich, dich nicht sehend,
Sondern hörend nur, dir glaube?

Amor.

Ja; doch weil der weiße Schleier
Meiner Liebe Hochzeitskleid,
Komm' in ihm ich diese Nacht.
Setz' dich unter diesen Blumen,
Und erzähl' mir, was die Gäste
Zu der Mahlzeit wohl gesagt?

Sie setzen sich.

Psyche.

Wie, du weißt's nicht?

---

96) Die Verheißung des Herrn: „Siehe, ich bleibe bei euch alle Tage, bis ans Ende der Welt," erfüllt sich in besonderer Weise durch seine Gegenwart in der Kirche unter dem Schleier des Sakramentes.

Amor.

Weiß es wohl;
Dennoch will ich, daß du's selber
Mir erzählest, während hier
Süße Lieder uns ergötzen.

Psyche.

Ach, sie sagten, daß das Wunder
Also groß, daß Niemand wage
Ihm zu nahen sich.

Amor.

Wenn Furcht nur
Ursach solcher Scheu gewesen,
Wär' ihr Irrthum wohl geringer.

Psyche.

Deshalb blieben auch die Tafeln
Noch gedecket, in der Hoffnung
Daß noch andre Gäste kommen.

Amor.

Und da solches sie behauptet,
Was hast du gesagt?

Psyche.

Daß hier
Gnade, die unendlich groß.

Amor.

Horch! Schon fängt man an zu singen.

Psyche.

Singst nicht du auch selber mit?

Amor.

Ja; zur Hilfe und Verstärkung.

Musik.

O wehe, wehe dir, Natur!

Amor

(singt).

O wehe, wehe dir, Natur!

Musik.

O wehe dir! wenn du zu zweifeln wagest!

Amor.

O wehe dir, wenn du zu zweifeln wagest!
Wie gefällt das Lied dir?

Psyche.

Gut.

Amor.

Hast den Sinn du auch verstanden?

Psyche.

Ja, denn nur im Allgemeinen
Sprach es wohl hier zur Natur:

Zugleich mit der Musik.

O wehe, wehe dir, Natur.

Psyche

(allein).

Doch ich weiß nicht, wie es kommt,
Daß auf mich ich's auch beziehe:

Zugleich mit der Musik.

O wehe dir, wenn du zu zweifeln wagest!

Amor schläft ein.

Psyche.

Wenn ich — doch was seh' ich da?
Scheint es doch, als ob dem Schlafe
Er erlegen.

Amor

(für sich).

Wenn zu schlafen
Ich auch scheine, wacht mein Herz[97]).

Psyche.

Die Gelegenheit ist da,
Ohne Schleier ihn zu schauen!
Einfalt!

Die Bosheit tritt auf, mit einer angezundeten Fackel.

Bosheit.

Was befiehlst du?

Psyche.

Gieb mir
Nun das Licht!

Bosheit.

Hier ist es.

Psyche.

Wie?
Du bringst es?

Bosheit.

Ja, denn die Einfalt
Liegt im Schlafe tief begraben;

---

97) Cantic. cantic. 5, 2. „Ego dormio et cor meum vigilat."

Deshalb, daß es dir nicht fehle,
Komme ich.

Psyche.

Viel sagt mir dies,
Daß bei solchem Unternehmen,
Einfalt liegt im Schlaf begraben,
Und nur Bosheit wach geblieben.

Musik.

O wehe, wehe dir, Natur!

Psyche.

Doch — nichts soll zurück mich halten!
Fort nun, Schleier!

(Sie nimmt den Schleier vom Gesicht Amors.)

Welche Schönheit!

Musik.

O wehe dir, wenn du zu zweifeln wagest!

Psyche.

Welcher Reiz! Der Gott der Liebe
War's gewiß, der einst in jenem
Andren Garten, ehemals,
Mir die schönen Blumen reichte!
Welches Glück! Auch noch berühren
Will ich ihn, mich zu versichern,
Ob's vielleicht nicht Täuschung nur
Der Idee war.

Amor

(erwachend).

Weib! was thatst du?

in starkes Erdbeben entsteht und es verschwinden plötzlich das Schloß, die Gärten, die Tafeln und alle früheren Reize.

Psyche.

Wehe! Erd und Himmel zittert!

Musik.

O wehe, wehe dir, Natur!

Amor.

O wehe dir, daß du gezweifelt hast!
Also wollt'st du —

Psyche.

Welche Angst!

Amor.

So ungläubig —

Psyche.

Welche Pein!

Amor.

Deinen Augen —

Psyche.

Welcher Schrecken!

Amor.

Mehr als meiner Stimme glauben?
Daß du wieder in den ersten
Zustand deines Elend's kehrest,
Daß verschwinden mußten alle
Güter, Reichthümer und Gnaden,
Die von mir du hoffen konntest,
Und der Ruf nur wiederhallet:

Erdbeben.

Zugleich mit der Musik.

O wehe, wehe dir, Natur!
O wehe dir, daß du gezweifelt hast.

mor entfernt sich. Der Haß tritt auf und Psyche fällt, indem sie Amor nacheilen will, in seine Arme.

Psyche.

Höre! warte! Ich Unsel'ge!
Ach das Herz bricht mir vor Leid!
Wohin nun?

Haß.

In meine Arme!

Psyche.

Ha, was seh' ich? Ungeheuer,
Das im Garten dort ich sah',
Sprich, wer bist du?

Haß.

Wer kann's sein,
Wenn die Liebe fortgegangen,
Als der Haß?

Psyche.

Weh' mir! so schnell
Geht zum Haß von Liebe über
Jener Arme, der gesündigt?

Haß.

Ja, denn keine längre Zeit
Scheidet Herrlichkeit und Leid,
Als ein Augenblick der Sünde [98]).

Der Haß ist in diesem Auto als vollkommener Gegensatz zur Liebe, welche Christum bedeutet, der Repräsentant des Teufels und diese

Psyche.

Also aus demselben Grunde
Kann ein Augenblick der Reue
(Denn nicht größre Kraft wird haben
Doch das Laster als die Tugend)
Mir mein Glück zurück auch führen?

Haß.

Ja; doch wird's zu spät schon sein,
Da sich gegen dich erheben
Berg' und Meere!

Erdbeben. Alle übrigen Personen treten erschrocken von verschiedenen Seiten auf.

Judenthum.

Welcher Schreck!

Zweites Weltalter.

Welch' Ereigniß!

Heidenthum.

Welches Wunder!

Erstes Weltalter.

Welch' ein Zeichen!

Bosheit.

Welches Unglück!

Scene stellt die Wahrheit plastisch dar, daß die Seele in dem Aug
blick, wo sie durch die schwere Sünde sich von Christo trennt, in
Arme des Teufels fällt.

Welt.

Welch' Geschick!

Alle.

Was ging denn vor?

Psyche.

All' mein Glück hab' ich verloren!

Judenthum.

Sieh'st du nun, daß es erlogen?

Zweites Weltalter.

Wo ist dein Palast nun hin?

Erstes Weltalter.

Und was ward aus deinen Gärten?

Heidenthum.

Deine Tafeln, sprich, wo sind sie?

Judenthum.

Wohin ist dein Schmuck gekommen?

Alle.

All' dein Reichthum, wohin schwand er?

Psyche.

Alles raubte mir der Wind
Thörichter Ungläubigkeit,
Während meine Einfalt schlief
Und nur meine Bosheit wachte!
Doch verzweifeln will ich nicht;
Wieder kann ich's ja gewinnen.

Alle.

Wie?

Psyche

(niederknieend).

Wenn reuig ich Verzeihung
Meiner Schuld erfleh', betheuernd,
Daß ich glaube, was ich höre,
Und nicht glaube, was ich schaue.

Alle.

's ist vergeblich.

Der Palast, die Gärten und die Tafeln erscheinen auf's neue. Der Kelch mit der Hostie w wieder sichtbar und **Amor** tritt auf.

Amor.

Nicht vergeblich;
Wenn reumüthig ihre Schuld sie
Jetzt beweint, bin ich die Liebe,
Bin gezwungen sie zu hören;
Denn wahrhaftig ist das Wort,
Daß, zu welcher Stunde immer,
Ihre Sünde sie bekennet,
Jener Tisch auch steht gedeckt.
Darum nah' dich ihm mit Allen,
Die nach deinem Beispiel Vorwitz
Uebten; denn wenn ihre Schuld
Sie wie du bekannt[99]), so sollen
Alle ihn gedeckt auch finden.

Judenthum und zweites Weltalter.

Ich werd's schwerlich sein, denn spät
Wird's wohl, ehe ich bereue.

---

99) Durch die Beichte nämlich.

Heidenthum und erstes Weltalter.

Ich nicht also; solcher Liebe
Wunder muß mich überzeugen.

Psyche.

Nah' dich, nah' dich, Heidenthum
Nun mit mir.

Amor

(zum Heidenthum).

Des Weinbergs Erbschaft,
Den durch ihren Ungehorsam
Hier verlor die Synagoge,
Trittst du an.

Psyche.

Und du, o Welt,
Kommst du nicht?

Welt.

Gespalten bin ich
In verschiedne Theile; leben
Will ich so mit dem, der zweifelt,
Wie mit dem, der gläubig ist,
Bis einst eine einz'ge Heerde
Wird die Welt des einen Hirten.

Ab.

Haß.

Und bis dahin werd' ich dir
Stets mit meiner Sorge folgen,
Andre Pläne mir ersinnend,
Da mir dieser fehlgeschlagen,
Und der Psychis Name wohl
Böses Omen mir geworden.

Einfalt.

Wenig wird's dir nützen, wenn
Nun der Schmerz die Klagetöne
In der Freude Lieder wandelt,
Die aus andrem Tone singen.

Alle und Musik.

O wohl dir, wohl dir nun, Natur!
O wohl dir, da zum Glauben du gelangest,
Wenn in deinem dritten Alter
Amor seiner Kirche Gnade spendet [100]).

---

100) Der Sinn ist: Glücklich bist du, o menschliche Natur, wenn in letzten Lebensalter, in der Zeit des Gesetzes der Gnade (im Bunde), Christus in dir die Vermählung mit seiner Kirche fei durch dieselbe dir seine Gnade spendet.

Druck von Robert Nischkowsky in Breslau.

Don Pedro Calderon's de la Barca

eistliche Festspiele.

In deutscher Uebersetzung

mit erklärendem Commentar

und einer Einleitung

über die

Bedeutung und den Werth dieser Dichtungen

herausgegeben

von

Franz Lorinser.

Sechster Band.

Breslau,
Selbst-Verlag des Herausgebers.
1864.

Das Lamm des Isaias.

Erläuternde Vorbemerkungen.

Das Lamm des Isaias (El cordero de Isaias) zeichnet sich nter den vorhandenen Autos durch eine Mannichfaltigkeit und Pracht er Scenerie aus, welche die wirkliche Aufführung besonders glänzend nd effektvoll machen mußte. Die Schauer des Erdbebens, mit denen s beginnt, die Verirrung und wunderbare Errettung des Behomud urch himmlischen Glanz in der Wüste, das großartige Traumgesicht er Candace, eingeleitet durch den Trauerchor ihrer Frauen, der Einruch des Teufels in die Heerde und seine Verscheuchung durch den Glauben, die liebliche Scene am Bach, in Verbindung mit dem Studium Behomud's im Propheten Isaias, die wunderbare Erscheiung des Philippus in der glänzenden Wolke, welche vom Himmel erniederschwebt, die herrliche Unterredung mit ihm, die mit der Taufe des Neubekehrten endigt, der Triumphzug des Glaubens endch und die prächtige Gerichtsscene, welche das Auto beschließt — Alles das gab Veranlassung, die Schaulust hier mehr als gewöhnlich u befriedigen. Doch dem äußeren Glanze entsprechen auch innere Vorzüge. Insbesondere ist es der herrliche Charakter des Behomud, welcher mit sichtlicher Vorliebe in meisterhafter Weise durchgeführt ist, er das höchste Interesse in Anspruch nimmt und gegen den fast alle nderen Personen in den Hintergrund treten müssen.

Der Gegenstand, welcher in diesem Auto behandelt wird, ist die nit reicher Poesie und vielen phantastischen Zuthaten ausgeschmückte Erzählung der Apostelgeschichte (Cap. 8) von der Taufe des Kämnerers der äthiopischen Königin Candace durch den Diakon Philippus.

Die Stelle des Propheten Isaias, von dem zur Schlachtbank geführ-ten Lamme Gottes, welche der Kämmerer unterweges liest, die ihm vom Philippus erklärt wird und die der Dichter mit dem vo ihm als Opfer nach Jerusalem gebrachten Lamm in Verbindun bringt, hat dem Auto den Titel gegeben, und vermittelt auch a Schluß durch die Beziehung zum Osterlamm die Deutung des Au auf das Sakrament. Ob der sonderbare Name Behomud, we chen der Kämmerer führt, auf einer bloßen Erfindung des Dichte beruhe, oder einer anderen Quelle entstamme, war nicht zu ermitteln Zu den historischen Personen (Behomud, Philippus und Candac kommen dann noch die allegorischen: das Judenvolk (Repräsentar der Synagoge), das Römervolk (Repräsentant des Heidenthumes der Glaube (Repräsentant des Christenthumes), die Sorge u die Nachläßigkeit (Begleiter des Behomud auf seiner Reise, d letztere in der Rolle des Grazioso) und die beiden dämonischen G stalten des Teufels und der Pythonissa. Was die letztere betrif so steht sie gewissermaßen in der Mitte zwischen einem menschlich und dämonischen Wesen und erscheint bald als Zauberin, bald a wirklicher Dämon [1]). Aus der Loa geht hervor, daß das Auto Madrid vor Carl II. aufgeführt wurde, also zu den späteren Pr dukten des Dichters zu rechnen ist.

---

[1]) Der Name Pythonissa für Zauberin gründet sich auf 1. Kön. 28, „Est mulier pythonem habens in Endor.“

Das Lamm des Isaias.

Personen:

Candace, Königin von Aethiopien.
Behomud, ihr Kämmerer.
Der Diakon Philippus.
Der Teufel.
Pythonissa.
Ein Engel.
Der Glaube.
Die Sorge.
Die Nachläßigkeit.
Das Judenvolk.
Das Römervolk.
Zwei Frauen.
Hirten. Gefolge.

Getose von Erdbeben und verworrenen Stimmen hinter der Scene.

Stimmen.

Welcher Schrecken!

Andere.

Welcher Aufruhr!

Andere.

Welch' Verhängniß!

Andere.

Welches Elend!

Andere.

Unglückstag!

Andere.

O Himmel, hilf uns!

Alle.

Gnade, Rettung und Erbarmen!

Das Lamm des Isaias.

Es treten auf von der einen Seite die Königin **Candace**, und von der anderen **Behomud**

Behomud.

Wohin, göttliche Candace,
Eilst so schnell du, so verwirrt?

Candace.

Wohin kann ich, Behomud,
Eilen, da der grause Schrecken
Dieses Bebens keine Auswahl
Meiner Pfade mir gestattet,
Als, wenn gegen Himmelszorn es
Noch Vertheid'gung giebt, in dieser
Waldeswildniß Schutz zu suchen?
Und da hier ich dich auch finde,
Wohl zu selbem Zweck geflohen,
Hier, wo jetzt uns die Verschwörung
Und der plötzlich ausgebrochene
Krieg der Elemente, wenn auch
Frieden nicht verbürgt, doch Waffen-
Stillstand hat gewährt, um Worte
Auszutauschen, sag' mir, da du
Meines Reich's Vertrauter und
Aller Wissenschaft Orakel
Bist, welch' Grund in der Natur
Wohl vorhanden, daß am hellen
Mittag heut zu früh die Nacht
Ueber die krystall'nen Fenster
Den azurnen Vorhang breitet
Und solch dunkele Gardine
Schwarzer Wolken niederläßt,
Daß das Volk voll Angst und Thränen
Gottes düstrer Sängerchor [1])

1) „Gottes düstrer Sängerchor," d. h. ein Chor, der mit sein düsteren Klagen zu Gott ruft.

Hier geworden, unaufhörlich
Jenen Nothschrei wiederholend:

(Neues Erdbeben.)

Stimmen und Musik

(hinter der Scene).

Hab Erbarmen, Gott, Erbarmen!
Sei uns gnädig, Himmel, schütz uns!

Behomud.

Wär' der Grund davon natürlich,
Könnt' es sein, daß ich dir sagte,
Daß hier aufgehäufte Dünste
Wohl des Meeres und der Erde,
Fehlgeburten wilder Stürme,
Embryone von Vulkanen,
Jetzt die Luft von dicken Wolken
Starren ließen und von Schrecken
Diesen Erdkreis, der ein großes
Grabmal seiner selbst geworden.
Doch, so unnatürlich ist er,
Daß ich nicht ihn kann erspähen.

Candace.

So versuch's, ihn zu ergrübeln.
Woher kommt es, daß die Sonne
Solche Krämpfe plötzlich leidet,
Und vorzeitig so erblasset?

Erdbeben.

Behomud.

Weiß' es nicht; wenn sich die Sonne
So verfinstert, ohne daß der
Finsterniß vorangegangen

Das Lamm des Isaias.

Eine Conjunktion [2]) und ohne
Daß der Mond sich zwischen Sonne
Hier und Erde hat gestellt,
Ist die Ursach nicht erforschbar.

Candace.

Woher kommt es, daß der Mond,
Nicht der Sonne gegenüber
Stehend, so in Schatten zitternd
Sich verhüllet und entschwindet?

Erdbeben.

Behomud.

Weiß es nicht; der Sonne Leiden
Scheint er mit ihr zu erdulden.

Candace.

Woher kommt's, daß überall
Sterne aus den Bahnen weichen,
Meteore durch den Dunstkreis
Ziehen, sei's daß sich verirret
Ein Planet, sei's daß ein Fixstern
Sie von sich geschleudert, oder
Ein Komet, ein bartumfloßner
Oder ein geschweifter, der
Unheildräuend zittert, niemals
Freundlich leuchtend, stets nur drohend [3])?

Behomud.

Weiß es nicht; wenn sich gehäufter
Dunst nicht etwa, der erstarrte

2) „Eine Conjunktion," d. i. ein natürliches Zusammentreffen
Gestirne auf ihren Bahnen.

3) Die Kometen wurden zu allen Zeiten als Unheil verkündende Zei
angesehen.

In der Luft, nun durch des Feuers
Nähe wehend hat entzündet.

Candace.

Woher kommt's, daß diese Luft selbst
Solche Zornespfeile regnet,
Daß in ausgetretnen Fluthen
Nicht die Flüsse nur sich heben,
Sondern schwellend selbst die Meere
Steigen und mit ihrer stolzen
Wogen Anprall die Gebirge
Und Gebäude so erschüttern?

Erdbeben.

Behomud.

Weiß es nicht, sollt's anders daher
Nicht entsteh'n, daß die Gebirge
Durch erschloss'ne Grotten athmen,
Und auf Höhlen, Brunnen, Grüften
Der Gebäude Lasten stehen,
Und die Luft, die eingeschlossen
Durch die Fluthen, ungeduldig
Durch den Druck, sich Ausgang sucht,
Und bei ihrem Stoß die Pole
Stürzen und das Meer sich bäumet,
Die Gebirge schwanken und
Der Gebäude Vesten zittern.
Und nun frag' mich weiter nicht;
Denn nicht andre Antwort kann ich
Geben, als, daß ich nicht weiß,
Welche Krämpfe, welche Krankheit
Diese Welt befallen; deß nur
Jetzt erinnr' ich mich, daß irgend
Ein Weltweiser jenes griech'schen
Areopag's den Ausspruch that,
Daß entweder die Natur

Sterbe, oder daß ihr Schöpfer
Leide [4]); darum wiederholt sie [5])
Jetzt, da ihre süßen Thränen
Ja für Gott Musik sind, immer
Jenen lauten Hilferuf:

Stimmen und Musik
(hinter der Scene).

Hab Erbarmen, Gott, Erbarmen!
Sei uns gnädig, Himmel, schütz uns!

Candace.

Nun, da du, es zu ergründen,
Deine Ohnmacht mir bekennest,
Eingeschüchtert so von Zweifeln, —
Will's Erforschen selbst ich wagen.

Behomud.

Was ersinnst du?

Candace.

Daß der Gott
Israels, deß allerhöchste
Macht der Orient verehret,
Seit Nicaula, Saba's Herrin,
Sein Gesetz aus Palästina
Mit des Salomo's erlauchtem
Sproßen nach Aethiopien brachte [6]),

---

4) Anspielung auf die bekannte dem heil. Dionysius dem Areopagiten zugeschriebene Aeußerung bei dem Erdbeben, das beim Tode Christ' stattfand: „Aut Deus naturae patitur aut mundi machina dissolvetur."

5) „Sie," d. i. die Natur durch den Mund des erschrockenen Volkes.

6) Nach einer alten Ueberlieferung war Salomo der Vater eines Sohnes, den die Königin von Saba nach ihrer Rückkehr in Aethiopien gebar, und erhielt sich in Aethiopien in Folge dieser Ereignisse bei den Herrschern des Landes eine dunkle Kenntniß des wahren Gottes.

In die Gegend, deren Antlitz,
Hier die Sonne bräunt und schwärzet,
Dessen edler Stamm bis heute
Sich in mir erhält und dauert; —
Daß uns, sag' ich, Israel's Gott
Seiner Vorsicht höchstes Walten
Zeigen will und uns durch Zeichen
Jenen äußersten Termin
Will verkünden, wo wir ihm
Einst von unseren Talenten
Rechenschaft zu geben haben [7]).
Deshalb, ob Astrologie auch,
Die bedingte Wissenschaft,
(Welche zu bezweifeln, sichrer
Ist, als selbst sie zu verstehen)
Hier zu trüben Schlüssen leitet,
Und mit Kriegen, Hungersnöthen,
Seuchen, Unglücksfällen droht,
Halt ich's dennoch nur für Gnaden
Dem, der sie zu nützen weiß;
Glaube, Gott, beleidigt durch die
Träge Schläfrigkeit, in der wir
Leben, will durch seinen Donner
Uns erwecken und zur Vorsicht
Mahnen. Giebt's wohl größre Gnade,
Als mit Drohungen zu kämpfen,
Eh' die Hand sich hebt zum Schlagen?
So wie, wenn, wer sich bedrohet
Sieht vom schon gezielten Pfeile,
Von der schon geschwungnen Lanze,
Zur Vertheidigung gerüstet
Steht mit dem ergriffnen Schilde.
Mag das Beispiel es bezeugen

---

7) Der Sinn ist: dieser Aufruhr in der Natur ist vielleicht ein Anzeichen des bevorstehenden Weltendes und Gerichtes.

Wohl gar mancher Finsternisse,
Stürme und Erdbeben, wie man
Gegen angedrohte Strafen
Sich mit Besserung gewaffnet.
Mög' es Ninive beweisen,
Dessen Todesurtheil seine
Buße schnell zurückgerufen.
Da als letztes Rettungsmittel
Uns nun bleibt, zu ihr zu fliehen [8]),
Laß in doppelter Bedeutung,
Solche Flucht uns jetzt ergreifen
Mit der Bitte, mit der Schuld [9]).
Daß in unsrem Aethiopien
Es ein heil'ger Brauch ist, weißt du,
Daß am Paschafeste immer
(Welches, wie du siehst, schon nahet)
Nach Jerusalem zum Tempel
(Dem Gesetze dort zu huld'gen,
Welches Saba einst von ihrer
Reise dorther mitgebracht)
Man ein Lamm als Opfer sende [10]).

---

8) „Zu ihr," d. h. zur Buße.

9) „Mit der Schuld," d. h. mit der Erfüllung dessen, was wir schulden.

10) In der Apostelgeschichte (cap. 8) heißt es von dem Kämmerer der Königin Candace, daß er gekommen war „in Jerusalem anzubeten" (venerat adorare in Jerusalem). Der Ausdruck adorare wird hier wohl richtig (wie an anderen Stellen der heiligen Schrift, namentlich Joh. 4, 20) synonym mit sacrificare aufgefaßt. Das Opfern war bekanntlich nur in Jerusalem erlaubt. Mag nun dieser Kämmerer, wie Einige annehmen, ein jüdischer Proselyt, oder noch ein Heide gewesen sein, Calderon läßt hier den Grund seines Opfers auf dem alten Gebrauche beruhen, der sich seit der Begegnung der Königin von Saba mit Salomo, in Aethiopien erhalten habe, alljährlich nach Jerusalem zum Passahfeste ein Lamm als Opfer zu senden und macht die Königin selbst durch ihren Auftrag zur eigentlichen Urheberin der Reise des Kämmerers, worüber die Apostelgeschichte nichts Näheres berichtet. Es ist dann wohl nach der Intention des Dichters anzunehmen, daß

Denn da alle unsre Tempel
Andren Göttern hier geweihet,
War's wohl gut, daß nicht auf solchen
Ungeheiligten Altären
Man dem Einen Gotte opfre.
Darum sandte stets man dieses
Nach Jerusalem; denn billig
Ist es, daß das beßre Opfer
Besseren Altar auch suche [11]).
Und, da nun in diesem Jahre
(Jener Schrecken, der noch dauert,
Mahnt daran) es wohl sich ziemet,
Daß mit der erbetnen Gnade
Das Geschenk auch wachse: will ich,
Behomud, daß du es seiest,
(Zur Erhöhung meiner Huld'gung,
Zur Vergrößrung ihrer Feste)
Der aus meiner besten Heerde,
Aus den schönsten meiner Lämmer,
Eins, in dem des Schnees Glanz
Auch nicht einen Flecken duldet,
Dorthin bringt, begleitet von so
Vielen Wohlgerüchen Sabas,
Und soviel Sabä'schem Weihrauch,
Soviel Perl'n des Orientes,
Myrrhe, Aloe und Balsam,
Als nur uns're Berg' und Wälder,
Destillirt in ihren Früchten,
Angehäuft in ihren Kräutern,

---

dieser Gebrauch in der letztvergangenen Zeit in Vergessenheit gerathen und daß das Erdbeben die Königin an die unterlassene Opferschuld erinnert.

11) Hieraus folgt, daß nach der Annahme des Dichters in Aethiopien das Heidenthum mit dem Cult des wahren Gottes sich vermischt und dieser nur noch als eine dunkle Erinnerung aus früherer Zeit neben jenem bestanden.

Aus Auroras Morgenthränen
Für des Tages Lust erzeugen.
Denn nicht zweifl' ich, wenn sie dort,
Angezündet vor dem Herrn,
Auf als Weihrauchssäulen steigen,
Daß ihr Rauch dann heller noch
Als die Flamme selbst erglänze.

Behomud.

Dir zu Füßen laß mich danken.

Candace.

Meine Arme stehn dir offen.
Und da nach Jerusalem
Du nun gehst, erforsche dort
Von den höchst erleuchtetsten
Patriarchen und Propheten,
Den Judä'schen Schriftgelehrten
Und den Griech'schen Philosophen,
Welches Urtheil über diesen
Schrecken menschliches und göttlich'
Wissen hegt. Und da du siehst,
Wie ich sehnsuchtsvoll der Antwort
Harre, um so mehr da's jetzt
Mit erneuerter Gewalt

(Erdbeben.)

Bebet, kehre schleunig wieder,
Während ich, so lang' Du weilest,
In Begleitung dieser Leute,
Die mit mir hier ins Gebirge
Aus den Städten sind geflohen,
(Denn es tröstet sie vielleicht,
Wenn sie ihren Schmerz mich selber
Theilen seh'n), mit Allen rufe:

Stimmen

(hinter der Scene).

Hab' Erbarmen, Gott, Erbarmen!
Sei uns gnädig, Himmel, schütz uns!

Behomud.

Bleib' in Frieden! dir gehorchend
Eil' ich hin mit solcher Schnelle,
Daß die Rückkehr dir erscheine
Als der Reise Apostroph [12]).

Candace.

Laßt uns sagen (damit Alle
Was du selber fürchtest, fürchten)
Daß der Aufruhr, der den Weltbau
Heut' ergreift, sein eignes Ende,
Oder seines Schöpfers Tod!

Behomud.

Laßt uns rufen (damit ihrer
Stimmen Echo unser eignes
Angstgeschrei auch heute werde)
Nun mit allen im Vereine,
Hymnen hier mit Thränen mischend:

Beide.

Hab' Erbarmen, Herr, Erbarmen!

Musik.

Hab' Erbarmen, Herr, Erbarmen!

Beide.

Sei uns gnädig, Himmel, schütz uns!

D. h. daß die schnelle Rückkehr die Zeit der Reise selbst gleichsam verkürze.

Musik.

Sei uns gnädig, Himmel, schütz' uns!

Beide.

Denn es stirbt sein Schöpfer, oder —

Alle.

Es vergeht der Weltenbau!

Beide entfernen sich unter Erdbeben und Wiederholung des obigen Gesanges durch die Musik.
Der Teufel tritt auf, in Felle gekleidet.

Teufel.

„Denn es stirbt sein Schöpfer, oder
Es vergeht der Weltenbau?“
Wer, Naturphilosophie,
Hat dir solchen Schluß diktirt,
So voll Zweifel für die Andern,
Und für mich doch so gewiß [13])?
Ich allein nur konnt' es sehen,
Da mir Kenntniß nie gebrach,
Daß, wer Tod dem Tode brachte
Selber hat den Tod getödtet.
Doch wer kounte, wehe mir!
Dir's eröffnen, wenn's des Menschen
Weisheit nicht gewesen, welche
Durch die ewige erleuchtet [14])?
Doch nicht deshalb, Dionysius,
Möge sich dein Scharfsinn brüsten;
Denn es hat ja jener Hauptmann

---

13) Der Ausspruch des Philosophen Dionysius muß natürlich allen dene räthselhaft erscheinen, welche nichts von dem Tode des Gottmensche wissen, der dem Teufel allerdings nicht verborgen geblieben.

14) Der Sinn ist: nur durch Gottes Erleuchtung konnte die menschli Weisheit des Dionysius auf jenen Gedanken kommen.

Auch gesagt, daß dieser Mensch
Sei wahrhaftig Gottes Sohn [15])!
Und nicht das ist's, was mich quält,
Daß an so entfernten Orten
Zwei denselben Schluß gezogen,
Da in ihnen Conjektur nur,
Was in mir schon Evidenz;
Sondern daß sich dieses Schlusses
Neuigkeit schon so verbreitet,
Daß kein Ort mehr, wo nicht Fama
(Die unmerklich läuft und fliegt),
Sie verkünde, durch den ganzen
Erdkreis überallhin eilend,
Fama, die ganz Erz, ganz Federn,
Die ganz Flügel und ganz Zunge [16]).
Und von allen Regionen
Macht mir keine so viel Furcht,
Wie dies Oriental'sche Indien,
Wo, die Religion zu ändern,
Solche Neigung stets vorhanden.
Denn 's Naturgesetz ging dort
In Idolatrie schon über;
Und wenn jetzt nun man erfährt,
Daß ein neu' Gesetz der Gnade
Ward durch einen unbekannten
Gott gegründet — doch nur stille!
Die Erfahrung wird das lehren.
Und zu diesem Zwecke will ich,
Die Verkleidung suchend, welche
Für den Gegenstand, der heute
Meines Zornes Grund, am besten

---

15) „Jener Hauptmann," der Centurio nämlich, der, als er die Seite Christi mit seiner Lanze durchstochen, jenes Bekenntniß ablegte.

16) Der Mund der Fama wird mit einer Glocke verglichen, welche in weite Ferne hin tönt, und die Schnelligkeit ihrer Verbreitung mit dem Fluge der Vögel.

Paßt[17]), mein zweites Werkzeug nun
Rufen, das mir wirken helfe.
O du weise Pythonissa,
Die du an des Niles Ufern
Als Sirene weinst und singend
Deine Zauberkünste übst
Für den armen Pilger, welcher
Ohne Weg im Sande irret,
Oder steuerlos im Golfe
Schifft, Pirat des unbekannten
Weges, und zugleich Bandit
Seiner Sinne, seiner Kräfte;
Höre mich!

Pythonissa tritt auf.

Pythonissa.

Wer bist du denn,
Du, der mich mit solcher Kraft,
Dem Gehör nach wohl ein Mensch,
Doch ein Thier mehr für's Gesicht,
Durch die Stimme ziehst herbei,
Durch den Anblick mich verscheuchst?
Sprich, wer bist du? Was verlangst du?

Teufel.

Ich, o schöne Pythonissa,
Bin der hocherhabne Geist,
Der durch seinen Stolz verloren
Gnade, Vaterland und Schönheit
Zwar, doch nicht die Wissenschaft,
Deren Fülle Niemand besser
Als du selber kennst.

Pythonissa.

Ich selber?

---

17) Das Wolfsfell nämlich, in das sich der Teufel gehüllt hat.

Teufel.

Ja, denn keine Creatur
Giebt's, die besser noch als du
Wüßte, (in wie vielen Bildern
Als du immer nur verehrest)
Wie viel Antwort dir im Golde
Bel giebt, wie viel Antwort dir
Giebt im Silber Mohab, und im
Erze Moloch, Astarot im
Stein, im Kupfer Behemot,
Und im Eisen Dagon, und im
Holze Baalim und andre
Haus- und Zimmergötter noch
Auch im Zinn, im Thon, im Wachs —
Alles Inspirationen,
Die von Dir sie angerufen
Offenbaren, über Dinge,
Die vergangen und die künftig,
Die zu menschlichem Idol
Dich gemacht und ihren Cult
Dir erworben und verschafft;
Denn du bist es, der sie ausspricht,
Während ich's bin, der sie eingiebt [18]).
Schau', ob, da du nunmehr weißt,
Wer ich bin, es Andern gebe,
Der von mir mehr weiß, wie du!
Und beachte, da ich selber
Heut' es bin, der dich gerufen,
Ob dir Aufmerksamkeit zieme!
Schon ja weißt du — (überflüssig
Ist's nicht, daß ich's sage, denn

erscheint demnach als eine vom Teufel inspirirte falsche die durch die Orakel, welche sie ertheilt, seinen Cult auf reitet.

Dinge giebt's, wo Wiederholung
Frommt, sie besser zu verstehen) —
Also weißt du schon, daß Saba
Mit dem Sprößling Salomo's
Nach Aethiopien gebracht
Das Gesetz, und daß von ihr,
In Befolgung seiner Regeln,
Und zum Zeichen des Gehorsams,
Nach Jerusalem zum Tempel
Ward ein Opferlamm gelobet.
Dieses allgemeine Beben,
Das die Welt heut' so durchzittert,
Weckte in Candace, (welche
Legitime Erbin ist
Salomos und Sabas, und des
Orients regier'nde Herrin)
Solchen Eifer, daß zum Zeichen
Ihres Dank's, und daß die Drohung
Ohne Schlag vorübergehe,
Sie bestimmt, daß Behomud
Selbst, ihr Kämmerer, das Lamm
Dort in ihrem Namen opfre.
Daß nun g'rade man ein Lamm
Hier zur Opfergabe wählte,
Läßt mich, wie mir's immer geht,
Wenn ich solches opfern sehe,
Meine Peinen doppelt fühlen,
Wenn sie anders der Vermehrung
Fähig noch; denn in's Gedächtniß
Ruft mir's, daß die erste Gabe,
Die man Gott zum Opfer brachte,
Das auf die gekreuzten Hölzer
Grüner Aeste einst gelegte
Lamm des Abel war, die ohne
Feuer brannten, bis vom Himmel

Erst die Flamme niederstieg [19]).
Holz und ein geopfert' Lamm
War so schwier'ge Hieroglyphe
Stets für mich, wie daß empfange
Einer Jungfrau reiner Schooß,
Jungfräulich gebäre und
Unversehrte Jungfrau bleibe —
Ein Geheimniß, das, ich weiß nicht
Welche Schleier, Schatten, Nebel,
Die mich eingehüllt, mich aus den
Augen ganz verlieren ließen.
Doch, das mag beruh'n; zu jenem
Andren, das mit ihm zusammen-
Hängt, will wieder ich mich wenden.
Holz und ein geopfert' Lamm,
Sagt' ich, war für mich so schwier'ge
Hieroglyphe, daß ich, forschend
In der Schriften Wort, um etwas
Zu entdecken, auch nicht einen
Buchstab' fand, der nicht enthielte,
Daß der Kirche ganzer Umfang
Eine Heerde Gottes sei;
Um so mehr, wenn ich, Extreme
Hier verbindend, finde, heute
Wo er stirbt, der jetzt gegründet
Hat ein neu' Gesetz, daß hier
Nun mit einem Lamm' das eine
Anfängt und das andre endet.
Denn um zu beweisen, daß er
Der wahrhaftige Messias,
Zeigt der letzte der Propheten,

) Nach der Annahme mehrerer Väter bezeugte Gott sein Wohlgefallen an dem Opfer des Abel dadurch, daß er dasselbe durch vom Himmel gesendetes Feuer anzündete. (Vergl. Cornel. a Lapid. zu Genes. 4. 4.)

Mit dem Finger ihn, Johannes,
Sprechend, (daß kein Zweifel bleibe):
Dieses ist das Lamm, das hier
In die Weltensphäre kam,
Ihre Sünden wegzunehmen.
Hieraus magst du auch ermessen,
Ob's nicht folgerichtig war,
Mich in Wolfsfell hier zu kleiden,
Die Antipathie zu zeigen,
Die der Wolf hat gegen's Lamm;
Ob's nicht nöthig, daß zu meinem
Ersten Groll noch weitrer Zorn
Ueber's Lamm heut' komme, wenn
Heut sein Opfer es veranlaßt,
Daß gespalten in Parteien
Heidenthum und Judenthum
Nun Jerusalem, den Streit
Darauf gründend, ob (nach einem
Spruch) er kam, ob jetzt noch nicht;
Jenes, weil's die schon erfüllten
Wochen seiner Ankunft zählte;
Dieses, weil's von Furcht erfüllt,
Daß die Römer kommen würden[20]).
Wenn nun Behomud jetzt kommt,
Und bei diesem Streite findet,
Daß, wo ein Gesetz zu Ende,
Dort ein anderes beginne,
Und auf Daniels Prophezeiung
Achtet, wo er drüber klagt,
Daß dem Volke Israels
Nicht Propheten Gott mehr sende,

---

20) Vergl. Joan. 11, 48 in Verbindung mit Daniel 9, 26.
von dem hier die Rede ist, bezieht sich wohl zunächst auf die
welche durch die Predigt der Apostel in Jerusalem unter
gelehrten hervorgerufen wurde.

Weil er nicht mehr will, daß blut'ge
Opfer, Fleisch und Blut der Widder,
Auf Altären ihm geschlachtet[21]),
Wird er, zweifelhaft geworden,
Jenes Opfer auch verschieben
Und sich Rath zu holen eilen
Bei Candace, und wenn sie
Bei der Prüfung dann in ihres
Königlichen Stammes großer
Genealogie nun findet,
Daß des David Sohn gewesen
Der ans Kreuz geschlagne Mensch,
Dessen Todesfeier mit so
Tiefer Trauer laut verkündet
Himmel, Sonne, Mond und Sterne:
Wer kann zweifeln, daß sie dann,
(Um so mehr, da sich's als Gnade
Kündigt an) dies neu' Gesetz
Annimmt, und durch seinen Tod
Sich als Erbin fühlt beleidigt[22])?
So, den Schaden der bedächt'gen
Sorge hier der Zeit zur Heilung
Ueberlassend, die auch diese
Kunde wird verweh'n, wie andre,
Ist's von höchster Wichtigkeit,
Daß auf seinem Wege wir
Behomud aufhalten; denn so
Wird die Kunde, wenn verzögert
Kommend, ungewisser kommen.
Die Provinz von Gaza hier[23]),

21) Anspielung auf Daniel 12, 9—11.

22) Nämlich als Verwandte Christi, da auch sie durch den Sohn des Salomo und der Saba von David abstammt.

23) Die Gegend von Gaza, einer der südlichsten Städte Palästinas, im ehemaligen Gebiete der Philister gelegen, war nach der Apostelgeschichte der Ort, wo die Begegnung des Philippus mit dem Kämmerer bei

Deren hohe Felsgebirge,
Tempel der Idolatrie,
Zwischen Aethiopien und
Palästina sich erheben,
Ist der Weg, der unvermeidlich
Für die Reise ihm. Wenn du nun,
(Denn es giebt Verbrechen, welche
Selbst der Teufel nicht begehen
Kann, wenn nicht ein menschlich Wesen
Mit ihm wirkt) wenn du nun also,
Wiederhol' ich, mit der Kraft
Jenes süßen Schmeichelzaubers
Deiner Stimme, deiner Schönheit
Ihm den Weg versperren willst,
Werd' ich, während du ihn selbst
Unterhältst im Labyrinthe
Jener wirren, dichten Wälder,
In dem Fell des Wolfes deinem
Schatten folgend und mit Vorsicht,
In der Finsterniß der Nacht
Die den Raub mir stets begünstigt,
Ihm die Heerde plündern, welche
Zur Vergrößerung der Gabe
Jenes Lamm begleitet, und nicht
Ruhen, bis sein schnee'ger Glanz
Blut'ges Ueberbleibsel meiner
Krall'n und Tatzen ist geworden.
Deshalb rief ich dich; und da
Deinen Namen Israel
So beschimpft, dich abergläub'sche
Zaub'rin, Hexe zu benennen,
Bietet nun Gelegenheit
Sich dir dar, für die Beleid'gung

---

seiner Rückreise von Jerusalem (Art. 8, 28) stattfand. Schon auf der hier geschilderten Hinreise läßt der Dichter dem Kämmerer in dieser Gegend etwas Außerordentliches begegnen.

Dich zu rächen. Laß uns sehen,
Ob das Opfer, so verhindert,
Unterdessen aufhört, und uns,
In dogmatischen Problemen
Und in zweifelhaften Fragen,
Dann ein Mittel gegen jene
Gnade giebt, die in des Lammes
Pascha und im Abendmahl,
Wo die blut'gen Opfergaben
Des Gesetzes übergehen
In des Brotes und des Weines
Friedensopfer ohne Blut,
Christus hinterließ und gründet',
Um die Möglichkeit zu leugnen,
Daß in Brod und Wein der Mensch,
Dieser Wurm von Staub und Erde,
Als ein Theophag ihn esse,
Als ein Theophag ihn trinke,
Und im Wein und Brot empfange
Seines Bluts und Fleisches Wesen.

Pythonissa.

Nicht nur aufmerksam allein,
Lucifer, nein, ganz entzückt
Hört' ich dich, denn deine Wuth
Theil ich so, daß ich entschlossen,
Weil die Rede des Gehorsams
Pflicht hier nur verzögern würde,
Dir als Antwort nur zu sagen,
Daß ich keine Antwort gebe;
Um so mehr, da 's Haudeln hier
Schon so nahe sich uns zeigt,
Daß wir von der Heerde Blöken
Ja das Echo schon vernehmen.

Hört hinter der Scene Schellengeläute und Stimmen der Hirten, des **Behomud** und seiner Begleiter, der **Sorge** und der **Nachläßigkeit**.

Sorge

(hinter der Scene).

Dorthin, o Nachläßigkeit!

Nachläßigkeit

(ebenso).

Sorge, warum quälst du mich,
Stets so eilig?

Sorge.

Muß ich nicht,
Wenn du stets so lässig bist?

Stimmen und Schellengeläut.

Pythonissa.

Schon erblickt man sie; von jenem
Hügel dort ergießet sich
Da ein Ocean von Schnee;
Eilig stürzt er sich herab,
Daß die Sonne ihn nicht schmelze;
Hat den Berg schon überwunden.

Stimmen und Lärm hinter der Scene.

Teufel.

Dort eröffnet sich ein großes
Feld unnützer, trockner Sträucher;
Einen Sumpf vortrefflich heuchelnd,
Und den Weg dort ganz versperrend,
Hindert's, daß gefahrlos hier
Kann der Wagen vorwärts dringen.

Behomud

(hinter der Scene).

Nicht Gefährde giebt's, die Glaube
Nicht besiege, dessen Auftrag

Unsre Pilgerreise leitet.
Drum, um diese zu bestehen,
Laßt zu Fuß uns vorwärts dringen.

Teufel.

Von der andern Seite auch,
Nah'n sich, trotz der wilden Schluchten,
Dort berittne Truppenschaaren,
Und ein Wagen folget nach,
Von deß goldenem Geräthe
Strahlt der Sonne Schimmer wieder.
Wüßt ich's nicht schon, wer es ist,
Der hier kommt, die Pracht allein
Würde deutlich es verkünden.

Pythonissa.

Doch nicht seine höchste Größe
Ist die Pracht des Apparates.

Teufel.

Was hat stutzig dich gemacht?

Pythonissa.

Zu bemerken, daß ein weißes
Lamm, wenn richtig ich gesehen,
Dessen Haupt ein bluthig rother
Nelkenkranz umgiebt und dessen
Fell mit Rosen ist umwunden,
Dort der Leiter ist, dem alle,
Schafe dieser ganzen Heerde
Folgen.

Teufel.

Dieses ist das Lamm,
Das zum Opfer man bestimmt.

Pythonissa.

Doch, wenn dieses Lamm der Leiter
Für die Heerde ist, wie kommt's
Daß dem Tode man es weihet?

Teufel.

Halt' dich damit jetzt nicht auf,
Ob ein Opferlamm, das Leiter
Ist, auch manche Zweifel weckt[24]).
Und da Nacht schon ihren schwarzen
Mantel anfängt auszubreiten,
Und das ganze Volk auf diesem
Grünen Felde, wo der Himmel,
Da hier keine Ortschaft nahe,
Für die Futterung der Heerde
Ihnen Gras umsonst gewähret,
Halt muß machen, laß beginnen
Uns nun unsres Zornes Werk.

Pythonissa.

Ja, entfalte deine List nun,
Lucifer!

Teufel.

Und deine Künste
Du, o Pythonissa; und wenn
Du bewirkst, daß im Gebirg' er
Sich verirre, sei's verlockt durch
Freude, sei's durch Traurigkeit,
Werde ich, indeß die Hirten
Mit dem Hürdenzaun die Heerde
Nun umgeben, untersuchen
Wo ich ihn durchbrechen könne.

---

24) Insofern es nämlich ein Vorbild Christi, des Hauptes seiner Kirche

Pythonissa.

Doch sie nahen; zieh'n zurück wir
Uns, daß sicherer sie schlafen
Ohne Furcht vor wilden Thieren,
Und dein Wolfsfell nicht erblicken.

Teufel.

Recht hast du, und während sie nun
Rufen:

Stimmen.

Auf! zum Thal, zum Walde!

Teufel.

Laß uns selbst ihr Echo werden.
Zugleich mit anderen Stimmen.
Auf zum Gipfel! in die Schluchten!

Andere Stimmen.

Auf zum Gipfel! in die Schluchten!

Stimme.

Wo die Heerde ruhen kann.

Andere.

Wo die Heerde ruhen kann.

Lucifer und Pythonissa.

Wo die Heerde soll verderben [25])?

Stimmen.

Auf den Gipfel! in das Thal!

sen Ruf suchen die Beiden Uneinigkeit über die Wahl des
es unter die Hirten zu bringen.

Andere.

In das Dickicht! in den Wald!

Andere.

Wo die Heerde ruhen kann!

Andere.

Wo die Heerde soll verderben?

Sorge.

Dorthin, o Nachläßigkeit!

Nachläßigkeit.

Sorge, warum quälst du mich,
Stets so eilig?

Sorge.

Muß ich nicht,
Wenn du stets so lässig bist.

Behomud, die Sorge, die Nachläßigkeit und Hirten treten auf.

Behomud.

O Gott Israels, dein Glaube
Schützt vor jeglicher Gefährde!
Und nun, da überwunden
Wir dieses Berg's Beschwerde,
Nach dessen Rauheit Ruhe nun die Heerde
Im frischen Grüne dieses Thal's gefunden,
Bevor des Zeltes Dach ihr aufgebunden,
Das für die Nacht mir Herberg hier gewähre,
Tragt Sorge, daß die Schaafe
Sich nicht zerstreu'n und theilen;
Denn gut ist's, daß sie all' beisammen weilen,
Wenn morgen früh wir diesen Ort verlassen,
Wo wir nur ungern heut' uns niederlassen.

Denn ist das Laud auch öde,
Genügt's doch, daß es heidnisch, daß nicht Rede
Vom Bleiben sein kann; deshalb, Sorge, kannst du,
Da mein Vertrauen immer ja gewannst du,
Nun geh'u, um nachzusehen,
Daß überall die Hürdenzäune stehen,
Damit die Heerde prompt
Zum Aufbruch, wenn die Morgenröthe kommt.

Sorge.

Es soll durch mein Bemühen
In deinen Geist der Ruhe Frieden ziehen.

Behomud.

Geh't mit ihr, Alle, sie zu unterstützen.

Alle.

Nicht Einer zeigt sich lässig, dir zu nützen,
Daß Deine Gunst er borge.

Behomud.

Ihr habt sie; darum geht mit meiner Sorge.

Nachläßigkeit.

Ich selber will, ob nie ich's auch gedacht,
Der Sorge Leitung folgen diese Nacht.

Behomud.

Wohin geh'st du?

Nachläßigkeit.

Wohin die Andern treiben.

Behomud.

Nicht nöthig ist's; du kannst zurück jetzt bleiben;
Ich will daß du bei mir
Verweilest.

Die Anderen entfernen sich.

Nachläßigkeit.

Ich?

Behomud.

Ja; denn ich will mit dir
Versuchen, (da vertraute
Der Sorg' ich meine Ruh, auf die ich baute,
Und ihrer sicher bin)
Nachläßigkeit, ob jetzo ich gewinn'
Nur kurzen Augenblick
Des Schlafes Recht — natürliches Geschick
Hinfäll'gen Seins; zu fürchten hab' ich nicht,
Daß dadurch ich versäumte meine Pflicht;
Denn wenn die Sorge selber Wache steht,
Nachläßigkeit behütet schlafen geht;
Und wenn die Sinne fehlen[26]),
Kann Ruhe sie als Ueberfluß erwählen.

Nachläßigkeit.

Hier fehlt mir das Verständniß;
Nur daß vergeßlich ich, ist meine Kenntniß;
Und was den Schlaf betrifft, hab' ich gefunden,
Daß Sorg' und Nachläßigkeit so verbunden,
Daß Kleine hier und Große
Sich gleichen, wenn sie ruhu in seinem Schooße.

Behomud.

So sei'n wir gleich denn Alle,
Ob Freud, ob Leid im Traum vorüberwalle.
Den Felsblock, der dort hängt,
Sich schwebend niedersenkt
Von jenes Berges Höhe,
Für diese Nacht zum Zelt ich mir ersehe,
Und zur Bettstelle wähl' ich diesen Stein.

---

26) D. h. wenn sie im Schlafe ihre Thätigkeit aussetzen.

Nachläßigkeit.

Wohl besser und bequemer würde sein
Das Kissen dort aus deinem Reisewagen,
Das, vom Gestrüpp des Sumpfs davongetragen,
Zurückblieb, ohne daß es schon die Leute
Zu holen eilten.

Behomud.

Weise hast du heute
Daran gedacht; so flieg' und bring' es her.

Nachläßigkeit.

Nicht fliegt Nachläßigkeit, sie geht vielmehr.
Ja, Kissen, Kissen, will ich unaufhörlich
Nun murmeln; so vergeß' den Gang ich schwerlich.
Ja, Kissen! Doch was müh' ich mich so heiß,
Zu merken, was ich morgen nicht mehr weiß?
Ab.

Behomud.

Da ich allein geblieben
Nun zwischen Sorg' und Nachläßigkeitstrieben,
Kann mit Euch eines Zweifels Ungenügen
Ich überlegen, welcher aufgestiegen
Bei jenem Opfer mir,
Das darzubringen ich gesendet hier.
Macht mir's auch hohe Lust
Zu dienen ihm, ist's mir doch unbewußt,
Welch' tiefem Grund entstamm' es,
Daß nöthig hier das Opfer eines Lammes,
Solch eines friedenvollen sanften Thieres,
Das auf die Hirtenpfeife willig kommt,
Und dem der rohe Stab des Hirten frommt,
Um's so gehorsam, so bereit zu machen,
Daß Klagelaute nie in ihm erwachen,
Wenn's bei der Schur der Wolle wird beraubt;
Denn seine Einfalt niemals Arges glaubt,

Und nimmer treibt, was immer man versucht,
Es zur Vertheid'gung Zorn, noch Furcht zur Flucht[27]).
Es wird gewiß entfalten
Aus ihm ein Licht sich, eines Bildes Haupt[28]),
Das noch der Himmel sich hat vorbehalten.
Und da, daß hier ein Räthsel möchte walten,
Mein Ind'scher Geist wohl richtig hat erkannt,
Zu deinem Opferaltar hingewandt[29]),
Wann wird er wissen, Herr, was es bedeutet?

Pythonissa

(hinter der Scene in traurigem Tone singend und weinend).

Weh mir! welch' herbes Leid ist mir bereitet!

Behomud.

Doch welche Jammerlaute
Das Echo hier dem Winde jetzt vertraute?

Pythonissa

(für sich).

Sie heuchelten wohl der Hyäne Thränen;
Doch läßt den Trug dein Grübeln Wahrheit wähnen[30]).
Drum seh' ich doppelt mich zur Klag' verleitet:

(laut.)

Weh' mir, welch herbes Leid ist mir bereitet!

---

27) Durch diese Reflexionen wird der Eindruck der später im Propheten Isaias von Behomud gelesenen Stelle vom Dichter schon vorbereite und der Zusammenhang derselben mit der ganzen Sendung des Behomud angedeutet.

28) „Eines Bildes Haupt," d. h. ein wichtiges geheimnißvolles Bild, das in diesem Opfer enthalten ist.

29) D. h. auf der Reise nach Jerusalem begriffen, wo das Lamm geopfer werden soll.

30) Der Sinn ist: Obgleich ich diese Klagestimme nur heuchele, um di irre zu leiten, möchte ich doch zugleich im Ernste darüber klagen, daß ich dich in so bedeutungsvolles Nachdenken versunken sehe, das dich leicht auf die Spur der Wahrheit bringen kann.

Behomud.

Von jener Seite drang
Der Jammerton hernieder;
'S war Frauenstimme; horchen will ich wieder,
Ob als Polarstern mir des Echo's Klang
Sich nochmals bietet, der zu ihr mich führt,
Da Hilfe hier zu bringen sich gebührt;
Denn schimpflich wär es schier,
Ein Weib ohn' Hilfe lassen.

Pythonissa

(singt wie oben).

Wehe mir!
Die von des Schicksals Tücke hart getroffen,
Im Dunkel dieser Nacht,
Wo wilder Thiere grauses Brüll'n erwacht,
Ohn' Licht und Weg hier weilt, ohn' alles Hoffen.

Behomud.

Ich wär' nicht, wer ich bin, wenn ihr nicht offen
Mein Schutz zur Rettung stände.

Ab.

Pythonissa

(tritt auf).

Naht er sich
Jetzt hier, so darf er doch nicht sehen mich;
Zu locken weiter ihn, auf jener Seite
Nun eine andre List ich ihm bereite:
Auf's Weinen der Hyäne
Soll folgen der Gesang nun der Sirene.

Ab.

Behomud

(tritt wieder auf).

O Klagestimme! unwirthbare Pfade
Durchirrt das Mitleid, das du eingeflößt.
Ihm sinkt der Muth, wenn du nicht wieder weh'st.
Was flieh'st du mich, da du mich riefest grade?

Was riefst du mich, wenn du mich fliehen gehst?
Erneu' dein Klagen, das du so verstehst,
Damit ich Hilfe bringe der Verirrten!

Pythonissa

(singt von der anderen Seite in fröhlichem Tone).

Holla! Glück auf! Ihr Hirten!

Behomud.

Was hör' ich da für Töne,
Daß Schreck in Freude ich verwandelt wähne?
Denn mit noch süß'rem, hellerem Gesange
Singt diese, was die andre weint' so bange!
Will weiter horchen, ob die Ohren irrten!

Pythonissa

(wie oben).

Holla, Glück auf! ihr Hirten!
O du fremder Heerdenführer
Dieser silberweißen Schaar,
Wo sich Schnee und Blüthe streitet,
Ob Krystall sie, ob Jasmin!
Da aus glühendem August
Aethiopiens du kam'st
In die grünenden Gefilde
Gaza's, den April zu suchen,
Komm auf mein Rufen, denn wenn du mir folgest,
Wirst du dein Unglück mit Freude vertauschen.

Behomud.

Bezaubert hat die Stimme meinen Geist,
Die, während *jene* rührte, Lust verheißt.
Ihr folg' ich; doch was wird die Fama sagen,
Laß ich von Schmeicheltönen so mich tragen,
Und eile nicht zu Hilfe der Verirrten?
Drum, *jener* nach!

Pythonissa

(singt).

Holla! Glück auf, ihr Hirten!
Eile nicht nach jener Seite,
Eh' du dich zu mir gewendet,
Und als edler Herr und Gast
Meine Freundlichkeit erfahren!
Komm' drum, komm' und ruhe aus
In dem holden Blumengarten
Meines Schlosses, da das Schicksal
Statt der Wüste ihn dir bietet.
Dort wirst du erkennen, wie
Ich aus Mitleid nur mit dir,
Und erfreut, daß nach so heil'gem
Ziel' du strebest, ich dich rief.
Darum folge meiner Stimme,
Achte nicht die Klagetöne,
Da hier Wonne ja und Freude
Jetzt zur Wahl dir offen steht.
Komm' drum, ja komme; denn wenn du mir folgest,
Wirst du dein Unglück mit Freude vertauschen.

Behomud.

Du räthst mir gut, ich folge deinem Liede;
Den Jammer aufzusuchen bin ich müde.

Ab.

Pythonissa

(tritt auf).

Er kommt; doch hier auch darf er mich nicht finden;
Erschöpft irr' er umher in diesen Gründen,
Von mir gelockt; durch meine Täuschung werde,
Wird er vermißt, sein ganzes Volk zerstreut,
Den Führer suchend; unbeschützt dann beut
Dem Zahn des Wolfes sich die ganze Heerde.

Ab.

Behomud

(tritt wieder auf).

Wo find' ich deine Fährte
O neues Wunderkind? Gieb Antwort mir!
Was lockst du in ein neues Labyrinth
Mein Leben? Rede, zeige dich geschwind.
Wenn du mich suchst, was fliehest du vor mir?
Was treibst du Spott mit den Gefühlen hier?
Ist, wie man sagt, nicht Gunst und Grausamkeit
Ein Widerspruch, der —

Pythonissa

(singt von der anderen Seite).

Welch' ein herbes Leid!

Behomud.

Von wo ich ausging, kam ich wieder an.

Pythonissa.

O du, wer du auch seist, o fremder Mann!
Zur Rettung mir geschickt,
Wenn ich, von meinem Unglück ganz erdrückt,
Den Nordstern meines Rufs erbleichen ließ,
Weil mich der Stimme Athem ja verließ,
Wohl eine andre Stimm' dir Sorge schuf!
Gilt Schmeichelton dir mehr als Hilferuf?
Kehr' wieder dich zur Klage!
Denn also groß ist hier der Dornen Plage,
In die ich ganz verstrickt,
Daß zu entflieh'n allein mir's nimmer glückt.

Behomud.

Was zweifl' ich noch und weile?
Mit des Gefühles vollem Eifer eile
Zu Hilf' ich der Verirrten!

Pythonissa

(singt von der anderen Seite).

Holla, Glück auf, ihr Hirten!
O verzweifle nicht so schnell,
Edelmüth'ger Heerdenführer!
Glaube nicht, daß ich, beleidigt,
Mich vor dir verbergen wollte.
Größer wird die Wohlthat ja,
Weiß' man nicht, von wem sie kommt.
Nur dein Glaube trieb mich an,
Gastfreundschaft dir zu erweisen,
Die du dadurch nur bezahlen
Sollst, daß du dir dienen lässest.
Komm' drum, denn wenn du mir folgest,
Wirst du dein Unglück mit Freudc vertauschen.

Behomud.

Wer wohl könnte wiederstehen,
Solche Liebe zu erproben?

Pythonissa

(von der anderen Seite).

Wehe, weh' mir Unglückſel'gen!

Behomud.

Und wer könnt' es unterlassen
Solchem Unglück beizustehen?

Pythonissa

(von einer Seite).

Komm' nur, denn wenn du mir folgest,
Wirst du dein Unglück mit Freude vertauschen!

(Von der anderen Seite:)

Wenn du hilflos mich verlässest,
Wählst für Edelmuth du Schande!

Behomud.

Wird von zwei Magneten Eisen
Angezogen, bleibt's, nach beiden
Strebend, unbeweglich steh'n.
Doch, was hör' ich?

Sorge
(hinter der Scene).

Eilt herbei,
Auf mein Rufen schnell, ihr Hirten;
Denn ein wildes Ungeheuer —

Behomud.

Wie?

Sorge.

Schleicht suchend, wen's verschlinge,
Um die Hürde hier herum.

Behomud.

Ha, das ist der Sorge Stimme;
Hier ist nichts zu überlegen,
Denn dort, wo die Sorge ruft,
Muß vor Allem hin man eilen
Ohne Säumen.

Pythonissa
(höhnisch für sich).

Ja, wenn nur
Deinen Weg dich finden ließe
Das Gebirge und die Nacht,
Eh' es Lucifer gelingt,
Deine Heerde zu verderben.

Sorge.

Macht die Hunde los, die Schleudern
Nehmt!

Stimme.

Zum Berge auf! zum Thale!

Sorge.

Komm', Behomud! uns zu Hilfe,
Daß dein Anblick nun ermuth'ge
Unsre Hirten.

Behomud.

Wehe mir!
Diese dunkle Nacht und diese
Rauhen Felsen hindern mich.
Jeder Zweig macht hier mich straucheln,
Jede Wurzel legt mir Schlingen.
O du großer Gott Jehova,
Wird, da meine Wanderschaft
Ich in Deinem Dienst vollbringe,
Niemand mir denn helfen jetzt?

Ein Engel tritt auf.

Engel

(und Musik).

Ja!

Pythonissa

(singt).

Wer anders wohl als ich?

(sprechend:)

Doch was ist das? Was vernehm' ich?
Seh'n und Athem geht mir aus!
Welches neue Licht, ihr Götter,
Ist's, das ganz mich hier durchglühend,
Mich erzittern macht und meine
Stimme mir in Seufzer wandelt?

Behomud.

Welch' ein göttlich Licht, o Himmel,
Ist's, das hier mich ganz umleuchtend,
Mich mit Glanz umgiebt?

Engel.

Erforsch' es
Nicht, denn wisse:

Behomud.

Sprich.

Engel.

Des Glaubens
Uebung, der dich hergeleitet,
Kann allein es dir erklären.
Jetzt genüg' es dir, zu wissen
Daß dies Licht ein wildes Thier
In die Flucht schlug und ein andres
Gleiches hier verstummen machte[31]);
Daß es deine Hirten, welche
Furchtsam schon geflohen waren,
Neu ermuthigt, hierher leitet,
Dich zu suchen; kurz, daß dieses
Licht als Leitstern dir erschien,
Um aus diesem Lande wilder
Götzendienerischer Heiden
Sicher dich herauszuführen;
Denn wenn du der Sphinx hier
Entfliehst und mir folgest,
Wirst du dein Unglück mit Freude vertauschen.

Behomud.

Solchem Wunder kann die Stimme
Nicht, nur das Gefühl entsprechen!

---

31) Den Teufel nämlich, der in Wolfsgestalt in die Heerde zu dr suchte, und die Pythonissa, welche ihm durch ihren Sireneng dabei hilft.

Alle Hirten treten auf, unter ihnen die **Sorge** und die **Nachlässigkeit**, welche ein Wagen-Spritzleder mit sich bringt.

Sorge.

Gott sei Dank, daß wir dich endlich
Finden.

Alle.

Alle sind wir hier,
Freudig dir die Hand zu küssen.

Nachläßigkeit.

Ich vor Allen will es thun;
Bring' ich doch, worauf du ruhen
Kannst.

Behomud.

Was bringst du mir denn da?

Nachläßigkeit.

Ein Spritzleder aus dem Wagen.

Behomud.

Was?

Nachläßigkeit.

Da ich so eilig lief
Dir zu dienen, da geschah' es,
Daß ich unterwegens schlief.
Ich erwachte und vergessen
Hatt' ich, was ich holen sollte.
Nur das wußt ich, aus dem Wagen
War es etwas; da ich also
Nun den Wagen sah und dieses
Leder hier erblickte, sprach ich:
Du wirst's sein, was ich hier suche.

Und so bring' ich dies besagte
Leder hier, damit du nun
Süß auf ihm entschlummern kannst.

Sorge.

Schweige, denn zur Wachsamkeit
Ist's jetzt Zeit, und nicht zum Lachen.

Wehmud.

Ja, dein Tadel ist gegründet;
Denn 's ist Zeit jetzt, jenem Lichte
Schnell zu folgen, das so mächtig
Sinn und Leben nach sich zieht.

Alle.

Seinem Leitstern laßt uns folgen.

Engel.

Auf drum, Alle nur, und kommt,
Denn, wenn ihr aus dieser Heiden
Land nur erst entkommen seid,

(Singt.)

Und wenn ihr der Sphinx hier
Entflieht und mir folget,
Dann werdet ihr Unglück mit Freude vertauschen.
Kommt drum, kommt.

Alle

(singen).

Denn wenn wir der Sphinx hier
Entflieh'n und ihm folgen,
Dann werden wir Unglück mit Freude vertauschen.

Alle ab. Pythonissa tritt ab.

Pythonissa.

Hätt' ich, unvorsichtig, nie
Diese Stimme hier geheuchelt!

Wie die Viper an dem eignen
Gifte stirbt, so hat mein eignes
Gift mir hier den Tod gegeben!

Der Teufel tritt auf.

Teufel.

Hätt' ich nie des Basilisken
Kühnheit hier entfaltet, welcher
An dem eignen Bisse stirbt.
Wer geht da?

Pythonissa.

Wer bist du?

Teufel.

Weiß' nicht.

Pythonissa.

Lucifer?

Teufel.

Ja. Pythonissa?

Pythonissa.

Ja. Wohin?

Teufel.

Zu sterben ging' ich,
Wenn ich könnte, jetzt an meiner
Wuth, an meinem Zorn und Aerger!

Pythonissa.

Was ist dir begegnet?

Teufel.

Kaum
Griff ich jener Hürdennetze

Knotenreiche Schanze an [32]),
Als die Sorge, welche niemals
Schläft, die Hirten und die Hunde
Weckte; und mit David's Waffen [33]),
Schleudern, Steinen suchten jene,
Mit Gebell die andern, meinem
Einbruch sich zu widersetzen.
Doch gelungen wär' es ihnen
Nie, wenn nicht in ihrer Mitte
Wär' ein Schäferhund erschienen,
Weiß und schwarz [34]), aus dessem Munde,
Schwören möcht ich drauf, ich eine
Flamme dringen sah.

Pythonissa.

Wahrhaftig,
Diese Flamme war's, die ich auch
Sah, die mich allein geblendet,
Die den Andern nur geleuchtet,
Um das Wort hier zu erfüllen,
Daß der Herr ja seinen Engeln
Aufgetragen hat, dem Menschen
Beizustehn auf seinen Wegen [35]).

Teufel.

Also giebt's kein Mittel mehr,
Deinen Zauber, meine List
Fortzusetzen?

---

32) Es wird vorausgesetzt, daß die Hürdenzäune aus geknüpften Netz[en] bestehen, welche rings um die Heerde ausgespannt werden, damit [die] Schafe sich nicht verlaufen.

33) Wie David den Goliath mit der Schleuder und mit Steinen angri[ff], so hier auch den Teufel, dessen Typus Goliath war, die Hirten.

34) Der Engel nämlich, welcher die Heerde beschützte.

35) Psalm 90, 11. „Seinen Engeln hat er deinethalben befohlen, dich [zu] behüten auf allen deinen Wegen."

Pythonissa.

Ja doch.

Teufel.

Welches?

Pythonissa.

Ihnen jetzt in andrem Kleide,
Und mit andrer List zu folgen.
Judenthum und Heidenthum
Theilt sich's feindlich in die Welt nicht
Jetzt? Laß uns bewirken, daß
Blutig dieser Streit nun werde.
Mir, die ich Idolatrie,
Jenen Cult des Götzendienstes,
Hier repräsentire, ziemt es
Nunmehr Wuth dem Heidenthume
Einzuflößen, zur Zerstörung
Von Jerusalem; du selber
Mußt, da solches dein Beruf,
Als des ersten Apostaten
In dem Reiche des Saphir[36]),
Jetzt die Religion verwirren,
Dich zum Judenthum begeben,
Zu bewirken, daß sich's sträube
Gegen das Gesetz der Gnade.
Aufruhr mußt du als Verschwörer
Stiften und verhindern, daß sie
Jenem Opfer[37]) Eingang geben;
Dann wird sicher es gelingen

D. h. im Himmel, wo du zuerst mit deinem Anhange von Gott abgefallen bist.

„Jenem Opfer," d. i. dem unblutigen Opfer des Neuen Bundes, des Gesetzes der Gnade, von welchem der Teufel oben (S. 17) gesprochen hat.

Daß sich heftig widersprechen
Der Hebräer und der Heide,
Apostat und Götzendiener.

Teufel.

Immer muß ja dem Gelingen
Der Versuch voran wohl gehen;
So versuchen wir's zu siegen!
Die Verschwörung soll gelingen!
Auf denn!

Pythonissa.

Munter, Lucifer!
Laß sogleich uns schon beginnen,
Und, mit listiger Verstellung
Unter sie uns mischend, sprechen:

Beide

(zugleich mit den Stimmen hinter der Scene).

Kommt drum, kommt!
Denn wenn wir der Sphinx hier
Entflieh'n und ihm folgen,
Dann werden wir Unglück mit Freude vertauschen.

Ab.

Die Scene verwandelt sich in den Palast der Königin Candace. Sie sitzt auf ihrem Thr umgeben von ihren Damen, welche den folgenden Trauergesang singen.

Die Damen

(singen).

O wie liegt sie da so öde,
Ohne Trost und ohne Freude,
Diese Königin der Völker!
Alle, die sie sehen, sprechen:
Jerusalem, Jerusalem!

(Zugleich mit der Musik hinter der Scene.)

Da es keinen Schmerz ja giebt,
Der dem deinen zu vergleichen,
Kehr zurück zu deinem Gott,
Der dein einzig höchstes Gut!

Alle.

Jerusalem, Jerusalem!

Candace.

Welch' ein trauriger Gesang
Ist das, Doris?

Die erste Dame.

Einer, den ich
Las, den einem Buch entlehn' ich.

Candace.

Welchem?

Erste Dame.

Klagen, die vor lang
Jeremias aufgeschrieben[38]).

Candace.

Viel zu denken macht es mir,
Daß Jerusalem nur hier
Er beklagend stets geblieben,
In der ganzen Prophezeiung.

---

38) Die Worte des Gesanges sind den Klageliedern des Jeremias (cap. 1) entnommen. „Quomodo sedet sola civitas plena populo, facta est quasi vidua Domina Gentium. Plorans ploravit in nocte et lacrymae ejus in maxillis ejus; non est qui consoletur eam ex omnibus caris ejus.“

Zweite Dame.

Da es zu verschiednen Zeiten
Sah Zerstörung es beschreiten,
'Wird des Liedes düstre Weihung
Wohl für eine dieser sein [39]).

Candace.

Richtig; doch daß sich mir heute
Die Erinn'rung dran erneute,
Scheint nicht Spiel des Zufalls.

Zweite Dame.

Nein;
Deine Traurigkeit nur, Herrin
War's, die dich erblicken ließ
Mehr als Zufall hier.

Candace.

Gewiß,
Nicht bezweifl' ich's; doch nicht Närrin
Bin ich, folg' ich meinen Trieben.
Wird denn nicht verborgne Ahnung
Wach bei der Erinnrung Mahnung,
Wenn, was Sorge stets geblieben,
Phantasie d'rin hat erkannt?
Immer liegt mir's trüb im Sinne,
Daß ich Kunde nicht gewinne
Von Behomud, den gesandt
Nach Jerusalem ich habe.
Ist's, Lidora, seltsam denn,
Da die Stadt ich höre, wenn
Ich mich sein erinn're? Trabe

---

39) D. h. das Lied wird sich auf eine der verschiedenen Zerstörungen v
Jerusalem beziehen.

Ich dann weiter in Gedanken,
War die Zeit, wo ich ihn sandte,
Jene schreckensvoll bekannte
Tagesnacht, der Welt Erkranken.
Und die Fama, welcher eben
Unheilkunde stets genehm,
Sagt, daß in Jerusalem
Anfing jenes grause Beben.
Erderschüttrung, Opfergabe,
Jene Stadt und ihre Trümmer,
Behomud und Klaggewimmer,
All' das macht zu wüstem Grabe
Meinen Geist durch sein Vereinen.
Doch, daß man nicht glaube hier,
Daß als böses Omen mir
Heil'ge Klagen jetzt erscheinen,
Singt die Prophezeiung weiter!
Großer Gott, Jehova! gieb
Licht mir und den rechten Trieb;
Sei in meiner Angst mir Leiter,
Daß ich Ruhe finde wieder,
Wissend, daß die Opfergabe,
Ihre Frucht gewonnen habe;
Sieh' auf meinen Glauben nieder!
Kehr', Behomud, bald zurück;
Denn nicht rastet meine Seele,
Bis vollbracht man mir erzähle
Meines Opferlamms Geschick.

Der Glaube tritt auf.

Glaube.

Schlafe ruhig, denn verborgen,
Glaubend was er noch nicht sieht,
Wird der Glaube, siegentglüht,
Beistehn dir in deinen Sorgen.

Die Damen

(singen).

Eine Wittwe, einsam, traurig,
Weint sie, ohne Trost geblieben,
Und verlassen von den Lieben;
Thränen rollen still und schaurig!

Musik.

Jerusalem, Jerusalem!
Da nie ein Schmerz dem deinen gleichen kann,
Kehr' um, schau' deinen Gott und Herren an,
Dein höchstes Gut; wem gleicht's wohl, wem?
Jerusalem, Jerusalem[40])!

Erste Dame.

Schon im Schlaf scheint sie zu weilen.

Zweite Dame.

Laßt sie ruhen; denn ihr Leid,
Ihrer Sorgen Traurigkeit,
Weiß der Schlaf allein zu heilen.

Alle ab.

Es öffnet sich der Hintergrund der Bühne und es tritt auf das **Judenvolk** mit Begleitung von Soldaten von der einen, und das **Römervolk** von der anderen Seite; zwischen beiden **Pythonissa** in jüdischer und der **Teufel** in römischer Tracht, und in ihrer Mitte **Philippus**, als Greis, in priesterlicher Kleidung. **Candace** spricht im Traume[41]).

Candace.

Welche Angst, in der ich schwebe!
Sorge drückt mich, centnergleich.

---

40) „Videte si est dolor sicut dolor meus“ . . . „Jerusalem, Jerusalem convertere ad Dominum Deum tuum.“

41) Die nun folgende Scene, welche der Dichter hier als ein den Zuschauern sichtbares Traumgesicht der Candace erscheinen läßt, stellt in symbolisch-drastischer Weise die Ausführung des oben vom Teufel in Verbindung mit Pythonissa beschlossenen Planes vor Augen, das Heidenthum gegen Jerusalem heraufzubeschwören und die Juden von der Annahme des neuen Gesetzes zurückzuhalten.

Teufel.

Heil dem großen Römerreich!

Römervolk.

Heil dem großen Römerreich!

Pythonissa.

Das Hebräervolk, es lebe!

Judenvolk.

Das Hebräervolk, es lebe!

Pythonissa.

(leise zum Teufel).

Da die List uns schon gelungen,
Daß Verkleidung irr' sie führe,
Ich die Juden inspirire,
Du zum Heidenvolk gedrungen,
Laß uns, da schon der Tumult
Beider Schaaren wächst, nun schüren
Seine Flamme.

Teufel.

Und agiren
Gegen jenen frommen Cult;
Laut sich unser Ruf erhebe,
Zeigen wir uns alsogleich.

Stimmen.

Heil dem großen Römerreich!

Andere Stimmen.

Das Hebräervolk, es lebe!

Römervolk.

Es gebührt das Opfer mir[42])!

Judenvolk.

Nein, denn mir ist es genehm.

Candace.

Wehe dir, Jerusalem!

Philippus.

Haltet!

Römervolk.

Weiche!

Judenvolk.

Fort von hier!

Philippus.

Müßt' ich wagen tausend Leben
Bei so ruhmvoll edlem Werke,
Römervolk! hier deiner Stärke,
Deinem Wüthen preisgegeben,
Judenvolk! nicht unterlassen
Könnt' ich's, Jenen zu verkünden,
Jenen einen Gott, euch Blinden,
Dem allein heut' Opfer passen.
Mag die Welt es wohl versteh'n:
Mir gebührt die Opfergabe;
Nicht am Blute ich mich labe;
Friedensopfer will ich seh'n[43]).

---

42) Das Opfer des Behomud nämlich, das er in dem Lamme in Jerusalem nun darbringen will. Der halb heidnische, halb jüdische Charakter des Aethiopischen Cultus motivirt die Ansprüche der beiden Völker auf das von dorther gesendete Opfer.

43) Anspielung auf verschiedene Stellen der Propheten, welche von dem einstigen Aufhören der blutigen Opfer reden.

Laßt den Ankömmling aus Indien
Drum, der von des Orients Fluren
Nach Jerusalem zum Tempel
Kommt, sein Opfer darzubringen,
Und den Einlaß dort begehret,
Mir das Lamm nun übergeben,
Das er bringt, denn weder dir
Darf es eingehändigt werden,
Da erloschen dein Gesetz[44]),
Noch auch Dir, da deines nicht
In Betracht kommt bei den vielen
Und verschiednen Meinungszweifeln[45]),
Ob wohl besser sei, ob nicht,
Nach der Ansicht beider Völker,
Dieses neue, dem ich folge,
Als das schon in Dir[46]) erloschne
Alte. Drum kommt's mir zu —

Candace

(träumend).

Welche
Todesangst! O Himmel! Hilfe!

Philippus.

Mir drum —

Judenvolk.

Spare deine Worte!

---

44) D. h. weil der Alte Bund schon in den Neuen übergegangen, so hast du Judenthum keine Ansprüche mehr auf das Opfer des Lammes.

45) Der Sinn ist: Von den Ansprüchen des Heidenthums kann gar keine Rede sein, da sein Cult stets ein falscher und in den verschiedenen einander entgegenstehenden heidnischen Religionen sich selbst widersprechender war.

46) Hier wird wiederum das „Judenvolk" angeredet.

Römervolk.

Still! nicht weiter sprich, Philippus.

Judenvolk.

Denn wenn du ein Schüler bist —

Römervolk.

Ein Anhänger —

Judenvolk.

Jenes Menschen,
Der zu Gottes-Sohn sich machte,
Und zu Palästina's Gott —

Römervolk.

Jenes, der als König wollte
In Jerusalem sich krönen —

Judenvolk.

Willst du sterben wohl wie er?

Römervolk.

Denkst Du wohl, daß seinen Tod ich
Rächen werde?

Judenvolk.

Leicht wird's meiner
Wuth gelingen.

Römervolk.

Nicht versuch' es;
Denn nicht leicht wird's meinem Zorne
Sein, den Schuldigen zu strafen[47]),

---

47) Anspielung auf den hartnäckigen Widerstand, welchen Jerusalem den Römern leistete.

Wenn mein höchstes Streben auch
Ist, den Unschuld'gen zu rächen.

Judenvolk.

Und da nichts dir nützen kann —

Römervolk.

Da dir nichts hier helfen wird —

Judenvolk.

Daß du mich willst überreden —

Römervolk.

Daß du mich bewegen willst —

Judenvolk.

Nun mein alt', ererbt' Gesetz
Zu verlassen —

Römervolk.

Meiner Götter
Anbetung nun aufzugeben —

Judenvolk.

Andres Opfer anzunehmen,
Das nicht meiner Stier und Widder
Blutig' heil'ges Holocaust —

Römervolk.

Zuzugeben, daß im Tempel
Unbekannten Gott man ehre —

Judenvolk.

Wird Jerusalem wohl eher
Einst zu Asche niederbrennen!

Römervolk.

Ja es wird; doch sein Orkan
Werden meine Heere sein!

Judenvolk.

Drum, entfliehend meinem Zorn,
Eil aus meinen Blicken!

Römervolk.

Eile
Aus den meinen auch, denn nimmer
Hör' ich dich.

Judenvolk.

Aus meinen Augen!

Beide.

Was noch bleibst du hier und wartest?

Philippus.

O, wer doch gewürdigt würde,
Herr! zu schauen, daß ein Opfer,
Das in deinem Tempel wollte
Bluten, so verklärt einst kehre
Wieder, daß mein Glaube sagen
Kann: ein blutig Osterlamm
Kam unblutig hier zurück[48])!

Ab.

Candace.

O mein Herz, verzage nicht;
Noch weht süße Lebensluft[49])!

---

48) Anspielung auf die durch das Osterlamm vorgebildete Eucharistie.
49) Diese Ausrufungen der Candace, während sie träumend das Schick
ihres nach Jerusalem gesendeten Opfers schaut, sollen andeuten, d

Römervolk.

Nun wohlan, damit sich's zeige,
Welches Volk hier Sieger bleibt,
Will ich geh'n, um zu verhindern,
Daß in deine Stadt der Indier
Einzieh'!

Judenvolk.

Ich werd' ein ihn führen.

Römervolk.

Sind in dir nicht schon erloschen
Des Leviticus Gesetze?

Judenvolk.

Wer wird sie mir rauben, wenn ich
Andren nicht mich unterwerfe?

Römervolk.

Ich, an jenem Tage, wo ich
Gegen beide mich erkläre[50]).

Judenvolk.

Was wird's helfen, wenn ich standhaft —

Römervolk.

Viel, wenn ich —

---

dieser Traum zugleich eine Art von Offenbarung für sie ist, die sie für die Annahme des wahren Glaubens vorbereitet und ihr die tiefere Bedeutung ihres Opfers erschließt, obgleich sie über den Ausgang des Streites noch ungewiß ist und zwischen Furcht und Hoffnung schwebt.

) Die heidnischen Römer traten sowohl gegen das Judenthum als auch gegen das Christenthum feindlich auf.

Behomud tritt auf.

Behomud.

O ungeduld'ges
Römer- und Hebräervolk,
Weshalb denn so ungehalten,
Anstatt höflich zu begrüßen
Die erbetene Erlaubniß,
Derenthalben ich erscheine,
Spät zwar, denn es hat den Anschein,
Ob auch Sorge sie besorgte,
Daß Nachläßigkeit sie brachte.

Römervolk.

Wundre dich nicht, oriental'scher
Jüngling; Höflichkeit fehlt edlem
Wirthe nicht, wenn ein so wicht'ger
Fall ihn mehr in Anspruch nimmt,
Mit dem du uns hier beschäftigt
Findest; doch wär' die Erzählung
Meinem Zorn zu lang; der Jude
Dort, der größre Hoffnung hegt,
Wird dir's sagen.

Judenvolk.

Ja, er wird;
Drum laß uns nicht Zeit verlieren;
Komm mit mir und auf dem Wege
Sollst du's hören.

Römervolk.

Doch wohin
Soll er mit dir gehn?

Judenvolk.

Zum Tempel,
Sein Gelübde dort zu lösen.

Römervolk.

Welchem Tempel, wenn, da todt schon
Deine Synagoge (wie es
Deiner so getheilten Völker
Zwietracht zeigt), du jetzt besitzest
Weder Tempel noch Altar?

Judenvolk.

Ein ganz neuer Fall wär dieses.
Todt ist meine Synagoge?

Römervolk.

Ja; und da dem Opfer hier
Der Altar fehlt, dem's geweihet,
Bring's zu *meinem* Tempel.

Behomud.

Nein,
Nimmermehr; wenn aus dem Orient,
Um's in keinem Heidentempel
Darzubringen, ich zu *diesem*
Reiste, könnt' ich wohl von diesem
Nun zu heidnischem mich wenden?

Römervolk.

Tod droh' ich dir und Verderben,
Flehst du nicht zu meinen Göttern.

Judenvolk.

Nur gemach, denn ihn zu schützen
Werd ich wissen.

Behomud.

Und ich werde
Deinen Schutz auch mir verbitten,

Seit ich solch Gerücht vernommen
Von der Synagoge.

Judenvolk.

Ich auch,
Wisse, kann dir feindlich trachten
Nach dem Leben.

Römervolk.

Es zu hindern
Schütze ich ihn.

Behomud.

Wer sah jemals
Solch zweideutiges Geschick?
Da mich Beide tödten wollen,
Wollen Beide auch mich schützen!

Judenvolk.

Komm' mit mir!

Römervolk.

Mit mir entfliehe!

Behomud.

Keiner soll von euch mich haben;
Denn verlassen werd' ich Beide.

Die Beiden.

Wie?

Behomud.

Ihr seht's, auf *diese* Weise;
Denn, mich muthig hier befreien,
Heißt nicht feige hier entfliehen.

Ab.

Römervolk.

Hätt'st du tausend Flügel auch,
Werd' ich dich erreichen!

Judenvolk.

Flögst du
Auch mit jeder deiner Federn,
Folg' ich dir!

Beide ab.

Candace.

O ihr treulosen,
Feigen Welttyrannen! (erwachend) Doch,
Wohin hab' ich mich verirrt?
Und wo bin ich, mir entrückt?
Welch' ein wunderbarer Traum!
Welch' gewalt'ge Täuschung! Welche
Sonderbare Phantasie!
Wie im Feuer glüh' ich frostig,
Und erstarr' in eis'ger Gluth!
Weiß nicht, was mit mir geschehen,
Nun ich wieder zu mir komme.
Himmel! steh' mir bei und schütz' mich!

Der Hintergrund der Bühne schließt sich wieder und die Erscheinungen verschwinden.
Der Teufel und Pythonissa treten auf.

Teufel.

Glücklich wär's uns nun gelungen,
Zu bewirken, daß sich gegen
Der Candace Glauben rüsten
Judenvolk und Römervolk.
Aufgeschoben ist das Opfer,
Und, soviel durch Conjekturen
Hier mein Geist erspähen kann,
Seh' ich Behomud voll Zweifel

Ohne Heerde heimwärts kehren,
Mit Candace zu berathen
Was zu thun sei.

Pythonissa.

Richt'ger Schluß!
Denn begleitet von der Sorge
Ganz allein nur, scheint er wirklich
Sich nun auf den Weg zu machen;
Denn sein Wagen eilt voraus
Dem Gefolge; nur die Beiden[51])
Setzten sich allein hinein.

Teufel.

Nimmt er also jetzt die Sorge
Mit sich, muß Nachläßigkeit wohl
Bei der Heerde bleiben; laß' ich
Diese nur nicht aus den Augen,
Wird es leichter mir gelingen,
Sie zu rauben; unterdessen
Folge du ihm selber; suche
(Daß er später hingelange[52]),
Und ich Zeit gewinne) ihn jetzt
Aufzuhalten auf dem Wege;
Denn nicht immer wird erscheinen,
Wer ihm leuchte und ihn führe[53]).

Pythonissa.

Und da meine Stimme damals
Weder klagend, noch auch schmeichelnd
Hat genügt, um im Gebirg' ihn
Aufzuhalten, will ich jetzo

---

51) „Die Beiden,“ d. i. Behomud und die Sorge.
52) Zu Candace nämlich.
53) Der Engel nämlich, der ihm oben Licht und Führung gewährte.

Noch das Seh'n zum Hören fügen;
Will versuchen ob des Weibes
Zauber mächt'ger durch's Gesicht,
Als durch Töne sich erweise.

Teufel.

Selber nah' ich mich der Heerde
Jetzt, um die Gelegenheit
Zu erspäh'n, ob's möglich wäre,
(Da Nachläßigkeit sie hütet
Und die Sorge sich entfernte)
Durch ein Nebenthor zu schleichen,
Um vor allen andern Thieren
Jenes Lamm nur zu zerfleischen,
Meine Wuth an ihm zu kühlen.

Hirten

(hinter der Scene).

Ha, Nachläßigkeit!

Nachläßigkeit

(ebenso).

Wer ruft!

Ein Hirt.

Leute schleichen hier herum!

Nachläßigkeit.

Komme gleich. Schon werd' ich wach.

Zweiter Hirt.

Eile, sie hinwegzuscheuchen,
Daß man nicht ein Schaf uns stiehlt!

Nachläßigkeit.

Traun! wenn man nur nicht mich selber
Stiehlt (das wär ein schön Erwachen

Eines, der so sanft geschlafen!)
Eher als die ganze Heerde!

Hirten und die Nachläßigkeit treten auf.

Hirten.

Seht, da sind sie!

Teufel

(für sich).

Jetzo gilt es
Einen Vorwand hier zu heucheln.

Nachläßigkeit.

Teufel oder Mensch! wer bist du,
Der du meinen Schlaf so stören
Wolltest, daß ich dich jetzt träume?

Teufel.

Seid nicht zornig; nur ein fremder
Hirte bin ich, welcher einen
Herren sucht, um ihm zu dienen.
Und wenn Ihr mir solche Gunst
Jetzt erweiset, zum Gefährten
Mich zu nehmen, wär' ich stets ein
Treuer Freund.

Nachläßigkeit.

Ich würd' es thuen;
Doch es giebt zwei Hindernisse.

Teufel.

Welche?

Nachläßigkeit.

Unsere Gesichter
Haben zwei sehr üble Mienen:
Du, die eines schlechten Freundes,
Ich, die von sehr wen'ger Gunst.

Das wär' eius; das andre ist,
Daß mir Räuber scheint zu sein,
Wer durch's Nebenpförtchen schlich,
Und durch's Thor nicht eingetreten.
Darum geh', wenn du nicht willst,
Daß ich alle meine Leute
Rufe, um dich durchzuprügeln.

Teufel.

Eh' sie kommen, feiger Bube,
Werd' ich dich getödtet haben.

Nachläßigkeit.

Weh', ihr Herren, man erwürgt mich!
Hilfe, Hilfe, Himmel! Hilfe.

Ab mit den **Hirten**.

Teufel.

Nun, da mir's gelungen ist,
Die Nachläßigkeit des Menschen
So zu nützen, daß sie selber,
Fliehend, mir die Hinterthür
Offen läßt, durch die bequem ich
In die Hürde dringen kann,
Was noch zögr' ich jetzt, zu rauben
Jenes Lamm?

Der **Glaube** tritt auf.

Glaube.

Zurück, Verweg'ner!
Noch giebt's eine andre Wache
Hier, zum Schutze dieser Heerde[54]).

Daß der Glaube hier als Beschützer der Heerde gegen den Teufel auftritt, ist wohl motivirt durch 1. Petr. 5: „Euer Widersacher, der Teufel, geht umher wie ein brüllender Löwe, suchend, wen er verschlinge; dem widerstehet standhaft im Glauben."

Teufel.

Wer bist du, der mit dem feur'gen
Schwerdt du mehr des Paradieses
Wächter scheinest, als der Heerde
Hüter? Sage mir, wer bist du?

Glaube.

Daß du mich nicht kennst, das g'rade
Wär' ein Grund, mich zu erkennen;
Denn du kennst ja Alles, außer
Jenen Glauben, welcher wachet,
Wie es Gottes Schutz geordnet,
Ueber Alles was da lebt,
Was verständig und empfindsam
Ist und vegetirt; und so nun
Sieht für diese Heerde, welche
Wohl des neuen oriental'schen
Glaubens Paradies ist[55]), mich als
Neuen Wächter hier gesetzt
Eine künft'ge, gläub'ge Zeit,
Wo noch herrlicher der Glaube
Ueber dich und deinen Anhang
Siegen wird und triumphiren.

Teufel.

Still! halt ein! denn diese Zeit
Schreckt mich schon durch ihre Ahnung!
Dennoch geb' ich's nimmer auf,
Auch in ihr zu triumphiren.

Beide ab.

---

55) Die Heerde ist ein Symbol der Kirche, welche nunmehr des ersten verloren gegangenen Paradieses getreten. — „oriental'schen Glaubens," d. h. des an die Stelle des Alten Bundes getretenen Christenthums, dessen Wi der Orient ist.

Geräusch hinter der Scene. **Behomud** und die Sorge treten auf.

Behomud.

Hier im ewig grünen Feld
Dieser blumenreichen Wiese,
Wo der Frühling, wie ich schließe,
Immerwährend Hoftag hält,
Wo der Blumen bunte Schaaren,
Wie im Farbenglanz sie stehn,
Blumen nur zu sein verschmäh'n,
Und wie Sterne sich gebahren,
Da sie eitel sich beschauen
In der klaren Spiegelwelle[56])
Wohl der allerreinsten Quelle,
Wie sie Felsen je nur brauen
Für der Menschen durst'ge Lippen,
Um den Nektar, den sie bietet,
Dann, vom Schatten wohl behütet,
Aus dem blüh'nden Kelch zu nippen —[57]),
Hier laß jetzt uns Siesta halten
Unterm kühlen duft'gen Dach
Dieser Pappeln, die am Bach
Wie Guirlanden sich entfalten.
Da der Sonne glühend Licht
Jetzt uns nöthigt, hier zu ruhen,
Sollst du, Sorge, doch zu thuen
Deine sorgsam emf'ge Pflicht,
Keinen Augenblick versäumen.
Drum magst du voraus jetzt eilen
Zu Candace, ohn' Verweilen,

Der Sinn ist: Wie die Sterne bei Nacht sich im Wasser spiegeln, so spiegeln sich hier am Tage ihre irdischen Abbilder, die Blumen, welche am Rande der Quelle stehen, in derselben.

Das blumenreiche Ufer der Quelle ist gleichsam der Becher, welcher das Wasser enthält.

Ihr zu melden, wo ich bin;
Denn das wird sie sicher freuen;
Doch nicht Kunde soll's ihr leihen
Dessen, was erspäht' mein Sinn;
Das muß selber ich erzählen.
Drum von dem, was sich begeben,
Sage nichts; mit Klugheit eben
Wolle deine Worte wählen.

Sorge.

Wohl versteh' ich deinen Sinn;
Dies allein nur werd' ich sagen,
Daß in Gaza blieb dein Wagen[58]).

Ab.

Behomud.

Jetzt verlaßt mich Alle. — Bin
Nun allein am selben Ort
Des Gebirges, wo ich jene
Stimmen hörte, wo die Schöne
Da verwirrt der Sinne Hort.
Und noch jetzt wär' ich verirrt,
Ohne jenes Wunderlicht,
Das mir leuchtete; so dicht
War ich im Gestrüpp verwirrt.
Kam dann nach Jerusalem,
Wo der Jude und der Heide
Streitend störte meine Freude.
Ließ drum unvollendet stehn
Jetzt mein Opfer; will bei mir
Ungestört nun überlegen,
Was zu sagen, was dagegen
Zu verschweigen wäre hier[59]).

---

58) Vergl. Apostelgeschichte Cap. 8, V. 26 und 28.
59) D. h. was ich der Königin bei meiner Rückkehr über meine Sendung berichten und welchen Entschuldigungsgrund ich anfü

Doch, was überleg' ich da?
Muß die Wahrheit ich nicht sagen?
Wie doch kann ich da noch fragen,
Was in ihr ich Schlimmes sah?
Sag' ich drum sie unverhüllt,
Hab ich gegen Gott und mich,
Und Candace sicherlich
Meine Pflicht getreu erfüllt.
Fort drum Zweifel! Jetzo schwinge
Phantasie ihr buntes Wesen!
Will ergötzen mich mit Lesen.
Holla!

Ein **Diener** tritt auf.

Diener.

Was befiehlst du?

Behomud.

Bringe
Mir ein Buch von jenen, die
Mitgenommen auf die Reise
Ich zur Kurzweil.

Der **Diener** entfernt sich.

Solcherweise
Ich dem Grübeln wohl entflieh',
Das im Geist mich so beschäftigt,
Und ich werde die Gedanken,
Die im Kopf umher mir schwanken,
Los, und geistig neu gekräftigt.

Der **Diener** tritt wieder auf mit dem Buche.

Diener.

Das verlangte Buch ist hier.

Behomud.

Gieb; (indem er es öffnet) es ist die heil'ge Schrift
Der Hebräer; glücklich trifft

Sich's, denn stets gewährte mir
Sie Vergnügen ja, erbeten
Als ein Unterhaltungsmittel.
Drei und funfzigstes Capitel
Ist's, Isaias des Propheten [60])!

(Liest.)

„Wie ein Lamm, das hingeführet
Wird zur Schlachtbank still und willig,
Und, mißhandelt auch unbillig,
Vor dem Scheerer sich nicht rühret,
Und, ohn' daß es zornig wäre
Ueber angethanes Leid,
Seinen Hals dem Messer beut,
Und sein wollig Kleid der Scheere,
Das sich stumm, gehorsam binden
Läßt, woher sein Leid auch stamm' [61]).“
Himmel! wieder ist's ein Lamm,
Das ich hier auch mußte finden!
Fühlte kaum mich erst befreit
Von der Sorge, schon auf's neue
Jetzt, selbst da ich mich zerstreue,
Sich sein Bild mir wieder beut.

Pythonissa tritt im Hintergrunde auf.

Pythonissa.

Lesend unterhält er sich
Worte, die mir Furcht geboren.
Hat sich heute denn verschworen
Selbst der Zufall gegen mich?
Konnt' kein andres Buch man bringen?
Mußte denn mein Unstern wollen,
Daß es dieses sein hat sollen?
Mußt er, da er's nahm, ihn zwingen,

---

60) Vergl. Apostelgeschichte 8, 32.
61) Eine etwas erweiterte Paraphrase von Isaias 53, 7. 8.

Daß beim ersten Oeffnen gleich,
Da das Buch doch stark und dick,
Auf des Lammes Bild sein Blick
Fiel, so mild, so friedensreich?
Konnt' er Anderes nicht lesen,
Das durch Schrecken ihn zerstreute,
Wie die Babylon'sche Meute,
Pharao's verhärtet Wesen?
Doch entmuthigt darf nicht zagen,
Wer der Schönheit Schmeichelpracht,
Des Gesanges Zaubermacht
Zu versuchen heut' will wagen!
Einen doppelkräft'gen Zauber,
Der bewirken soll, daß Töne
Er der Schönheit Strahlen wähne,
Und daß Glanz Gesang auch glaub' er [62]).
Dadurch, hoff' ich, wird's gelingen,
Im Nachdenken ihn zu stören.

Behomud.

Will ich lesend auch nur hören,
Muß ich doch mit Zweifeln ringen.
Was mag's sein, daß, da ich wollte
Dort ein Lamm zum Opfer bringen,
Neue Kunde zu mir dringen
Eines neu'n Gesetzes sollte,
Das mich hindernd hielte auf,
Dieses Opfer zu vollenden?
Doch, will mich zum Lesen wenden.

(Liest.)

„Seinen Mund that er nicht auf;
Was zur Lehr' uns dienen sollte,

---

[62]) Eine häufig bei Calderon wiederkehrende poetische Figur, welche in der Vertauschung der Wirkungen zweier verschiedenen an einem und demselben Objekt befindlichen Eigenschaften besteht. Vergl. „die Geheimnisse der Messe" Bd. III. S. 333.

Daß ihn unsre Missethaten,
Die er trug, getödtet hatten,
Daß er starb, nur weil er wollte[63]).“

Pythonissa.

Was noch zögr' ich da, im Drang
Meiner Furcht, da er so eilt?
Stör' mein Reiz ihn unverweilt,
Und zerstreu' ihn mein Gesang!

Behomud

(liest).

„Unsre Strafe fiel auf ihn,
Und um unsrer Sünden willen
Wurde er geschlagen.“ — Stillen
Kann nur Gott hier mein Bemüh'n.
Muß ich so beherrscht mich finden
Von des Zweifels Macht, so kann
Nie doch, strengt er auch sich an,
Solch' Geheimniß er ergründen,
Find' ich anders Keinen, welcher
Solcher Nacht mich kann entreißen.

Pythonissa tritt auf, singend.

Pythonissa

(singt).

Er würde dir sagen,
Daß solches Geheimniß,
Je mehr es ergrübelt,
Je wen'ger verständlich.

---

63) Eine freie Zusammenstellung mehrerer im 53. Capitel des Isaias haltener Gedanken.

Behomud

(wiederholend).

Er würde mir sagen
Daß solches Geheimniß,
Je mehr es ergrübelt,
Je wen'ger verständlich?
Schmeichelhaft Orakel! das du
Wohl, um Eingang zu verschaffen
Solch trostlosem Lindrungsmittel
(Wie, daß ich es unterlasse
Zu erforschen, was ich wünsche,)
Zwei so mächtige Versuche
Machst, wovon der eine keinen
Minder kräft'gen Grund hier brauchet,
Als freigebig auszustreuen
Hier mit jedem deiner Töne
Eine duft'ge Blätterschaar
Wohl von Rosen und von Nelken [64]),
Und der andre ein Erinnern,
Daß, ob's dunkel auch nur dämmert,
Wohl schon einmal deine Stimme,
Hier erklungen (um dem Geiste
Solch Andenken zu bewahren,
Nun in Licht den Schatten wandelnd) [65])
Sag', wer bist du? Und befriedigt
Sollst du seh'n, wie aufmerksam
Andrem Zweifel ich nun lausche,
Der mir solch' Verlangen weckte,
Daß ich selbst mir widersprach. Doch —

(Er zieht sich von ihr zurück.)

---

64) Anspielung auf die obige Permutation der Wirkungen ihrer Reize, welche die Pythonissa zu erzielen sich vornahm.

65) D. h. nun persönlich dich zeigend, während früher nur deine Stimme im Dunkel ertönte.

Sag' mirs lieber nicht — denn wohl
Strebt die menschliche Begierde
Schnell, neugierig jeden Zweifel
Zu ergründen, der verräth'risch
Sich als Schlüssel ihres Irrthums
Beut; doch, hat sie überlegend
Sich dem ersten Drang entwunden,
Wendet bald sie sich von jenem,
Was ihr wen'ger liegt am Herzen,
Zu dem Wichtigeren wieder.
Drum, was ich dort las —

Pythonissa.

Gemach!
Soll der Zauber meiner Stimme,
Meiner Schönheit, so im Unglück
Dich verlassen?

Behomud.

Was begehrst du?

Pythonissa

(singt.)

Du sollst, was dir Niemand
Erklären wohl kann,
Den Stimmen verdanken
Die deiner so werth!

(sprechend:)

Und da noch du dich erinnerst,
Daß schon einmal im Gebirge
Meiner Stimme Klang du hörtest,
Und gewiß du auch gedenkest,
Wie viel die verirrte Heerde,
Wie viel deine eigne Noth
Dort mir dankte[66]); warum willst du

---

66) Die Pythonissa schreibt hier in lügenhafter Weise die damalige E tung des Behomud sich selbst zu, in der Hoffnung, er werde sich dad täuschen lassen und ihr Vertrauen schenken.

Denn nicht glauben, daß auch hier
Nur dir beizustehen kommt,
Wer dich damals schon begünstigt?

(singend.)

Wer Wohlthaten spendet
Mit treuer Gesinnung,
Der fügt zu den ersten
Auch andre hinzu!

Behomud.

Sehr verschieden war es wohl,
Wenn dort im Gebirge Stimmen
Mich umtönten, Nacht mich schreckte,
Oder Zufall trieb sein Spiel, —
Und zu schauen, wie der helle
Tag, in lichten Strahlen glänzend,
Dann im Lamm mir, in dem Opfer,
In dem Frieden heiter winkte,
Aus den Blättern dieses Buches
Helles Morgenroth erglühte;
Um so mehr, da's damals möglich
War, daß jene Schmeicheltöne
Mich berückten, daß unwissend,
Daß ein neu Gesetz es gebe,
Welches untersagt, daß Blut —
Doch, steh' ab von dem Beginnen; —
Weder deine Stimme hören
Will ich jetzt, noch dir willfahren[67]).

Pythonissa.

So genügt es mir, zu wissen,
Da du, widerspenstig, dich der

---

[67]) Die beharrliche Consequenz, mit der Behomud sich nicht von seinem vorgesetzten Ziele abbringen läßt und die ihn vortrefflich für die Erkenntniß der Wahrheit disponirt, ist der Grundzug seines herrlichen, vom Dichter meisterhaft durchgeführten Charakters.

Lehre jener willst entziehen,
Die nicht nur allein im Stande,
Aufschluß über alle Tiefen
Dieses Buches dir zu geben,
Sondern Alles zu erklären,
Was mit grünen und azurnen
Zeichen Himmel in den Sternen
Und in Blumen Erde schreibt —[68]),
Es genügt mir, daß ich's bin,
(Stets auf's neue wiederhol' ich's)

(singend:)

Wer sagen dir könnte,

(mit erschrockenem Tone:)

Daß solches Geheimniß
Je mehr es ergrübelt,
Je wen'ger verständlich.

(sprechend:)

Doch was schreckt mich, was verwirret
Meine Stimme, raubt den Athem
Mir, welch' drückende Beklemmung
Welche Furcht, welch grauf'ger Strick,
Der aus meinem eignen Wort sich
Flicht, schnürt mir den Hals zusammen?

Behomud.

Was bedrängt dich?

Pythonissa.

Weiß' es nicht;
Doch — ich weiß es; denn vertraulich
Flüstert mir mein Herz (das immer,
Eh' sie kommen, meine Uebel
Ahnet) zu, daß jene Wolke
Dort, aus leichtem Dunst entstanden,
Die, im Augenblick sich bildend,

---

68) Vergl. „der Baum der besseren Frucht" Bd. III. S. 37, Anm. 45.

(Trompetenstoß. Man erblickt eine weiße Wolke, in der **Philippus**, von dem Engel getragen erscheint.)

Mächtig in der Luft schon wächst,
Ein für mich gefährlich Schreckbild
Ist, deß lichtumfloßner Schooß
Mir verkündet, daß, wenn Sonne
Ihn mit ihrem Strahl berühret,
Er gebären wird (o rasend
Möcht ich werden!) dort aus jenem
Schnee, der drin beschlossen, einen
Stillen Regen, der zur Rein'gung —[69])
Doch ich kann nicht mehr vor Schrecken
Angst, Beklemmung und Verzweiflung!

Engel

(zu **Philippus**).

Bist nun da, wo Gott gewollt,
Daß dich finde, wer dich wünschte,
Ohne dich zu kennen[70]).

(Der Engel entfernt sich. **Philippus** bleibt auf der Bühne zurück, die Wolke verschwindet und **Pythonissa** zieht sich zurück.

Pythonissa.

Wehe
Meinem Zorn!

---

[69]) Anspielung auf die bevorstehende Taufe des Behomud. Der Sinn ist: die geheimnißvolle Wolke, welche den Philippus bringt, wird sich in den Regen der Taufe auflösen.

[70]) Der Dichter weicht hier insofern von der Erzählung der Apostelgeschichte ab, daß er die wunderbare Entrückung des Philippus, welche ihn, nach der Taufe des Kämmerers, plötzlich nach Azot versetzte (Act. 8, 40), vor derselben stattfinden läßt, um ihn mit dem Kämmerer zusammenzuführen, während die Apostelgeschichte hier nur erzählt (Act. 8, 26): „Ein Engel des Herrn aber redete zu Philippus und sprach: Mache dich auf und geh' gen Mittag auf die Straße, die von Jerusalem nach Gaza hinabführt."

Behomud

(den Philippus erblickend).

Ehrwürd'ger Greis,
Der du aus durchsicht'ger Wolke
Tretend, sei's daß sie geheiligt
In sich selbst, durch eigne Ehre,
Sei's daß ihren goldnen Schimmer
Deinem Glanze sie verdankt,
Ihren Schrecken hier der Luft
Nimmst, den Jemand[71]) so gefürchtet
Als ein blutig droh'ndes Kreisen
Und als unheilschwangre Krämpfe
Durch die weite Sphäre zitternd,
Das ozurne Feld verwüstend,
Sprich, wer bist du?

Pythonissa

(für sich).

Nur zu vielen
Grund hatt' ich zur Furcht! Verborgen
Will ich lauschen, ob's gelinge,
Was die ahnungsvolle Angst mir
Droht, zu stören.

Behomud.

Sprich, wer bist du?
Denn es sagt mir meine Seele,
Daß du kamst, um mir in meinem
Zweifel beizusteh'n, der ohne
Steuer treibt auf weitem Meere.

Philippus.

Ja, Behomud; Wahres glaubst du.
Denn der Herr, der Habakuk

71) Pythonissa nämlich.

Einst nach Babylon am Haarschopf
Tragen ließ durch einen Engel [72]),
Daß er Daniel Hilfe bringe,
Der bedrängt dort in der Grube
Lag, um ungeduld'gen Löwen
Da zur Speise bald zu werden,
Sandte mich von meiner Arbeit [73])
Her zu dir; denn nur zu ähnlich
Ist des Daniels Gefahr
Hier der deinen. Eine Grube
War's; auch hier ist eine Grube;
Denn so nennt's ja der Prophet in
Einem Psalm [74]); und achte weiter,
Daß vielleicht ein Jäger lauert
Der verborgen —

Pythonissa.

Wehe mir!

Philippus.

Dich verfolgt.

Behomud.

Sehr möglich ist es;
Denn ich weiß nicht, wohin eben
Hier entschwunden eine Sphinx,
Eine — doch nichts soll mich hindern,
Wiederum zu meiner Frage
Mich zu wenden. Wer denn bist du?

---

[72]) Vergl. Daniel 14, 35.

[73]) „Von meiner Arbeit," d. h. während ich anderswo mit apostolischen Arbeiten beschäftigt war.

[74]) Anspielung auf Psalm 56, 7. „Laqueum paraverunt pedibus meis .... foderunt ante faciem meam foveam."

Philippus.

Ein Gesandter Gottes bin ich.
Doch antworte —

Pythonissa.

Keine Qual
Gleicht der meinen.

Philippus.

Ob du jene
Zeilen, die du las'st, verstanden?

Schomud.

Wie doch könnt' ich sie verstehen,
Wenn ich Keinen finde, der mir,
Was Isaias schrieb, erkläret[75]),
Und, von wem er redet, wenn er
Sagt, daß wie ein Lamm geduldig
Er zur Schlachtbank wird geführet,
Stumm und ohne Widerstreben,
Und, daß die gerechte Strafe,
Die verdiente unsrer Schulden,
Auf ihn fiel, daß frei der Schuld'ge
Blieb, und der Unschuld'ge starb?
Ist der Widerspruch erklärbar?

Pythonissa.

Hier beginnen seine Zweifel,
Angefacht durch meinen Zauber,
Sei's durch ferne Wechselstimme,
Sei's durch der Versuchung Nähe,

---

75) „Philippus sprach: Meinst du auch zu verstehen, was d
Und er sagte: Wie kann ich, wenn mich Niemand unte
Act. 8, 30. 31.

Die nur er allein kann hören [76]).
O wer ihm den Sinn verhärten
Könnte, der ihn so begierig
Führt zur Wahrheit!

Behomud.

Doch beachte,
Wenn ich Zweifel hier erhebe,
Thu' ichs nicht aus Widerspruch,
Nein, um Ruhe nur zu finden.

Philippus.

Nun, bevor du sie erhebest,
Sag' mir, was hat dich bewogen,
Daß du in der weißen Schaar,
Die, da aufgelöst der Hürde
Zaun, dort in Jerusalem
Alle Hügel schneeig färbte,
Als zum Opfer auserlesen,
Mitgebracht ein sanftes Lamm?

Behomud.

Als die Sonne sich verfinstert
Wunderbar und unnatürlich,
Blutig sich der Mond gefärbt,
Als der Himmel sich verwirrte
Und sich seine Axen löſten,
Berge ihren Schooß geöffnet,
Als das Meer des Sandes Grenze
Ungeduldig überfluthet,
Als sich alle Elemente
Trübten und ihr Kreislauf stockte,

…a erkennt es jetzt als ihre Aufgabe, durch geheimnißvolle …ungen den Behomud in seinen Zweifeln zu bestärken und …ifel in ihm hervorzurufen.

Als die Vögel in das Wasser
Floh'n, die Fische in die Luft,
Da geschah es, daß Candace,
Ob auch nie sie ihn vergessen,
Jenes alten Brauch's gedachte,
Der von Saba überliefert
War, ein Lamm zum Paschafeste
Hinzusenden, und da ich
Erster Kämm'rer ihres Reiches
Bin, befahl sie, daß ich selber
Ueberbringer sei.

Philippus.

So wisse,
Daß dies Lamm, das dir zu opfern
Aufgetragen, wohl ein wahres
Bild ist jenes andren Lammes
Das du fandest in dem Buch des
Isaias, und daß Beide
Wieder klare Schattenbilder
Eines Andern, noch geduld'gern.
Die Verwirrung aber, jene
Schreckendrohende Gefahr,
Deren wild empörter Sturm
Wohl den Erdkreis zweifeln lassen
Konnte, ob er noch bestehen,
Oder untergehen werde,
Sie entstand, weil jener Tag
(Wenn die Finsterniß ihm anders
Diesen Namen läßt) es schaute,
Wie, um unsern Tod durch *seinen*
Zu besiegen, starb, gekreuzigt
Christus, Mensch und Gott der Völker
Denn er selbst ist jenes Lamm,
Von dem die Propheten reden.

Pythonissa

(singt, nur Behomud vernehmlich).

Ist Gott er, wie Mensch dann?
Ist Gott er, wie stirbt er?

Behomud

(wiederholend).

Ist Gott er, wie Mensch dann?
Ist Gott er, wie stirbt er?

(Zu Philippus.)

Wohl mit zweifelvollem Satze
Hast die Rede du begonnen.
Meine Nacht willst du erleuchten,
Und das Erste, was du bietest,
Ist ein Gottmensch! Wie doch können
So verschiedne, so getrennte
Wesen, wie ein Gott und Mensch,
Je in Einem sich verbinden?
Und, gesetzt auch, solches Wunder
Wäre möglich, wenn er stirbt,
Kann es anders wohl nicht sein —

Pythonissa

(singt).

Um menschlich zu sterben,
Kann Gott er nicht bleiben.

Behomud

(wiederholend).

Um menschlich zu sterben,
Kann Gott er nicht bleiben!

Philippus.

Daß zusammen sich verbinden
Zwei Naturen, war die Wirkung

Glüh'nder Liebe Gottes, welche
Diese Einigung zur Heilung
Unendlicher Schulden wirkte,
Welche nur sich tilgen lassen
Durch unendliches Erbarmen.
Deshalb stieg des Vaters ew'ges
Wort herab, und nahm die Menschheit
An der Sohn, um nun zu bleiben
Menschgewordner Gott; der reine
Schooß empfing ihn, der's verdiente,
Jener, die, jungfräulich, Mutter
Gottes und des Menschen wurde.

Pythonissa

(singt).

Wie kann sich verbinden
Mit Reinheit Gebären?

Behomud

(wiederholt).

Wie kann sich verbinden
Mit Reinheit Gebären?

Philippus.

Gottes allerhöchste Macht
Hat der auserwählten Jungfrau
Eingeräumt solch' seltnen Vorrang,
Daß jungfräulich sie verbleibe
Vor und während und auch nach
Der Geburt, daß da kein andres,
Als des heil'gen Geistes Wirken
Waltete, der sie umschattet.

Behomud.

Doch, nun sprichst du gar von Dreien,
Denen Anbetung gebühre;

Deun ein jeder dieser Akte
Ist ja doch anbetungswürdig [77])?

Philippus.

Drei Personen sind's, ein einz'ger
Gott nur.

Behomud.

Wie? Halt ein, nicht weiter!

Pythonissa

(singt).

Dreifaltig die Einheit,
Und einzig die Dreiheit?

Behomud

(wiederholend).

Dreifaltig die Einheit
Und einzig die Dreiheit?

Philippus.

Ja; denn einzig ist das Wesen,
Dreifach die Person, und jenes
Wort, das unser sterblich Fleisch
Annahm, hat am Kreuz sein Leben
Freiwillig geopfert.

Pythonissa.

Weh' mir!
Das ist jene Stunde, wo mich
Grauser Schrecken überwältigt [78]).

---

7) Der Sinn ist: die wunderbare Empfängniß der Jungfrau ist ein Akt der Allmacht; mithin, da du sie dem heil. Geiste zuschreibest, muß dieser auch Gott sein.

8) Die Erwähnung des Kreuzes verscheucht die dämonische Pythonissa und hindert sie, noch ferner auf Behomud ihren Einfluß auszuüben.

Schuldbewußt muß ich befürchten,
Daß für meine Zauberschlingen
Harte Strafe nun gekommen.
Ohne Widerstand zu leisten,
Flieh' ich als Verbrecherin.

Ab.

Behomud.

Ueberzeugt durch deine Worte
Bin ich, und es scheint mir wahrlich,
Daß von mir ein dunkler Schatten
Wich, der ohne daß sein Körper
Meine Zweifel waren, nur
Hat bewirkt, daß sie entstanden.
Doch — ein Wunsch noch bleibt mir.

Philippus.

Welcher?

Behomud.

Daß Candace nicht entbehre
Ein so großes Glück, das solch' ein
Neu' und gnadenvoll' Gesetz
Auch zu ihrer Kunde komme.
Denn, bedenk' ich, daß als erster
Der Minister, ich mit also
Wicht'gem Auftrag ward betraut,
Muß ich wünschen, daß mein Glück
Auch in meiner Herrin Glück
Sich verwandle.

Philippus.

Laß solch' edle
Sorge, Behomud, beruhen;
Denn zur selben Zeit, da Gott mich
Hergesandt, dich zu belehren,

Sandt' er zu Candace auch,
Auf dem Siegeswagen fahrend,
Ja den Glauben; triumphirend
Wird er seinen Glanz entfalten,
Und in feierlichem Akte —
Doch, das magst du später hören;
Denk' an Dich nur jetzt, Behomud.

Behomud.

Wenn, was du mir sagst, und was du
Mir verschweigst, ich, dem Berufe
Folgend, glaube, und erkenne,
Daß, wer solchen Lehrer hat,
Ihm wohl trauen darf in dem,
Was er sagt und was verschwiegen
Bleibt, was hielt dich dann noch ab,
Mich in jene sel'ge Heerde
Einzuführen? denn schon bin ich
Ja ein Christ!

Philippus.

Noch nicht; denn siehe
Ob du's auch begehrst, so fehlt doch
Noch das Wichtigste.

Behomud.

Was wär's?

Philippus.

Daß auf's neue du geboren
Wirst.

Behomud.

Soll wiederum ich zweifeln?
Wie kann je, wer schon geboren,
Wiederum geboren werden?

Philippus.

Niemand kann in dieser Gnade
Neu' Gesetz ja eingehn, ohne
Daß er durch der Taufe Pforte
Trete; deshalb sagt die Schrift:
Neu muß man geboren werden.

Behomud.

Was ist Taufe?

Philippus.

Eine kurze
Waschung ist's, die, ob den Körper
Auch nur äußerlich sie trifft,
Doch der Seele unauslöschlich
Einen heiligen Charakter
Einprägt; eine so nothwend'ge
Ceremonie, daß selbst Christus
Ihr sich unterworfen [79]), da er
Die krystall'nen Jordansfluthen
Heiligte, und die Johannes
Jenen Namen einst des Täufers
Gab, als da der ew'ge Vater,
Als der Sohn einst seine Menschheit
Dieser Taufe unterwarf,
Aus dem Himmel seine Stimme
Ließ erschallen: Dieser ist
Mein geliebter Sohn, an dem ich
Wohlgefallen habe.

---

79) Es liegt wohl hier der Gedanke zu Grunde, daß Christus, obgle seinerseits dies nicht bedurft, durch seine Taufe im Jordan andeuten wollen, daß sich Niemand einer Ceremonie entziehen welcher er selbst sich unterworfen.

Behomud.

Sprich, kannst
Du mich taufen?

Philippus.

Ja; ein Diener
Gottes bin ich.

Behomud.

Nun, so zögre
Keinen Augenblick; dort fließt ja
Eine Quelle, klar und rein;
Unter Rosen und Jasmin
Sprudelt ihre Silberfluth.
Das Verlangen, das mich drängt,
Jene Wonne, die ich fühle,
Lehrte sie wohl ohne Zweifel
Ihr so eil'ges, frohes Hüpfen [80]).
Laß uns von der reinsten ihrer
Wellen nun begehren, daß ich —

Philippus.

Doch vorher mußt unterrichtet
Du erst werden, eingeweiht in
Die Geheimnisse und Lehren,
Die du glauben sollst und halten.
An den grünen, blumenreichen
Ufern hier will, eh' zum sel'gen
Wasser du gelangst, ich sorgen
Daß dir nichts verborgen bleibe.

Die glückliche Bestimmung dieser Quelle gleichsam vorausahnend, hat sie Behomud schon oben (S. 69) mit allem Schmuck der lieblichsten Poesie geschildert.

Behomud.

Vögel, Berge, Himmel, Meere,
Flüsse, Thiere, Menschen, Fische,
Freut euch mit mir, denn kein Glück
Gleicht dem meinen [81])!

Die **Beiden** entfernen sich. Der **Teufel** und **Pythonissa** treten von verschiedenen Seiten auf.

Teufel und Pythonissa.

Und kein Unglück
Kann es geben, das dem meinen
(Weh mir! wehe!) zu vergleichen!

Pythonissa.

Lucifer?

Teufel.

Du, Pythonissa?

Beide.

Du hier? ist's wahr?

Teufel.

Die Stimme, Pythonissa,
Der Tritte zitternd Beben,
Dein furchtsam Wesen, ohne alles Leben,
Es sagt mir, daß, wie deiner Stimme Macht,
Auch deine Schönheit Unglück dir gebracht!

Pythonissa.

Mir sagt's, daß du desgleichen
Des Unglücks Gipfel scheinest zu erreichen.

---

81) Zu diesem Entzücken des Behomud bildet einen meisterhaften Gegensatz die nun folgende Scene, in welcher der Teufel und Pythonissa die gerade entgegengesetzten Gefühle des tiefsten Schreckens, der getäuschten Hoffnung und der Furcht vor dem, was kommen wird, offenbaren.

Was hat dich fortgetrieben
Denn von Jerusalem, wo du geblieben,
Wo deine Wolfsnatur
Verfolgen wollte jenes Lammes Spur,
Deß' Bild die Seele mir erfüllt mit Schrecken,
Weil's mich ein drohend Zeichen läßt entdecken
Von dem Gesetz der Gnade?

Teufel.

Ha, sein Glanz
Ward um so heller nur und hat sich ganz
(Ich sterbe schier vor Aerger, denk' ich dran)
Ergossen in Jerusalem; er kann,
So fürcht' ich, geht die neue Sonne auf
Dies neuen Tag's, den Lauf
Des Lichtes weiter tragen;
Im dunklen Aethiopien kann es tagen.
Drum bin ich hier, da schon so schlimm es steht,
Um zu verhindern, daß —

Pythonissa.

Du kommst zu spät.
Denn in Aethiopien schon wird es helle.
Schau dorthin, und betrachte jene Quelle,
Wo jetzt Philippus aus des Wassers Fall
Den ersten Altar weihet von Krystall

(Nach Innen blickend.)

Und mit dem Zeichen, das ihm immer bleibt,
Behomud schon der Heerde einverleibt!

Teufel.

Was seh' ich? Wuth und Schrecken
Erstickt mich.

Pythonissa.

Stummen Zorn nur kann's mir wecken.

Teufel.

Und der Vulkan nicht nur in eigner Brust
Erschreckt mich; andrer Zorn noch!

Pythonissa.

Ja, bewußt
Werd' ich mir schlimm'rer Ahnung!

Beide.

Unerträglich —

Teufel.

Ist der Gedanke —

Pythonissa.

Daß vielleicht es möglich —

Beide
(in höchster Aufregung).

Daß unsre Schulden Strafe nun empfangen,
Und, wer's vermag, dann spräch' —

Der Engel tritt auf.

Engel.

Gebt euch gefangen!

Teufel.

Beben faßt mich und Entsetzen!

Pythonissa.

Mich durchzittert Angst und Schauer!
Wer bist du, der uns gefangen
Nimmt?

Engel.

Der dazu Macht besitzt.
Denn des Glaubens Diener bin ich [82]),
Einer, der in seinem Schlosse,
Seines innigsten Vertrauens
Edles und erhabnes Vorrecht
Hat genossen; die Beweise
Trag ich hier auf meiner Brust
In dem schwarz und weißen Wappen
Seines heiligen Officiums
Der Inquisition; — doch kommt;
Mehr euch noch zu sagen, ist nicht
Nöthig.

Beide.

Welch' Verbrechen legt man
Uns zur Last, das dich zu solchem
Vorgehn nöthigt?

Engel.

Das zu hören,
Ist nicht hier der Ort; dafür
Hat der Glaube Tribunale.
Seht in euer eignes Herz,
Ob ihr schuldig seid; in ihm
Könnt ihr bessre Antwort finden,
Als ich geben kann; mein Amt ist
Nur euch zu ergreifen.

Beide.

Fruchtlos
Ist hier Widerstand.

ubens Diener." Der Engel erscheint hier in der Form eines eners der Inquisition, um die Schuldigen im Namen des zu verhaften.

Teufel.

Denn meine
Schwäche —

Pythonissa.

Mein ohnmächtig Streben —

Teufel.

Weiß nur —

Pythonissa.

Ist nur fähig hier —

Beide.

Feige Ohnmacht zu bekunden.

Engel.

Folgt mir, Unglücksel'ge, nun
Dorthin, wo Gefährten meines
Amts schon ähnliche Verbrecher [83])
Eingekerkert, daß auf größrem
Schauplatz nun der Erdkreis schaue
Den erhabensten Triumph,
Welcher je des Glaubens weißen
Schleier hat gelüftet. Schon
Tönen, um es anzukünden,
Siegeshymnen uns entgegen.

Musik

(hinter der Scene).

Eilt, ihr Sterblichen, herbei
Zum größten Triumphe,
Zum seltensten Feste,
Das siegreich der Glaube auf Erden gefeiert!

---

83) Das Judenthum nämlich und das Heidenthum. (Siehe unte

Laßt eilen die Tage,
Laßt fliegen die Winde!
Eilt herbei auf unsern Ruf!

Teufel.

Das noch? O mein wilder Zorn!

Pythonissa.

Das noch? Unerhörte Qual!

Engel.

Kommt! Schon nahet sich der Jubel
Und erneuert sich das Lied.

Teufel.

Ob die Stimmen es auch singen —

Pythonissa.

Ob's das Echo wiederhole —

Teufel.

Solchen Hymnus —

Pythonissa.

Den Gesang —

Beide.

Werd' ich nie mit ihnen singen.

Musik.

Eilt, ihr Sterblichen, herbei ꝛc. wie oben.

Sie entfernen sich. Behomud und Philippus treten auf.

Behomud.

Kaum, ehrwürd'ger Diener Gottes,
Seh' ich mich von meinen Schulden

Nun gereinigt, als ein Glied
Jener heilgen Heerde Christi,
Hör' ich schon, wie jene Stimmen
Dort mit ihren Jubeltönen
Glück mir wünschen.

Die Sorge tritt auf.

Sorge.

Frohe Kunde
Bring' ich, Herr! denn kaum erfuhr,
Daß du unterwegs, Candace,
Ließ sie ihre Freude deine
Ankunft nicht erwarten; schon
Kommt sie selber dir entgegen
Mit dem ganzen Hofgepränge
Ihres Throns.

Behomud.

So laß uns eilig
Sie empfangen.

Philippus.

Ueberflüssig
Ist's, daß hier noch wir beflügeln
Unsre Schritte, denn schon hört man
Festliche Musik erschallen,
Jubelhymnen laut ertönen,
Und das Echo wiederholt die
Melodie.

Pauken und Trompeten und Musik hinter der Scene.

Musik.

Candace lebe!
Die in Aethiopiens Reiche
Aufnimmt das Gesetz der Gnade,
Dessen Bild das Lamm gewesen,

Das Behomud in den Tempel
Nach Jerusalem gebracht.
Beide mögen leben, leben
Immerdar.

Candace tritt auf mit ihrem Gefolge.

Behomud.

Zu deinen Füßen
Eil' ich!

Candace.

Komm in meine Arme
Lieber!

Behomud.

Glücklich, doppelt glücklich
Kehr' ich wieder, denn ich komme
Nicht nur mit der neuen Gnade
Eines neuen Cultes, welcher
Zu unblut'gem Holokaust
Ueberging von blut'gen Opfern,
Deren letztes in dem Alten
War des Lamm's Symbol, das du
Nach Jerusalem gesendet.
Dafür stell' ich dir als Zeugen
Den ehrwürd'gen Greis hier vor.
Doppelt glücklich, wiederhol' ich,
Komm ich an; denn neugeboren
Gänzlich nicht nur leg' ich selbst mich
Dir zu Füßen, sondern seh' auch,
Daß zur selben Zeit, die mir mein
Glück gebracht, auch du mit deinem
Ganzen Reiche es gewonnen.

Candace.

Ja, mit Recht brauchst du den Namen
Glück hier, wenn ich daran denke

(Was durch eines heil'gen Spruches
Ansehn auch bestätigt wird,)
Daß das größte Glück der Reiche
Ist des Glaubens kostbar Gut.

Behomud.

Wisse denn —

Candace.

Erzähle nichts,
Denn die Schatten eines Traumes
Sagten mir, was dir begegnet
In Jerusalem. Ich selber
Bin im Glauben unterrichtet
Schon und fest in ihm gegründet,
Und er findet sich so wohl bei
Mir, daß ich beschlossen habe,
Als ein Zeichen dieser unsrer
Wechselseit'gen Freundschaft, heute
Einen Akt zu feiern, worin,
Während ich den Schutz gewähre,
Er Gerechtigkeit und Milde
Uebt, ich (trotz des dichten Schleiers
Der der Zukunft Zeit verhüllt)
Eines andren Abbild schaue,
Den in einem gläub'gen Reich einst
Ein katholischer Monarch,
Der ein zweites Himmelslicht,
Feiern wird, wenn's dann ersprießlich
Ist [84]).

Der Engel schwebt singend über die Bühne.

---

84) Die nun folgende Gerichtsscene soll das Vorbild jener Autos-d
sein, welche zur Verherrlichung des Glaubens einst die Könige
Spanien feiern werden.

Engel.

(singt).

Nun schweiget Alle, schweiget!
Hört die Kunde an und schweiget!
Alle sollen wissen, welche
In dem großen Reiche leben,
Das des Orientes Sonne
Grüßt mit süßem Morgenlied,
Daß der Glaube dieses neuen
Gnadenbundes hat beschlossen
Einen feierlichen Reichstag
Jetzt an seinem Hof zu halten,
Daß ein allgemein Gericht
Alle Schuldigen nun treffe.
Solches läßt er laut verkünden,
Daß es Allen sei bekannt.
Hört die Kunde an und schweiget!

Ab

Candace.

Glücklich Reich! das solch' erhabnes
Privilegium genießt,
Nun zu schauen, wie, da wieder
Ihre alten Rechte brauchen
Allegorische Materien
Und phantastische Mysterien,
Zeiten ihren Lauf nun kürzen
Und der Unterschied verschwindet
Zwischen Ursach' hier und Wirkung.
Und da auf dem Siegeswagen

(nach Innen blickend.)

Dort der Glaube schon erscheint,
Sternenglanz um sich verbreitend,
Und im Jubelton das Echo
Den Gesang nun wiederholt:

Sie und Musik.

Eilt, ihr Sterblichen, herbei
Zum größten Triumphe,
Zum seltensten Feste,
Das siegreich der Glaube auf Erden gefeiert!

Behomud.

Eilen wir, ihn zu empfangen!

Philippus
(indem er ihm die Fahne übergiebt).

Nimm du selbst das hehre Banner
Nun des Glaubens in die Hand,
Das dem heil'gen Holz des Kreuzes
Hoffnungsvoll vorangetragen
Wird.

Behomud.

Zur höchsten Ehre rechn' ich's
Mir, von allen die ich habe.

Candace.

Seht, schon kommt er; unsre Stimmen
Laßt mit ihrem Lied sich mischen!

Musik.

Eilt ihr Sterblichen u. s. w.

Während dieses Gesanges betritt der feierliche Zug die Bühne. Voran schreitet der **Engel** mit dem Stabe und dem Kreuz der Inquisition. Auf einem Triumphwagen, welcher gezogen wird von dem **Römervolk**, dem **Judenvolk**, dem **Teufel** und der **Pythonissa**, erscheint der **Glaube**, welcher ein großes mit einem schwarzen Schleier verhülltes Kreuz in der Hand hält [85]). Wenn dasselbe später enthüllt wird, erscheint in seiner Mitte ein Kelch mit der Hostie. Unter dem Gefolge befindet sich auch die **Nachläßigkeit**.

Candace.

Sei gegrüßt, du holder Glanz!

---

85) Bei den Hinrichtungen der Inquisition wurde ein wie in der Charwoche verhülltes Kreuz vorangetragen.

Behomud.

Sei gegrüßt, du strahlend Licht!

Philippus.

Sei gegrüßt, der Glorie Pforte!

Alle Drei.

Dein Geheimniß feire jubelnd
Mit Blumen die Erde,
Mit Sternen der Himmel!

Candace.

Heil dir, Centrum des Gesetzes!

Behomud.

Heil dir, Hilfe aller Uebel!

Philippus.

Heil dir, Quelle alles Lichtes!

Alle Drei.

Dein Gedächtniß feire jubelnd
Mit Silber der Mond,
Mit Goldglanz die Sonne!

Teufel.

Dieses muß mein Stolz erdulden!

Pythonissa.

Meine Wuth muß das ertragen!

Judenvolk.

Diese Schmach muß ich erleben!

Römervolk.

Thöricht war ich; ich bekenn' es!

Nachläßigkeit.

Sollt' man's glauben, daß den Grund selbst
Meines Hiersein's ich vergessen?

Glaube.

Nichts verzögre den Triumph des
Sieg's nun über meine Feinde.

Behomud
(Zu Candace).

Deinen Sitz nimm' ein, o Herrin!

Candace.

Dieser ist's, der hier sich ziemet
In solch hoher Gegenwart,
Die der Ehrfurcht Opfer heischt [86]).

Teufel.

Wuth verzehrt mich.

Pythonissa.

Angst erstickt mich!

Judenvolk.

Fest auf meinem Sinn beharrend
Will ich sterben.

Römervolk.

Daß ich fehlte
Fühl' ich wohl und seh' ich ein.

Candace.

Worauf wartet man?

---

86) Die Königin bleibt zur Seite stehen und überläßt den Ehrenplatz dem Glauben.

Philippus.

Daß du
Nun den vorgeschriebnen Eid
Auf das Buch jetzt des Gesetzes
Und auf's heil'ge Holz des Kreuzes
Ablegst.

Candace.

Wohl, ich bin bereit.

Man legt vor die Königin ein Evangelienbuch und ein Crucifix.

Philippus.

Schwörst du, daß zu allen Zeiten
Als katholische Monarchin
Du der heil'gen Religion
Rechte standhaft willst vertheid'gen,
Daß du alle ihre Feinde
Willst bekämpfen und verfolgen [87])?

Candace.

Ja ich schwör' es und versprech' es
Auf mein königliches Wort.

Philippus.

Glück wird's dir und Segen bringen
Und ausbreiten wird der Herr
Deines edlen Stammes Samen
Wie den Sand am Meeresufer
Wie der Sterne Heer am Himmel.

Die Schuldigen werden auf eine Seite gestellt und nacheinander vorgeführt.

Bei der Krönung der Könige wird nach dem kathol. Ritual ein ähn-
icher Eid von ihnen abgelegt. Wahrscheinlich gehörte die Ablegung
esselben auch zu den Formalitäten der feierlichen Gerichtssitzungen
er Inquisition.

Glaube.

So beginnet.

Engel.

Dies hier ist
Pythonissa, die mit böser
Zaubermacht und der Beschwörung
Abergläub'schen Mitteln an dem
Freien Willen hat gefrevelt.

Pythonissa.

Ja ich that's und nicht bereu' ich's.

Glaube.

Oeffentliche Schande treff' die
Schuld'ge; werfet sie ins Feuer.

Philippus.

Dies ist Lucifer, der Feind,
Der auf des geheimnißvollen
Weizen's Acker Unkraut sä'te,
Welches aufwuchs bis des Himmels
Göttlicher Familienvater,
Seiner Bosheit Schranken setzend,
Es in Bündel sammeln ließ,
Und dem Feuer übergeben.
Dieser ist's, der in dem Fell' des
Wolfs das Lamm zu tödten suchte,
Das zum Opfer ward gesendet.

Teufel.

Ja ich that's und nicht bereu' ich's.

Glaube.

Seiner eigenen Verzweiflung
Flammen werd' er übergeben.

Engel.

Dies hier ist das Judenthum,
Das undankbar und verräth'risch
Hat verfälscht den Sinn der Rechnung
Jener Zeiten, welche Daniel
Angekündigt [88]), und das Leben
Seinem Gott nahm, nicht erkennend
Daß er der verheißne Retter
War, der um sein Volk zu heilen,
Niederstieg vom Schooß des Vaters.

Judenvolk.

Ja, 's ist Wahrheit; müßt' ich auch
Tausend Leben lassen, würd' ich's
Nicht bereuen [89]).

Glaube.

Gotteslästrer
Schweige; stopfet ihm den Mund.
Unverbesserlich, verstockt
Sterb' er nun den Flammentod,
Mit Verluste aller seiner
Güter und Verlassenschaft.

Philippus.

Hier das Heidenthum, das blind
Falschen Göttern hat gedient,
Gold und Silber, Kupfer, Eisen
Betet' es in seinen Götzen
An; hier steht es, schuldbewußt.

D. h. welches die deutlich von Daniel bezeichnete Zeit der Ankunft des Messias durch eigne Schuld nicht erkennen wollte.
Das Judenthum erscheint, seinem Charakter gemäß, als der Verstockteste unter den Schuldigen.

Römervolk.

Wahrheit ist's, doch ich bereu' es,
Und beweine meine Blindheit.
Zum Beweise stütz' ich mich
Darauf, daß, als ich so blind
War, in meinem irr'gen Eifer
Den erstarrten Körper jenes
Unschuld'gen Gottmenschen damals
Zu verwunden, doch erleuchtet
Plötzlich meine Stimme rief:
„Dieser Mensch war Gottes Sohn [90])!"
Und ich glaub' es und bekenn' es.

Glaube.

In des neu'n Gesetzes Schooß
Sei es aufgenommen, mit dem
Privilegium, daß ihm jener
Weinberg und die andren Güter,
Die man confiscirt dem Juden,
Nun als Eigenthum verbleiben [91]).

Teufel und Pythonissa.

Wuth verzehrt mich!

Judenvolk.

Qual erdrückt mich!

Engel.

Dieses ist Nachläßigkeit,
Wegen leichterer Vergehen
Angeklagt.

---

90) Vergl. oben Anm. 15.

91) Reue und Widerruf genügten bei dem Inquisitionsgericht stets, um die Schuldigen von aller Strafe zu befreien. — Das Heidenthum wird zum Erben des dem Judenthum confiscirten Weinberges eingesetzt um anzudeuten, daß die Heiden in jene Erbschaft der Erlösung eintraten, welche die Juden durch ihre Schuld verloren.

Nachläßigkeit.

Ja, alle, der ich
Mich erinnre, die bereu' ich!

Glaube.

Möge sie's beeiden.

Nachläßigkeit.

Ja,
Doch muß ich mich erst erinnern.

Glaube.

Fehlt noch Jemand?

Engel.

Niemand fehlt mehr.

Candace, Philippus und Behomud.

Nach so wunderbarem Akte
Möge wiederum das Lied
Neu im Echo wiederhallen:

Musik.

Eilt ihr Sterblichen herbei u. s. w.

Glaube.

Da zum Abschluß nun gekommen
Dieser höchste Richterakt,
Dem in künft'gen Zeiten einst
Wird ein andrer gleichen, welchen
Des erhabensten Monarchen
Glaube üben wird und feiern,
Und die Ceremonien alle

Nun erfüllt, so will zur letzten
Ich und wichtigsten jetzt schreiten
Und des Kreuzes Schleier lüften [92]).

Die Verhüllung des Kreuzes fällt, und man erblickt den Kelch mit der Hostie.

Philippus.

Dieses heil'ge Holz es war
Der Altar, auf dem geopfert
Ward des sanften Lammes Leben,
Da vorher es hinterlassen
Seinen Leib im Sakramente
In der Nacht des Abendmahles
Als Arznei für alle Uebel.

Glaube.

In der Hostie, in dem Kelche
Giebt er uns sein Fleisch und Blut,
Dieses Wunder aller Wunder
Dies verborgenste Geheimniß.

Philippus
(zu Candace).

Da das Lamm nun, das du sandtest
Gläubig nach Jerusalem,
(zu Behomud.)
Und da jenes, das du fandest
Im Propheten Isaias,
Dieser Hostie, die du schauest
Bilder waren, laßt uns, preisend
Solch' erhabnes Sakrament
Alle sprechen —

Candace.

Hohes Glück!

---

92) Nachdem das Urtheil vollstreckt war, wurde das vorher verhüllte K
entschleiert.

Behomud.

Süße Freude!

Römervolk.

Sel'ger Trost!

Pythonissa.

O Vernichtung!

Teufel.

Tod!

Judenthum.

Verzweiflung!

Philippus.

In Anbetung hingeworfen:

Alle und Musik.

Eilt', ihr Sterblichen, herbei,
Zum größten Triumphe
Zum seltensten Feste,
Das siegreich der Glaube auf Erden gefeiert.
Laßt eilen die Tage,
Laßt fliegen die Winde!
Sein Geheimniß feire jubelnd
Mit Blumen die Erde,
Mit Sternen der Himmel!
Mit Silber der Mond,
Mit Goldglanz die Sonne!

Druck von Robert Nischkowsky in Breslau.

Die Aehren der Ruth.

Erläuternde Vorbemerkungen.

Die Aehren der Ruth (las espigas de Ruth) reihen sich würdig den anderen zahlreichen Darstellungen aus dem alten Testamente an, welche Calderon zum Stoff seiner Autos gewählt und in typisch-allegorischer Behandlung zur Verherrlichung der Eucharistie benützt hat. Ruth, die Aehrensammlerin auf den Feldern Bethlehems — durch ihre Vermählung mit Booz Stammmutter des Erlösers dem Fleische nach geworden und von den Vätern oft als ein Typus der Gottesgebärerin betrachtet — welch' geeigneter Stoff für eine Dichtung von solcher Art, und welch' natürliche Aufforderung zu den tiefsinnigsten Verknüpfungen mit anderen Typen, welche mit der geheimnißvollen Bedeutung der Weizenähre zusammenhängen! Die einfache und rührende Idylle, welche die heil. Schrift in der Geschichte der Ruth darbietet und die dennoch, trotz ihres episodischen Charakters, von der größten Wichtigkeit und Bedeutsamkeit in der Geschichte der göttlichen Vorbereitung des Erlösungswerkes ist, bietet dem Dichter reichliche Gelegenheit zu Entfaltung einer lieblichen und launigen Hirtenpoesie, welche natürlich unter seiner Feder einen spezifisch spanischen Charakter erhält. In diesen einfachen historischen Faden webt er aber, gleichsam als Einschlag, einerseits die großartigen vier Typen der verschiedenen Entwicklungsphasen der Weizenähre ein, welche in den Bildern des Säemanns, des die Erstlingsfrüchte opfernden Priesters, des Getreide spendenden Joseph und des Brod opfernden Melchisedech erscheinen, und andererseits die dämonischen Verfolgungen, denen die Entwicklung der Aehre auf dem Felde der Welt durch das Säen des Unkrautes und durch alle Hemmnisse eines gedeihlichen Wachsthumes ausgesetzt ist.

Die historischen Hauptpersonen des Booz, der Ruth und der Noëmi erhalten (wie gewöhnlich) zugleich einen allegorischen, durch ihre typische Bedeutung bedingten Charakter, indem der erstere Gott den Herrn, den himmlischen Familienvater, Ruth die Gnade und Noëmi die von jener unterstützte, durch die Sünde geschwächte menschliche Natur darstellt. Dabei tritt aber überall auch Ruth als Typus Marias, der an Gnade Vollen, in den Vordergrund. Unter dem als Beiwerk zugegebenen Hirtenpersonal vertreten Zafio[1]) und Zelpha das komische Element. Lucifer und die Zwietracht umschwärmen ebenso, wie in vielen anderen Autos, die Handlung als ohnmächtige, zuletzt elend unterliegende Feinde. — Das Auto kam in Madrid zuerst zur Aufführung und scheint, aus inneren Gründen, der letzten Lebensepoche des Dichters anzugehören.

---

1) Der Name bedeutet wörtlich: grob, ungeschliffen.

Die Aehren der Ruth.

Personen:

Booz.
Levi (Verwalter).
Simeon (Schnitter).
Zafio, Bauer.
Zelpha, Bäuerin.
Ruth.
Noemi.
Der Säemann.
Lucifer.
Die Zwietracht.
Abraham.
Melchisedech.
Joseph.
Ein Engel.
Ein Priester.
Ein Knabe.
Ein Mädchen.
Zwei Schnitter.
Zwei Arbeiter.
Zwei Landleute.
Musik.

---

sik und fröhlicher Gesang von Landleuten hinter der Scene. Während desselben tritt **Lucifer** horchend auf und hinter ihm die **Zwietracht**, ihn beobachtend.

Musik.

Holdes Morgenroth, in dem
Unsre Mühen sich erquicken,
Komm', vergolde mit den Blicken
Feld und Aehr'n in Bethlehem!

Lucifer.

„Holdes Morgenroth, in dem
Unsre Mühen sich erquicken,
Komm', vergolde mit den Blicken
Feld und Aehr'n in Bethlehem?"
O hätt' niemals ich gehört
Diese Töne, den Gesang;
Hätte solchen Liedes Klang
Niemals mich der Wind gelehrt!

Meine Ruhe hast gestört
Echo du, mit deinen Tücken;
Schwere Angst will mich bedrücken,
Wenn die Laute ich vernehm':

Er und Musik.

Holdes Morgenroth, in dem
Unsre Mühen sich erquicken!

Lucifer.

Rufen doch die Morgenröthe,
Jene reine, klare, schöne,
Dort die Hirten, wie ich wähne,
Daß erquickend hin sie wehte
Auf die Arbeit, wenn die Beete
Sie vergoldet, wo zu seh'n
Schon die erste Frucht. O wem
Das zu stören könnte glücken!

Er und Musik.

Komm', vergolde mit den Blicken
Feld und Aehr'n in Bethlehem!

Lucifer.

Nicht genügte jener Schrecken,
Feindlich Echo! mit dem Aehren
Immer mein Gehör beschweren,
Weizenähren gar! Entdecken
Muß ich noch, wie sich erstrecken,
(Was noch mehr mir unbequem),
Auf des Morgenroth's Erblicken
Deine Worte. Muß sich's schicken,
Daß ich Doppelschau'r vernehm'[1])?

---

[1]) Aehren und Morgenroth sind zwei Gegenstände des Schreck
für Lucifer, weil er in dunklem Vorgefühl in den ersteren die Mat
der Eucharistie und in der letzteren ein Bild Marias ahnet.

Er und Musik.

Komm', vergolde mit den Blicken
Feld und Aehr'n in Bethlehem!

Lucifer

(die Zwietracht erblickend).

Doch, wer folgt da meinem Schatten?
Wer konnt', hier belauschend mich,
Meine Klagen hören?

Zwietracht

(hervortretend).

Ich.

Lucifer.

Zwietracht?

Zwietracht.

Sieht sie dich ermatten,
Kann mit dir sie wohl sich gatten,
Hörst du, was dir unbequem:

Sie und Musik.

Holdes Morgenroth! in dem
Unsre Mühen sich erquicken,
Komm', vergolde mit den Blicken
Feld und Aehr'n in Bethlehem.

Zwietracht.

Und, da ja die Zwietracht stets
Dir, o Lucifer des Abends,
Steht zur Seite (— diesen Namen
Gab dir Isaias[2]), weil er

---

[2]) Vergl. Isaias 14, 12. „Quomodo cecidisti de coelo Lucifer etc."

Sah', daß du mit schwankem Urtheil
Und verfinsterten Gedanken
In zwieträcht'gen Conjekturen
Immer mit dir selber kämpfest —)
Weshalb nimmt's dich Wunder, daß sie
Jetzt dir folgt? Ich schlich dir nach
Ahnend hier Illusionen,
Die ich nicht versteh', noch fasse.
Rede offen mit mir, ruhe
In mir aus; es kann vielleicht
Mein Ingenium, immer listig,
Voll Spitzfindigkeit und Schlauheit
(Denn des Unglücksel'gen Gabe
Ist's, den Kummer stets zu nähren)
Gründe deinem Zorne bieten,
Den zu heilen doch unmöglich!

Lucifer.

Zwietracht, sieh', so oft ich stoße
In dem Buch der Schrift auf's Wort
Saame, fall' ich unwillkürlich
In geheimnißvolles Brüten.
Und nicht ohne Grund. Warum denn
Ist ein jeder, wenn er aufgeht,
Ein für Gott so angenehmes
Opfer [3])? Sehn wir nicht die Stämme
Jenem priesterlichen Stamme
Levi's, als ererbtes Lehn,
Als geheiligten Tribut,
Erstlingsfrucht und Zehnten geben?
Laß vorläufig überschlagen
Jenes Blatt uns, daß das Echo

---

[3]) Anspielung auf die im mosaischen Gesetze gebotenen Opfer der Erstlingsfrüchte.

Jener bäurischen Gesänge,
Jener wilden Harmonien,
Hier den Samen mit Aurora
In Verbindung bringt; ich will nicht
Beide Schrecken hier vermischen.
Drum für jetzt bleib' unberührt,
Was sie von Aurora sangen.
Wend' mich zu dem Saamen wieder.
Kaum, o Zwietracht (wiederhol' ich
Nochmals) hör' ich dieses Wort,
Glaub' ich auch in jeder Granne
Ein Geheimniß zu entdecken;
Jedes Korn scheint mir ein Wunder,
Jede Aehre ein Mysterium!
Und so wird für mich dann dieser
Ganze heilige Context
Wen'ger nicht, als eine Erndte
Gottes, und bemerkend, wie
Bei der Erndte stets dem Weizen
Als dem edelsten und ersten
Nahrungsmittel alle andern
Körner als Vasallen huld'gen,
Seine Herrschaft festlich ehrend,
Kam ich, weiter grübelnd, drauf,
Ob vielleicht er in sich schließe
Irgend ein Geheimniß Gottes.
Und ich fand da in der Zeit,
In den vieren ihrer Alter,
Traun! vier Orte, ach! in deren
Weitem Meere der Verwirrung
Ich selbst, ha! mich ganz verliere.
Und der erste ist — doch warte,
Denn, da wen'ger klar die Ohren
Hören, als die Augen schauen,
Will ich, Zwietracht, nicht allein dich's

Hören lassen, sondern schauen
Sollst du's; meine Zauberkünste
Kann ich ja für dich auch brauchen,
Wie ich einst für Saul sie brauchte,
Als im todten Samuel
Ich geredet; drum auf Schatten,
Magst du jetzt gefaßt dich machen [4]).
Doch dabei ist zu beachten,
Daß ich hier an Zeit und Orte
Mich nicht kehre, denn es giebt ja,
Wo Allegorie die Herrschaft
Führet, weder Zeit noch Ort;
Und besonders, wenn's ersprießlich
Für die Ordnung der Ideen,
Daß das Spätere dem Früher'n
Im Discurs voran sich stelle.
Da ich solche Freiheit nun
Zum Prinzipe hier erhebe,
Geh'n wir gleich drum zur Parabel
In dem Evangelium über,
Die (als erste Zeitepoche
Jenes Weizens, dem die andren
Jener vier erst später folgen)
Hier auch erstes Fundament [5]).
Schau auf jenes Feld. Was siehst du?

Man erblickt im Hintergrunde der Bühne ein weites Ackerfeld und auf demselben den Säemann in Bauerntracht, den Samen streuend.

---

4) Der Sinn ist: Wie ich einst dem Saul, als er die Zauberin von Endo befragte, den Schatten des Samuel hervorzauberte, so werde ich jetz die folgenden Schattenbilder durch meine Künste erwecken.

5) Die Schattenbilder folgen nicht in historischer Ordnung aufeinander sondern im Verhältniß ihrer Beziehung zur allmählichen Entwicklun des Weizenkornes. Deshalb erscheint das Bild der Parabel vom Säe mann, welches dem neuen Testamente entnommen ist, zuerst, und da älteste der alttestamentalischen Bilder, welches in Melchisedech da letzte Resultat der Aussaat, das Brod, zeigt, zuletzt.

Zwietracht.

Einen weiten Acker schau' ich,
Für den Samen vorbereitet;
Und durch seine Furchen schreitet
Eines Sämanns göttlich Bild,
Der ihn durch die Lüfte streuet,
Und in süßer Melodie
Singend dort sein Werk verrichtet.

Säemann

(singt).

Fruchtbare Erde, den himmlischen Samen
Trinkest als Thau du in Bechern von Blumen,
Wenn ich ihn streue auf dich, und ihn trocknen
Thränen Auroras und Morgenroth's Lächeln.

(sprechend:)

Vertrauend auf Gott übergeb' ich dies Korn
Nun deinem gesegneten, fruchtbaren Schooße.
Wehe dir aber, wenn, üppige Erde,
Mit unnützem Unkraute du ihn vermiengest!
Wehe dir, wenn du, unfruchtbar und hart,
Auf felsige Herzen ihn säen mich lässest!
Wehe dir, wenn auf den Weg du ihn schleuderst,
Daß er zertreten sich nicht kann vermehren!
Doch, Heil dir, glücksel'ge, wenn, fruchtbar und gut,
Du ihn, voller Gnade, im Schooße dann birgest!
Denn nicht hundertfältig nur wird er sich mehren;
Das Hundert wird Tausend um Tausend dir geben.
Du wirst es; im Namen ja Gottes des Herren
Hier streu' ich ihn aus und vertrau' ich ihn dir.
So mögen ihn also vom Himmel bethauen
Thränen Auroras und Morgenroth's Lächeln.

Der Säemann und das Ackerfeld verschwindet.

Lucifer.

Nun, was sah'st du?

Zwietracht.

Sah' den Säemann
Hier mit Erd' und Himmel reden,
In den Wind den Samen wohl,
Doch nicht seine Hoffnung streuen.

Lucifer.

Also zeigt uns die Parabel
Hier den Weizen schon gesä't.
Aufgegangen mag ihn nun
Der Leviticus uns zeigen.
Was gewahrst du jetzt, dort drüben?

Auf der anderen Seite der Bühne wird ein Priester sichtbar, an der Pforte des Tempels stehe
Vor ihm knieen zwei Landleute, jeder mit einem Bündel Aehren in der Hand.

Zwietracht.

Bauern seh' ich dort, die fröhlich
Und andächtig, fromme Hymnen,
In ländlichen Weisen singend,
An des Tempels Pforte kommen.
Einen alten Priester seh' ich
Mild und freundlich sie empfangen,
Und vom Boden sie erheben,
Während sie sich niederwerfen
Und die Garben ihrer Aehren
Ueberreichen [6]).

Lucifer.

Laß' uns hören,
Was in diesem zweiten Alter

---

6) Die Scene gründet sich auf das Gebot im Leviticus 23, 10—1
„Wenn ihr in das Land kommet, das ich euch gebe, und ihr die Sa
schneidet, so sollt ihr Garben von Aehren, die Erstlinge eurer Ernd
zum Priester bringen. Dieser soll die Garbe heben vor dem Her
am anderen Tage nach dem Sabbat und sie heiligen, daß sie für eu
wohlgefällig sei."

Dir des Opfers Pflicht dort zeigt,
Eine Ceremonie, welche
Sehr mein Unbehagen steigert.

Die beiden Landleute

(singen).

Die Erstlinge hier dieser frühesten Früchte,
Die unsere Arbeit im Feld uns getragen,
Wir geben sie, da wir als gnädige Gabe
Von Gott sie empfangen, auch Gott nun zurück.
Empfange für Ihn dieses Opfer, nicht deshalb
Allein, weil gesetzlich ein solcher Tribut;
Nein weil des Gesetzes Verpflichtung begleitet
Des eigenen Herzens freiwilliger Drang.

Der **Priester** nimmt die Garben in Empfang und hebt sie gen Himmel empor.

Priester.

Im Namen des Herren empfang' ich die Gabe;
Und bringe in seinem, in meinem und euren,
Damit wir andächtig nun Alle erfüllen,
Was hier des Leviticus Vorschrift geboten,
Dem Herren sie dar, mit erhobenen Händen
Zum Himmel sie hebend nach heiliger Sitte.
Im Namen nun deiner Geschöpfe, o Herr,
Empfange das Opfer, das selbst du gegeben.

Alle Drei

(singen).

Empfange o Herr dieses Opfer, nicht deshalb
Allein, weil gesetzlich ein solcher Tribut;
Nein, weil des Gesetzes Verpflichtung begleitet
Des eigenen Herzens freiwilliger Drang.

Die Erscheinung des **Priesters** und der Landleute verschwindet.

Lucifer.

Nun entschwinde dieses Licht;
Schatten wag' ich nicht zu sagen;

Denn ich weiß nicht, was sich birgt
In so tief geheimnißreichem
Brauche, daß der Priester dort,
Für sich und für's Volk so betend
Die Aufopfrung vornimmt, welche
Immer mich so zittern macht [7]).

Zwietracht.

Nun so laß uns, um den Eindruck
Zu verlöschen, übergehen
Jetzt zum dritten jener Alter,
Da den Weizen wir gesä't schon
Und geschnitten sahen.

Lucifer.

Was,
Zwietracht, muß nun also folgen?

Zwietracht.

Wohl das Sammeln in die Scheuern.

Lucifer.

Auch für dieses Sammeln giebt's,
Denk' ich, wie dort für's Erheben,
Bilder. Laß uns übergehen —

Zwietracht.

Nun?

Lucifer.

Zur Genesis. Was siehst du?

Joseph erscheint an der Pforte eines Palastes, umgeben von Getreidehaufen un

Zwietracht.

Ein Tumult scheint dort zu herrschen
An der Pforte des Palastes.

---

7) Die obigen Worte des Priesters erinnern an ganz ähnliche,
Priester im Neuen Bunde beim Offertorium der heil. Messe

Stimmen

(hinter der Scene).

Unser Retter lebe hoch!

Lucifer.

Gäb's doch niemals dieses Wort
„Retter [8])!" Doch was siehst du weiter?

Zwietracht.

Einen schönen Jüngling seh' ich,
Der im Traume einst geschaut
Fruchtbarkeit und Dürre, der
Seine Werke seinem Namen
Ganz entsprechen ließ; wer Joseph
Heißt, der heißt ja „der Vermehrer."
Dieser aufgehäufte Weizen,
Ueberfluß aus früh'rer Zeit,
Hilft dem Mangel einer andren
Ab; drum ruft das Volk so laut:

Stimmen.

Unser Retter lebe hoch!

Zwietracht.

Zur Vertheilung geht er nun.

Joseph

(singt).

Kommt, ihr Bewohner Egyptens, o kommt,
Und hört meine Stimme; ihr seht ja, der Himmel,
Der Züchtigung einst uns als Richter gesendet,
Er hat uns als Vater auch Trost schon bereitet.

---

[8]) Joseph, der Erretter (salvator) Egyptens, war ein Vorbild Christi, des salvator mundi. Sh. Genesis 41, 45.

So eilet nun, eilet zum köstlichen Schatze
Des aufgespeicherten Weizens, den gegen
Das stumpfe, so grausame Schwerdt ich des Hungers
Als Gottes Verwalter allhier euch verwahre.
Ja kommet und schaut, wie ich Allen ihn spende,
Dem Reichen, dem Armen, dem Großen, dem Kleinen;
Denn da sich auf Alle der Schaden erstrecket,
So sei auch das Heilmittel Allen gemeinsam.
Ohn' Ausnahme stehen die Pforten des Speichers
Euch offen, damit ihr erkennt, wie der Himmel,
Der Züchtigung einst uns als Richter gesendet,
Uns Allen als Vater auch Trost schon bereitet.

Stimmen.

Unser Retter lebe hoch!

Andere.

Preis und Dank ihm, dem Erretter!

Die Erscheinung des **Joseph** verschwindet.

Lucifer.

Wenn den Weizen nun als Schatz
Aufgespeichert wir gesehen
Dort für Alle, die als Retter
Den Verwalter froh begrüßen,
Der ihn spendet und verwahret,
Was giebt's weiter zu erwägen?

Zwietracht.

Sah'n wir ihn nicht schon gesäet,
Schon geschnitten, und gesammelt?
Was denn fehlt noch?

Lucifer.

Ihn als Brod
Auch zu schauen.

Zwietracht.

Und wie das?

Trommeln und Kriegsmusik hinter der Scene.

Lucifer.

Jener Lärm wird's gleich erklären,
Der (auch in der Genesis)
Mir zum Aerger da erschallet.

an erblickt ein Zelt mit Kriegstrophäen geschmückt. Ihm gegenüber erhebt sich ein Altar, ıf welchem Brod und Wein liegt. **Abraham** und **Melchisedech** (der letztere mit Krone und Scepter und in priesterlicher Kleidung) stehen an der Seite des Altares.

Stimmen

(hinter der Scene).

Abraham! Melchisedech!
Unsre Fürsten, leben hoch!

Lucifer.

Nun, was sieh'st du?

Zwietracht.

Abraham
Seh' ich, der sein siegestrunknes
Heer, mit Beute reich beladen
Und mit kriegrischen Trophäen
Von fünf Heidenkön'gen, die er
Siegreich in die Flucht geschlagen,
Führt gen Salem's Stadt, in deren
Gauen ihm Melchisedech, der
Priesterkönig, kommt entgegen,
Um hier neben seinem Zelte
Auf dem Feldaltar zu opfern
Brod und Wein dem Herrn des Himmels
Für den Sieg als Dankerweisung.

Trommeln.

Lucifer.

Wenn du's wagst, dies anzuschauen,
Schau' nur hin; ich, Zwietracht, kann nicht,
(Wehe mir!) und will auch nicht.
Wenn er für besiegte Feinde
Dankt, scheint mir's, ich sei gemeint.
Ist auch alles das nur Schatten,
Zittr' ich doch vor diesem Schatten!

Trommeln und Trompeten.

Melchisedech.

Zur guten Stunde sieggekrönt erschein',
Glücksel'ger Fürst des Volks von Israel!

Abraham.

Willkommen König, dessen Machtbefehl
 Erglänzt mit Priesterwürde im Verein [9])!

Melchisedech.

Zum Opfer Gottes bring' ich Brod und Wein,
Daß ihm der Dank für deinen Sieg nicht fehl'.

Abraham.

Ich bet' ihn an, daß immer man erzähl',
Wie Abr'hams Glaube leuchte hell und rein.

Melchisedech.

Nimm' an dies Opfer, Herr, Gott Sabaoth!

Abraham.

Nimm's an, Gott, Adonai, auch von mir!

---

9) Melchisedech vereinigte in seiner Person die königliche und die priestliche Würde.

Melchisedech.

Vom Königsvater, von Abimelech[10]).

Abraham.

Zum Schutz vor aller Brut des Behemoth —[11])

Melchisedech.

Werd' es von Priestern einst geopfert dir —

Abraham.

Wohl nach der Ordnung des Melchisedech.

Stimmen

(hinter der Scene).

Abraham, Melchisedech!
Unsre Fürsten leben hoch.

Pauken und Trompeten. Die Erscheinung verschwindet.

Lucifer.

Ist das Schreckbild nun entfloh'n?

Zwietracht.

Ja, doch ob's entfloh'n auch ist,
Blieb ich bei ihm noch.

Lucifer.

Wie so?

Zwietracht.

Zweifelnd, was das Alles soll?

Abimelech, d. i. Vater des Königs, wird Abraham hier genannt, weil er der Stammvater Davids und seiner königlichen Nachkommen, und zugleich des Messias selbst, des höchsten Königs, ist.

„Brut des Behemot" = Pforten der Hölle, civitas diaboli. Das im Buche Job erwähnte Ungeheuer Behemot ist ein Sinnbild des Teufels.

Lucifer.

'S soll den Grund dir, Zwietracht, zeigen,
Weshalb stets ich zittern muß,
Wenn ich reden hör' von Aehren,
Namentlich von Weizenähren!
Da ich vier Autoritäten
Angeführt nun, die's beweisen,
Wie begründet sei mein Grund,
Wend' ich wieder mich zum Anfang
Meiner Rede. Diese Felder
Hier von Bethlehem, so fruchtbar,
So vortrefflich, daß vor Allen
Sie des Vorzugs Ruhm genießen —
(Denn wer Bethlehem sagt, sagt ja
Haus des Brotes) — sie verehren
Rings in ihren Fruchtgefilden
Hier als ersten Grundbesitzer
Booz, den großen Patriarchen,
Einen Zweig des hochberühmten
Stamm's von Juda, dem entsprießen
Soll, wie's ja verheißen wurde
Abr'ham, Isaak und Jakob,
Der Messias einst, der große.
Dieser also, reich an Gütern,
Wie an Gnad' und Himmelsgunst,
Großer Vater der Familie,
Gütig, freigebig, gerecht,
Mild, sanftmüthig und bescheiden,
Aufmerksam und liebevoll,
Da ich sehe, wie sein Haus
Herberg, Zufluchtsstatt und Hafen
Nicht für seine Leute nur,
Denen gleichen Lohn er zahlet,
Ob sie früh, ob später kamen,
Sondern auch für alle Fremden,

Die, auch ohne Arbeitsdienst,
Seiner Schwelle nah'n, — er flößt mir
Den Verdacht ein, daß in ihm
Jene Zeit schon sehr sich nähert,
Wo, als Sprößling solcher Tugend,
Wird im Fleisch das Wort geboren.
Und, ob das auch, mich zu ängst'gen,
Schon genügte, — außer daß er
Herr von Bethlehem's Gefilden,
Welche, wie ich schou erwähnte,
(Wiederholen muß ich's,) sicher
Mit Mysterien schwanger geh'u —,
Giebt es heut' noch andre Gründe,
Die mir den Verdacht vermehren!
Naht sich doch schon seinen Grenzen,
Wohl Almosen zu begehren,
Ja Noëmi, einst die Schöne,
Welche dieser Gegend Zierde
War, doch jetzt verblichen, alt,
Mangelnd aller Unterstützung;
Aus dem Lande Moab kehrt sie
Heim nach Bethlehem, vom Hunger
Einst von hier vertrieben. Muß ich
Nicht Noëmi doppelsinnig
Als die Schöne und die Bittre
Hier erkennen? Meinen wirst du
Nun wohl, jene Furcht, in die mich
Dieses Weib versetzt, sei diese,
Ob sie glücklich, ob unglücklich
Nun betritt der Heimath Boden,
Ob wohl Mitleid üben werde
An ihr Booz, und sein Verdienst
Durch Erbarmen hier und Güte
Noch vermehren? Doch, das ist's nicht,
Sondern, daß mit ihr auch kommt,
Still beweinend ihr Geschick,

Nimmer sie verlassen wollend
Wohl in allem ihren Kummer,
Ruth! Da diese ich genannt,
Ist's wohl Zeit, das überschlagne
Blatt von jener Morgenröthe,
Das ich eben übersprungen,
Nachzuholen. O käm' niemals
Diese unbequeme Zeit!
Ruth nun, ihre Tochter, — ist sie
Auch nur Schwiegertochter, kann ich
Diesen Namen doch ihr geben,
Da das Recht ihr selbst ihn giebt,
Das wie eigne Töchter ja
Schützt die Schwiegertöchter; — Ruth nun
Ist dabei von solcher Schönheit,
Wie die Berge nie sie schauten,
Sah'n sie Rosen auch und Lilien
Mit Narzissen sich zu bunter
Regenbogenpracht verbinden;
Sah'n sie Cederu und Platanen,
Alle Blumen auch und Blätter,
Eitel sich im hellen Spiegel
Von krystall'nen Quell'n beschauen.
Wen'ger schön noch ist ihr Körper,
Als die Seele; voll von Gnade,
Gänzlich schön, ohn' allen Makel
Nennt sie eines Verses Lied [12])!
Wenn ich grübelnd nun verbinde
Hier den Säemann, der das Korn
Ausstreut, und den Priester, der die
Garben dann erhebt, den Retter,
Der's aufspeichert und den König,
Der als Priester, ist es Brot erst,

---

12) Anspielung auf die Worte des Hohenliedes, die sich auf Maria als deren Vorbild und Repräsentantin Ruth in diesem Auto

Mit dem Wein 's zum Opfer bringt, —
Ferner Bethlehem, des Brotes
Haus, und den Familienvater,
Der sein Herr, — wenn ich dann weiter
Eine bittre Schönheit sehe,
Die ein reizend Wunder tröstet,
Die nach Bethlehem hinpilgert,
Zuflucht suchend an der Schwelle
Eines alten Blutsverwandten,
Sein Erbarmen hier anflehend,
Um Erbarmen zu erweisen —,
Und das Alles zu der Zeit,
Wo das Echo jener Lieder
Schon die Morgenröthe grüßt, —
Ist's dann wohl ein Wunder, (weh' mir!)
Daß, wenn alle diese Theile
Mir in Eins zusammenschmelzen,
Ich verwirrt hier und geblendet
Staunend, athemlos und stumm,
Traurig, zitternd und verstört,
Fürchte, daß in diesem Kampfe
Mehr mir droht noch, als im ersten [13])?
Hab' ich Schönheit dort und Gnade
Auch verloren, blieb mir doch noch
Wissenschaft, die hier mir fehlt;
Denn unmöglich ist's, wenn fliehet
Der Verstand, daß Wissenschaft
Ohne ihn noch ferner daure.

Zwietracht.

Was aus deinen Conjekturen
Allen, Lucifer, ich schließe,
Ist, daß die Verbindung hier

[13]) d. h. im Kampfe der ersten Empörung gegen Gott, dessen Sturz vom Himmel war.

Solch' helldunkler Schattenbilder
Sich zur Furcht bei dir gestaltet,
Daß verhüllt in ihnen nahe
Der verheißene Messias.
Da ein Geist nun, wohl erleuchtet,
Sagte, daß so heftig nicht
Treffe ein vorher schon droh'nder
Pfeil, wie ein unvorgeseh'ner,
Da er Zeit ja läßt, zum Schilde
Für die Abwehr noch zu greifen:
Rüsten wir uns, und versuchen
Wir's, ob in dem Schatten nicht auch
Uns Vertheidigung gelingt
Gegen solches Lichtes Nahen.

Lucifer.

Wie denn?

Zwietracht.

Hast du nicht bisher
Nur den Wortlaut hier des Textes
Angeführt?

Lucifer.

Ja wohl.

Zwietracht.

So will ich
Allegorisch nunmehr reden,
Um zum Schilde jetzt zu greifen.
Da der Schlag uns schon bedroht,
Werden wir uns schützen können,
Wenn wir auf Vertheid'gung denken,
Dort, wo man uns treffen will.

Lucifer.

Sprich.

Zwietracht.

Doch unter der Bedingung —

Lucifer.

Welcher?

Zwietracht.

Daß du achtsam hörest.
Laß uns denken, daß in Booz,
Weil ja sein hebrä'scher Name
Nicht Familienvater nur,
Sondern Kraft auch heißt, zugleich
Gottes hohe Attribute
Dargestellt wir seh'n, daß Gott
Selber er repräsentire.
Laß uns ferner in Noëmi,
Einst die Schöne, jetzt die Bittre,
Welche überall nur Hunger,
Durst und Hitze, Leid und Kälte
Duldet, dargestellt dann wähnen
Hier die menschliche Natur.
Und in Ruth, nicht Tochter, und doch
Tochter auch, laß uns erblicken
Ein so göttlich — menschlich Wesen,
Daß, obgleich's nicht wegzuleugnen,
Daß sie menschlich ihre Tochter,
Dennoch so bevorzugt, daß sie
Göttlich scheine es zu sein,
Ohne daß sie's wirklich sei.
Wie wir dann sie nennen sollen,
Deutet uns ihr eigner Name;
Heißt nicht Ruth (klingt's auch nicht fein,
Ist's doch wirklich so) die Satte?
Und heißt Satle (wenn mit besserm
Laut man's wechselt) nicht die Volle?

Hast du selbst nun voll der Gnade
Sie genannt, so laß' sie uns
Einfach Gnade jetzo nennen;
Denn vielleicht dient's unserm Zweck,
Daß auch Gnade hier vorhanden,
Wenn wir auf der Lauer stehen,
Um zu seh'n, was ihre Wirkung,
Wenn Natur um Hilfe flehend
Dann zu des Familienvaters
Pforte kommt. Und wenn's geschieht,
Was wir fürchten, daß mit Weizen
Ihrer Noth er Hilfe spendet,
Ist es ja der Zwietracht feindlich
Amt, das Unkraut auszusäen.
Ich versprech' es dir (auch dafür
Ist ein Gleichniß ja zur Hand),
So den Weizen zu verderben,
Daß mit Unkraut er vermischt,
Auf den Weg gestreut, auf harten
Felsen umgekommen, zwischen
Meinungen, Spitzfindigkeiten,
Syllogismen, Argumenten,
Er von ihm ihr soll verweigert
Werden, oder, wenn gegeben,
Doch zum Heil ihr nicht gereichen.

Lucifer.

Traust du das dir zu, dann laß uns
Mittel suchen, wie wir können
Unter die Familie schleichen
Und die Arbeit, doch getrennt
Von einander, daß wir nicht,
Sieht man uns beisammen dort,
Wohl Verdacht erregen.

Zwietracht.

Ja.
Und sogleich gescheh's; denn schon
Ist die Erndte ja geschnitten,
Und die Arbeit schreitet fort
Unter Liedern und Gesang.

Lucifer.

Hilfst du mir, dann fürcht' ich nichts.

Zwietracht.

Folgst du, heg' ich keinen Zweifel —

Lucifer.

Was das Lied auch immer sage —

Zwietracht.

Wie die Töne auch uns feindlich —

Lucifer.

Daß sie uns nicht schrecken können.

Gesang

(hinter der Scene).

Holdes Morgenroth, in dem
Unsre Mühen sich erquicken,
Komm' vergolde mit den Blicken
Feld und Aehr'n in Bethlehem!

e Beiden entfernen sich und es treten auf während des Gesanges Schnitter und Arbeiter mit cheln in der Hand, unter ihnen **Levi** (der Verwalter), **Simeon**, **Zelpha** und die übrigen Arbeiter und Arbeiterinnen.

Verwalter.

Da wir nun abgemäht
Das erste Feld, auf dem der Hafer steht,
Den als die Erstlingsgarben
Dem Herru von diesen Feldern wir erwarben,

Geh'n wir zum Weizen über;
Verwandelnd kam ja Gottes Macht schon drüber;
Smaragd'ne Bäche, die vom Berg sich gossen,
Zu goldnen Buchten schon zusammenflossen[14]).

Simeon.

Mit weisem Vorbedacht
Hat zum Verwalter wohl der Herr gemacht
Dich, Onkel Levi; kaum ist die zu Ende,
Rufst du zu andrer Arbeit unsre Hände.

Erste Arbeiterin.

Den Lohn für heute haben
Wir wohl verdient; laß Ruhe nun uns laben;
Bald ist ja Essenszeit; in diesem Schatten
Gönn' uns die Siesta, daß wir nicht ermatten.

Verwalter.

Nicht denk' ich's euch zu wehren;
Ihr seht mich Rast euch immer gern gewähren.
Hab' ich euch andre Arbeit angewiesen
Auch schon, hat's Zeit doch, bis wir erst genießen
Die nöth'ge Ruh, und heut
Wird nichts versäumt ja bis zur Essenszeit.

Zelpha.

Gilt das, dann ruh'n wir heute gründlich aus;
Gewiß, ein ganzer Ruhetag wird draus.

Simeon.

Warum denn, Zelpha?

Zelpha.

Weil das Essen holen
Heut Zafio ging, mein Mann; und unverholen
Sag' ich es rund heraus,
Nie führt' er schnell noch einen Auftrag aus.

---

14) D. h. die früher grünen Felder, die am Bergabhange sich herunt ziehen, haben nun, da die Aehren reif sind, eine Goldfarbe erhalten.

Erste Arbeiterin.

Wie sehr dich doch verblendet
Die Leidenschaft! Denn wo der Berg dort endet,
Erscheint er schon, beladen
Mit Topf und Korb.

Alle.

Das kann gewiß nicht schaden!

Erste Arbeiterin.

Laßt Willkomm ihn genießen!

Zelpha.

Und uns den Topf von Weitem schon begrüßen!
Ich will (das Amt sei mein!)
Die Verse machen; stimmt mit mir dann ein!

Verwalter.

Wie schnell, (o güt'ge Vorsicht Gottes!) sprießt
Dort Fröhlichkeit, wo stets man Schweiß vergießt!

Zelpha
(singt).

Daß Zafio schnell erscheint,
Ist solch ein Wunder,
Wie wenn man Sterne sieht
Am hellen Mittag.

Alle.

Er lebe hoch!

Zelpha
(singt).

Der große Mutter — Topf,
Topf der Familie,
Den zu verdienen ja
Sich alle mühen —

Alle.

Er sei willkommen!

Zelpha

(singt).

Der für Hausfrauen wohl
Sehr werthvoll wäre;
Denn alle Tage bleibt
Er ja derselbe —

Alle.

Er sei willkommen!

Zelpha

(singt).

Der unter dem Geräth
So sehr verächtlich,
Daß Alles arm er macht
Ohn' reich zu bleiben —

Alle.

Er sei willkommen!

Alle

(singen).

Daß Zafio schnell erscheint,
Ist solch ein Wunder,
Wie wenn man Sterne sieht
Am hellen Mittag.

Zafio tritt auf mit einem Topfe in der einen, und einem Korbe in der anderen Hand. Alle nehmen ihn, unter Gesang und Tanz, in die Mitte.

Alle.

Zafio, Zafio, sei willkommen!

Jasio.

Seid mir Alle wohl gefunden!
Und da Bruder Kuchelmeister
Von der Tenne heut ich bin
Und Austheiler der Portionen,
Setz' man nun im Kreis sich nieder,
Daß mir jeder seinen Teller
Ohne gier'ge Ueberstürzung
Jetzt fein ordentlich empfange.

Alle.

Das versteht sich! Freilich, freilich!

Jasio

(zu Simeon).

Nimm', hier hast du deinen Theil.

Simeon.

Suppe blos und weiter nichts?

Jasio.

Weiter giebt's nichts; drum Geduld
Heute, Freunde; schlürfen ist ja
Weit bequemer noch als kaueu.

Alle.

Wie?

Jasio.

Wenn ich's denn sagen muß,
Sollt' ihr die Geschichte hören.
Diese also, sag ich, war's.
Freunde meiner Seele! sag' ich,
Als ich dort vom Berge stieg,
So beladen wie ich war,

Fiel ich hin mit Korb und Topf.
Doch mein Glück und Gottes Gnade
Wollte, daß er nicht in Scherben
Brach, — nur ausgeschüttet war er.
Da ich nun die Topf-Tragödie
Sah, da sammelt' ich vom Inhalt
Wieder, was nur möglich war.
'S war die Suppe.

Simeon.

War's nicht leichter,
Thor, das Fleisch hier aufzusammeln?

Basio.

Alles sog die Erde ein,
Da es aus dem Topfe fiel;
Möglich war mir's nur, die Suppe
Wieder in den Topf zu sammeln.

Simeon.

Trefflicher Entschuld'gungsgrund!

Zweiter Arbeiter.

Halten wir uns an die Bota [15]);
Die ist voll, wie ich bemerke.

Basio

(für sich).

Warum soll sie nicht, wenn's Quellen
Ja noch giebt?

Simeon.

So trink', und laß sie
Weiter geh'n.

---

15) Bota, der in Spanien gebräuchliche lederne Weinschlauch.

Zweiter Arbeiter.

Wozu? wenn Wasser
Selbst der Wein?

Zasio.

Gab's jemals Wein,
Der nicht Wasser wär'?

Simeon.

Nun gut;
Diesen Spaß soll er bezahlen.
Eine Decke her!

Zweiter Arbeiter.

Ich eile
In die Hütte, sie zu holen.
Ab.

Zasio.

Habt Erbarmen! gleich ja will ich
Euch die Wahrheit nun gestehen.
Solch' ein Duft kam aus dem Topfe,
Daß ich, nur ein ganz klein wenig,
Lüftete, nur an der Seite,
Einen Zipfel von dem Tuche
Das ihn deckte; doch es fiel
Gleich das ganze Tuch herunter!
(O wie viele Uebelthaten
Würden in der Welt entschuldigt,
Gäb's nicht solch verwünschte Decken!)
Endlich — da ich mehr und mehr
Kräft'ger schüttelte den Topf —
Hört' ich, wie er zu mir sprach,
Da ich so mit offnem Muude
Dastand: Iß mich! Nahm ein Stück;
Dieses, sagt ich, mißt man schon;

Und auch dieses; fuhr so fort;
Ging zu andren dann noch über;
Dies ist klein, es zählt nicht mit;
Dies zu fett, könnt' Schaden thun;
Dies zu mager, giebt nicht Kraft;
Dies, nicht mager und nicht fett;
Und so kam's, daß Stück um Stück,
War der Topf hier ihr Gefängniß,
Ich befreite; Ostern war's;
Ich des Kerkers gnadenvoller
Visitator; bis zuletzt
Leer der ganze Kerker blieb.

Der zweite Arbeiter kommt mit der Decke zurück.

Zweiter Arbeiter.

Hier die Decke.

Alle.

Nun an's Prellen!

Jasio.

Hilfe, Zelpha!

Zelpha.

Wollt' der Himmel,
Daß so hoch man dich jetzt schnellte,
Daß die Vögel unterwegens
Dich verzehrten.

Jasio.

Nun das hieße
Ja an mir dasselbe thun,
Was ich mit dem Topfe that.

Verwalter.

Laßt ihn! seine Einfalt sei
Ihm Entschuld'gung; andre Mahlzeit
Werd ich gleich für euch bestellen.

Zafio.

Und ihr werdet wirklich nun
Ein so gutes Werk vollbringen,
Ein so herrliches, erhabnes,
Diesen ausgelassnen Leuten
Zaum und Zügel anzulegen?

Lucifer tritt auf als Schnitter gekleidet.

Lucifer

(fur sich).

Nun beginne, meine Bosheit!

(Laut.)

Sagt mir, Schnitter ihr des Booz,
Doch bei eurem Leben, wo denn
Kann ich den Verwalter finden?

Verwalter.

Was verlangst du?

Lucifer.

Möchte wissen,
Ob ein fremder Hirt vielleicht,
Der Beschäft'gung sucht, vertrieben
Aus dem eignen Vaterlande,
Um im fremden Heil zu suchen,
Einen Dienst bei euch wohl fände?

Verwalter.

Unser Herr schließt Keinen aus,
Allen giebt er Unterkunft
In der eignen Dienstfamilie.
In ihr könnt auch Ihr verbleiben
Heute schon, und kamt ihr spät auch,
Am Nachmittag erst, zur Arbeit,
Sollt ihr vollen Lohn erhalten.

Lucifer
(für sich).

Daran liegt mir wahrlich wenig!

Verwalter
(zu den Anderen).

Da die Siesta nun vorüber,
Könnt ihr, während andre Mahlzeit
Ich für euch besorgen gehe,
Und auf Booz dann warte, welcher
Sicher heut' das Feld besucht,
Mit dem Weizen unterdessen
Schon beginnen.

Lucifer
(für sich).

Dieser Umstand
Selbst schließt ein Geheimniß ein.
Doch nur stille!

Zelpha.

Seid willkommen
Nun bei uns, Herr neuer Schnitter!

Jasio.

Ha, zum Kukuk! mußt denn du
Ihm zuerst den Willkomm bieten?

Zelpha.

Höflichkeit ist doch nichts Böses?

Jasio.

Nein; doch etwas Ueberflüss'ges.

Simeon.

Schnitter ihr aus fremden Landen,
Seid willkommen!

Lucifer.

Ich erbiet' mich
Gern zu Euer Aller Dienst.

Zweiter Arbeiter.

Da wir nun beginnen sollen,
Laßt Gesang die Arbeit fördern.

Musik.

Holdes Morgenroth, in dem
Unsre Mühen sich erquicken 2c.

Sie fangen an zu arbeiten.

Lucifer.

O hört auf! denn der Gesang
Paßt ja am Nachmittag nicht,
Denn das schöne Morgenroth
Ist schon da [16]).

Ruth und Noëmi treten im Hintergrunde auf in Reisekleidern.

Erste Arbeiterin.

Zwei fremde Frauen
Kommen dort, vom Wege seitwärts
Biegend, her zu unsrem Felde;
Und die Erndtewagen auch,
Da die Garben aufgebunden,
Bringt man.

Zelpha.

Laßt uns nun ein wenig
Ausruh'n von der Müh' und Hitze;
Statt zu singen laßt uns plaudern.

„Ist schon da." Diese Worte enthalten einen Doppelsinn, insofern zu gleicher Zeit Ruth, die Repräsentantin des in Maria aufgegangenen Morgenrothes, erscheint.

Alle.

Wohin geh'n wohl jene Frauen?

Basio.

Alte, abgelebte Mutter,
Suchst du's Leben mit der jungen
Schönheit dort?

Lucifer
(für sich).

Gewiß, so ist's;
Ja das Leben geht sie suchen,
Und das Leben Aller [17])!

Ruth
(zu Noëmi).

Fasse
Muth! denn, nach den Feldern hier,
Ist nicht weit mehr Bethlehem,
Wo du ruhen wirst.

Noëmi.

's ist schwer
Muth zu fassen, wenn das Unglück
Und die Jahre also drücken!

Noëmi, auf **Ruth's** Arm gestützt, geht bei den Schnittern vorüber.

Ruth.

Lehne dich auf mich, denn Kraft
Wird der Himmel mir verleihen,
Dich zu unterstützen, bis du
In dein Vaterland gelangst.

---

[17]) Ruth und Noëmi stellen allegorisch die göttliche Gnade, wel durch den Sündenfall geschwächten und alternden menschlichen zu Hilfe kommt, dar.

Lucifer

(für sich).

Schlecht beginnt, mit bösem Omen,
Der Natur und Gnad' Erscheinen;
Denn das erste, was sich zeigt,
Ist, daß die Natur gestützt
Auf der Gnade Schultern kommt.

Zelpha.

Wahrlich neu ist's, daß die Schönen
Sich der Häßlichen erbarmen.

Zafio

(zu Ruth).

Einen schönen Haufen Erde
Schleppt ihr auf der Schulter da!

Lucifer

(wie oben).

Diesmal hast du es getroffen,
Was sie darstellt; denn sie ist
Erde und wird Erde werden.

Ruth.

Laß uns auf dem Lebenspfade
Wandeln, ohne um den Spott
Uns der Welt hier zu bekümmern.

Viele Stimmen.

Laß die alte Mutter doch,
Holde Schönheit!

Erste Arbeiterin.

Schweigt! und Niemand
Wage sich mit seinem Spott an

Diese Frauen! Schmählich wär' es,
Wenn man sagen müßte, daß sie
Hier von uns beleidigt wurden.

Viele.

Und warum?

Erste Arbeiterin.

Weil, wenn mich nicht
Mein Gedächtniß sehr betrügt,
Jene Alte, die ich schaue,
Ja Noëmi ist, die edle,
Einst die Zierde dieser Gauen.

Erster Arbeiter

(zu Noëmi herantretend).

Bist du wirklich jene, sprich,
Einst die Schöne hier genannt,
Die, der Hungersnoth entfliehend,
Mit Elimelech, dem Gatten
Und den Söhnen, hier aus dieser
Gegend fort nach Moab ging,
Was, um seines Götzendienstes,
Wohl Hinneigung war zur Sünde [18])?

Noëmi.

Ja; doch heißt mein Name heute
Nicht die Schöne, nein, die Bittre,
Denn gar harte Schicksalsschläge
Mußt' ich dulden; Mann und Kinder
Starben mir und audrer Trost
Bleibt mir nicht in meinem Unglück,

---

18) In dem Auszuge der Noëmi aus Bethlehem in das heidnische Moab wird allegorisch der Sündenfall der menschlichen Natur deutet. Vergl. Ruth 1, 1—2.

Jetzt, da ich des Vaterlandes
Mitleid aufzusuchen gehe,
Als die holde Schönheit hier,
Die vom ältsten meiner Söhne
Mahalon, mir hinterlassen.
Wohl als eine geist'ge Braut,
Birgt in sich sie jetzt die Asche
Des Elimelech, bis Jemand
Sie aus ihr erweckt; ein edles
Reis des großen Stammes Juda,
Dessen Schooße soll entsprießen
Der verheißene Messias [19]).

Erster Arbeiter.

O wie dauert mich ihr Anblick!

Erste Arbeiterin.

Mitleid weckt es, sie zu sehen!

Zweiter Arbeiter.

Wie verändert ist sie!

Zelpha.

Anders
Sah' sie einst aus!

Erster Arbeiter.

Wie der Kummer
Auf ihr lastet!

Zweiter Arbeiter.

Wie zerstört
Ist in ihr die alte Schönheit!

Ruth gehörte bekanntlich, als Urgroßmutter des Königs David, zu den Ahnen des Messias dem Fleische nach.

Basio.

Sieh'st du, Zelpha, was wir sind!

Ruth.

Alle schau'n sie an und Niemand
Mag' sie trösten und erquicken!

Erster Arbeiter

(für sich).

Neffe des Elimelech,
Ihres Gatten, bin ich, eben
So wie Booz; doch als Verwandte
Kann ich, sie in solchem Elend
Schauend, nimmer anerkennen!

Lucifer

(für sich).

Nur dies Eine fügt sich gut,
Daß in dem Geschlecht der Menschen,
Das sie darstellt, keiner ist,
Der sie nunmehr als Verwandte
Willig anerkennen möchte.

Noëmi.

Um kein Mitleid mir zu zollen,
Und nicht einmal mir der Herberg'
Höflichkeit hier anzubieten,
Keiu Almosen, keinen Trost
Und kein Zeichen von Erbarmen,
Frugt ihr mich, ob ich es wirklich
Sei, ob nicht?

Erster Arbeiter.

Was können wir denn
Thun bei also großem Unglück,

Wie des Gatten und der Kinder
Bittrem Tod? Gott helfe euch.

Zweiter Arbeiter.

Geht mit Gott! Nur allzuviel
Bleibt uns bei so bittrem Leid
Zu empfinden!

Alle.

Schütz' euch Gott!

Zelpha.

Möge Gott euch gnädig sein!

Jasio.

Möge Gott nun für euch sorgen!

Lucifer.

Das bedeutet: für ihr Elend
Ist der Menschen Macht zu schwach.

Noëmi.

Geh'u wir, Ruth! Vor Schaam ja möcht' ich
In die Erde sinken, daß ich
Offenbart hier, wer ich bin!

Ruth.

Wenn auch Alle dich verachten,
Werd' ich nimmer dich verlassen.
Und, damit du's klar erkennest,
Geh' Noëmi ganz gemächlich
Nun voraus und warte meiner
An dem Stadtthor; unterdessen
Will ich auf dem Stoppelfelde,
Wo die Erndte wird geschnitten,
Mit den andren Sammlerinnen,

Die nach Ueberbleibseln suchen,
Welche Gottes Fürsorg' auf dem
Felde ließ, uns eine Garbe
Sammeln, die, ob sie auch heute
Nur von Hafer, uns erhalte,
Bis wir später Weizen finden.

Noëmi.

Ich erwarte dich; denn andren
Trost in meinen Leiden find' ich
Nicht, als deine Liebe.

Noëmi entfernt sich. **Ruth** fängt an Aehren zu sammeln.

Ruth.

Also
Will ich nun von Gottes Erndte
Die geringen Brocken sammeln,
Welche gnädig hier am Boden
Uebrig sein Erbarmen ließ.

Lucifer

(für sich).

Was erblick' ich? Zeichen sind's
Dessen, was schon angekündigt
Da von Morgenroth und Aehren!

(laut)

Weib! laß diese Aehren liegen!

Ruth.

Weshalb hinderst du die Güte
Gottes, der sie für den Armen
Fallen ließ?

Lucifer.

Das Hab und Gut ist's
Meines Herren, dem ich diene;

Nie gestatten werd' ich, daß man's
Hier vor meinen Augen raube.

Ruth.

Nicht doch!

Lucifer.

Ja doch!

und der **Verwalter** treten auf mit den anderen Arbeitern.

Booz.

Welch' ein Streit?

Lucifer.

Nun, ein neuer deiner Diener,
Der sich deiner Habe annimmt,
Hindert, daß hier unverschämte
Ameisschwärme jetzt sich gierig
Hin auf deine Erndte stürzen,
Um sie emsig fortzuschleppen
Sich als Beute, dir zum Schaden.

Booz.

Und wer sagt dir, daß die Aehren,
Die, geschnitten von der Sichel
Schon, zurück am Boden blieben,
Mir gehören? Hast vergessen
Das Gesetz du denn, das heil'ge
Des Leviticus, daß selbst der
Eigne Herr' sie nicht mehr dürfe
Dann aufheben, weil sie, einmal
Hingefallen, nicht mehr sein,
Sondern Eigenthum des Armen[20])?
Und wie dieser mir sie raubte,

icus 19, 9 und 23, 22.

Nähm' er weg sie von der Tenne,
Würd' ich selber ihm sie rauben,
Rafft' ich die Zurückgebliebnen
Ein; denn auch dem Armen hat ja
Höchste Fürsorg' hier beschieden
Erndtesegen, so wie Arbeit.
Und nicht mindert es des Reichen
Erndte, nein, es mehrt sie sehr;
Denn kein größres Recht besitzt er
Auf die Schätze seiner Tenne,
Als auf Aehrenles' der Arme.
Sichrer ist nicht der Besitz,
Den zurückbehält der Reiche,
Als, was sich der Arme sammelt
Zum Bedarf, um, was er braucht
Alsogleich auch zu verwenden,
Sicher, daß der Kornwurm weder,
Noch die Fäulniß es zerstöre.
Doch, nicht staun' ich über Euch, —

(Levi anblickend.)

Ueber den nur, der Euch aufnahm
Unter meine Leute! Und nicht
Das allein nur hat mein Mitleid,
Levi, hier dir vorzuwerfen;
Nein, an Allen muß ich's tadeln,
Daß ihr so bis auf die Wurzel
Diese Halme abgeschnitten!
Denn es fordert das Gesetz auch,
Daß die Sichel nicht so gierig,
Auf den Nutzen nur bedacht,
Alle Stengel bis zum Boden
Niedermähe[21]), daß den Armen
Nicht in ihnen ihre Rechte
Auf das Stroh noch bleiben, daß sie

---

21) Das betreffende Gesetz findet sich Leviticus 23, 22.

Ihre Thiere füttern können,
Oder ihrem müden Körper,
Bei dem Kummer, der sie drückt,
Weiche Lagerstatt bereiten.
Nicht genug, daß schlecht sie schlafen,
Wollt ihr, daß sie gar nicht schlafen?

Lucifer.

Ich, Herr —

Levi.

Herr, ich —

Booz.

Still, genug —
Dies läßt keine Widerrede
Zu. Gewiß, Gott über Alles,
Und nach ihm der Arme, welcher
Gottes Stelle hier vertritt!

Lucifer
(für sich).

Seh' ich ihn erzürnt so, zittert,
Bebt und zweifelt meine Seele!

Booz.

Und Ihr, unbekannte Schöne,
Deren Noth mir, die ich sehe,
Eurer Tugend auch Gewähr,
Sprecht wer seid Ihr?

Ruth.

Eine Fremde,
Die in dieses Land nur Mitleid
Hat geführt, um eine alte
Arme, hinfällige, kranke
Mutter hier zu unterstützen —

(für sich.)

(Wer sie ist, verschweig' ich, daß ein
Zweit' Verschmäh'n sie nicht erfahre.)

(laut.)

Nimmer konnt' ich sie verlassen
In Trostlosigkeit und Leiden,
In des Unglücks herbem Kummer.
Meine Noth, Herr, die ihr sehet,
Ist nicht meine, sondern ihre;
Nur zu bitten, um zu geben,
Ist mein Ruhm.

Booz.

So kann ich wahrlich
Dich wohl nennen (während Tochter
Des Gehorsams du hier bist)
Mutter der Barmherzigkeit[22]).
Drum, o fremde Unbekannte,
Doppelt fremde, deiner Tracht nach,
Und um deiner Schönheit willen,
Wende nie zu anderu Feldern
Dich und wähle diese stets;
Denn ich selber möchte Antheil
Auch an deiner Güte haben.

Ruth.

Woher kommt mir denn, o Herr,
Solch' ein großes, unverhofftes
Glück, daß ich in euren Augen
Diese Gnade finden konnte?

Booz.

Leicht wohl war's, daß du sie fandest,
Bist du doch die Grazie selber,

22) Anspielung auf den typischen Charakter der Ruth, als Vorbild Mar

Also, daß ich denken muß,
Da ich so erfüllt von ihr dich
Sehe, daß der Herr mit dir.

Ruth

(niederknieend).

Ich bin nichts, als eure Magd;
Und nach eurem Willen immer
Möge mir gescheh'n!

Booz.

Steh' auf!
Und ihr Andern merkt darauf
Was ich euch befehle! Immer,
Wenn sie kommt, soll' Freundlichkeit,
Nicht Verdrießlichkeit sie finden.
Und zur Stunde, wo ihr esset,
Nehm' sie Theil an eurem Mahl,
So, als ob zu meinen Leuten
Sie gehörte.

Jasio.

Großer Vortheil,
Wenn ich selbst das Essen hole!

Booz

(beiseite zu Levi).

Und du, Levi, sorg' dafür
Stets, wenn du sie siehst erscheinen,
Daß auf jenem Pfade, dem sie
Sammelnd folgt, mit Fleiß und Absicht
Man die Aehren fallen lasse,
Daß sie mehr noch als die Andern
Finde; denn man soll gewahren,
Daß ein Vorrecht vor den Andern
Sie allein allhier besitze.

Geh' in Frieden nun; ich will
Andre Felder noch besuchen.

Ruth.

Bleibt in Frieden!

Booz

(für sich).

Welche Schönheit,
Wunderselten, und wie ehrbar!

Ruth

(ebenso)

Welche Freundlichkeit und Milde!
Welch' ehrwürdige Erscheinung!

Booz.

Mit welch' lauteren Affekten
Zieht sie meine Augen nach sich!

Ruth.

Mit wie ehrbarem Benehmen
Weckt er liebendes Vertrauen!

Booz.

Wie so lieblich —

Ruth.

Wie so friedlich —

Booz.

Ist ihr Anblick!

Ruth.

Ist sein Wesen!

Booz.

Süßer Zauber!

Ruth.

Sanfter Trost!

Booz.

Welche Reize!

Ruth.

Welcher Friede!

Booz.

Welche still bescheidne Demuth!

Ruth.

Mit ihm geht mein Leben hin!

Booz.

Meine Seele bleibt bei ihr!
(laut)
Geht in Frieden, meine Tochter!

Ruth.

Bleibt in Frieden, Herr, in Frieden!

Beide entfernen sich.

Basio.

Da des Vaters der Familie
Gegenwart uns heut erfreuet,
Laßt auf einen Tanz uns sinnen,
Wenn zum Thal er wiederkehret.

Alle.

Richtig!

Zelpha
(zu Lucifer).

Und ihr bleibt nicht da,
Um am Feste Theil zu nehmen?

Zasio.

Weib, plagt dich der Teufel heute?

Zelpha.

Höflichkeit wär ungeziemlich?

Zasio.

Nein; schon sagt' ich's; doch das andre
Soll dir dieser Prügel sagen.

Er hebt einen Stock auf.

Zelpha.

Hilfe! ach, er schlägt mich todt!

Alle.

Bleib zurück!

Zasio.

Sie soll bezahlen
Ihr Benehmen; laßt mich ihr
Diesen Prügel appliciren;
Denn mein ganzes Leben will ich
Nicht so bleiben.

Alle.

Fliehe, Zelpha!

Zelpha entflieht; **Zasio** folgt ihr mit allen **Anderen**, welche ihn zurückzuhalten su
Lucifer bleibt allein zurück.

Lucifer.

Wer wird's glauben, daß die eigne
List sich gegen mich gewendet,

Daß sie, Viper ihrer selbst,
Mich nun tödtet, so wie jene
An dem eignen Gifte stirbt,
Wenn's von Außen in sie dringt!

Zwietracht

(hinter der Scene).

Lucifer!

Lucifer.

Ha, Zwietracht!

Die **Zwietracht** tritt auf, als Bäuerin gekleidet.

Zwietracht.

Hast du
Was erforscht? Dann sollst du wissen,
Wie mir's glückte.

Lucifer.

Schlecht genug
Lief für mich die Probe ab.
Gnade (schon beim ersten Blick
Als sie der Familienvater
Sah) fand sie in seinen Augen.
Sind's auch Haferähren nur,
Die sie heut gesammelt, und
Schon zur Stadt, zum Trost der Mutter,
Bringt, der sie die Gunst erzählt,
Die bei Booz sie gefunden,
Flößen sie, ob auch nur Hafer,
Schreck' mir ein, daß selbst aus ihnen
Für mich Unheil wird entspringen.

Zwietracht.

Unheil dir aus Haferähren?

Lucifer.

Ja; umsonst läßt nicht der Himmel,
Wie die Zeiten dran mich mahnen,
Erst das Haferbrot entstehen,
Ehe das des Weizens sprießt.

Zwietracht.

Wie?

Lucifer.

Weil rauh und unschmackhaft
Es die Buße ja bedeutet,
(Denn die Rauheit seines Wesens
Deutet an der Zunge Schweigen)
Die mit ihrem Schmerz (o Wuth!)
Dann die Gnade vorbereitet
Und vermehrt, wenn sie dann wieder-
Kehrt, um Weizenbrod zu holen.
Bald geschieht's; denn unaufhaltsam
Mehrt sie sich im Augenblick.

Zwietracht.

Fürchte nicht, daß sie es finde;
Denn ich habe, so verkleidet,
Wie du siehst, die Tracht annehmend
Jener andren Schnitterinnen,
(Wie auch jene, da's ihr paßte,
Sich gekleidet, daß die Tracht
Dem Geschäfte angemessen)
So viel Unkraut ausgesäet,
Daß es, unterm Weizen wuchernd,
Sehr ihn mindern wird und Wen'gen
Er nur nützen. Aufgeschossen
Ist's so üppig, (denn es mehrt sich

Ja das Unkraut stets am meisten)
Daß kein Land mehr, wo's nicht wächst.
Da ich so nun, Lucifer,
Gierig schon die Erde sehe
Sich mit grüner Decke kleiden,
Ging ich; aufgeweckt von Außen,
Angelockt zu neuem Schaden,
Bald zum zweiten über. David
Spricht von ihm, wo er beklagt,
Daß die ganze Erde schon
Voll von Schlingen und von Gruben,
In die blindlings alle Menschen
Stürzen[23]). Also hab ich grausam
Schlingen aufgestellt und Gruben
Wohl von Opium und von Schirling,
Und nicht zweifl' ich, daß sie Alle
Mir in meine Netze fallen.

Lucifer.

Wie erwünscht wär's meiner Wuth,
Wenn sie fielen! ja, schon heute,
Wo ein Fest sie ihrem Herren
Vorbereiten in der grünen
Sphäre dieses Thal's.

Zwietracht.

Nicht zweifle
Dran, ein Thränenfest wird's heute,
Ob sie's mit Musik und Lust
Auch zu feiern sich bemühen,
Und in heitren Sangesweisen
Auch von fern schon 's Echo wecken.

Anspielung auf Psalm 56, 7. „Laqueum paraverunt pedibus meis . . . foderunt ante faciem meam foveam.“

Musik

(hinter der Scene).

Sei er hochwillkommen,
Der Familienvater;
Schau' er an die Saaten;
Sei er hochwillkommen!

Lucifer.

Ha, sie nah'n sich!

Zwietracht.

Laß uns nicht
Ihren Argwohn hier erwecken,
Wenn sie seh'n, daß wir allein
Trauern, wo sie sich ergötzen.

Lucifer.

Recht hast du; drum laß uns, wie auch
Aerger mir's und Qual bereitet,
Mit den Andern uns vermischen
Und mit ihnen selbst auch singen.

Beide und Musik.

Hochwillkommen sei er!
Schau' er an die Arbeit
Die im Feld ihm lacht;
Hochwillkommen sei er!

Beide entfernen sich; Ruth und Noëmi, als Bäuerinnen gekleidet, treten auf.

Noëmi.

Schon so bald, in dieser Tracht,
Gehst du wieder?

Ruth.

Ja, die Gnade,
Die ich faud in seinen Augen,

Darf ich nicht verlieren. Fehlt' auch
Seine eigne Gegenwart,
Ziemt mir doch Beharrlichkeit.
Da als Aehrensammlerin,
Er auf seinem Feld mich duldet,
Ist die Tracht auch mir gestattet.

Noëmi.

Solche Gunst erwies er dir?

Ruth.

Da's nur ihm zum Ruhm gereicht,
Große Gunst mir zu erweisen,
Ist's Anmaßung nicht, zu sagen:
Also ist es.

Noëmi.

Seine Hilfe,
Die auch mir zu Gute kommt,
Muß ich billig auch ihm danken;
Drum, daß ich ihn kennen lerne
Jetzt durch dich, will ich begleiten
Dich zum Thal.

(Stimmen hinter der Scene.)

Ruth.

Schon nähert sich
Dort der Jubel, und da Alle
Sich der Ankunft ihres Herren
Freuen, laß' uns, daß sie nicht
Sich von uns beleidigt wähnen,
Theil an ihrem Jubel nehmen.

Noëmi.

Frohen Jubel anzuschauen,
Ziemt mir nicht.

Ruth.

O doch! es wäre
Nur besondre Freundlichkeit,
Wenn am Tage, wo den Herren
Alle seine Diener feiern,
Auch kein alternd Haupt es gäbe,
Das nicht heiter vor ihn träte.

Noëmi.

Nun so sei ein solcher Gruß
Hier auch meines Dankes Zeichen.

Alle Arbeiter treten auf unter Gesang und Tanz. **Lucifer** und die **Zwietracht** stellen sich auf die eine Seite, **Ruth** und **Noemi** auf die andere. Zuletzt treten **Booz** und **Levi** auf[24].

Musik.

Hochwillkommen sei er,
Der Familienvater!
Schau' er an die Arbeit,
Die im Feld ihm lacht!

Booz.

Steter Wechsel ist das Leben;
Und da ohne Zeitverlust
Ich von diesem Felde aus

---

24) Die hier folgende Scene ist ein vollkommenes Seitenstück (oder vielmehr eine Wiederholung) der Scene in dem Auto: „Erster und zweiter Isaak," wo durch das alleinige Nichtfallen der Rebecca im Tanze der Vorzug Marias, welche durch sie vorgebildet wird, angedeutet werden soll, daß sie allein von der Erbsünde unberührt geblieben. (Vergl. Bd. IV. S. 144—153.) Gleichwohl ist die Durchführung derselben Grundidee hier eine ganz andere, aber nicht minder gelungene. Beide einander so ähnlichen, und doch bei aller Aehnlichkeit so verschiedene Scenen sind ein Beweis der unglaublich fruchtbaren Gestaltungsfähigkeit des großen Dichters, der auch dort, wo es ihm beliebt, an sich selbst zum Plagiarius zu werden, seinen immer neuen und frischen Phantasiereichthum nicht verleugnet.

Alle Felder kann beschauen,
Will den Dienern ich gestatten,
Nun vor mir sich zu ergötzen[25]).

Musik.

Hochwillkommen sei er!
Sei er hochwillkommen!

Zelpha
(singt)

Schau' er seine Leute,
Schau' er ihre Arbeit,
Ob in seinem Dienste
Fleißig sie, ob träge.

Musik.

Sei er hochwillkommen.

Sie tanzen. Lucifer fällt hin.

Zwietracht
(leise zu Lucifer).

Erster, der in meine Schlingen
Fiel, warst du!

Lucifer
(ebenso).

Was Wunder ist's,
Wenn, (o wehe der Erinnrung!)
Meines ersten Falles Ursach
Ja der Zwietracht Schlinge war!

Alle.

Steh' doch auf!

---

[5]) Booz repräsentirt allegorisch Gott den Herrn, den großen Familienvater, der Alles auf Erden überschaut, und an der Freude seiner Geschöpfe sein Wohlgefallen hat.

Lucifer will sich erheben, vermag es aber nicht und der Tanz geht ohne ihn weiter [26].

Lucifer.

O könnt' ich noch
Mich erheben, was dann fehlte
Meinem Glück?

Jasio.

Da er verwundet
Aus der Reihe blieb zurück,
Tanzet ohne ihn jetzt.

Alle.

Weiter!

Musik.

Sei er hochwillkommen!

Jasio

(singt).

Schau' er dann zuerst,
Wie das Land gepflüget,
Und gestreut der Saamen,
Ob er keimt, ob nicht.

Musik.

Sei er hochwillkommen!
Hochwillkommen sei er!

Noëmi fällt. Booz reicht ihr die Hand und richtet sie auf.

Noëmi.

Wehe, weh' mir Unglücksel'gen [27])!

---

26) Daß Lucifer nicht im Stande ist, wieder aufzustehen, weil er vermuthlich bei seinem Falle ein Bein gebrochen hat, deutet allegorisch die Tiefe seines moralischen Falles an, aus welchem keine Erhebung mehr möglich war.

27) Noëmi fällt an zweiter Stelle, weil dem Falle des Lucifer der Fall der menschlichen Natur, welche durch sie dargestellt wird, folgte.

Zelpha.

Warum tanzest du denn, Alte!

Lucifer.

Gar nicht übel, daß nach mir
Fiel die menschliche Natur.

Zwietracht.

Wohl; doch du vermochtest nicht,
So wie sie, dich zu erheben.

Lucifer.

Freilich, wenn die Hand ihr Jemand
Reicht!

Zasio.

Nur weiter tanzet!

Alle.

Weiter!

Alle Tanzenden fallen nach und nach abwechselnd und erheben sich sogleich wieder, so daß der Tanz keine Unterbrechung leidet.

Musik.

Hochwillkommen sei er!
Sei er hochwillkommen.

Eine Frau

(singt).

Schau' er dann das Mähen
In der Morgenfrühe,
Wie, bethaut von Perlen,
Stralen die Smaragde.

Musik.

Hochwillkommen sei er!
Sei er hochwillkommen

Zelpha.

Grade auf die Nase fiel ich!

Eine Frau.

Ich verstauchte mir den Fuß!

Noëmi.

Alle fallen, so wie ich.

Jasio.

Nichts da! Tanzt nur weiter!

Alle.

Weiter!

Musik.

Hochwillkommen sei er!

Zelpha

(singt).

Schau' er, wie die Sichel
Nun ihr Werk vollbracht,
Wie der Mühlstein malmt,
Was der Sieb gereinigt.

Alle.

Sei er hochwillkommen,
Hochwillkommen sei er!

Zelpha.

Keinen giebt's, der nicht gefallen!

Jasio.

Da der Boden hier voll Spalten
Und von Unkraut voll das Feld,
Fallen Alle.

Lucifer.

Ruth allein nicht!

Zwietracht.

Wo sie jetzt den Fuß hinsetzet,
Liegt die Schlinge; fallen muß sie.

Musik.

Sei er hochwillkommen,
Nun das Korn zu schauen,
Von der Spreu gesondert.

dem Augenblick, als **Ruth** zu straucheln droht, thut **Booz** dem Tanze Einhalt und **Ruth** bleibt an der Stelle stehen, wo **Lucifer** am Boden liegt.

Booz.

Nun genug! der Tanz hör' auf;
Denn es naht sich schon die schwarze
Nacht mit ihren düstren Schatten.

Lucifer.

Für mich wird sie ewig dauern,
Da er sie am Fallen hindert,
Und, so nah' der Schlinge schon,
Sie zurückhält, mit dem Fuße
Grade über meinem Haupte.

Zwietracht.

Jener fiel und steht nicht auf;
Andre müh'n sich aufzustehen;
Ruth nur wird zurückgehalten
Vor dem Falle. Welch' ein Räthsel!

Lucifer.

Laß es nur auf sich beruhen;
Mag's verstehen, wer es kann.

Booz.

Levi!

Levi.

Herr! was ist dein Wille?

Booz.

Laß in einer dieser Hütten
Mir ein Bett von Garben machen,
Wo die Nacht ich ruhen kann;
Denn schon mit der Morgenröthe
Will ich schauen, wie der Weizen
Wird geschnitten.

Levi.

Ist auch meine,
Herr, nur ärmlich hier und klein
Wie die andren —

Booz.

Nichts verschlägt's;
Denn das einz'ge Mal ist's nicht,
Daß ein Bessrer wohl, als ich,
Schläft auf Stroh in Bethlehem [28]).
Zieht euch alle nun zurück!
(für sich:)
Holde Aehrenleserin!
Wie mich deine Schönheit reizet!

Noëmi.

Da er hier im Felde bleibt,
Komm, o Ruth, und laß dir sagen,
Was dir meine Liebe räth.

---

28) Booz hält es seiner nicht für unwürdig, sich ein Nachtlager vo auf den Feldern Bethlehems bereiten zu lassen, da einst der abstammende Messias ebenfalls in Bethlehem auf Stroh Krippe ruhen wird.

Ruth.

Stets erfüll' ich, was du wünschest;
Bin ja Tochter des Gehorsams.

Basio.

Bis er sich zurückgezogen,
Laßt uns singen noch und tanzen.

Musik.

Hochwillkommen sei er,
Der Familienvater!
Schau' er an die Arbeit,
Die im Feld ihm lacht.
Sei er hochwillkommen!

d dieses Gesanges ziehen sich Alle tanzend zurück, nur **Lucifer** und die **Zwietracht** bleiben.

Lucifer.

Also deuten diese Zeichen,
Zwietracht, diese Schatten hier,
Alles was wir hörten, mir
Nichts hier an, was nicht gereichen
Mir zum Trotz und Aerger müßte?

Zwietracht.

Mich verwundert's nicht, daß Schrecken
Du in ihnen konnt'st entdecken,
Ob auch schwerlich selbst ich wüßte,
Was ich hier bemerkt' und sah.
Deine Sorge theilt' auch ich;
Starres Staunen faßte mich.
Doch — nicht gieb besiegt dich da!
Fahre fort, bis du erkannt,
Wessen Bild, um dich zu reizen,
Hier —

Lucifer.

So sprich!

Zwietracht.

In diesem W e i z e n,
Diesem W e i b e vor dir stand.

Lucifer.

Woll'n wir weiter noch hier gehen,
Laß' erspäh'n uns, was der Rath
Ihrer Mutter dort erbat,
Glückt es anders mir zu sehen,
Auf der traurig dunklen Spur
Meiner Nacht, dem Unglückspfade,
Wohin jetzo wohl die Gnade
Geht, bewegt von der Natur[29]).

Zwietracht.

Jener Hütte naht sie dort,
Unbemerkt, wo diese Nacht
Booz auf Stroh zu ruh'n gedacht
Hier in Bethl'hems Feld.

Lucifer.

Sofort
Legt' sie da sich ihm zu Füßen.

Zwietracht.

Die Berührung, die ihn traf,
Weckt ihn auf; noch halb im Schlaf
Sucht er ein so seltsam Grüßen
Sich im Dunkel zu erklären,
Und mit leiser Stimm' er fragt:

---

29) D. h. wohin Ruth, von Noëmi überredet, gehen wird.

Booz

(hinter der Scene).

Wer doch hat es hier gewagt
Einzutreten?

Ruth

(ebenso).

Das Begehren
Jener, die, verschmäht von dir,
Ohne Zweifel untergeht.

Lucifer.

Wehe mir! die Gnade steht
Bittend da vor Gottes Thür.

Booz und Ruth treten auf.

Booz.

Sprich, wer bist du, was begehrst du?

Ruth.

Ein betrübtes Weib, das eben
Hier an deiner Thür das Leben
Hofft zu finden.

Booz.

Wer doch? hörst du!

Ruth.

Bin die Aehrenleserin,
Die vor dir einst Gnade fand,
Die die Nacht allhier gebannt,
Wie du siehst; geblieben bin
Auf dem Feld ich hier, um morgen
Mit dem frühsten aufzustehen.
Aehren will ich sammeln gehen
Mit dem Morgenroth; und sorgen
Macht die schwarze Nacht mich hier,
Mir ein Obdach zu erkunden.

Booz.

Wahrlich, Mitleid hat gefunden
Deine Sorge auch bei mir.
Nimm, und schütze dich damit
Vor der Kälte.

Er giebt ihr seinen Mantel.

Lucifer.

Welch' ein Zeichen?
Um zur Höll' ihr zu gereichen,
Theilt er ihr den Mantel mit!

Zwietracht.

Wohl erfüllet hier ich seh',
Was der Himmel angedeutet
Schon, daß Wolle er bereitet
Jedem, dem er sendet Schnee [30]).

Ruth.

Hab' ich angenommen hier
Dieses Kleid von dir, gerührt,
Ist's, weil mir es ja gebührt.

Booz.

Ja gewiß, ich schuld' es dir,
Weil du arm bist. Niemals, nein,
Leugn' ich, daß es dir gehörte.

Ruth.

Nicht als Arme ich's begehrte;
Nein; ich nahm es, weil es mein.

Booz.

Dein?

---

30) Anspielung auf Psalm 147. „Qui dat nivem, sicut lanam etc.“

Ruth.

Ja.

Booz.

Wie? in welchem Sinne
Nimmst das Wort du also weit?

Ruth.

Nun — es ist das Hochzeitskleid
Das mir schuldet deine Minne.
Noëmi, nicht sei's verhehlt,
Jene Mutter, die ich nähre,
Und für die ich's nur begehre,
War Elimelech vermählt,
Deinem Blut; des Mahalon
Gattin[31]) war ich, und in mir
Ruhet Juda's Zweig nun hier
Jetzo ohne Succession.
Da aus ihm nun, wie wir wissen
Aus den Schriften der Propheten,
Die die Zukunft ja erspähten,
Der Messias soll entsprießen,
Mußt du, nach Gesetz und Pflicht,
Des Elimelech in mir
Und des Mahalon hinfür
Asche jetzt aufnehmen nicht[32])?
Warst du mitleidsvoll bereit,
Diesen Mantel mir zu geben,
Will ich selber ihn aufheben
Jetzo als mein Hochzeitskleid!

Sie nimmt den Mantel.

„Gattin." Im Original steht hier: „Tochter" (hija), offenbar ein Versehen des Dichters. (Vergl. Ruth cap. 1, 2—5.)
Vergl. Ruth 4, 10.

Booz.

Gerne ließ in deiner Hand
Ich als solchen ihn schon jetzt,
Wenn, was mich in Trauer setzt,
Ich kein näh'res Blut noch fand,
Dem vor mir dies Recht gebührt.
Und so wag' ich's, bis ich weiß,
Ob er selbst gerechterweis
Seine Pflicht an dir vollführt,
Nicht, ihn jetzt schon dir zu lassen.
(Er nimmt den Mantel zurück.)
Denn, ob's meine Macht auch kann,
Keinem thu' Gewalt ich an[33]).
Und, da Schatten uns umfassen
Hier der Nacht, so bleib's verborgen
Daß du herkamst, sicher nicht
Ohne höh'ren Triebes Licht,
Dies Geschäft hier zu besorgen.
Geh' von hinnen nun; es finde
Niemand hier dich, denn es bricht
Bald hervor Auroras Licht,
Unsre Räthsel zu enthüllen;
Bis in also wicht'ger Frage
Ich dir morgen Antwort sage.
Geh' mit Gott.

Ruth.

Nach Gottes Willen!
Beide ab.

Lucifer.

Dies Geheimniß zu erspähen,
Können keinen Schritt wir machen
Ohne Schrecken.

---

33) Sh. Ruth 3, 12—13.

Zwietracht.

Wenn die Sachen
Wir erforscht, dann woll'n wir sehen!

Levi

(hinter der Scene).

Holla! in den Hütten ihr
Feldarbeiter unsers Herren!
Guten Morgen!

Musik.

Guten Morgen!

Levi.

An die Arbeit nun, ihr Leute!
Wachet auf! schon graut der Tag!

Musik.

Wachet auf! schon graut der Tag!

Levi.

Wachet auf! schon naht die Sonne!

Musik.

Wachet auf! schon naht die Sonne!

Zwietracht.

Ihre neuen Mühen machen
Sie zum Texte ihres Liedes!

Lucifer.

Und zu hören bin verdammt
Wieder ich den alten Sang!

Musik.

Wachet auf! schon graut der Tag!
Wachet auf, schon naht die Sonne!

Ruth tritt auf.

Ruth.

Da die dunkle, kalte Nacht
Mit dem Schatten nun entschleicht,
Und das Nebelheer verscheucht
Schon des neuen Tages Macht;
Da die Stimme des Verwalters
Schläfrigmunter schon ertönt,
Aufzuwecken, was gewöhnt
An die Arbeit seines Alters:
Will auch ich den Fleiß verdoppeln
Im Geschäft, das mir beschieden,
Und zu sammeln nicht ermüden
Dort auf jenen Weizenstoppeln.
Wohl das Licht mit größrer Wonne
Ich zu grüßen nicht vermag.

Levi und Musik

(hinter der Scene).

Wachet auf! schon graut der Tag!
Wachet auf! schon naht die Sonne!

Ruth.

O wie frisch und duftig steht
Hier das Feld durch Gottes Güte!

Zwietracht

(zu Lucifer).

Achtung! üppig ja erblühte
Unkraut dort, wo jetzt sie geht!

Levi tritt auf mit einer Weizengarbe.

Levi.

Booz befahl mir, wenn ich hier
Jene Sammlerin erblicke,
Soll' ich sorgen, daß sich's schicke,
Daß nie Aehren fehlen ihr.

Will darum auf diesem Pfade,
Wo sie wird vorübergeh'n,
Aehren streu'n.

Lucifer.

Was muß ich seh'n?

Zwietracht.

Nun, was ist's, wenn nicht die Gnade,
Die sein Herr ihr will erweisen,
Der, weil ihre Müh' er liebt,
Ihr die reinen Aehren giebt.

Ruth.

Wie kann deine Gunst ich preisen,
O Jehova, würdig hier?
Auf dem armen Stoppelfeld,
Das kein Körnchen mehr enthält,
Giebst du solche Früchte mir?

Lucifer.

Zufall ist's.

Zwietracht.

Und, o des Spottes!
Dennoch sehn wir, uns zum Schrecken,
Wo wir Zufall nur entdecken,
Absicht wohl der Sorge Gottes.
Das enttäuschet uns hier laut,
Wenn die Aehren sie gefunden —

Lucifer.

Was?

Zwietracht.

Daß nimmer sie gebunden
Ihre Garben aus —

Alle

(hinter der Scene).

Unkraut
Wuchert unterm Weizen hier!

Levi.

Ha, was hör' ich?

Ruth.

Was vernehm' ich?

Eine Stimme

(hinter der Scene).

Keine Garbe ist geschnitten,
Wo nicht Lolch sich eingemischt.

Ein Anderer.

O wie schlimm!

Ein Anderer.

Welch' Mißgeschick!

Booz tritt auf von der einen Seite und der **erste Arbeiter** von der anderen.

Booz.

Was bedeuten diese Stimmen?

Erster Arbeiter.

Kaum begann auf diesem Felde
Dessen prächt'ger goldner Weizen
Deine Tenne füllen sollte,
Ihre Arbeit unsre Sichel,
Als, beim ersten Schnitte schon,
Wir es voll von gift'gem Unkraut
Ueberall erblickten; unnütz
Wär die Arbeit hier des Schnitters;

Denn kaum eine Aehre giebt's,
Die nicht schon an ihrer Wurzel
Dieses Unkrauts Pest umklammert,
Das hier wächst. Ja, ohne Zweifel,
Jener Same war nicht gut,
Den du, Herr, als man zuerst
Dieses Feld bestellte, hier
Ausgesäet.

Booz.

Schweige! gut
War der Same; ja so gut,
Daß, wenn er verglichen würde
Hier mit mystischer Bedeutung,
Er nur Gottes Worte ähnlich,
Von deß heil'ger Lehre Er
Sich die beste Frucht verspricht.

Erster Arbeiter.

Nun, so muß hier ein Verräther
Unter deinen Leuten schleichen,
Der (um bei dem Bild zu bleiben
Von der Lehre) wohl als Ketzer
Hier das Unkraut seiner Dogmen
Hat gesä't.

Levi.

Bis diesen Feind
Wir entdecken, laßt uns Alle
Ans Ausraufen jetzo gehen
Jener Wurzeln, die so wuchernd
Hier gedeihen.

Booz.

Nein; Geduld!
Also heilt man diesen Schaden
Nicht.

Levi und der Arbeiter.

Warum?

Booz.

Weil, wenn das Unkraut
An der Wurzel hier den Weizen
Hat umklammert, es ja klar,
Daß dann Beides geht zu Grunde,
Rauft man Eines mit dem Andern.
Gottes Reich ja duldet auch
Und verschonet und erträgt
Böse stets vermischt mit Guten.
Und nach solchem Beispiel wird es
Besser sein, daß man zugleich
Beide Samen schneide; daß nicht
Wenn der eine mit Gewalt
Ausgerissen wird, der andre
Mit ihm leide. Sind geschnitten
Sie, dann mag die Prüfung kommen,
Und dann wird sich leichter sichten
Wohl das Schlechte von dem Guten;
Dieses wird dann aufbewahrt,
Und das andre weggeworfen,
Um dem Feuer Stoff zu geben,
Wo es ohne Ende brenne.
So soll's sein; das Weitre werd' ich
Dann euch sagen.

Ruth.

Ganz erschrocken,
Daß die Hilfe jetzt mir fehle,
Wag' ich nicht, mich zu bewegen.

Zwietracht.

Das zum wenigsten gelingt uns,
Wenn der Weizen von dem Unkraut

Wird gesichtet, daß wir sehen,
Wie sie Vieles dann verbrennen
Müssen.

Lucifer.

Und was liegt daran,
Wenn das Unkraut mit den Aehren
Ruth's sich nicht vermischen kann,
Die, weil ihre sie, vor seiner
Pest gesichert?

Zwietracht.

Selbst in ihrer
Hand will ich sie ihr verderben.

Lucifer.

Einst versuchte ich es selbst;
Doch 's gelang mir nicht.

Lucifer zieht sich zurück. Die Zwietracht tritt vor.

Zwietracht.

Wie Vielen
Glückten andere Verbrechen,
Die dem Teufel selbst nicht glückten!
(zu Ruth.)
Fremde Aehrensammlerin,
Die du, angekommen hier,
Ohne daß dich diese Berge
Kennen, jene Ueberbleibsel,
Die uns Gott von seinem Tische
Gnädig fallen läßt, so vielen
Aehrensammlerinnen raubest,
Die in ihrem Vaterlande
Hier von dieser Erndte leben,
Und vermeinest, daß für dich nur
Sie geblieben, jene, welche

Rein von Unkraut sich erhalten,
Gieb sie her; wir alle haben
Recht auf diese Beute!

Ruth.

Achte,
Daß ich selbst für einen andren
Armen sie gesammelt, dem ich
Sie wohl schulde, während dich
Neid nur, nicht Bedürfniß treibt.
Nicht erhältst du diese Aehren!

Zwietracht.

Mit Gewalt werd' ich sie nehmen
Dir.

Ruth.

Ich werde sie vertheid'gen.

Sie umfaßt die Aehren mit beiden Armen. Die **Zwietracht** zieht sich zurück.

Zwietracht.

Du verstehst's; du tödtest mich,
Da ich selbst dich tödten wollte.
Wer denn bist du, o phantastisch
Weib, deß sonderbar Erscheinen
Wie Reflex von fernem Licht
Hier erglänzt, die sich mit Aehren
Wie mit Blitzen hier vertheidigt?
Lucifer! komm' mir zu Hilfe!

Lucifer.

Fliehst du schon?

Zwietracht.

Da ich bemerkte,
Wie die Garbe sie umfaßt

Von dem Weizen Bethlehems,
Und an ihre Brust sie drückt
Mit gekreuzten Armen, hat mich
Deine erste Angst ergriffen.

Lucifer.

Weib, wer bist du, daß du so
Kannst uns beide hier erschrecken?

Ruth.

Von mir selber weiß ich andres
Nicht, als daß demüthig ich,
Und daß mich vor euch beschützet,
Der die Stolzen niederstürzt
Und die Demüth'gen erhebet[34]).
Und, wenn Gott mich hier erleuchtet,
Bin ich jene, die als einer
Andren Schatten, schon genügt,
Euch mit Schrecken zu erfüllen.

Beide.

Welcher?

Ruth.

Einer andren höhern
Ruth, die einst an ihre Brust
Wird den Weizen Bethl'hems drücken[35]),
Jene Frucht des Säemanns dort,
Den du einst auf diesem Felde
Sahest seinen Weizen streuen.

---

34) Anspielung auf den bekannten Vers des Magnificat, der im Munde der Ruth auf ihren typischen Charakter hindeuten soll.

35) D. h. Marias, der Mutter Gottes, welche den wahren Weizen Bethlehems, den Heiland der Welt, als ihr göttliches Kind, an ihre Brust drücken wird.

Lucifer.

Schönen Samen lobst du da
Eines Ackers, der den Weizen
Auf so mannichfach verschiednem
Boden aufnahm, daß er bald,
Auf ein Herz von Stein gefallen,
Nicht gekeimt, bald umgekommen
Auf dem Wege, bald erstickt
In so sehr verdorbner Erde,
Daß sie Unkraut mit ihm nährte!

Ruth.

Ging der Same auch verloren
In so undankbarer Erde
Seinem Herrn, so reift' er doch
Im fruchtbaren Schooße einer
Andren jungfräulichen Erde.

Zwietracht.

Denk' an diesen Gegenstand
Meiner Wuth ich auch, so seh' ich
Doch den Säemann nur allein,
Nicht die Erde, welche du
Als jungfräuliche bezeichnest.

Es öffnet sich der Hintergrund der Bühne an der einen Seite und man erblickt d
wieder wie vorher und später erscheint an derselben Seite ein Mädchen mit einem bl
vor welchem ein Engel knieet, wie das Geheimniß der **Verkündigung** abgebil

Säemann.

Wirst sie schau'n, wenn von dem Vorbild
Du zum Urbild hin dich wendest.

Lucifer.

Wo?

Säemann.

In jener unversehrten
Erde, die nach mir erscheint,
Und in die ein beßrer Säemann
Gottes Wort dann selber säet.

Zwietracht.

Nichts erblick' ich.

Lucifer.

Nichts gewahr' ich;
Ohne Zweifel, dies Geheimniß
Ist's, das Gott vor mir verbirgt
So, daß alle meine Sehkraft,
All' mein Wissen hier vergeblich.

Säemann.

Nun, auch wenn du 's nicht erblickst,
Hörst du doch die laute Stimme.

Der Engel.

Gegrüßt sei Maria, du voller Gnade!

Musik.

Gegrüßt sei Maria, du voller Gnade!

Engel.

Gesegnet ja bist du —

Musik.

Du voller Gnade!

Engel.

Vor allen Weibern.

Musik.

Du voller Gnade!

Engel.

Gesegnet die selige Frucht deines Leibes!

Das Mädchen.

Eine Magd bin ich des Herren,
Mir gescheh' nach seinem Willen.

Musik.

Gegrüßt sei Maria, du voller Gnade!

Zwietracht

(zu Ruth).

Macht dies Licht auch mich erstarren,
Setzt auch Schatten mich in Flammen,
Zittr' ich wohl, doch geb' ich's auf noch
Nicht, dich weiter zu verfolgen.

Ruth.

Dorthin werd' ich dann mich wenden,
Wo die schon geschnittnen Garben
Ich den Priester sah' erheben.

Lucifer.

Und was kannst du dort wohl finden?
Wenn, um bis zur Frucht zu kommen
Jenes dort geschnittnen Weizens,
Erst das Korn Zerstörung leiden
Muß und sterben, giebt es nichts,
Was ich da zu fürchten hätte.

Auf der anderen Seite der Bühne erscheinen, wie oben, die **Landleute** mit dem **Prie**
welcher die Garben emporhebt und später wird an derselben Stelle ein Knabe sich
mit dem Kreuz in der Hand.

Der Priester.

Das auch wirst du seh'n, wenn wieder
Auf das Urbild hin du schauest
Dieses heil'gen Vorbilds hier.

Lucifer.

Welches?

Der Priester.

Christus ist's, das Korn,
Das, getödtet, fruchtbar ward[36])
Am Altar des Kreuzes, das in
Hymnen Erd und Himmel preist.
Gegrüßt sei, o Kreuz,
Du Gottesbaum!

Musik.

Gegrüßt sei, o Kreuz,
Du Gottesbaum!

Priester.

Du kostbar Holz!

Musik.

Du Gottesbaum!

Priester.

Du Cither Jesu, David's Harfe!

---

36) Vergl. Joann. 12. „Nisi granum frumenti cadens in terram, mortuum fuerit, ipsum solum manet," wozu der heil. Augustinus bemerkt (Tract. 51 in Joann.): „Ipse Dominus Jesus erat granum mortificandum et multiplicandum; mortificandum infidelitate Judaeorum, multiplicandum fide populorum."

Musik.

Gegrüßt sei, o Kreuz,
Du Gottesbaum!

Der Knabe.

Ich bin das gestorbne Korn,
Welches seine Frucht gebracht,
Wenn im Angesicht des Volkes
Mich der Priester hebt als Hostie.

Musik.

Gegrüßt sei, o Kreuz,
Du Gottesbaum!

Lucifer und Zwietracht.

Unsere verstockte Wuth
Weichet auch vor solchem Schrecken
Noch zurück nicht.

Ruth.

Nun so eil' ich
Hin, wo's Korn wird aufbewahrt,
Mich vor eurer Wuth zu schützen.

In der Mitte der Bühne erscheint **Joseph** wie oben, und später ein Garten mit einem Springbrunnen mit sieben Röhren.

Joseph.

Für die Noth von sieben Jahren
Ist hier siebenjähr'ge Fülle
In den sieben Sakramenten,
Welche unaufhörlich fließen
Aus der Kirche heil'ger Quelle,
Wo sie Allen ausgespendet.
Dies ist der verborgne Schatz,
Den das Lied einst wird besingen.

Musik.

Gegrüßt sei, o Schatz
In heiliger Arche!

Joseph.

Glückseliger Reichthum!

Musik.

In heiliger Arche.

Joseph.

O tiefes Geheimniß!

Musik.

In heiliger Arche.

Joseph.

O göttlicher Schlüssel,
Verschlossene Quelle!

Musik.

Gegrüßt sei, o Schatz
In heiliger Arche!

Zwietracht.

Ist's ein Schatz, so fehlt es doch,
Daß im Brod ich ihn erblicke;
Deine Aehr'n tret' ich mit Füßen.

Ruth.

Niemals; es vertheid'gen sie
Ja Melchisedech und Abr'ham.

Beide.

Wo?

Es erscheinen **Melchisedech** und **Abraham**, wie am Anfange und später ein Altar mit dem Sakramente unter einem Regenbogen.

Abraham.

In diesem Feldzug ich,
Wo ich's Heidenthum besiegte.

Melchisedech.

Ich im heiligsten der Werke
Jener sieben Sakramente,
Da zur Dankerweisung ich
Brod und Wein geopfert habe.

Die Beiden.

Welches Brod in jener Hostie?

Abraham.

Das der wahr'n Eucharistie.

Melchisedech.

Welches tausend Zungen preisen.
Gegrüßt sei lebendiges himmlisches Brod!

Abraham.

Manna der Wolken!

Musik.

Himmlisches Brod!

Abraham und Melchisedech.

Göttliche Gnade
Und Fülle der Gnaden!

Musik.

Göttliche Gnade
Und Fülle der Gnaden!

Zwietracht.

Weh' mir! da ich dies erblicke,
Schwindet all' mein Muth dahin.

Lucifer.

Nun begreifst du, daß umsonst nicht
Jene Aehren dort mich zittern
Machten einst in Bethlehem!
Wenn ich heute sie erblicke
In den Händen hier der Ruth,
Seh' in unentweihter Erde
Ihren Samen ich, ihr Blut
An dem dort erhöhten Kreuze,
Ihre Tenn' in heil'ger Hut,
Und ihr Brod im Sakramente.
Bersten möcht' ich schier vor Wuth.

Die verschiedenen Chöre der Erscheinungen wiederholen die sie betreffenden Verse.

Erster Chor.

Gegrüßt sei, Maria,
Du voll der Gnade.

Zweiter Chor.

Gegrüßt sei, o Kreuz,
Du Gottesbaum!

Dritter Chor.

Gegrüßt sei, o Schatz,
In heiliger Arche!

Vierter Chor.

Gegrüßt sei lebendiges
Himmlisches Brod!

Lucifer.

Was wohl fehlt zu meiner höchsten
Strafe noch?

Ruth.

Was nun erst kommt.

Booz, Noëmi und Simeon treten auf.

Booz.

Jenes Unkraut, das uns Sorge
Schuf, es rottet leicht sich aus,
Ohne daß die Früchte leiden;
Jene köstlich reinen Aehren
Ruth's sind Bürgen uns dafür;
Der Triumph ist ihr beschieden.

Noëmi.

Wenn Noëmi hier bedeutet
Hat die menschliche Natur,
Kommt, durch solcher Tochter Schutz,
Glücklich sie zu deinen Füßen.

Booz.

Und dir, Neffe, wünsch' ich Glück.

Simeon.

Weshalb nennst du glücklich mich?

Booz.

Weil du als ihr allernächster
Blutsverwandter, ihr die Hand
Nun als Bräut'gam reichen mußt.

Simeon.

Wenn ich solches Glück verdiente,
Nähm ich's an, um zu erfüllen

Das Gesetz, doch nur, um dir,
Unterm Namen sie des Bräut'gams,
Rein und unberührt zu wahren [37]).
Da du der Familienvater
Bist und sie vor deinen Augen
Gnade fand, darf nur dein hoher
Geist allein sie hier gewinnen;
Daß man daran auch erkenne,
Daß nur deshalb dem Verwandten
Sie als Bräut'gam du vertrauest,
Weil für dich du ihn erhöhest.

Booz

(zu Ruth).

Nun, dann komm' in meine Arme.

Ruth.

Besser weil' ich dir zu Füßen.

Lucifer.

Was noch wart' ich, wenn ich sehe
Daß aus solchem Tugendbunde
David wird als Enkel stammen,
Dessen Sohn einst Fama nennen
Wird den künftigen Messias?

Basio.

Um ihn desto mehr zu schrecken
Nun mit dem Triumph der Aehren
Ruth's, laßt jetzt uns wiederholen
Laut (um Nachsicht Euch [38]) dann bittend):

hier der Typus des heil. Joseph, der als irdischer Bräu-
as, sie unversehrt ihrem wahren Bräutigam gewahrt und

. die Zuschauer.

Alle und Musik.

Gegrüßt sei Maria,
Du voll der Gnade!
Gegrüßt sei, o Kreuz,
Du Gottesbaum!
Gegrüßt sei, o Schatz,
In heiliger Arche!
Gegrüßt sei, lebendiges
Himmlisches Brod!
Göttliche Gnade
Und Fülle der Gnaden!

Druck von Robert Nischkowsky in Breslau.

Der Schutz des Heiligthums.

Erläuternde Vorbemerkungen.

Das nachstehende Auto: Der Schutz des Heiligthums (La Immunidad del Sagrado) bietet, so leicht verständlich es auch im Allgemeinen ist, doch für die Erklärung eine zweifache, nicht unerhebliche Schwierigkeit dar. Die erste liegt schon in dem Titel desselben angedeutet, und bezieht sich auf die Beziehung, unter welcher dem Dichter das Paradies, worin der Mensch seine erste Sünde beging, zugleich als Asyl erscheint, das ihm Schutz gewährt. Zwar wird er diesem Asyl sofort durch den Engel entrissen; seine Berufung auf das verletzte Asylrecht nützt ihm jedoch im Verlauf seines Prozesses insofern, als er durch die Gnade des Erlösers in ein neues Asyl, in die Kirche, versetzt wird. Es ist jedenfalls nur der vorbildliche Charakter des Paradieses in Bezug auf die Kirche, an welchen der Dichter hier anknüpft und auf den er den Menschen seine Hoffnungen gründen läßt. Ob diese Anschauung auf der Bemerkung irgend eines Kirchenvaters beruht, wie es fast den Anschein hat, war nicht zu ermitteln [1]). Eine zweite Schwierigkeit bieten die vielen der juristischen Terminologie entlehnten Ausdrücke dar, welche, da der Prozeß des Menschen in aller Form verhandelt wird, in die Darstellung verflochten werden, und deren genaue Erklärung eine ganz spezielle Bekanntschaft mit den Formen der alten spanischen Justiz

---

1) Als Vorbild der Kirche im Allgemeinen wird das Paradies bezeichnet bei Augustinus de civit. dei lib. 13 cap. 21, und Ambrosius lib. de Paradiso.

erforderte. Indeß bleibt, wenn auch hier und da ein einzelner Ausdruck dunkel und in seiner Anwendung zweifelhaft ist, doch der Gang des Prozesses im Allgemeinen vollkommen verständlich, ohne daß die Dunkelheit einiger Besonderheiten den Totaleindruck des Autos wesentlich beinträchtigen kann, der jedenfalls der eines höchst genialen und originellen Kunstwerkes ist. Vielleicht ist die Idee des Ganzen im Dichter angeregt worden durch eine Homilie des heil. Bernhard (deren wichtigste Stellen unter Anm. 61 mitgetheilt werden), in welcher der Doctor mellifluus mit der ihm eigenthümlichen poetischen Darstellungsgabe den göttlichen Rathschluß der Erlösung des Menschen unter dem Bilde eines im Himmel stattfindenden Rechtsstreites schildert.

Da sich das ganze Auto ausschließlich auf dem Gebiete der Allegorie bewegt, sind auch die Personen durchweg allegorische. Daß der Erlöser hier in der Gestalt des Kaufmanns auftritt, ist eine Eigenthümlichkeit, welche durch die Handlung selbst nicht hinreichend motivirt erscheint und zu welcher jedenfalls ein besonderer, uns unbekannter (vielleicht rein äußerlicher) Grund den Dichter veranlaßt hat. Die Abwesenheit der Figur des Gracioso gehört ebenfalls zu den besonderen Eigenthümlichkeiten dieses Auto. Ueber die Zeit seiner Abfassung sind keine Andeutungen vorhanden.

Der Schutz des Heiligthums.

Personen:

Die Gerechtigkeit.
Die Barmherzigkeit.
Der Kaufmann.
Der Mensch.
Die Welt.
Die Erde.
Das Wasser.
Die Luft.
Das Feuer.
Lucifer.
Die Schuld.
Die Bosheit.
Die Gnade.
Der erste Engel.
Der zweite Engel.
Musik.

Der **Mensch** tritt auf, fliehend und erschrocken.

Mensch.

Wohin flieh' in meiner Angst ich
Schuldbeladner jetzt vor Gottes
Strafgerechtigkeit, wenn nirgends
Ich vor ihm mich bergen kann?
Könnt' mit Flügeln ich mich kleiden,
Und auf Wolken mich erheben
Bis zum Himmel, ist im Himmel
Gott! Wenn ich's versuchen wollte,
Ueber's Meer hinweg zu eilen,
Wär' mein Flug vergeblich, denn
Auch jenseits des Meeres ist ja
Gott! Wollt ich der Berge Busen
Mir zur Zuflucht ausersehen,
Und zum Grabe mir erwählen
Ihrer aufgethürmten Wucht
Tiefste, ausgehöhlt'ste Schluchten:

In der Berge Busen auch
Treff' ich Gott! Und wenn ich's ganze
Weltall suchend auch erschöpfe,
Wenn ich wollte, daß der Abgrund
Mich ihm stehle, auch im Abgrund
Selbst ist Gott [1])! Zu hoffen, daß die
Sonne ihren Strahl verschleire,
Daß die Finsterniß der Nacht
Meine Flucht verberg', wär' eitel;
Denn für Gott sind auch die Schatten
Licht; kein Tag entzieht sich ihm,
Und ihm leuchtet jede Nacht!
Und, da 's keinen Ort nun giebt,
Der vor ihm mich sicher stellte,
Da im Himmel und auf Erden
Jeden Ort er selbst erfüllt,
Will ich flieh'n, nicht weil ich glaube,
Daß mich einer kann verbergen,
Sondern nur, damit er sehe
Meine Ehrfurcht, daß ich zittre
Ihn erzürnt zu seh'n; nur dafür
Will ich sorgen, da er mich
Sicher finden wird, daß zitternd
Er mich finde! Bäume! früher
Mir so süß, und nun so bitter!
Ihr azurnen, bunten Blumen,
Einst so lieblich mir erschienen,
Nun so wild! (Denn eure Farben
Bringen Dornen jetzt hervor,
Die, je mehr sie schmeicheln, stechen.)
Wenn mich eure Netze schützen,
Eure Blätter mich bedecken
Einen Augenblick, will glücklich

---

[1]) Diese Worte des Menschen sind eine poetische Umschreibung der b kannten Psalmenstelle (Ps. 138, 8—10).

Ich mich preisen, da verfolgend
Diener der Gerechtigkeit,
Um mich aufzusuchen, schon
Diesen Garten hier durchstreifen.
Gebt in eurer Mitte drum
Ein verborgnes Obdach mir,
Eine grüne Herberg, wo ich
Mich verstecken kann!

ndem er in den Garten eindringen will, in dessen Mitte man einen Springbrunnen mit sieben öhren erblickt, dessen Spitze ein Kreuz bildet, erscheint an der Pforte **der erste Engel** mit einem Schwerdt in der Hand.

Der Engel.

Wohin,
Blut'ger Mörder?

Mensch.

Halte ein,
O erzürnter, schöner Cherub!
Mit dem Schwerdt, das du als Ruthe
Der Gerechtigkeit zum Werkzeug
Heut des Kerkers und zur Strafe
Machst, das mit den feur'gen Flammen
Jedes Leben hier bedroht,
Ueberallhin Tod verbreitend!

Engel.

Gieb gefangen dich!

(Er faßt ihn an.)

Mensch.

Geheiligt
Ist das Centrum, das mich birgt!
Wie darfst du in ihm mich fassen [2])?

---

[2]) Der Gedanke, welcher hier zu Grunde liegt und auf dem die Composition des ganzen Auto beruht, dürfte sich wohl folgendermaßen analysiren lassen: Das Paradies, worin der Mensch die erste Sünde

Engel.

Dem Verhaftsbefehl gehorch' ich,
Wenn zum königlichen Kerker
Ich der Welt dich schleppe; ob
Deine Zufluchtsstatt geheiligt,
Oder nicht, was kümmert's mich?
Dort magst selbst du dich vertheid'gen,
Wie du kannst.

Er reißt ihn mit sich fort.

Mensch.

Zum Zeugen ruf' ich
Himmel, Sonne, Sterne, Wolken,
Thiere, Vögel, Fische, Wild,
Tage, Nächte, Schatten, Licht,
Bäume, Sträucher, Quellen, Blumen,
Berge, Meere, Thäler, Höhen:
Aus dem Heiligthum gerissen
Werd ich!

Engel.

Eitel ist dein Sträuben;
Nimmer laß ich dich. Ha Welt!

---

beging, die hier unter dem Bilde eines freiwilligen Mordes erscheint, weil er durch dieselbe sowohl seine Seele getödtet, als auch den körperlichen Tod in die Welt eingeführt, war zugleich ein Bild der künftigen Kirche, jener Freistatt, welche später dem Sünder Schutz gegen die göttliche Gerechtigkeit gewähren sollte. Es lag mithin in dem Paradiese selbst, wo die Schuld begangen wurde, schon eine prophetische Ankündigung des Asyles, welches die göttliche Gnade dem Verbrecher gewähren würde. Indem daher der Mensch sich hier auf die Unverletzlichkeit des Asylrechtes beruft und das Paradies gleichsam als eine Kirche ansieht, worin jeder Verbrecher nach den Rechtsbestimmungen des Mittelalters eine vorläufige Zufluchtsstätte finden konnte, bis sein Verbrechen erwiesen war, giebt er dadurch zu erkennen, daß er trotz seines Schuldbewußtseins und der nicht abzuleugnenden Wirklichkeit seines Verbrechens, dennoch ein gewisses Recht auf vorläufigen Schutz, das ihm die göttliche Gnade selbst gewährt hat, zu haben glaubt.

(singend.)

Untres Centrum, das bedecket
Dieser hehren goldnen Kuppel [3])
Glanzerfülltes Dachgewölbe!

Musik

(hinter der Scene).

Was willst du? Was schaffst du?
Was sagst, was verlangst du?

Engel

(singt).

Sollst hören, sollst achten,
Aufmerken und horchen.
Ha Welt!

Musik.

Ha Welt!

Zweiter Chor.

Ha Welt!

Engel.

Schüttle den Winterschlaf nun aus den Gliedern.

Musik.

Schüttle den Winterschlaf nun aus den Gliedern.

Engel.

Denn eine göttliche Stimme befiehlt dir —

Musik.

Denn eine göttliche Stimme befiehlt dir:
Sollst hören, sollst achten,
Aufmerken und horchen.

---

3) Des Himmels nämlich. Die Welt repräsentirt hier nur die irdische Welt.

Mensch.

Was für süße Töne hör' ich?

Engel.

Zweifle nicht, daß in Musik
Ist ihr Bau gesetzt und daß,
Wenn ihr All' hier redet, Alles
Wird zu süßer Harmonie [4]).

Mensch.

Möcht' sie nie mein Weinen stören!

Engel.

Ha Welt!

Musik.

Ha Welt!

Die **vier Elemente** treten auf, eine Kette in der Hand haltend, die sie alle vier verbindet und in der Mitte des Kreises, den sie bilden, die **Welt**. Sie öffnen die Kette, lassen die Welt heraustreten und schließen den Kreis wieder.

Welt.

Wer verlangt mich?
Denn ein allgemeines Rufen
Hör' ich wiederholt entbieten
Erde, Wasser, Luft und Feuer,
Welchen Gottes Macht geboten
Meine Sphäre zu begrenzen [5]):

Sie und Musik.

Sollst hören, sollst achten,
Aufmerken und horchen?

---

4) Vergl. das Auto: „der göttliche Orpheus," Bd. IV. Anm. 10.

5) Nach der alten Naturanschauung wird die materielle Welt durch innige Verbindung der vier Elemente, welche sich gegenseitig bedingen und zu gleicher Zeit ausschließen, in ihrer Ordnung und Harmonie zusammengehalten.

Welt.

Wer verlangt mich?

Engel.

Ich.

Welt.

Was willst du?

Engel.

Da du Anspruch machst, zu sein,
(Sei's daß Job es leidvoll klage,
Sei's daß Paulus es bezeuge)
Dieses Lebens Kerker Allen,
Welche einst begehren werden,
Daß Gott ihre Banden löse
Und der Knechtschaft sie enthebe[6]),
Mögst du als Alkayde[7]) hier
Den Gefangnen da verwahren
Jetzt in deinem Menschenkerker,
Bis ihn richtet einst die klare
Sonne der Gerechtigkeit.

Welt.

Welch' Vergeh'n giebt man ihm Schuld,
Die Maßregel zu begründen,
Daß um ihn man so sich kümmre?

Engel.

Einen freigewollten Mord.

---

6) Anspielung auf die Stellen: Job 7, 12. „Circumdedisti me carcere“ und Rom. 7, 24. „Infelix ego homo! quis me liberabit de corpore mortis hujus“ und 2. Corinth. 5, 1—8.

7) Alkayde (nicht zu verwechseln mit Alkalde), ein arabisches, in die spanische Sprache übergegangenes Wort, welches den Befehlshaber einer Festung, eines Schlosses, Thurmes oder Gefängnisses bezeichnet.

Welt.

Bosheit schließt's Vergehen ein!

Die Bosheit tritt auf.

Bosheit.

Nur zu sehr! denn mit ihm selber
Führt er mich auch jetzo ein
In's Gefängniß dieser Welt,
Daß in dieser Sklaverei
Seiner Haft ich ihn bediene.

Engel.

Ihr hab' ich dich übergeben
Mensch! Doch mit der Hoffnung Trost,
Daß die Zeiten einst sich ändern.

(singt.)

Nun weine, klage, leide,
Schmachte und dulde!

Ab.

Die vier Elemente.

Ein neuer Gefangner kommt
Zum Kerker der Welt!
Zahl' er Antrittsgeld!

Mensch.

Was kann ich geben, das euch gefällt?

Die Vier und Musik.

Da der Eintritt zur Welt
Ist also bestellt:
So weine, klage, leide,
Schmachte und dulde!

Welt.

Elemente!

Die Vier.

Was befiehlst du?

Welt.

Daß ihr diese Kette, welche
Euch gegliedert hier vereinigt,
Um's ihm deutlich zu beweisen,
Daß ein Kerker hier, (denn Niemand
Kann die Grenzen wohl zersprengen,
Welche ihre Linie zieht,
Zu bewachen, was sie einschließt)
Ihm anleget; wenn auf vier
Elemente sich beschränken
Jene Säfte, welche bilden
Dieses Lebens Bänder [8]), das
Einst unsterblich, ist's wohl passend,
Daß ihn eure Bande fesseln.

Sie legen ihm die Kette an.

Bosheit.

Und ich werde fest sie schmieden;
In der Bosheit ja vollenden
Sichtbar äußre Fehler jene,
Die unsichtbar er begangen [9]).

Die Vier.

Legt an dem Gefangnen
Die Ketten der Welt!
Zahl' er Antrittsgeld!

---

8) Auch im Menschen, der an sich eine kleine Welt, ein Mikrokosmos, ist, glaubte man die Verbindung der vier Elemente wiederzufinden, indem die Knochen und das Fleisch das Element der Erde, die verschiedenen Flüssigkeiten das des Wassers, der Athmungsprozeß das der Luft, und das warme Blut das des Feuers repräsentirte.

9) Die innere Sünde des Willens vollendet sich durch die äußere That, durch welche der böse Wille (die Bosheit) noch intensiver wird.

Mensch.

Was kann ich geben, das euch gefällt,
Wenn ich, da der Eintritt zur Welt
Ist also bestellt,

Zugleich mit der Musik.

Nun weine, klage, leide,
Schmachte und dulde?

Welt

(zur Bosheit).

Bring' das Buch des Lebens her,
Daß in ihm ich nun verzeichne
Des Gefangnen Uebergabe.

Die Bosheit bringt ein Buch.

Bosheit.

Hier.

Welt.

O weißes, unbeschriebnes
Buch, wo Alle einzutragen,
Die geboren werden, bis
Ihre Rechnung sie berichtigt,
Und, entlassen aus der Welt
Kerker, geh'n, entweder glücklich,
Um zu rein'gen ihre Schulden,
Oder unglücklich, sie ewig
Zu beweinen.

Mensch.

Welchen Schrecken
Flößt sein Anblick ein!

Welt.

Wie heißt du?

Mensch.

Kirche.

Welt.

Sonderbarer Name.
Was heißt Kirche?

Mensch.

Paradies.
Wohl darf ich den Namen brauchen;
Denn ihm wurd' ich ja entrissen.

Welt.

Und was folgerst du hieraus?

Mensch.

Jene Unverletzlichkeit, die
Ich genieße — [10])

Welt.

Sprich!

Mensch.

Daß außer
Ihm ich nicht gerichtet werde,
Bis man jenem Heiligthum
Mich zurückgegeben.

Welt.

Und
Wenn du hierauf dich berufest,
Worauf gründest du, daß Kirche
Sei das Paradies?

Vergl. oben Anm. 2.

Mensch.

Auf drei
Wicht'ge Stell'n, die du verstehn wirst,
Wenn du hörst, daß sich sein Name
Dreifach theilt, in irdisch, himmlisch
Und in geistig Paradies.

Welt.

Was beweisest du durch sie?

Mensch.

Daß die Kirche sich in allen
Dreien Paradiesen zeigt.

Welt.

Wie?

Mensch.

Das ird'sche Paradies
Ist, wie's Theodoret erkläret [11]),
Ein Fruchtgarten. Dieser Name
Stellt die Kirche deutlich dar,
Die ein Garten ist der Gläub'gen,
Jener Früchte, die den Himmel
Und die Erde füllen. Ferner
Ist das himmlische, wie 's Thomas [12])
Uebersetzt —

---

11) Daß hier gerade Theodoret namhaft gemacht wird, wo es sich un den Literarsinn des Wortes Paradies handelt, hat vielleicht darin se nen Grund, weil seine Commentare der heil. Schrift sich fast au schließlich mit der Erklärung des Literarsinns befassen.

12) Thomas von Aquin unterscheidet ein dreifaches Paradies: par disus terrestris, coelestis et spiritualis. Das letztere (was der he lige Paulus auch tertium coelum nennt) besteht in der visio De (2. 2. 9. 175. art. 3. ad 4.)

Welt.

Was?

Mensch.

Schauen Gottes;
Niemand zweifelt, daß die Kirche
Schauen Gottes sei; denn jene
Hochberühmte Stadt ja ist sie,
Welche schaut die Offenbarung.
Geistig endlich wird's gedeutet;
Denn wie mich ins Paradies
Setzte Gott, mit hoher Tugend
Ausgerüstet, als die Seele
Dort sein Hauch mir eingegossen,
Also wird er in die Kirche
Seinen Sohn einst setzen, wenn
Göttlich sich und menschlich Wesen
Wunderbar in ihm verbindet[13]).
Darum schließt auch Tertullian,
Daß, wie Gott aus meiner Seite
Hat das Weib hervorgebracht,
So läßt Christus auch die Kirche
Seiner Seite einst entspringen[14]).
Auf solch' dreifach tiefen Sinn
(Ird'schen, der vorübergehe,
Himmlischen, der ewig fei're,
Geistigen, der klar erleuchte)
Kann als auf drei starke Gründe

Daß der erste Adam im Paradiese ein Vorbild des zweiten Adam, Christi, sei, ist ein bei den Kirchenvätern häufig wiederkehrender Gedanke.

Die Stelle findet sich bei Tertullian lib. de anima cap. 43: „Si enim Adam de Christo figurabat, somnus Adae mors erat Christi dormituri in mortem, ut de injuria perinde lateris ejus vera mater viventium figuraretur Ecclesia."

Ich's wohl bauen, daß die Kirche
Gottes Paradies sich nennet,
Wo er lebt, regiert und herrschet.
Und da Paradies und Kirche
Solcherweise sich verbinden
Hier zu einem Wesen, will ich,
Da man jenem [15]) mich entreißt,
Nun mein Heil in diese setzen.
Mag die Schuld mich jetzt verklagen
Oder nicht; ich nenn mich Kirche!

Welt.

Wenn dein Recht du geltend machest,
Magst die Competenz [16]) du leugnen;
Mag's dein Advokat beweisen,
Dein Sachwalter es vertheid'gen,
Und Gerechtigkeit entscheiden.
Ich hab' Rechenschaft zu geben
Hier von dir; drum sag' den Namen;
Wer mir überliefert wurde,
Muß ich wissen.

Mensch.

Kirche heiß' ich;
Weitres Fragen ist vergeblich;
Habe keinen andren Namen,
Hatt' ihn nicht, noch werd' ihn haben.

Welt.

Wenn du hierauf denn bestehest,
Wird man Schwierigkeit erheben.
Und die Unverletzlichkeit
Wird erfüllt, wenn ausgeliefert

---

15) Dem irdischen Paradiese nämlich.
16) D. h. die Zuständigkeit des Gerichtes.

Du dann wirst, wie man dich faud.
Doch nicht billig ist's, daß ich
Jene Kosten dann verliere,
Die im Kerker dieser Welt
Du verursachst; muß mich ihrer
Drum versichern [17]). Höre, Erde!

Erde.

Was verlangst du?

Welt.

Deine Früchte
Spendest du fortan dem Menschen
Nicht; ich lege drauf Beschlag.

Erde.

Zweifle nicht; von nun an soll er
Nichts von meinen Gütern haben,
Als die kümmerliche Nahrung
Und den Trauk, den Schweiß erworben.

Welt.

Meer! auf deine Wasser auch
Leg' Beschlag ich; kosten soll er
Nur von ird'schen Mineralen
Durchgeseihte, schlechte Brunnen,
Bittere und salz'ge Quellen.

---

17) Das Bild der verschiedenen juristischen Formalitäten, welche zur Führung eines Anklageprozesses gehören, wird vom Dichter bis auf die kleinsten Umstände durchgeführt, wie der Verlauf des Auto zeigen wird. Zunächst wird hier auf das Vermögen des Menschen Beschlag gelegt, um die Kosten des Prozesses vorläufig zu decken, d. h. es wird ihm der Gebrauch der irdischen Güter, die er im Paradiese genossen, dadurch entzogen, daß er die Herrschaft über die Natur verliert und ihm dieselbe von nun an feindlich entgegen tritt.

Wasser.

Daß er die auch selbst noch trübe,
Sorg' ich, um sich nicht zu schauen[18]).

Welt.

Und du, Luft, sollst ihm nur solche
Athemzüge jetzt gewähren,
Die er seufzend einsaugt.

Luft.

Glaube
Mir, so spärlich soll'n sie sein,
Daß ich, wenn er sie vermindert,
Wohl bei jedem auf der Lauer,
Wann die Zahl er wohl erfüllet[19]).

Feuer.

Mir brauchst du hier nichts zu sagen;
Denn mein Licht werd' ich mit Nebel
Ihm erfüllen, werde sorgen,
Daß ihm wilde Blitze leuchten,
Donnerbrüllen ihn erschrecke,
Wetterstrahlen ihn bedräuen.

Welt

(zum Menschen).

Jetzo magst du, da die Kosten
Deiner Haft ich mir gesichert,
Wenn du willst, den Streit verfolgen.

Ab.

18) D. h. daß sie ihm nicht zum Spiegel dienen können.
19) Der Sinn ist: alle seine Athemzüge sind gezählt und der Tod schon auf den letzten.

Die Vier.

Und so lang' du im Gefängniß,
Da unser Antrittsgeld
So ist bestellt,

(Die Vier und Musik.)

Weine, klage, leide,
Schmachte und dulde.

Ab.

Mensch.

Bosheit! warum bleibst nur du
Hier bei mir und fliehst mich nicht
Wie die Andern?

Bosheit.

Nur ein armer
Teufel bin ich; in mir kann die
Welt nichts mit Beschlag belegen;
Ohne sich um mich zu kümmern,
Ließ sie hier mich, daß man sehe,
Wie so alt schon die Gewohnheit,
Daß die Welt gar kein Gewicht
Auf den Armen legt.

Mensch.

D'raus folgt,
Wenn Bosheiten nicht die Welt
Will entfernen, daß ich selber
Sie verjagen muß. Mit mir
Gehst du nicht!

Bosheit.

Bis dein Prozeß
Vortheilhaft nicht wird entschieden,
Ist's unmöglich, daß von dir
Je ich weiche.

Mensch.

Ich entflieh' dir.

Bosheit.

Und ich folg' dir.

Mensch.

Nicht erschöpfe
Die Geduld mir! 's giebt kein Laster,
Das dem Menschen folgt, der 's flieht.

Bosheit.

Wohl giebt 's solches, wenn er schleppt
Seine Kette[20]).

Mensch.

Du sollst 's nimmer
Sein, der mir sie schleppen hilft.
Sind aus meinem Undank nur
Ihre Glieder hier gewoben,
Muß ich selbst sie schleppen. O ihr
Himmelskräfte[21]), die ihr waret
Meiner blinden wilden Triebe
Diener, seid's auch meiner Klagen!
Und bei dem Prozeß, in dem
Auf's Asylrecht ich vertraue,
Rühr's euch, wenn ihr seht mein Streben,
Meiner Bosheit zu entkommen,
Um so mehr, da hier mein Leben
Jene Trauertöne trüben
Die beständig mich umtönen:

---

20) Der Sinn dieser symbolischen Scene ist: Der Mensch kann si beim besten Willen von der auf ihm lastenden Schuld von jetzt eigenen Kräften nicht befreien.

21) D. i. die natürlichen, vom Himmel verliehenen Kräfte der Se des Körpers.

Er und Musik.

Weine, klage, leide
Schmachte und dulde.

r entfernt sich, die Kette nachschleppend. Während des Gesanges treten die **Gnade** und e **Schuld** von verschiedenen Seiten auf. Auf ihre Reden antwortet die **Musik** als Echo.

Gnade.

Was wird wohl der Mensch in seinem
Kerker jetzt beginnen?

Musik.

Weinen.

Schuld.

Im Gefängniß, was wird sagen
Nun der Mensch, im harten?

Musik.

Klagen.

Gnade.

Wenn sein Elend ich betrachte,
Faßt mich tiefes Mitleid.

Musik.

Schmachte.

Schuld.

Meinem Zorn macht's wilde Freude,
Ihn betrübt zu sehen.

Musik.

Leide.

Beide.

Daß er so in tiefem Jammer —

Zugleich mit der Musik.

Weine, klage, leide
Schmachte und dulde!

Beide.

Bosheit!

Bosheit.

Zweie riefen mir;
Wohl verschieden muß ich Beiden
Antwort geben.

Beide.

Wie?

Bosheit.

Mit Freuden
Dir, doch mit Betrübniß hier.

(Zur Gnade:)

Dir mit Freuden, weil ich weiß,
Daß es dir gefallen werde,
Wenn du hörst, wie in der Erde
Höhlen kummervollen Schweiß
Elend jetzt der Mensch vergießt. (Die Gnade weint.)

(Zur Schuld:)

Mit Betrübniß dir, weil eben
Dich wohl schmerzt ein solches Leben,
Das in Mühsal er genießt.
All' sein Gut ist ihm verpfändet;
Und so schmachtet er dahin;
Nur des Thränenbrod's Gewinn
Bleibt ihm. (Die Schuld zeigt sich erfreut.)
Doch wie umgewendet
Hat die Sache sich? Die Freude
Zeigest du? Und du willst trauern?

Gnade.

Muß sein Leid ich nicht bedauern?

Schuld.

Mich erfreut's.

Bosheit.

Versteh' euch Beide
Nicht. Sprich Schuld, war's deinetwegen
Nicht, wofür er in dem Streite
Kämpfte?

Schuld.

Ja.

Bosheit

(zur Gnade).

Und deiner Seite
War er damals nicht entgegen?

Gnade.

Ja.

Bosheit.

Wie kommt 's, daß seine Noth,
So verändert euren Sinn?

Gnade.

Weil ich eben Gnade bin.

Schuld.

Und ich Schuld, die ihn bedroht.

Gnade.

Kämpfte er auch gegen mich,
Geht sein Leid mir doch zu Herzen.

Schuld.

Und mich freuen seine Schmerzen,
Strengt' er sich auch an für mich.

Bosheit.

Keins von Beiden gilt vielleicht.

Beide.

Wie?

Bosheit.

Weil seines Kerkers Recht
Er bestreitet; er gedächt',
Meint er, daß zum Schutz gereicht
Ihm das Heiligthum, dem später
Mit Gewalt er ward entrissen.

Schuld.

Muß nicht das Asylrecht missen
Ein so großer Uebelthäter?

Bosheit.

Weiß es nicht; nur das noch hört' ich,
Daß als Namen er, befragt,
Kirche heiß' er, hat gesagt.

Gnade.

Einst ihm kräft'gen Schutz gewährt' ich!

Schuld.

Doch bevor du's konntest thun,
Habe ich, der Arm der Welt,
Den Prozeß schon angestellt;
Und ich laß' ihn nicht beruh'n;
Ich verfolg' ihn.

Gnade.

Ich nicht minder
Als der geistlich' Arm, will sorgen
Ihm Vertheidigung zu borgen.

Schuld.

Bin die Schuld, vor der dem Sünder
Schon der Anfang des Prozesses
Ward verkündigt.

Gnade.

Aber ich
Bin gewöhnt gewesen —

Schuld.

Sprich!

Gnade.

Deines blutigen Excesses
Wuth zu hindern, wie ich kann.

Bosheit.

Milde steht und Strenge hier
Gegenüber sich; nun schier
Fängt der Competenzstreit an.

Schuld.

Sorgen werd' ich, daß der Streit,
Da die Bosheit fest ja steht,
Der Gerechtigkeit zugeht.

Gnade.

Schick' ihn[22]) zur Barmherzigkeit.

D. h. Ich schick ihn rc.

Bosheit.

Also wird man hier erblicken,
Wie sich bilden Conferenzen
In dem Saal der Competenzen,
Den die Richter dann beschicken.

Schuld.

Nein, in solchem Falle muß
Nur der königliche Rath[23])
Dann entscheiden.

Gnade.

In der That;
Doch wer hindert den Beschluß
Ihn zu fassen, wie er will?

Bosheit.

In dem Saal der Königsrechte
Man die Competenz verfechte;
Also wird der Zwiespalt still.

Schuld.

Nicht darf's Recht verändert werden.

Gnade.

Und den Schutz auch muß er finden.

Bosheit.

Alles wird sich darauf gründen,
Ob begründet die Beschwerden.

Ab.

Schuld.

Lucifer!

---

23) Der höchste Gerichtshof in Spanien,

Lucifer tritt auf.

Lucifer.

Was soll ich schüren?

Schuld.

Sollst', da du des Menschen Fehler
Hast geseh'n, als sein Erzähler
Eine Klagschrift formuliren.

Lucifer.

Keinen Fehler giebt's, der mir
Wohl aus dem Gedächtniß schwände.
Leicht drum kann ich und behende
Diese Klagschrift schreiben hier[24]).

Gnade.

Custodio[25])!

Der zweite Engel erscheint.

Zweiter Engel.

Was dein Begehr?

Gnade.

Weil des Menschen Advokat
Dich der Himmel nennt, — zur That
Werde deines Namens Ehr'
In der Sache hier.

Zweiter Engel.

Ich eile;
Der Gerechtigkeit und Gnade
Engel geh'n mit seinem Pfade.

---

4) Das Amt des Teufels ist es stets, der Ankläger des Menschen zu sein.

5) Durch den Namen Custodio will der Dichter andeuten, daß er den Schutzengel meint, der dem Menschen beim Gerichte gleichsam als Advokat zur Seite steht.

Gnade.

Daß er Vollmacht dir ertheile,
Ruf' ihn.

Schuld.

Doch bevor er hier
Vollmacht giebt dem Advokaten.
Muß er seine Missethaten
Erst gesteh'n.

Gnade.

Wem? sage mir.

Schuld.

Dem es zusteht. Sein Gewissen,
Seines Lebens Sekretär,
Ist's; drum wird nothwendig er
Diesem Rede stehen müssen.
Vor ihm kann er seinen Fehler
Nimmer leugnen.

Die **Welt** und **Bosheit** treten auf und bringen den **Menschen.**

Mensch.

Ha Tyrannin
Schuld! genügt es nicht, daß du
Meines Unglücks Ursach warest,
Mußt du jetzt auch übernehmen
Des Fiscales Amt[26])?

Schuld.

Gewiß;
Und da's Grundsatz stets ja bleibt

---

26) Des Fiscales Amt. Unter dem Fiscal ist der gegenwärtig nannte Staatsanwalt zu verstehen. Die Schuld übernimmt Rolle, während der Teufel den Kläger repräsentirt.

In profaner wie in heil'ger
Wissenschaft, daß wer der Schuld
Heute dient, fiscalisirt
Von ihr morgen wird, so geh'n wir
Gleich nur über zur Instanz.
Sprich, wie heißt du?

Mensch.

Kirche heiß ich;
Hoffe nicht, daß einen andren
Namen je du von mir hörest;
Und da abgelehnt ich habe
Die Jurisdiktion, so bist du
Nicht mein Richter, und zur Antwort
Bin in nichts ich dir verpflichtet;
Und wenn ich's Geständniß mache,
Wird's von dir sein, doch nicht dir,
Nein, der Gnade, welcher's zusteht,
Das Asylrecht hier zu schützen.
Und da, undankbare Schuld,
Ich an sie hier appellire,
Soll die Welt, die zwischen beiden
Steht, jetzt sehn, wie ich in dir
Meine Schuld wohl konnt' begehen,
Doch in ihr nur sie gestehen[27]).
Gnade, gegen dich verstieß ich!
Dies Bekenntniß mag mir helfen,
Daß du meine Sache hier
Auf dich nehmest und barmherzig
Mich vertheidigst.

Gnade.

Vollmacht gieb
Erst dem Advokaten.

„In ihr," d. h. in der Gnade. Der Sinn ist: zum Bekenntniß der Schuld ist schon die göttliche Gnade nöthig.

Mensch.

G'nügt nicht
Deine schon?

Gnade.

Nein, denn freiwillig
Müssen deine Akte sein.

Mensch

(zum zweiten Engel).

Nun so fleh' freiwillig ich,
Wolle mein Beschützer sein.

Zweiter Engel.

In dem Flehen, dem Geständniß,
Ist die Vollmacht eingeschlossen.
Achte, Welt, daß den Gefangnen
Fremder Jurisdiktion
Du nicht überlieferst; denn
Vor der Hand siehst du die Schuld
Hier gehindert; dies bei Strafe
Solch gewaltiger Censuren,
Daß du todt und ausgelöschet
Sieh'st im Wasser all' ihr Licht[28]).

Welt.

Wolle ja sie nicht verhängen;
Denn schon schreckt 's mich, daß vielleicht
Einst im Wasser ich ertränkt,
Oder ausgebrannt durch Feuer,
Werd' gerichtet. Ich versteh' dich;
In Verwahrung nehm ich ihn,
Bis der Urtheilsspruch erfolgt,

---

28) „Ihr Licht," das der Schuld nämlich, durch das Wasser der Taufe.

Wenn erschöpft sind die Instanzen,
Sei's daß man zurück ihn stellet,
Oder's Todesurtheil folgt[29]).

Ab.

Bosheit.

Wohl ein kleiner Unterschied
Findet statt hier!

Mensch.

Da erklärt nun
Ist die Competenz, so schütze
Jetzt der Himmel meine Hoffnung!

Ab.

Bosheit.

Ob in dem Geständniß auch
Sich der Mensch von mir entfernte,
Wird er gleichwohl mich nicht los,
Bis der Klagpunkt nicht erledigt;
Somit muß ich ihn begleiten.

Ab.

Schuld

(zur Gnade).

Wenn dem Menschen du auch spendest
Huld, die nimmer du ihm schuldest —

Gnade.

Darum eben bin ich Gnade;
Wär' ich's schuldig ihm, so wär' ich
Ja Gerechtigkeit.

Schuld.

Soll dennoch
Competenz mich nicht entmuth'gen.

auf die Taufe und auf das Weltgericht. In beiden Fällen
Welt das Recht auf den Delinquenten, der dadurch aus
r befreit wird.

Nach dem Recht werd' den Prozeß
Ich zu informiren wissen.
So gewinnt für sich mein Wesen
Die Gesetze, denn es gäbe
Keine Schuld im Menschenleben,
Wenn's nicht vorher gäb' Gesetze.
Das bezeug' Ambrosius,
Augustinus, Thomas auch,
Durch verschiedene Sentenzen,
Und die Andern, die erklären
Der Gesetze Uebertretung [30]).
Klar ist's, daß sie nicht gebrochen
Werden, ohne sie zu kennen.
Und so werd' ich denn auf's Recht
Die Instanz zu gründen wissen.

Gnade.

Ich desgleichen, denn 's ist klar auch,
Daß Gesetze kennen muß,
Wer's versteht, sie zu bewahren.

Lucifer.

Also, Schuld, was zögerst du?

Zweiter Engel.

Worauf wartest du noch, Gnade?

Lucifer.

Schreie nun zur hellen Sonne
Der Gerechtigkeit so laut,
Daß die Welt sich drob entsetze.

---

30) Die betreffenden Sentenzen der Kirchenväter sind nur die Wiederholung und Erklärung dessen, was schon der heil. Paulus ausgesprochen: Rom. 5, 13. „Peccatum autem non imputabatur, cum lex non esset,“ ibid. v. 20. „Lex autem subintravit, ut abundaret delictum“ und cap. 7, 7: „Peccatum non cognovi, nisi per legem, nam concupiscentiam nesciebam. nisi lex diceret: Non concupisces.“

Zweiter Engel.

Du auch ruf' in süßen Tönen,
Die den Himmel rühren, Gnade,
Jetzt zu der Barmherzigkeit
Klarer Sonne.

Lucifer.

Laßt uns sehen,
Wem von Beiden Antwort wird.

Schuld

(singt).

O du, der Gerechtigkeit Sonne! der dienet
Dort zum Baldachine des Himmels Saphir!

Gnade

(singt).

O du der Barmherzigkeit Sonne! der bietet
Als heiliger Thron sich der purpurne Spiegel!

Schuld

(singt).

O die du, des Erdballes Umfang umkreisend,
Erleuchtest den einen und anderu Zenith!

Gnade

(singt).

O die unbeweglich ihn stets du umfassest;
Denn nie sank dein Aufgang hinab zum Nadir!

Schuld

(singt).

Du, in deren Strahlen die Berge sich heben
Zum höchsten, zum steilsten, unwirthbarsten Gipfel!

Gnade

(singt).

Du, bei deren Glanze die Matten der Thäler
Mit Blumen sich kleiden in rosigem Licht.

Schuld

(singt).

Jetzt höre mein Schreien, denn ob es auch mein's,
So muß doch Gerechtigkeit leihen ihr Ohr.

Gnade

(singt).

Jetzt acht' auf mein Weinen, denn eben weil's mein's,
Muß deine Barmherzigkeit eilen zur Hilfe.

Schuld

(singt).

Zerreiße drum jetzo mit Blitzen und Donnern
Die Wolken, die in ihren Schleiern dich bergen.

Gnade

(singt).

Die Wolken, die jetzt dich verhüllen, entfalte
Zu Blättern von Rosen und duft'gem Jasmin.

Schuld

(singt).

Und da du für mich ja die Sonne der Rache —

Gnade

(singt).

Und weil du die Sonne der Gnade für mich —

Schuld

(singt).

So möge dich finden —

Gnade

(singt).

So mög' dich entdecken —

Schuld

(singt).

Mein schauerlich Schreien.

Gnade

(singt).

Mein sanftes Flehen.

etenstoß. Es öffnet sich der Himmel und es erscheinen auf einem Throne sitzend die **tigkeit** mit einem Schwerdt in der Hand und die **Barmherzigkeit** mit einem Oelzweig.

Gerechtigkeit.

Schon hört dich, o Schuld! auf dem Throne von Licht
Der Gerechtigkeit Sonne.

Barmherzigkeit.

Es hört dich, o Gnade!
Auf seligem Throne, den Sterne umkränzen,
Des Mitleid's auch und der Barmherzigkeit Sonne.

Schuld

(singt).

Und da hier aus mehr Tribunalen als einem —

Gnade

(singt).

Sich bildet des Bittenden hohes Gericht —

Schuld.

Gerechtigkeit hier —

Gnade.

Und Barmherzigkeit dort —

Schuld.

So höret!

Gnade.

Vernehmet!

Gerechtigkeit.

Beginnet!

Barmherzigkeit.

Erzählet!

Schuld.

Da du, o Gerechtigkeit!
Läßt in Haft den Menschen setzen,
Und der Schuld Gehör verleihst —

Gnade.

Weil, Barmherzigkeit, du, hohe,
Da der Mensch verhaftet ist,
Jetzt der Gnade giebst Gehör —

Schuld.

Als Fiskal vor dir erschein ich,
Denn wohl klar ist dieser Schluß,
Wenn ich sage, daß die Schuld
Sei Anklägerin der Seele —

Gnade.

Komm' als Advokatin ich;
Denn gewiß muß Advokatin
Sein die Gnade, wenn's erwiesen,
Daß Maria Gnade heißt —[31])

---

31) Anspielung auf die Stelle im Salve Regina: „Eja ergo advo nostra.“

Schuld.

Um Beschwerde zu erheben,
Gegen den, der hier umgeh'n will
Die Jurisdiktion und nützen
Läßt 's Asylrecht hier dem Menschen.

Gnade.

Um mir Beistand zu erflehen
Für den Menschen, den sie rissen
Aus dem Heiligthum, daß dorthin
Ihn zurück sein Hoffen stelle.

Schuld.

O Gerechtigkeit!

Gnade.

O Gnade!

Zweiter Engel.

Deine Milde —

Lucifer.

Deine Rache —

Gnade und erster Engel.

Neig' den Oelzweig!

Schuld und Lucifer.

Schwing' das Schwerdt!

Gerechtigkeit.

Göttliche Barmherzigkeit!
Da die Sache eingeleitet,
Und da ich ihn selbst verhaftet,
Ich, die sein Vergeh'n beleidigt,
Kannst du in Gerechtigkeit nur
Es betrachten.

Barmherzigkeit.

Da die Bitte
Einmal vorliegt, daß der Mensch,
Da er Schutz sucht im Asyl,
Werd' gehört, kannst du nicht minder
Solche Ford'rung gelten lassen
In Barmherzigkeit.

Gerechtigkeit.

So möge,
Daß der Referent die Sache
Nun entwickle und die Klagschrift
Bringe, für sein Referat
Ein Termin bestimmet werden.

Lucifer.

Schon ist fertig hier die Klagschrift.

Zweiter Engel.

Ja, doch noch ist abgelaufen
Nicht die Frist, die dem Beklagten
Zusteht.

Gerechtigkeit.

Gut, wenn sie vorüber,
Komm' er; Alle sei'n citirt;
Ich und die Barmherzigkeit —

Barmherzigkeit.

Ich und die Gerechtigkeit —

Gerechtigkeit.

Zwillingsschwestern wir —

Barmherzigkeit.

Und Töchter —

Gerechtigkeit.

Eines Wesens —

Barmherzigkeit.

Eines Grundes —

Gerechtigkeit.

Wir der Macht —

Barmherzigkeit.

Ja wir der Weisheit —

Gerechtigkeit.

Und der Liebe —

Barmherzigkeit.

Treue Diener, —

Gerechtigkeit.

Werden dieses Streits der Streite —

Barmherzigkeit.

Competenz dann im Gerichtssaal
Erst entscheiden.

Gerechtigkeit.

Und entschieden
Einmal, dann das Urtheil fällen;
Denn uns Beiden steht es zu.

Barmherzigkeit.

Sind die Pforten dann geöffnet
Wenn's erschienen —

Gerechtigkeit.

Ist das Urtheil
Publicirt, dann wird die Zeit
Sagen —

Barmherzigkeit.

Und 's Gerücht verkünden —

Beide.

Daß wieder er komme, zu seh'n, ob geschlichtet —

Musik.

Daß wieder er komme, zu seh'n, ob geschlichtet —

Beide.

Dann durch einen andren gesetzlichen Streit —

Musik.

Dann durch einen andren gesetzlichen Streit —

Beide.

Symbolische Kämpfe der Schuld und der Gnade.

Musik.

Symbolische Kämpfe der Schuld und der Gnade.

Der Thron mit der Gerechtigkeit und der Gnade verschwindet.

Lucifer.

Daß dem andren Theile auch
Werde kund die Citation —

Zweiter Engel.

Daß der Frist Entschwinden nicht
Unsre Hoffnung rückwärts führe —

Lucifer.

Mög' zum zweiten Mal dein Schreien,
Schuld, den Himmel jetzt durchzittern.

Zweiter Engel.

Sänftige mit deinen Klagen
Gnade, wiederum den Himmel.

Schuld.

Ja, mit David will ich rufen,
Als er Gott um Rache flehte —

Gnade.

Will mit dem Ecclesiasten
Sprechen, wenn er ihn beschwört —

Schuld.

Stehe auf, o Herr, und zeige
Deines Zornes große Macht[32])!

Gnade.

Mache groß, Herr, an der Sünde
Tage die Barmherzigkeit[33]).

Lucifer.

Zweifle nicht bei diesem Schreien —

Zweiter Engel.

Solcher Hoffnung sicher traue —

Alle und Musik.

Daß wieder er komme, zu seh'n, ob geschlichtet,
Dann durch einen andren gesetzlichen Streit
Symbolische Kämpfe der Schuld und der Gnade.

32) Ps. 7, 7. „Exurge, Domine, in ira tua et exaltare in finibus inimicorum tuorum."

33) Wahrscheinlich Anspielung auf Eccli. 50, 26: „Crede Israel, nobiscum esse Dei misericordiam, ut liberet nos in diebus suis;" und ibid 17, 28: „Quam magna misericordia Domini et propitiatio illius convertentibus ad se."

Trompetenstoß. Ein Schiff erscheint im Hintergrunde und auf ihm der **Kaufmann**, vom hellsten Glanze beleuchtet, umgeben von Seeleuten.

Stimmen

(hinter der Scene)

Zieht die Segel ein und lasset
In die Bucht das Schiff nun gleiten!

Schuld.

Welch' geheimnißvolles Schiff
Zeigt sich über'm Wasser dort,
Um, der Stürme Wuth besiegend,
Hier die Landung zu versuchen?

Gnade.

O wie schön ist jenes Schiff,
Das, vom Südwind'shauch geschwellt,
Mit der Morgenröthe kommt,
Ohne ihren Glanz zu trüben!

Lucifer.

Aus der Gegend von Ophir
Scheint's zu kommen; seine weißen
Friedenswimpel deuten an,
Daß dem Kaufmann es gehört,
Der die Perle sucht von hoher
Kostbarkeit.

Zweiter Engel.

Im ros'gen Purpur
Seines Takelwerkes gleicht es,
Wie es herrlich glänzt und schimmert,
Selbst der rothen Morgenröthe.
Erd' und Himmel spiegelt wieder
Dieses Schiff des Kaufmanns hier,

Das mit Weizen reich befrachtet
Kommt, die Erde zu versorgen [34]).

Schuld.

Beide Zeichen sind für mich
Schlimme nur, denn Perl' und Weizen
Kränken mich in gleicher Weise.

Gnade.

Doch für mich sind beide Zeichen
Meiner Hoffnung günst'ge Nahrung.

Schuld.

Doch nicht will ich unterlassen
Drum die Kundmachung, die schon
Ich begonnen; meine Wuth
Wird der Wind verbreiten helfen.

Gnade.

Und auch meine Sehnsuchtsthränen,
Welche still zum Himmel weinen.

Zweiter Engel.

So ruf' deine Liebe:

Lucifer.

So schrei' deine Wuth:

[34]) Aus dem Auto: „das Schiff des Kaufmanns" (Bd. IV.) ist die Bedeutung dieser von Calderon wiederholt (auch in der „göttlichen Philothea") angebrachten Scene bereits verständlich. „Aus der Gegend von Ophir" kommt das Schiff, um den Reichthum anzudeuten, den es in sich birgt. Ophir war jenes Land, wohin Salomo seine Flotte sandte, um Gold zu holen.

Alle und Musik.

Daß wieder er komme, zu seh'n, ob geschlichtet
Dann durch einen andren gesetzlichen Streit
Symbolische Kämpfe der Schuld und der Gnade.

Musik. Trommeln und Trompeten. Das Schiff wendet sich; die **Vier** treten ab, und der **Kaufmann** spricht vom Schiffe aus.

Kaufmann.

Rafft' die Segel ein, rafft' ein!
Und im Hafen dieser Welt
Ankre nun dies Schiff, das heute
In dem Kampf der Wasserwogen
Triumphirend sich erblickt,
Da ihr unbeständig Wüthen
Es zum Sinken nicht konut' bringen,
Ob's ihm auch Gefahren brächte.

(Er betritt die Bühne.)

Ja, rafft ein die Segel; denn,
Ich bin's ja, mit welchem reden
Jene wiederholten Laute;
Und der Anker hafte fest;
Keine Salve grüß' die Berge;
Denn nicht fehlen wird's an dem,
Der der Erde Frieden wünschend
Und dem Himmel Ehr' verkündend,
Meine Ankunft salutire[35]).
Niemand steige mit mir aus
Hier ans Land, denn klar ist's ja,
Niemand faßte Fuß auf Erden
So wie ich und mich nur rufen
Allegorische Mysterien

(Er steigt aus dem Schiff.)

Hier, der Schuld und Gnade Schmerzen.
Sei gegrüßt, des Lebens Kerker,

---

35) Anspielung auf den Gesang der Engel bei der Geburt Christi.

Dessen Ketten mich nun binden,
Kälte du, in der ich zittre,
Hitze, die mich schmachten läßt,
Müdigkeit, die mich ermattet,
Durst, der meinen Gaumen quält,
Hunger auch, der mich entkräftet,
Unterworfen den Beschwerden
Aller menschlichen Affekte.
Sei gegrüßt und nimm in deine
Wohnung den nun auf, der jetzt,
Wie's sein Wissen ihm gewährte,
Hier zu zeigen Raum gefunden,
Daß er jene Weisheit sei,
Die in diesem Schiffe kam.
Denn wenn jetzt von diesen Beiden,
Welche streiten, Eine rufet:

Schuld

(hinter der Scene).

Deinen Zorn nun auszuüben
Wolle, Herr, dich jetzt erheben!

Kaufmann.

Und zu gleicher Zeit die Andre
Dann in sanft'ren Lauten spricht:

Gnade

(hinter der Scene).

Mache groß, Herr, deine Gnade
An dem Tag' der Sünde jetzt.

Kaufmann.

So ist's klar, daß ich es bin,
Dem ihr beiderseitig Rufen
Gilt, das nach Barmherzigkeit
Und Gerechtigkeit verlangt;

Denn im Saal der Competenzen[36])
Theilt sich ja die ganze Seele
Zwischen strengen Rechtes Lauf
Und der Milde des Erbarmens.
Und so rufen sie auch Beide,
Klage mit Entschuld'gung mischend:

Zugleich mit den Beiden.

Deinen Zorn nun auszuüben
Wolle Herr dich jetzt erheben!
Mache groß, Herr, deine Gnade,
An dem Tag der Sünde jetzt.

Es treten hinter einem Gitter hervor: der **Mensch** und die **Bosheit**, welche einen einem Hute in der Hand hält, in der Weise, wie die Gefangenen Almosen zu begehr

Bosheit.

Habt Erbarmen mit uns Armen!

Mensch.

Was, o Bosheit, hast du vor?

Bosheit.

Da durch diesen Kerker hier
Nacheinander alle Zeiten
Gehen, fordr' ich nach Gefangner
Sitte eine Gabe, daß sie
Armer, Eingekerkerter,
Mitleidsvoll gedenken.

Mensch.

Schweige,
Bosheit, denn wenn du sie forderst,
Wer wird sie dann spenden wollen?

---

36) D. h. in dem Gerichtssaal, wo in höchster Instanz entschieden wird.

Bosheit.

Wer sie heuchlerischen Krüppeln,
Falschen Lahmen spendet[37]).

Mensch.

Fort!
Denn mir ziemt's, sie zu begehren.

Bosheit.

Nun so fordre frisch. Was weilst du?

Mensch.

Wie? Genügt's nicht, diese Gabe
Nur durch Thränen zu begehren?

Bosheit.

Nun, so bettle, Psalmen singend;
Wollen seh'n, was du erreichest.

Ab.

Der Kaufmann.

Dort verlangt der Schuld Begehren
Strafe nur und strenge Rache;
Und Barmherzigkeit und Milde
Fordert hier der Gnade Stimme.
Und so zwischen dem Erbarmen
Und dem Rechte in so wicht'ger
Frage schwankend, zweifl' ich schier,
Ob ich beide hören dürfe.

Mensch.

Aus dem tiefen Schooße dieses
Trauervollen, dunklen Kerkers,

---

37) Der Sinn ist: Es findet sich immer Jemand, der auch unwürdigen Bettlern, durch das Mitleid bewogen, das sie heuchlerischer Weise zu erregen wissen, eine Gabe spendet.

Hab' ich, Herr, zu dir gerufen;
Höre meine Stimme, neige
Deiner Gnade Ohr hernieder
Zu dem Flehen meiner Angst[38])!

Der Kaufmann.

Eine dritte Stimme hör' ich;
Von der Gnade Seite tönet
Sie herüber und verwandelt,
Was sie weinet, in Gesang;
's ist der Mensch, der spricht.

Mensch.

Wer wird
Deiner strengen Rache Schläge
Wohl ertragen, wenn du siehest
Herr, auf seine Missethaten?

Kaufmann.

Aus des Kerkers Tiefe seufzt' er.
O wie viel bedeutet dies,
Daß er dorther seufzt und ruft!

Mensch.

Von der Nacht bis an den Morgen,
Von dem Morgen bis zur Nacht
Habe Hoffnung, Israel;
Denn es ist Barmherzigkeit
In dem Herrn, und bei ihm wohnet
Reichlicher Erlösung Gnade,
An dem Tage, wo er sühnet
Alle seine Missethaten.

Ab.

---

38) Der Dichter läßt hier den Menschen den Psalm De profund fast wörtlicher Uebersetzung beten, der Sitte gemäß, daß die Bettl dem katholischen Süden häufig durch Recitation von Gebeten Gegenwart bemerklich machen.

Kaufmann.

Die in Thränen so zerschmolz'ne
Stimme thut Gewalt mir an.
Weine, Sterblicher, denn wenn auch
Ew'ges Gleichgewicht in Gott,
Giebt's in ihm doch auch noch eine
Vorbehaltne Liebe, dann,
Wenn die Schale des Erbarmens
Und der Gnade sinken macht der
Gläub'ge durch's Gewicht der Thränen.
Gnade!

Die Gnade tritt auf, in einem Buche lesend.

Gnade.

Wer nennt meinen Namen?
Doch was frag' ich? Denn ich müßte
Nicht mehr ich sein, wüßt' ich nicht,
Wer du bist, ob auch das Leben
Und die Sinne sich verwirren,
Dich zu schau'n in dieser Wüste.
Wie bist in die Welt du kommen,
Und in einer Tracht, die mahnet
An des Menschen sterblich Wesen,
Dessen Aehnlichkeit du trägst,
Gleichsam in dich aufgenommen?

Kaufmann.

Um von meiner Weisheit Tiefe
Wunderbar'n Beweis zu geben,
In des hier vorhandnen Rechtsstreits
Allegorischer Verhandlung,
Und die Welt zu lehr'n, wieviel
Ew'ge Weisheit in mir sei.
Und so kam's, da ich durchfurchte
Als der Perl'n- und Weizen-Kaufmann

Die erquickenden Gefilde
Dieses Meers des Lebens, und die
Stimmen hörte, die zum Himmel
Schuld und Gnade sandten aufwärts,
Stieg an's Land ich, und ob beide
Auch zu gleicher Zeit mich riefen,
Wandt' ich früher doch an dich mich,
Als zur Schuld. Was lasest Du?

Gnade.

Die Gesetze, die mir günstig.

Kaufmann.

Und was findest du in ihnen?

Gnade.

Nichts, was von dem Menschen nicht
Uebertreten und gebrochen
Wär'; denn gegen das geschriebne
Und 's Naturgesetz verstieß er.

Kaufmann.

Laß die jetzt; in's dritte schaue[39]);
Dort vielleicht giebt's einen Text,
Der der Schuld Beschuld'gung g'nüge.

Gnade.

Doch von hier an find' ich alle
Blätter dieses Buches leer.

Kaufmann.

Nun so muß ich selbst sie füllen,
Und was hier der Hoffnung fehlt
In dem Buche, jetzt ersetzen
Durch die neue Untersuchung,

---

39) In das Gesetz der Gnade nämlich.

Die nach allem Recht dem Menschen
Nütze, da mich seine Thränen
Hier gerührt.

Gnade.

Wenn deiner Macht auch,
Deiner Liebe, Deiner Weisheit
Ich vertraue, so erschreckt mich
Doch, daß sie den Ausspruch gründet
Auf Gerechtigkeit, auf jenes
Höchste, dir selbst eig'ne Wesen,
Das so tief in dir begründet
G'rade, wie Barmherzigkeit.

Kaufmann.

Ein Gesetz wird's dennoch geben,
Das Gerechtigkeit befriedigt,
Und den Menschen seinem heil'gen
Vaterland zurückstellt.

Gnade.

Wo?

Kaufmann.

Höre!

Beide sprechen leise miteinander, während sie in dem Buche blättern. Unterdessen tritt **Lucifer** auf und die Schuld mit einem anderen Buche, in welchem sie blättert.

Lucifer.

Keine Tafel giebt's,
Nicht im ersten, noch im zweiten
Der Gesetze[40]), die unendlich
Nicht die Schuld des Menschen mache.

40) D. i. im Naturgesetz und im geschriebenen Gesetz.

Schuld.

Ja, und die ihn nicht beraube
Jedes Grundes der Vertheid'gung,
Die wohl Gnade könut' versuchen;
Denn was kann wohl ihre Macht
Gegen die Unendlichkeit
Seiner Schuld? Doch sieh' welch' fremder
(Sie erblickt die Beiden.)
Mensch, der aus dem Schiffe stieg,
Oder von den Bergen kam,
Ist wohl der, mit dem sie spricht?
Vom Gesetz wohl — denn im Buche
Blättern sie.

Lucifer.

Nicht ohne Grund
Nimmt mich's Wunder, Schuld, daß du
Ihn nicht kennst [41]) und daß ich selber
Nicht mehr Kenntniß von ihm habe
Hier, als du.

Schuld.

Wann ist zur Welt wohl
Er gekommen, so verborgen
Für uns Beide?

Lucifer.

Weiß es nicht;
Ruf' die Welt, daß sie's uns sage;
An der Schwelle seines Kerkers
Steht sie ja.

Die **Schuld** naht sich dem Gitter und ruft leise die **Welt**; diese tritt hinter dem Gitter herv

Schuld.

Welt!

---

41) „Daß du ihn nicht kennst," weil er nämlich vollkommen sündenrein die Welt eintrat.

Welt.

Was verlangst du?

Lucifer.

Sollst uns sagen, wer doch jener
Mensch dort ist?

Welt.

Wenn's euch erschreckt, ihn
Nicht zu kennen, zittr' auch ich,
So wie alle, daß es geben
Konnte eine Feder, welche
Schreibt, daß ihn die Welt nicht kannte,
Da er in sein Haus gekommen[42]).

Lucifer

(zur Schuld).

Suche du es zu erforschen.

Schuld.

Ganz erstarrt, verwirrt, erschrocken,
Ohne Athem, ohne Sprache,
Mit den Lippen kaum noch stammelnd,
In der Seele tief erzitternd,
Kann ich, will ich ihm mich nähern,
Meinen Fuß nicht mehr bewegen.

Welt.

So versuche du's, wenn's dieser
Nicht gelingt sich ihm zu nähern.

Lucifer.

Solche Wuth ergreift mich, wenn ich
Mit ihm sprechen will, daß Steine

0. „In mundo erat . . . . et mundus eum non cognòvit."

Ich ergreifen möchte, um sie
Statt der Worte zu gebrauchen[43]).

Welt
(zur Schuld).

Und du fliehst?

Schuld.

Und wen erschreckte
Nicht sein bloßer Anblick schon?

Welt.

Und was soll die Welt beginnen,
Wenn i h r zagt?

Kaufmann
(zur Gnade).

Im Saale also
Führe an dies neu' Gesetz,
Das ich schreibe, die Erklärung
Geb' ich dann in der Instanz.

Ab.

Gnade.

Wenn du selbst sie giebst, wenn Gnade
Sie dann anführt, wer kann zweifeln,
Daß es das Gesetz der Gnade?

Ab.

Welt.

Folg' ihm, Schuld!

Schuld.

Unmöglich ist's.

---

43) Eine Anspielung auf die Versuchung Christi in der Wüste, wo Teufel ihm zumuthet, Steine in Brod zu verwandeln, mit Beziehu auf Joan. 8, 59. „Tulerunt ergo lapides, ut jacerent in eum."

Welt.

Folg' ihm, Lucifer!

Lucifer.

Vergeblich
Wär' die Kühnheit.

Welt.

Wer sah' je
In Verwirrung so die Welt,
Wie der Eine sie gestiftet!

Schuld.

Und noch Andres steht bevor;
Denn wenn der fernen Stimme leise Töne
Ich recht gehört, will auf der Bergeslehne,
Ein neu' Gesetz zu schreiben [44]),
Das dann der Gnade nütze, er jetzt bleiben;
Und hierin ganz versenkt,
Mit solchem Eifer er es überdenkt,
Daß er nicht Schlaf, Ermüdung, Hunger achtet,
Das Athmen kaum als nothwendig betrachtet;
Und so geringe Nahrung
Ihm dient zu seines Leibes Kraft Bewahrung,
Daß wilde Früchte nur ihm Speise geben.
O möcht' er nie nach andrem Mahle streben,
Und sehn', wenn er zum Wohnungswechsel [45]) schreitet,
Daß dort ihm Thränen, Seufzer, Schweiß bereitet;
Daß diese Auen so mit Blut begossen,

44) „Auf der Bergeslehne" wohl eine Anspielung auf die Bergpredigt des Herrn, in welcher er sich vorzugsweise als Gesetzgeber offenbarte.

45) „Zum Wohnungswechsel" indem er den Himmel mit der Erde vertauscht und daselbst Herberge von den Seinen begehrt. „Er kam in sein Eigenthum und die Seinen nahmen ihn nicht auf."

Daß dort nur purpurfarb'ne Blumen sprossen.
Und ist's Gesetz erdacht,
Dann jene Feder, die es schriftlich macht,
Ein schlechtes Rohr ich finde,
Und das Papier wohl eines Holzes[46]) Rinde;
Die Dinte, sein vergoß'nes Blut. O, wehe,
Was soll —

(Pauken und Trompeteu hinter der Scene.)

Lucifer.

Paß auf! das Zeichen, wie ich sehe,
Ertönt, daß schon, zur Conferenz bereit,
Barmherzigkeit jetzt und Gerechtigkeit
Sich nah'n.

Schuld.

So muß Geschichte jetzo euden;
Laß wieder zur Allegorie uns wenden;
Komm', ob ein neu' Gesetz der Gnad' auch nütze,
Und auf die Kirche dann der Mensch sich stütze.
Ab.

Welt.

Wer möcht' es glauben wohl, daß hier die Welt
Verwirrung, Schrecken, so gespannt erhält,
Daß, bis sie's Urtheil hört,
Das der geheimnißvolle Streit erfährt,
Sie den verlornen Athem nicht gewinnt.
Drum will ich, da die Elemente sind
Zur Seite mir, hier meinen Platz bewahren;
Denn diese Sache muß die Welt erfahren!

Pauken und Trompeten. Von der einen Seite treten auf: der **Erste Engel**, die **Erde**, **Feuer**, die **Schuld** und die **Gerechtigkeit**, und von der anderen: der **Zweite Engel**, **Wasser**, die **Luft**, die **Gnade** und die **Barmherzigkeit**, iu Begleitung von Musik und Ge[illegible] welcher so lange dauert, bis die **Barmherzigkeit** und die **Gerechtigkeit** erscheint.

---

46) Des Kreuzes.

Erster Engel.

Kommet, ihr Sterblichen, kommt!

Zweiter Engel.

Kommet das Schauspiel zu schauen —

Erster Engel.

Des Streites, den Gnade und Schuld hier erheben.

Zweiter Engel.

Den Barmherzigkeit hier in Gerechtigkeit schlichtet.

Erster Chor.

Kommet, ihr Sterblichen, kommt!

Zweiter Chor.

Kommet das Schauspiel zu schauen —

Erster Chor.

Des Streites den Gnade und Schuld hier erheben!

Zweiter Chor.

Den Barmherzigkeit hier in Gerechtigkeit schlichtet.

Erster Engel.

Komm't, denn euch Alle entbietet —

Zweiter Engel.

Komm't, denn euch Alle citiret —

Erster Engel.

Der Sachwalter jetzt des Erbarmens —

Zweiter Engel.

Und der Vollstrecker des Zornes.

Alle.

Kommet das Schauspiel zu schauen
Des Streites, den Guade und Schuld hier erheben,
Den Barmherzigkeit hier in Gerechtigkeit schlichtet.

Erde.

Erde, die die Frucht gegeben[47])
Muß dich, Schuld, hier unterstützen.

Wasser.

Und dich, Gnade, wohl das Wasser,
Das der Thränen Naß dir beut.

Feuer.

Dich, Gerechtigkeit, das Feuer,
Da du's bist, die Blitze schleudert.

Luft.

Und dich, o Barmherzigkeit,
Jene Luft, mit der du seufzest.

Welt.

Daß die Welt sich in Parteien
So gespalten sieht, bedeutet
Die verschied'nen Meinungs-Voten,
Die in dieser Sache streiten,
Während alle im Vereine
Stets auf's Neue wiederholen:

Alle.

Kommet, das Schauspiel zu schauen,
Des Streites, den Gnade und Schuld hier erheben,
Den Barmherzigkeit hier in Gerechtigkeit schlichtet.

---

47) Die verbotene Frucht des Paradieses nämlich, welche die Veranlassu
der Schuld des Menschen war.

Barmherzigkeit.

In meine Hände wieder
Gebt mir des Friedens Oelzweig.

Gerechtigkeit.

In die Glieder
Ungleicher Kette sei zum Oelbaumsstamme
Auch eingefügt jetzt meines Schwerdtes Flamme.
Wenn er dies Bild erspäht.
Wird dann einst sagen David, der Prophet,
Daß er die Wahrheit sah' der Erd' entsteigen,
Und sich Gerechtigkeit vom Himmel neigen;
Und daß, als jene Beiden sich erblickten,
Gerechtigkeit und Fried' an's Herz sich drückten [48]).
Den's Wächteramt getroffen,
Laß' nun die Pforte des Gerichtes offen [49]).

Erster Engel.

Schon trat durch ihre Weite
Die ganze Welt ein.

Gerechtigkeit
(zur Barmherzigkeit).

Sitz' an meiner Seite!
(Die Barmherzigkeit setzt sich zur Rechten der Gerechtigkeit.)
Der Referent erzähle
Die Sache nun.

Welt.

Und Schweigen jetzt befehle
Der Welt, daß sie beachte
Zugleich mit der Musik.
Den Streit, welchen Gnade und Schuld nun erheben,
Den Barmherzigkeit hier in Gerechtigkeit schlichtet.

---

48) Ps. 84, 11. „Misericordia et veritas obviaverunt sibi: justitia et pax osculatae sunt.“

49) Die Gerichtsverhandlung ist eine öffentliche; die ganze Welt bildet das Publikum.

Lucifer[50]).

In des Königs eig'nem Garten
Stand der Mensch zum Zweikampf auf,
Tödtete in dem Verlauf
Des Geschlechtes alle Arten[51]),
Wollt' Verborgenheit erwarten.
Eingekerkert in der Welt
Das Bekenntniß ihm gefällt,
Daß er dem Asyl entrissen.

Zweiter Engel.

Und so lang' er dies soll missen,
Er das Recht in Abred' stellt.

Gerechtigkeit.

Die Partei der Schuld nun rede.

Schuld[52]).

In vier Punkten ist begründet
Eines jeglichen Verbrechens
Größ're oder klein're Schuld.
Diese sind: der Sache Größe;
Dann, durch wen es ward begangen,
Gegen wen, und was die Ursach.
Die vier Punkte führ' ich aus.
Alle sind bei dem Prozesse

---

50) Der Teufel, als Kläger, trägt zuerst kurz den Gegenstand der Anklage vor, wie bei den Gerichtsverhandlungen zuerst die Anklageschrift vorgelesen wird. Sodann übernimmt es die Schuld als Fiskal (Staatsanwalt) die Klage zu begründen und auf die Bestrafung anzutragen.

51) Der tödtete alle seine Nachkommen durch die Erbsünde.

52) Das nun folgende, in seiner Art meisterhafte Plaidoyer der Schuld ist ganz in juristischem Stil gehalten. Alle Gesetzesstellen werden citirt, die aggravirenden Umstände hervorgehoben und die etwa möglichen Einwendungen zurückgewiesen.

So gewichtig, daß von ihnen
Auch nicht einer wird gefunden,
Wegen dessen hier der Schuld'ge
Wohl Gehör verdiente, wenn er
Die Jurisdiktion bestreitet.
Denn, was das Verbrechen angeht,
So ist's ein freiwill'ger Mord;
Und was den, der es begangen,
Ist's ein elendes Geschöpf;
Und der, gegen den's verübet
Wurde, ist der Schöpfer selber.
Und die Ursach' ein so dürft'ges
Interesse, wie die flücht'ge
Lust an eines Bissens Süße.
Also giebt es keinen Umstand,
Keine, auch die kleinste Spur
An dem Gegenstand der Sache,
Die nicht laut die Todesstrafe
Forderte hier und verlangte.
Das Naturgesetz begehrt sie,
Denn er liebte weder Gott,
Noch den Nächsten; und wenn weiter
Vom Naturrecht zum geschriebnen,
Göttlichen der Marmortafeln
Wir uns wenden, so erblicken
Auf der zweiten Tafel wir
Hier das fünfte schnöd' gebrochen;
Wozu dann die Glosse sagt
Im Matthäus-Evangelium,
(Worte sind's der höchsten Weisheit,
Die's Gesetz ja selbst gegeben)
Daß, wer tödtet, sterben solle[53]).
Dies genügt, der Sache Größe

) Matth. 26, 52. „Omnes enim, qui acceperint gladium, gladio peribunt."

Zu beweisen. Geh'n wir über
Zur Person des Delinquenten,
Wie ja das Gesetz befiehlt
Diesen Umstand zu beachten,
Wie die Ursach' des Vergehens.
Nichts spricht hier zu seinem Vortheil.
Wenn man das Subjekt betrachtet,
So war's niedrer Erdenstaub,
Ordinärer Lehm und Thon,
Und in Zukunft wird es sein
Eine Speise für die Würmer.
Geh'n wir dann zur Ursach' über,
Ist so leicht sie, daß nur eine
Ihm verbotne Frucht es war,
Deren Süße ihn gelüstet.
So ist's klar, daß das Gesetz
Ihn verurtheilt; ganz zu schweigen,
Von den andern Strafen, welche
In dem Recht der Staaten noch
Für den Undankbaren gelten.
Da mithin es nun bewiesen,
Daß er sterben muß, so bleibt nur
Uebrig zu beweisen noch,
Daß des Heiligthumes Schutz
Nicht auf ihn anwendbar, was
Die Instanz hier soll entscheiden.
Das beweist an erster Stelle,
Weil ein Majestätsverbrechen
Er beging und gegen Gott
Sich verschwor, Ihm gleich sein wollend.
Und ob's auch ein fester Grundsatz,
Daß sich ein Verräther niemals
Kann auf Exceptionen stützen,
Nach den Regeln beider Rechte,
Hab' ich außer diesem doch
Einen andern, wicht'gern Grund noch.

Denn der Schluß, den hier ich ziehe
Aus all' dem, was schon bewiesen,
Zeigt, daß die Entschuld'gung selbst,
Die zu seinem Schutz er anführt,
Meine Klage nicht vernichtet.
Denn der erste Ort, an welchem
Sein Verbrechen er beging,
Und dem dann er ward entrissen,
War entweder ein Asyl,
Oder nicht; war er es nicht,
So beruft er jetzt vergeblich
Sich auf Schutz; war er es wirklich,
Dann beraubt' er selbst sich seiner,
Da der Mord, den er beging,
Auch ein Sakrilegium war.
So ist's klar, daß wer's Asyl
Selbst verletzte, nimmer kann,
Wenn gerichtet eben dieser
Frevel dann an ihm soll werden,
Des Asyles Schutz begehren.

Barmherzigkeit.

Möge jetzt die Gnade reden!

Gnade.

Wohl! Doch in ganz andrem Tone.
Was die Schuld vorwerfend sprach,
Werd' ich weinend nur erwähnen.

(Die Gnade singt, im Recitativ.)

Bekennen will vor Allem
Die Schuld ich des Vergehens,
Und daß die Todesstrafe
Der Fehltritt wohl verdiente;
Damit man gleich es sehe,
Daß nicht des Unrechts Sache

Ich hier vertheid'gen wolle,
Nein, die des Heiligthumes!
Wenn nun des Menschen Sünde
So schwer auch ist gewesen,
Daß seines heil'gen Schutzes
Sie gänzlich ihn beraubet,
So ruf' ich das Gesetz an,
Daß stets die Macht des Königs
Das Vorrecht hat genossen,
Daß keinen Fall es gebe,
Wo nicht Dispense üben
Der Fürst kann; und der König
Ist um so mehr ein König,
Je größ're Schuld er nachläßt.
Noch mehr kann Gott verzeihen,
Als jener sünd'gen konnte.
Und was den andern Punkt nun
Betrifft, daß das Asyl nicht
Dem, der's verletzt hat, nütze,
So hat der Schlange Zauber
Verrätherischer Weise
In ihm das Weib verführet;
Und so ist's klar bewiesen
Daß Täuschung ihn berückte.
In solchem Falle aber
Kann des Asyles Rechte
Genießen, wer durch Täuschung
Nur seinen Schutz verloren.
Und so sehr wird geachtet
Von Gott solch' heil'ge Rücksicht,
Daß er für ganze Städte
Am Jordan es erschlossen,
Und einzig dazu weihen
Sie ließ, daß ihre Mauern
Den Fehlenden Beschützung

Und Sicherheit gewähren[54]).
Drum ließ er auch verkünden
Einst durch Ezechiels Lippen,
Daß, welche Stunde immer
Der Sünder zu ihm rufe,
Er ihn erhören werde;
Und schwört dann durch desselben
Propheten Mund (denn immer
Gab es auch heil'ge Schwüre),
Daß er, so wahr er lebe,
Des Sünders Tod nicht wolle,
Vielmehr, daß er in Reue
Bekehre sich und lebe[55]).
Drum hoff' ich seine Rettung;
Denn wenn's zwei Texte giebt,
Desselben Gottes Worte,
Und zwei Asyle, (freilich —
Auch zwei Asyle giebt es:
Das Paradies, die Kirche!)
Wird einer wohl ihm nützen;
Denn was der eine fordert,
Verbürget ihm der andre.

Schuld.

Welch' Gesetz denn spricht von diesem
Zweiten Heiligthum, das weder

54) Nach dem mosaischen Gesetze (Exod. 21, 13. Numer. 4, 35, 6. 14. Deuteron. 5, 4, 43. Josua 20, 7.) sollten sechs Städte im Lande Israel bezeichnet werden, wohin der Todtschläger sich flüchten kann. Diese Asylstädte sollten auf beiden Seiten des Jordan liegen und die Straßen dahin, um ihren Schutz leicht zugänglich zu machen, sorgfältig geebnet werden.

55) Ezech. 33, 11 ꝛc. Vivo ego, dicit Dominus, nolo mortem impii, sed ut convertatur impius a via sua et vivat." Vergl. Ieaias 58, 9. „Tunc in vocabis et Dominus exaudiet, clamabis et dicet: Ecce ad sum."

Im Naturgesetz ich finde,
Noch in dem Geschriebnen?

Gnade.

Such' es
Im Gesetz der Gnade.

Schuld.

Hier
Find' ich lauter leere Blätter.
Welch' Gesetz, das nicht zu finden?

Der **Kaufmann** tritt auf mit einem Kreuz. — Erdbeben. — Alle erschrecken.

Kaufmann.

Hab's mit meinem Blut geschrieben
Hier auf dieses Baumes Rinde.

Schuld.

Wie? Was? Wann? Ich — ach, ich kann ja
Meine Lippen nicht bewegen.

Lucifer.

Und in mir stockt aller Athem!

Welt.

In Beklemmung pocht die Brust mir!

Einige.

Welch' Ereigniß!

Andere.

Welches Wunder!

Welt.

Alle meine Elemente
Seh' ich voll Verwirrung hier.

Barmherzigkeit
(zur Gerechtigkeit).

Schrecke weiter nicht die Menschen.

Gerechtigkeit.

Auch die Himmlischen nicht mehr.

Erster Engel.

Ja, denn ich selbst bin erschrocken.

Zweiter Engel.

Und auch ich, ich zittre hier.

Schuld.

Nein, von allen diesen Schrecken
Nicht besiegt (vergebens hoff' ich!)
Muß ich reden: (athme kaum!)
Fremder, unbekannter Kaufmann,
Der mit Weizen du beladen
Oder Perlenschätzen kamest
An den unfruchtbar'n Gefilden
Dieser Welt zu landen, um
Des erstorbnen Menschenstammes
Asche wieder zu beleben,
Welch' Gesetz ist's, das, vertauschend
Hier Metaphern, die des Kaufmanns
Mit des Advokaten Rolle,
Anzuführen du gedenkest
Für den Menschen?

Kaufmann.

Das die Gnade
Schon citirte; darum sieh'st du,
Daß Gesetz der Gnad' ich's nenne.

Schuld.

Und was hoffst du zu gewinnen
Hier damit?

Kaufmann.

Es soll des Menschen
Schaden in derselben Weise
Des Asyles Heil erfahren,
Wie er's fordert.

Schuld.

In derselben
Weise?

Kaufmann.

Ja.

Schuld.

Das Wie laß hören!
Wenn der Mensch auch seine Sünde
Immerdar bekennt, beweinet,
Wird, da sie unendlich groß,
All' sein Weinen und sein Seufzen
Nicht Unendlichkeit der Sühne
Geben können, daß befriedigt
Siud die strengen Forderungen
Der Gerechtigkeit, die hier,
Von mir angerufen, beiwohnt
Dem Gericht.

Kaufmann.

Es wird, giebt's anders
Ein unendliches Verdienst,
Welches, göttlich und auch menschlich,
Für ihn zahlt.

Schuld.

Wie ist das möglich?

Kaufmann.

Da des ersten Adam Schulden
Auf den zweiten übergingen —

Schuld.

Auf den zweiten? Wo giebt's den?

Kaufmann.

An den ersten dich erinnernd,
Wirst den zweiten auch du finden.

Schuld.

Durch die höchste Macht erschaffen
Gottes ward der erste Adam,
Selbst nach seinem Ebenbilde
Auf dem Felde von Damascus[56]).

Kaufmann.

Eben diese Macht auch war es,
Die, wenn nicht erschuf, erzeugte
Als sein Bild den zweiten Adam
Im erhabensten Palaste
Seiner allerhöchsten Sphäre[57]).

Schuld.

In die blühenden Gefilde
Seines Paradieses wurde
Jener erste dann gesetzt.

Kaufmann.

Auch der zweite, denn sein erster
Schritt versetzte ihn in's schöne
Paradies des unversehrten
Fruchtbar'n, jungfräulichen Schooßes.

---

56) Vergl. das Auto „der göttliche Orpheus" (IV. Bd.) Anm. 27.
57) Durch die ewige Geburt des Sohnes aus dem Vater.

Schuld.

An dem sechsten Wochentage,
Welchen sie dann später nannten
Freitag, sah der erste Adam
Seines Lebens Aufgang glänzen.

Kaufmann.

Und der Freitag war des Zweiten
Untergangs=, nicht Aufgangstag;
An ihm sühnt' er sterbend, was der
Erste, kaum belebt, verfehlte.

Schuld.

Um zum Gotte sich zu machen,
Brach der Erste ein Gebot[58]).

Kaufmann.

Und der Zweite wurde Mensch,
Einen Rathschluß zu erfüllen.

Schuld.

Um die erste Stunde war's,
Als er, sich erhoben sehend,
Eitlem Hochmuth sich ergab.

Kaufmann.

Und dieselbe Stunde sah' ihn
Demuthsvoll sich tief erniedr'gen
Bis zur unerhörten Schmach
Sacrilegischer Verspottung.

Schuld.

Um die dritte zog er fröhlich
Ein in seines Königs Garten.

---

85) „Eritis sicut Dii.“ Genes. 3, 5.

Kaufmann.

Um dieselbe zog der Andre
Blutig aus Jerusalem
Hin zu der Calvarienhöhe.

Schuld.

Um die sechste streckte jener
Nach dem Baume aus die Hand.

Kaufmann.

Und der andre streckte gleichfalls
Um die sechste seine Arme
Auf dem Baum des Kreuzes aus.

Schuld.

Damals kostet er den Bissen,
Ihm so süß und Allen bitter.

Kaufmann.

Damals kosteten des Andern
Lippen Gall' und Myrrhenwein,
Allen süß und ihm nur bitter.

Schuld.

Aus dem Garten um die neunte
Trieb ihn die Gerechtigkeit.

Kaufmann.

Die Barmherzigkeit des Andern
Ließ zur selben Stunde ihn
Einen Mörder, einen Räuber
Und Empörer und Verbrecher,
Dort begnad'gen, was für unsern
Fall von hoher Wichtigkeit[59]).

n Beispiel ist, wie auch der größte Verbrecher noch Gnade
n.

Schuld.

Was bedeutet's, wenn den ersten
Adam, elend und gefangen,
Jene Stunde hat verurtheilt
Fortan Thränenbrod zu essen?

Kaufmann.

Viel; denn jene Stunde sah
Auch des Zweiten Seite öffnen,
Sieben Ströme zu entsenden,
Welcher heil'gen, und erhabnen
Sacramente allergrößtes
Andres Lebensbrod ihm bietet.

Schuld.

Lebensbrod?

Kaufmann.

Ja, denn nicht Brod nur
Bleibt es, sondern Fleisch und Blut
Wird's, wenn unter den Gestalten
Er, verwandelt, seinen Leib
Unter weißem Schleier giebt.

Schuld.

Wer behauptet das?

Kaufmann.

Ich selber.

Schuld.

Reicht das hin?

Kaufmann.

Ja, ich genüge,
Der ich selbst die Wahrheit bin.

Schuld.

Höre auf! Nicht weiter! Solch' ein
Wunder, solch' ein hehr' Geheimniß
Blendet mich und ich bekenne
Gänzlich mich von dir besiegt,
Zweifle, seufze, zittre, schau're.

Sie fällt ohnmächtig zu den Füßen der **Gerechtigkeit.**

Lucifer.

Und ich, da die Schuld besiegt,
Bleibe Schlange; hinter ihr
Schlepp' ich, an der Erde kriechend,
Meine Haut, in der ich brenne,
Bis ich ihr zu Füßen liege.

Auch **Lucifer** fällt zu ihren Füßen. Während der folgenden Worte, welche die **Gerechtigkeit** spricht, kreuzt sie selbst mit ihrem Schwerdte, und die **Barmherzigkeit** mit ihrem Oelzweige, das Kreuz, welches der **Kaufmann** mit sich gebracht hat, so daß indem der **Kaufmann** mit dem Kreuz in der Mitte steht, die **Schuld** und **Lucifer** am Boden liegen und die **Gerechtigkeit** und **Barmherzigkeit** über sie triumphiren, sich das Wappen der Inquisition mit dem Kreuz, dem Schwerdt und dem Oelzweig bildet 60).

Gerechtigkeit.

Wenn nicht selbst ihr euch ergäbet,
Würde ich mit meinem Schwerdt euch
Unterwerfen.

Barmherzigkeit.

Und auch ich mit
Meinem Oelzweig.

Welt.

Himmel! welche
Hieroglyphe bilden hier
Jetzt das Kreuz, das Schwerdt, der Oelzweig,
Und die hingestreckten Gegner!

---

60) Vergl. das Auto: König Ferdinand der Heilige I. Theil. Anm. 97. (im V. Bde.)

Gerechtigkeit.

Jene, die als Schild des Glaubens
Einst erscheint, nachdem ich selbst
Die Unendlichkeit der Sünde
Jenes ersten Adams sah
Durch's unendliche Verdienst
Jenes Zweiten aufgewogen
So genau, daß ich in aller
Strenge der Gerechtigkeit
Bin befriedigt, wie es einst
Wird Bernardus schön erklären,
Wenn er sagt, daß als zu Gott
Die Gerechtigkeit geschrieen
Und Barmherzigkeit gerufen,
Beide er befriedigt, da er
Der Gerechtigkeit gestattet,
Daß der Todesschuld'ge sterbe,
Und Barmherzigkeit befriedigt,
Daß er sterb' in bess'rem Stande[61]).

---

61) Die betreffende Stelle des heil. Bernhard, aus welcher der Dichter den Grundgedanken des ganzen Auto geschöpft zu haben scheint, findet sich Sermo I. in festo Annuntiationis Beatae Mariae Virginis. Anknüpfend an die oben (Anm. 48) bereits citirte Psalmenstelle: „Misericordia et veritas obviaverunt sibi, justitia et pax osculatae sunt" schildert der Heilige mit poetischer Ausführlichkeit und Beredsamkeit den Streit zwischen der göttlichen Gerechtigkeit und Barmherzigkeit in Betreff des Rathschlusses der Erlösung des Menschen. Wir müssen uns hier darauf beschränken, nur einige Stellen aus dieser herrlichen Rede, die sich fast durchweg mit diesem Thema beschäftigt, anzuführen, welche zugleich den Schlüssel zu der hier vom Dichter dargestellten Scene geben. „Ex hoc sane (ut Prophetae ipsius parabolam prosequamur, qui sibi obviasse eas, et reconciliatas in osculo memoravit) gravis quaedam inter virtutes videtur orta contentio. Si quidem veritas et justitia miserum (sc. hominem) affligebant; pax et misericordia zeli hujus expertes judicabant magis esse parcendum . . . . Unde et factum est, ut perseverantibus illis

Und so fäll' ich denn, beachtend
Jenes göttlich' neu' Gesetz
Hier der Gnade, dieses Urtheil:

in ultione et praevaricatorem hinc inde caedentibus et praesentes molestias futuri cumulantibus comminatione supplicii, illae secederent in cor Patris, redeuntes ad Dominum, qui illas dedit. Solus siquidem ipse cogitabat cogitationes pacis, cum afflictionis plena omnia viderentur. Siquidem non cessabat pax, non ei misericordia dabat silentium, sed pio quodam susurro paterna pulsantes viscera loquebantur: Numquid obliviscetur misereri Deus, aut continebit in ira sua misericordias suas? Et quamvis diu multumque visus sit dissimulare Pater miserationum, ut interim satisfaceret zelo justitiae et veritatis: non tamen infructuosa fuit supplicantium importunitas, sed exaudita est in tempore opportuno. Forte enim interpellantibus tale dicatur dedisse responsum: Usquequo preces vestrae? Debitor sum et sororibus vestris, quas accinctas videtis ad faciendam vindictam in nationibus, justitiae et veritati. Vocentur, veniant et super hoc verbo pariter conferamus. Festinant ergo legati coelestes et, ut viderunt miseriam hominum et crudelem plagam, ut Propheta loquitur: Angeli pacis amare flebant. . . . . Sane ex deliberatione communi ascendit veritas ad constitutam diem, sed ascendit usque ad nubes . . . . Medius autem Pater luminum residebat et utraque pro parte sua utilius quod habebat loquebatur. Quis putas, illo colloquio meruit interesse et indicabit nobis? . . . . Eget miseratione creatura rationalis, ait Misericordia, quoniam misera facta est et miserabilis valde . . . . Econtra Veritas: Oportet, inquit, impleri sermonem, quem locutus es Domine. Totus moriatur Adam necesse est cum omnibus qui in eo erant, qua die vetitum pomum in praevaricatione gustavit . . . . . . Ecce vero unus de Cherubim (id est magni consilii angelus) ad Regem Salomonem suggerit esse mittendas: quoniam filio, inquit datum est omne judicium. Et in ejus ergo conspectu Misericordia et Veritas obviaverunt sibi, eadem quae supra meminimus verba querimoniae repetentes . . . . Grandis controversia, Fratres, et intricata nimium disceptatio . . . . Porro Iudex inclinans se, digito scribebat in terra. Erant autem verba scripturae, quae Pax ipsa legit in auribus omnium, ea siquidem propius assidebat. Haec dicit: Perii, si Adam non moriatur, et haec dicit: Perii, nisi misericordiam consequatur. Fiat mors bona et habet utraque quod petit. Obstupuere omnes in verbo

Daß der Mensch zurückgestellet
Werde unter des Asyles
Schutz, in der Erwägung, daß
Nicht Gewalt in diesem Falle
Je der geistlich' Arm der großen
Allbarmherzigkeit kann brauchen,
Da ein freigewolltes Opfer
Brachte, der genug gethan.
Also, da das neu' Gesetz,
Gnade, das du angeführet,
Die Sentenz so günstig machte,
Publicir' sie du vom hohen
Heil'gen Berge jetzt des Neuen
Testamentes.

Gnade.

Sel'ge Thränen
Waren meine; denn verwandelt
Nun in süßen Festgesang
Steigen sie zum Himmel.

Zweiter Engel.

Mit dir
Geh' ich, denn interessirt
Bin ich ja, als Procurator.

Erster Engel.

Und auch ich mit euch, beweisend,
Daß der Engel auch, der manchmal

---

sapientiae et forma compositionis pariter et judicii .... Sed quomodo fiet istud? Fieri, ait, potest, si ex charitate moriatur quis, utique qui nihil debeat morti etc. etc. Die Worte: Fiat mors bona erklären den Sinn des Schlußsatzes: „daß er starb in beſſ'rem Stande" d. h. daß derjenige, der an die Stelle des Schuldigen tritt, selbst nicht schuldig wie dieser sei, sondern sich, ohne gezwungen zu sein, dem Tode darbiete.

Ihn zu strafen wird gesendet,
Stets des Menschen Freund ja ist[62]).

Gnade.

Komm' nun, Welt! Damit, wenn's Urtheil
Des Gerichtes wird verkündet,
Deinen Schooß du öffnest, Freiheit
Dem Gefangnen gebend; denn wir
Haben Auslieferungsbefehl.

Die Dreie entfernen sich.

Welt.

Geht', ich folg' euch, doch vorher
Eh' ich ihn euch übergebe,
Muß ich wissen, wer die Kosten
Mir bezahlt, die er verursacht.

(Die Schuld erhebt sich.)

Schuld.

Eh' er frei wird, muß auch ich
Aus dem Todesschlaf erwachend —

(Lucifer erhebt sich.)

Lucifer.

Und auch ich, der Lethargie mich
Eh' er ausgelöst, entwindend —

Schuld.

Andern Anspruch noch erheben.

Lucifer.

Neue Forderung noch stellen.

Kaufmann.

Was verlangst du, Schuld?

Engel war es, der als Diener der göttlichen Gerechtigkeit,
schen gefangen nahm. Siehe oben S. 209.

Schuld.

Erfahren
Soll der Mensch, daß wenn's Asyl ihm
Heut' auch nützt, er noch befreit nicht
Ist, nur vorläufig gesichert
Vor der Strafe des Vergehens;
Immer bleibt er noch gebunden
Seinem Gläubiger, der Schuld [63]).

Lucifer.

Was ich fordre, ist, daß immer
Wann ich je ihn außerhalb
Treffen mag der Kirche, wenn er
Ihre Vorschrift übertreten,
Wieder ich ihn fasse.

Kaufmann.

Mittel
Wird's für beide Ansprüch' geben;
Wider dein Begehr, o Schuld,
In dem Bad der Taufe; deines,
Wilde Bestie, wird der Buße
Heil'ges Sakrament verhindern.
Deine Fordrung, Welt, wird tilgen,
Daß des Menschen Schulden ich
Selber zahle.

Welt.

Welcher Schatz
Leistet Bürgschaft für die Kosten?

Kaufmann.

Für sie bürgt der Schatz der Kirche.

---

63) Durch die Erbsünde nämlich.

Die Drei.

Wo ist der?

Kaufmann.

In der erhabnen
Sonne der Barmherzigkeit
Und Gerechtigkeit; schau' hin,
Dort wo beider Strahlenglanz
In Vereinigung verschmilzt,
Dort erhebt der Glaube sich
Des unendlichen Mysteriums,
Das dem Guten ist Erbarmen
Und Gerechtigkeit dem Bösen.

Es eröffnet sich eine Sonne und es erscheint an dem Orte, wo vorher die **Gerechtigkeit** und die **Barmherzigkeit** sichtbar waren, ein Altar mit dem allerheiligsten Sakrament.

Und zu gleicher Zeit entfaltet
Dort die Gnade, die das Urtheil
Publicirt, für Erd' und Himmel
In des Farbenschmelzes höchster
Pracht den schönen Friedensbogen,
Gelb und blau und roth und weiß,
Sprechend, daß verkündet werde
Allen solch' ein groß' Geheimniß:

Die **Gnade** erscheint auf einer Anhöhe, umgeben von allen Engeln. Um sie bildet sich ein Regenbogen, um dessen äußersten Kreis sich die Engel gruppiren.

Die Gnade

(singt).

O Freude! o Freude!
Des Menschen Geschlecht —

Erster Engel

(singt).

Das die Hände des ersten Adam getödtet —

Zweiter Engel

(singt).

Empfängt nun aus denen des Zweiten mit Wonne

Alle Drei

(singen).

Im neuen Asyle ein neu' Paradies.

Musik.

O Freude! o Freude!
Nun zeigt es sich deutlich
Daß eben die Weise,
Daß eben die Schritte
Die Unheil uns brachten,
Das Heil uns gegeben[64])!

Welt.

Jetzt, da 's Urtheil publicirt,
Oeffne ich des Kerkers Pforte.

Die **Welt** öffnet das Thor. Die **Bosheit** und der **Mensch** treten heraus

Bosheit.

Was ereignet sich mit mir denn?
Ganz verändert komm' heraus ich!

Mensch.

Bist auf's neue Unschuld wieder.

(Zum **Kaufmann.**)

Deine Füße, Herr, umfassend,
Fleh' ich, da Barmherzigkeit
Und Gerechtigkeit mich schützen,

---

64) Der Sinn ist: Durch den Tod, der die Strafe der Sünde auch die Erlösung statt. Der zweite Adam ist dem erste ähnlich geworden. Er hat ein zweites Paradies (die Kirche) und in dem heil. Sakrament einen zweiten Baum des dasselbe gesetzt.

Und in Freiheit ich gesetzt,
Ein Asyl nun wählen kann,
Daß es jenes nicht mehr sei,
Welchem ich entrissen wurde,
Sondern das der Kirche, wo ich
Immerdar anbeten kann
Jenes große Sacrament,
Jenes wunderbarste Wunder
Deiner Weisheit, Macht und Liebe.

Schuld.

Da dem Menschen nun verziehen,
Muß die Schuld wohl von ihm fliehen.

Ab.

Lucifer.

Zitternd muß auch ich entweichen
Vor den Strahlen dieser Sonne.

Ab.

Kaufmann.

Jenes Schiff, mit dem ich jene
Kostbar werthe Perle suchte,
Die ich im Gesetz der Gnade
Fand, als Spiegel meines Reiches,
Und in dem ich auch den Weizen
Bringe, die Materie jenes
Hehren Sakrament's, — es sei
Dein Asyl, denn 's ist der Gnade
Schiff; besteig' es, während ich
In mein erstes Paradies nun
Kehr' zurück, damit man's wisse
Daß in meine erste Heimath
Ich als Sieger wieder ziehe[65]).

nsch steigt in's Schiff und der **Kaufmann** geht in den Garten.

auf die Himmelfahrt des Herrn.

Mensch.

Glücklich schiff' ich mich nun ein!

Erde.

Glücklich auch, wer die Materie
Zu so heiligem Mysterium
Gab in seines Schooßes Früchten.

Luft.

Glücklich, wer den Hauch der Lippen
Bot, mit dem gesprochen werden
Jene fünf hochheil'gen Worte,
Die die Form ihm geben [66]).

Feuer.

Glücklich
Auch das Feuer, das entflammet
Jenes Herz, das es empfängt.

Wasser.

Auch das Wasser ist wohl glücklich,
Das den Augen Thränen giebt.

Welt.

Glücklich ist die Welt; sie sieht sich
In dem Menschen mit erlöst!

Gerechtigkeit.

Glücklich die Gerechtigkeit,
Da gerecht sie ihn erblickt.

Barmherzigkeit.

Und Barmherzigkeit ist glücklich,
Weil die Gnade triumphirt.

---

66) Diese fünf Worte sind die Einsetzungsworte, wie sie in der heil. Mess vorkommen: „Hoc est enim corpus meum."

Bosheit.

Unschuld endlich preist sich glücklich[67])
Die sich neu' geboren sieht,
Um so mehr, wenn die Verzeihung,
Welche hier den Sieg errungen,
Sich auf's Auto auch erstrecket.
Nun, da 's Schiff schon seine Segel
Hebt, vom Südwind[68]) sanft geschwellt,
Mit dem Menschen, und der Kaufmann
Auf zum höchsten Himmel steigt
Seines ersten Paradieses,
Und die Gnade publiciret
Hat das Urtheil, zögre Niemand
Einzustimmen in das Lied:

Alle und Musik.

O Freude! o Freude!
Nun zeigt es sich deutlich,
Daß eben die Weise,
Daß eben die Schritte,
Die Unheil uns brachten,
Das Heil uns gegeben!

Während dieses Gesanges segelt das Schiff von dannen, der Regenbogen mit der **Gnade** verschwindet, der **Kaufmann** zieht sich in den Garten zurück und die Sonne mit dem Sanktissimum erlischt.

---

67) Die Bosheit ist nunmehr Unschuld geworden durch die Wiedergeburt der Gnade.

68) Der Südwind ist bei Calderon stets, im Gegensatz zum Nordwind das Symbol der göttlichen Gnade.

Druck von Robert Nischkowsky in Breslau.

Die Saat des Herrn.

Erläuternde Vorbemerkungen.

Die Saat des Herrn (La siembra del Señor) gehört, wie schon der Titel andeutet, zu jener Gruppe unter den Autos, welche sich (wie das im V. Bande mitgetheilte: „Berufene und Auserwählte,“ zu dem es gewissermaßen ein Seitenstück bildet) auf Parabeln des Evangeliums gründen, welche der Dichter in Scene setzt und in ihrer allegorischen und symbolischen Deutung, mit reicher Poesie geschmückt, dem Zuschauer vor Augen führt. Doch kann man das vorliegende Auto keineswegs die poetische Bearbeitung einer bestimmten evangelischen Parabel nennen. Der Hauptgedanke ist zwar dem Gleichniß vom Hausvater entlehnt, welcher zu den verschiedenen Tagesstunden Arbeiter für seinen Weinberg miethet; doch hat der Dichter an die Stelle des Weinberges (dessen Symbol er zum Gegenstande eines anderen Autos: „der Weinberg des Herrn“ gemacht hat) ein Weizenfeld gesetzt, und zugleich in gewisser Weise die Parabel vom Unkraut, das auf dem Acker Gottes mit dem Weizen aufgeht, mit seinem Gegenstande verknüpft, obgleich er diese Parabel ebenfalls in einem besonderen Auto (La semilla y la zizaña) bearbeitet hat. Die gesegnete Erde, welche von den Arbeitern des göttlichen Familienvaters bestellt werden soll, erscheint ihm in ihrer tiefsten Bedeutung zugleich (und zwar hauptsächlich) als Typus Maria's, auf welche ja auch die Kirche die bekannte Psalmenstelle, welche dem Dichter bei dieser Auffassung vorgeschwebt hat, anwendet: „Dominus dabit benignitatem et terra nostra dabit fructum suum.“ Die verschiedenen Arbeiterschaaren theilen sich in drei Gruppen, von denen die erste, welche am frühen Morgen ihre Arbeit beginnt, das Naturgesetz in Adam, die zweite, welche um Mittag erscheint, das geschriebene

Gesetz, in der Person des Judenthums, die letzte, welche erst am Abend eintrifft, das Christenthum in der Gestalt des Glaubens repräsentirt. Die Durchführung des erhabenen Gegenstandes, der von der Schöpfung des Adam bis zum Weltgericht reicht, ist außerordentlich tiefsinnig und kunstreich und das Auto gehört unstreitig zu denjenigen, welche als die Vorzüglichsten unter den Vielen herrlichen, welche Calderon geschrieben hat, zu bezeichnen sind. Auch ist es denen beizuzählen, welche in direkter Weise auf das Sakrament sich beziehen, welches, als das auf dem Felde des Herrn aus dem göttlichen Saamen gewonnene kostbare Brod, auf dessen Hervorbringung alle Arbeit abzielt, den Gipfelpunkt und Schlußstein des allegorischen Dramas bildet. Ueber die Abfassungszeit des Autos sind keine Andeutungen vorhanden, doch gehört es, wenn innere Gründe entscheidend sind, wahrscheinlich zu den spätesten, und deshalb gereiftesten Produkten des großen Dichters. Die Loa deutet auf Madrid als den Ort der Aufführung.

Die Saat des Herrn.

Personen:

Der Familien-Vater.
Emanuel, sein Sohn.
Der Erzengel Gabriel.
Maria.
Der Schlaf.
Die Schuld.
Adam.
Das Judenthum.
Die Idolatrie.
Die Apostasie.
Der Glaube.
Erster Arbeiter.
Zweiter Arbeiter.
Dritter Arbeiter.
Vierter Arbeiter.
Musik.

Der **Familienvater**, ein ehrwürdiger Greis, tritt auf, als Landmann gekleidet, mit ihm **Emanuel**, sein Sohn.

Vater.

Menschenkinder, Söhne Adams,
Die ihr in den Fruchtgefilden
Dieses Erdenkreises lebet
Von dem Lohne eurer Arbeit,
Heute ladet euch der große
Vater euerer Familie,
Jener reiche Grundbesitzer
Jedes Erbtheils, welches mühsam
Täglich euer Schweiß bebauet,
Ein für's Beste, das er hat [1]).

1) Unter diesem besten Erbtheil des himmlischen Grundbesitzers, zu dessen Bebauung er die Menschenkinder einladet, ist im weitesten Sinne der geistige Acker zu verstehen, in welchen der göttliche Saame des Herrn gestreut werden soll, um Früchte des ewigen Lebens hervorzubringen, im engeren Sinne, die heilige Jungfrau Maria, jene jungfräuliche Erde, aus welcher das Brod des Himmels entsproßt ist. Die Bebau-

Eine jungfräuliche Erde
Ist's, so rein, so unentweiht,
Daß er hofft von ihrer Erndte,
Und von ihrer Frucht erwartet,
Aufgehäuft und überreichlich
Seine Tenne einst zu füllen.
Kommt drum, kommt herbei zur Arbeit,
Denn es weckt die Morgenröthe
Schon euch auf, daß sich erfülle
Des Hausvaters Wort, von dem die
Schrift erzählt, daß auf den Markt der
Welt, Arbeiter sich zu dingen,
Er am Morgen ausgegangen [2]).

Adam

(hinter der Scene).

Ihr Arbeiter dieser Erde,
Die ihr lebt, sie zu bebauen,
Wachet auf, der Tag bricht an!

Emanuel.

Deiner Stimme lauter Ton
Und der Sonne helle Strahlen
Dringen, Herr zu gleicher Zeit
Durch die Schleier von Azur,
Durch der Finsternisse Schatten,
Und ihr Glanz und ihre Töne
Mischen sich zur Harmonie im
Menschen hier und in der Blume,

---

ung dieses Ackers ist die allmähliche Vorbereitung des Menschengeschlechtes auf die Erlösung durch all' die Veranstaltungen der göttlichen Liebe im alten Testament, welche die Erde zur Aufnahme des Wortes Gottes, das in der Menschwerdung des Herrn in dieselbe gestreut wurde, vorbereiten sollten.

2) Es ist das Gleichniß vom Hausvater, welcher zu den verschiedenen Tageszeiten ausging, um Arbeiter in seinen Weinberg zu dingen, welches dieser sowie den folgenden Scenen zu Grunde liegt.

Jene Aehnlichkeit bezeugend,
Von der Job spricht, da den Menschen
Einer Blume er vergleicht,
Die verwelket mit dem Schatten,
Ob sie Schatten auch geboren.
Denn wie eine Blume, welche
Rosig eine Zeit lang schimmert,
Im Rubinenglanz erglühet
Mit smaragdner Eitelkeit,
Also athmet auch der Mensch,
Hat er seine Sinne wieder,
Kurze Hauche, die nur flücht'ge
Blumen seiner Seele sind [3]).

Vater.

Doch, noch klingt zu schläfrig mir die
Antwort. Ha, Familie du der
Menschen! Komm' und eil' herbei auf
Meine Stimme; zugesichert
Ist von mir ja, wie ihr wisset
Jedem die Bezahlung, welcher
Seiner Arbeit Werk verrichtet!

Adam
(hinter der Scene).

Freunde, auf! Genug des Schlafes,
Laßt für heut' von ihm uns trennen.

3) Der Sinn ist: die Arbeit des Menschen und der Mensch selbst gleicht der Entwicklung einer schönen aber nur zu hinfälligen Blume. Wie in der Blume die höchste Schönheit mit der größten Hinfälligkeit sich verbindet, so vereinigt auch der Mensch in seinem ganzen Wesen himmlische Hohheit mit irdischer Gebrechlichkeit. Hierdurch soll offenbar angedeutet werden einerseits die Erhabenheit und Schönheit seines Berufes als Arbeiter Gottes auf dem irdischen Felde und andererseits, die Kürze seiner Arbeit und die Beschränktheit seiner eigenen Leistungen. Die Stelle im Buche Job, auf welche hier angespielt wird, ist folgende (Job. 14, 2.): „Wie eine Blume geht er auf und wird zertreten und fliehet wie ein Schatten und bleibt nimmer in einem Stande."

Denn an seines Hauses Pforte
Wartet unser der Besitzer
Dieser Berge schon, die Arbeit
Zu vertheilen. Auf drum, treibet
Fort den Schlaf!

Alle.

Ja auf, ja munter!

Der Schlaf tritt auf, als Bauer gekleidet.

Schlaf.

Geh' schon; doch es kommt die Siesta,
Wo ich Rache nehmen werde
Für den jetzt empfang'nen Schimpf[4])!

Vater.

Bauer, warte, bleibe hier.
Wenn du Arbeit etwa suchest,
Wisse, daß bei mir du Tagwerk
Findest.

Schlaf
(für sich).

Das ist mir schon recht;
Denn ich theile Kopfstück' aus,
Welche jeden tödten, welcher
Dort, wo ich bin, thätig ist.

Vater.

Nun, wer bist du?

---

4) Die Siesta, der Mittagsschlaf, auf welchen hier angespielt wird, i
wie aus dem Verlauf des Auto erhellt, die Zeit, wo die ersten Arbeit
(die Patriarchen und Propheten) von ihrer Arbeit im Limbus, in d
Vorhölle, ausruhen werden.

Schlaf.

Ich bin der,
Welcher von des Menschen Leben
Täglich den Tribut erhebt,
Den im Tode es muß zollen;
Jener Hausdieb, welcher täglich
Stiehlt des Capitales Hälfte;
(Und — merkt man den Diebstahl auch,
Sehnt man sich doch nach dem Diebe.)
Jenes traulich süße Gift,
Das auf Borg und Zinsen tödtet,
Erstgeborner Sohn der Trägheit,
Vater der Unwissenheit.
Ja, solch' schlichter Bauer bin ich,
Daß ich auf armsel'gem Stroh
Besser mich gebettet finde,
Als auf üppig süßem Pfühle
Weicher Federn. Darum hab' ich
Auch, im Waffendienste, keinen
Größren Feind, als Ruhmbegierde
Und als Sorge um die Ehre.
Jener bin ich, der vom Menschen
Jeden Morgen abgeschüttelt,
Seh'n muß, wo er bleibt; nicht nützt mir's
Daß ich so gemein; mein Leben
Frist' ich dadurch nur allein,
Daß ich, anderes vernichtend,
Meines zu erhalten suche.
Jener bin ich, der ob stets auch
Schatten, Phantasie und Träume
Sind sein Wesen, doch zuweilen
Auch Geheimnisse erschließt,
Die man nicht versteht, noch ahnet [5]).

[5]) D. h. es giebt außer den vielen bedeutungslosen, auch andere, bedeutungsvolle Träume.

Jener — doch wohin gerath' ich
Mit so langweil'ger Erklärung,
Da der Schlaf ich bin, und ich mich
Wahrlich wundern muß, daß Jemand
Lebt, der mich nicht kennt?

Vater.

Verwundern
Darf dich solch' Nichtkennen nicht;
Denn vom Schlafe wissen Jene
Nichts, die ohne dich auch ruhen,
Und, ohn' dich zu kennen, leben
In beständ'ger Wachsamkeit [6]).

Schlaf.

Wenigstens könnt ihr nicht leugnen,
Daß ihr, die ihr niemals schlaft,
Wohl kein gut Gewissen habt [7]).

Vater.

Still, genug der Narrheit; jetzo
Kannst du gehu; für meine Arbeit
Kann ich dich nicht brauchen; jene,
Die in ihr sich träge zeigen,
Taugen nicht für meinen Dienst;
Und schon kommen die, auf die ich
Warte.

Emanuel.

Als der erste naht sich
Adam.

6) Der Sinn ist: der Schlaf ist eine Schwäche, welcher die reinen Geister nicht unterworfen sind.

7) Der Schlaf erlaubt sich, da ihm die Rolle des Grazioso zufällt, ohne Rücksicht darauf, mit wem er spricht, einen Scherz.

Vater.

Das Naturgesetz
Stellt er dar hier und erfüllt er;
Deshalb kommt er hier am frühsten.

Schlaf.

Nun, da du mir keine Arbeit
Giebst, muß ich mich weiter trollen,
Um zu suchen, wie's gelinge,
Bei der Arbeit sie zu stören;
Denn da ich die Aehnlichkeit
Bin des Todes und der Schuld,
Muß ich beider Freund auch sein,
Und Gelegenheit zur Rache
Suchen. Ab.

Adam und die **vier Arbeiter** treten auf, in Felle gekleidet, mit Hacken in der Hand.

Alle.

Sieh' uns, dir zu Füßen.

Vater.

Stehet auf, erhebt' euch, Freunde!

Adam.

Wenn du's so befiehlst, gescheh' es,
Daß an diesem Zeichen seltner
Güte man erkenne, daß
Jene, die dir dienen wollen,
Von der Erde sich erheben.
In dem Namen aller jener
Patriarchen und Propheten,
Die mir im Naturgesetze
Folgen hier und mich begleiten,
Will mit dir ich mich verständ'gen
Ueber jenes Tagewerk,
Das dein Ruf uns zugewiesen,

Da der Himmel uns verurtheilt,
Wohl durch meine Schuld, mein Unglück,
Daß in wildem, rauh'n Gebirge
Wir fortan zu leben haben
Von den Thränen unsrer Augen,
Von dem Schweiße unsrer Stirn.

Er weint.

Vater.

Doch, wer bist du, und warum
Weinst du hier so bitterlich?

Adam.

Weißt du's nicht?

Vater.

Wohl weiß ich's; dennoch
Muß ich diese Frage stellen,
Nicht sowohl um nachzuahmen
Menschlich Wesen, als um diese
Thränen, die du hier vergießest,
Diese Seufzer, die du hauchest,
Durch Erinnrung des Vergangnen
Dir auf's neue zu entlocken.
Nun, wer bist du?

Adam.

Ob man auch
Mir den Ehrentitel gab,
Daß der erste Mensch ich sei,
Hab' ich dennoch nur zu vielen
Grund, mir diesen Ehrennamen
Daß der erste ich der Menschen,
Nicht zum Lob — zum Schimpf zu rechnen.

Vater.

Und warum?

Adam.

Weil mich verbannte
Aus dem schönen Vaterlande
Eine Schuld.

Vater.

Erzähle mir
Doch dein Schicksal.

Adam.

Sollst es hören.
Ich lebte fröhlich, glücklich und zufrieden,
Ganz war ich Liebe, Freude, Heiterkeit;
Zu meinem Dienst war Alles ja bereit,
Was sich bewegt und fliegt und schwimmt hienieden.
Da kam, o hätt' ich seinen Gruß gemieden,
Das Leid zu mir in des Vergnügens Kleid;
Noch kannt ich nicht sein trauriges Geleit,
Das vom Vergnügen mich so schnell geschieden.
Ich wählte irrig (o mein traurig Loos!),
Ließ mich verführen (thörichte Entschuld'gung!);
Ich folgte, und erkannte, daß es bloß
Mein Tod war, dem ich folgte; dann erschien
Die Nacht, die meine Schuld nur war, zur Huldgung.
So täuscht das Leid, so der Begierde Glüh'n.

Vater.

Deiner traurigen Tragödie
Schicksal geht auch mir zu Herzen;
Und vielleicht kann diese Arbeit
Heute, es zu bessern, dienen.
Denen, welche im Gesetze
Der Natur mir Arbeit leisten,
Will ich als Bezahlung gern
Ein Talent gewähren; dieses

Wird genügen; um so mehr,
Wenn sie's vortheilhaft verwenden.
Soviel, was den Lohn betrifft.
Was die Hoffnung dann des Heiles
Angeht, höre nun mich an,
Und du wirst, wenn du's beachtet,
Einsehn, wie zur Heilung deiner
Schuld wird helfen meine Arbeit.
Ihr Neugier'gen, jetzo strenget
Eure Aufmerksamkeit an,
Denn nun gilt es, zu verstehen,
(Kann der Geist es anders fassen)
Wie die Mutter hier die Erde
Und die Frucht der Sohn, um dieser
Allegorischen Geschichte
Tiefen Doppelsinn zu merken [8]).
Diese Gegend hier, der beste
Fleck der Welt wohl, (denn Judäa's
Berge sind's,) enthält, wie schon ich
Sagte, einer jungfräulichen
Erde heil'gen, auserles'nen
Theil, so fruchtbar, unentweiht und
Rein, daß noch kein Eisen je sie
Furchte, daß noch keine Hacke
Sie verletzt; nur Rosen treibt sie,
Purpurne und weiße, welche
Ihre Tugenden bedeuten;
Also schöne, daß sie gegen,
Sei's der Sonne glühn'de Strahlen,
Sei's der Winde wildes Wehen,
Ohne Stacheln sich vertheid'gen,
Ohne Dornen sich beschützen [9]).

---

8) Eine Apostrophe an die Zuschauer. In Betreff des hier erwähnt allegorischen Doppelsinnes vergl. oben Anm. 1.

9) Alles Anspielungen auf die unbefleckte Reinheit Maria's.

Dieser Erde glücklich Feld
Ist's, das ich bebauen will,
Weil im Himmel man's erwartet,
Daß aus ihren Früchten einst
Noch das Gegengift erspriеße
Jenes allerersten Giftes.
Nicht vergeblich hielt'st du, Adam
Bei dem Kampf der Elemente,
An die Erndte dich[10]), denn, siehe,
Ausgesä't soll in die Erde
Meiner Rede Saamen werden,
Der der Weizen ist; denn so
Steht's im heil'gen Evangelium,
Wenn es sagt, daß zu vergleichen
Mit ihm sei das Himmelreich.
Wenn ich sprach, daß meine Rede
Sei der Saame, wenn der Weizen
Offenbar das Himmelreich,
Wird, wenn dieser Weizen sproßt,
Mit ihm jener sprossen, welcher
Meiner Rede ew'ges Wort.
Um zu zeigen dann, wie sehr ich
Dieses auserwählte Erbe
Schätze, hab' ich schon beschlossen,
Es gesetzlich zu vermachen
Meinem Sohn zum Majorat,
Dessen Schönheit, dessen Anmuth
Meiner Liebe Wohlgefallen;
Und zum Hause, zur Familie,
Geb' ich ihm der Gläub'gen Schaar,

---

10) In der Thatsache, daß dem Adam nach dem Sündenfall aufgetragen war, die Erde im Schweiße seines Angesichtes zu bebauen, erblickt der Dichter einen Hinweis darauf, daß dieser Erde einst noch (in Christus und in der Eucharistie) eine Frucht entsprießen werde, welche jedes Leiden heilen und ein Gegengift für das im Paradiese von ihm genossene Gift werden soll.

Als ein herrlich' edles Erbe.
Drum wohlan! Naturgesetz,
Da dir solche Vorbereitung
Zeigt, wie sehr bei dieser Arbeit
Wachsamkeit dir sei vonnöthen,
Fange nun dein Tagwerk an,
Diese Erde umzupflügen,
Daß man säen kann; denn erst
Ist's des Landmann's Arbeit ja,
Eh' der Saame wird gestreut,
Daß das Feld er pflüge, lockre,
Daß es, so gepflügt, gelockert,
Dann empfange, und die Früchte
Reichlich keimend dann gebäre[11]).
Und da ihr vor allen Andern
Hier frühzeitig seid erschienen,
So seid ihr's auch, die das Feld
Vorbereiten, pflügen müssen.
Doch beachtet, daß dies Pflügen
In so neuer, seltner Weise
Muß gescheh'n, daß nur die Kraft
Eurer Leiden, eurer Seufzer
Es bewirke; daß, wenn's so
Nur vom Wasser eurer Augen
Wird befeuchtet und vom Thau des
Himmels, jungfräulich verbleibend,
Es empfange und gebäre
Jungfräulich, und seines Schooßes
Frucht in Wahrheit sei gesegnet[12]).

---

11) Die Aufgabe der viertausend Jahre, welche vor der Ankunft des Erlösers verflossen, war es, durch Reue und Erkenntniß der Sünde und durch Sehnsucht nach dem verheißenen Messias das Feld gleichsam zu pflügen und zu lockern und für das Ausstreuen des göttlichen Saamens vorzubereiten.

12) Die tiefe Doppelsymbolik in der Bedeutung der Erde, aus welcher die göttliche Frucht hervorsprießen soll, zieht sich durch das ganze Auto hindurch.

Adam.

Durch mich giebt's Naturgesetz,
Herr, sein Wort dir und Versprechen,
Daß bei also wich'tger Arbeit
Unsre Hülfe nicht soll fehlen.

Alle.

Alle sind wir gleichen Sinnes.

Adam.

Laß durch Jemand uns anweisen
Nun das Erbtheil.

Vater.

Euch begleiten
Soll ein Diener, der's euch zeige.
Gabriel!

Gabriel tritt auf.

Gabriel.

Hier bin ich, Herr!

Vater.

Zeige den Arbeitern nun mein
Erbtheil.

Gabriel.

Kommt, ich will's euch weisen,
Da solch' ehrenvoller Auftrag
Mir von meinem Herren ward.

Emanuel.

Darf ich, Herr und Vater mein,
Dir zu Füßen eine Gnade
Mir erfleh'n, so wär' es diese,
Daß bei dieses Landbau's Arbeit

Als Arbeiter ich auch helfe.
Laß bei ihr mich als den ersten
Selbst die Hacke hier ergreifen.
Wie die andern Menschenkinder
Laß das grobe Kleid mich anzieh'n
Ihrer menschlichen Natur,
Daß sie seh'n, wie unter ihnen
Auch arbeitet des Besitzers
Sohn, nicht scheuend die Beschwerde,
Nicht die Hitze des August,
Nicht die Kälte des December.

Vater.

Was du hier von mir erbittest,
Ist dasselbe, was ich schon
Gabriel vertraute; doch
Laß die Menschen jetzt die Erde
Erst bebauen; wenn ihr Glaube
Ein so hohes Glück verdienet,
Sollst du gehn.

Emanuel.

Doch, wann, o Herr,
Werd' ich, da ich's hoffen kann,
Irdisch einst geboren werden?

Vater.

Wenn der Weizen sproßt auf Erden[13]).
Ab.

Emanuel.

Nun, Glück auf! ihr lieben Freunde,
Haltet fest an dieser Hoffnung,

---

13) D. h. wenn das Feld soweit bearbeitet ist, daß der Weizen schon a geht. Zugleich eine Anspielung auf den Namen Bethlehem, w weiter unten sich zeigen wird.

Daß ich selbst in eurer Mitte
Eure Mühen theilen werde.

Ab.

Adam

(zu Gabriel).

Daß wir keine Zeit verlieren
Bei so hohem Gut und Glück,
Sag' uns, wo ist diese Erde?

Gabriel.

Seh't ihr dort nicht die Gebirge
Von Judäa? Ein Gebäude
Dort bei Nazareth erglänzen?

Erster Arbeiter.

Ja, und allem Anschein nach
Ist's das heilige Castell von
David's Thurm, das dort sich zeigt[14]).

Zweiter Arbeiter.

Eine Stadt mit Wall und Mauern,
Ueber die der Himmel wacht.

Dritter Arbeiter.

Sie erhebt sich hoch und stolz,
Einer Himmelsleiter gleich.

Vierter Arbeiter.

Und, ob Himmelsleiter auch,
Scheint sie ein verschlossner Garten[15]).

---

14) Thurm David's, ein bekanntes kirchliches Epitheton der allerseligsten Jungfrau.

15) „Hortus conclusus" ein verschlossener Garten, wird ebenfalls die heil. Jungfrau genannt nach Cantic. 4, 12.

Adam.

Ja, geschlossen sind die Thore,
Während ihre hohen Thürme
Gleichwie Himmelssterne leuchten.

Gabriel.

Diese Leiter, dieser Garten,
Dieser Thurm, die Stadt, die Mauer
Schließt in ihrem Schooße jene
Erde ein, die ihr verherrlicht
Sehen werdet.

(Will gehen.)

Adam.

Höre, warte!
Die geheimnißvollen Worte
Lauten sie nicht wie Maria?

Gabriel.

Noch genügen Schattenbilder;
Sprechen wir noch nicht so deutlich!

Adam.

Doch, wo gehst du hin jetzt?

Gabriel.

Geh' sie
In dem Auftrag meines Herren
Zu besuchen, daß man sehe
Wie, da du die Arbeit anfängst,
Ich des Wortes Saamen streue.

Ab.

Erster Arbeiter.

Welch' geheimnißvolle Dinge,
Die dem Auge sich entziehen?

Adam.

Ihren Sinn wird bald erklären
Diese heil'ge Allegorie;
Jetzt genüg' es uns, zu wissen,
Daß dies hier die segensreiche
Erde, welche unsre Seufzer
Soll'n beackern und bebauen.

Zweiter Arbeiter.

Nun so laßt, im Feld zerstreut, uns
Weinend jetzt den Anfang machen
Mit der Arbeit.

Dritter Arbeiter.

Besser wär's,
Um die Mühe zu erleichtern,
Daß wir singend hier begännen.

Vierter Arbeiter.

Weint nicht auch, wer traurig singt?

Adam.

Jeder drum auf seine Weise
Möge weinend nun und singend
Seine Arbeit jetzt verrichten
Mit der Hacke Instrument.

Die **Viere** beginnen singend ihre Arbeit, **Adam** in ihrer Mitte. Die **Schuld** tritt auf, dem Gesange zuhörend.

Adam
(singt).

Daß in unsers Jammers Grab
Trostestropfen fallen möchten —

Alle
(singen).

Thaue, Himmel, den Gerechten;
Wolken regnet ihn herab!

Schuld

(für sich).

Thaue, Himmel, den Gerechten,
Wolken regnet ihn herab?
Welch' ein neues Lied vernehm' ich,
Das die niedere Natur
Heut' des Menschen anstimmt, während
Sie im Schweiße ihrer Stirne
Mühsam diese Erde bauet?
Doch das Ende will ich hören.

Adam

(singt).

Das sich mildre, was beklommen
Klagt des Trauerliedes Ton —

Alle.

Sende, Herr, uns deinen Sohn,
Laß das Heil hernieder kommen!

Schuld.

Sende, Herr, uns deinen Sohn,
Laß das Heil hernieder kommen?
Was geheimnißvoll harmonisch
Patriarchen und Propheten
Mit den Stimmen sagen wollen,
Bleibt mir unverstandnes Räthsel,
Wird's nicht deutlicher erklärt.

Adam

(singt).

Daß der ew'ge Krieg, der böser
Stets uns droht, beendet werde —

Alle.

Oeffne ihren Schooß die Erde
Sprosse bald uns den Erlöser[16])!

Die **vier Arbeiter** entfernen sich.

Schuld.

Oeffne ihren Schooß die Erde,
Sprosse bald uns den Erlöser?
Welch' Geheimniß deutet's an,
Daß die Erde sich eröffnen
Soll und den Erlöser sprießen,
Während sie der Mensch zu bauen
Sich bemüht? Es zu ergründen
Muß ich nähern mich.

Adam.

Welch' neue
Aufregung der Sinne ist's,
Die mich einnimmt und ergreift?
Strahlet Licht mir, dämmert Schatten
Mir entgegen?

Schuld
(zu **Adam**).

Worin pflügst du,
Mensch? In deiner Phantasie?
In der Erde?

Adam.

Undankbare
Schuld! In meiner Phantasie
Und auch in der Erde pflüg' ich;
Denn es schließt mein Geist wohl richtig

---

16) Das Lied der Arbeiter ist den bekannten Worten des Propheten entnommen, welche die Sehnsucht nach dem Erlöser aussprechen.

Heute, daß die beiden wahrlich
Eine und dieselbe Sache.
Laß mich drum die kurze Zeit hier
In der Seele mich betrüben [17]).

Schuld.

Wie doch kann ich dich verlassen,
Wenn, seit jenem längstvergangnen
Streit des Leides und Vergnügens,
Ich dein Schatten, der dir folgt?

---

17) Es würde zu weit führen, alle diese tiefen poetischen Bilder prosaisch analysiren zu wollen. Ihr Verständniß kann dem christlichen Leser nicht schwer fallen, der nur einigermaßen sein Denkvermögen anstrengen will. — Es drängt sich übrigens bei dieser poetischen Schilderung der geheimnißvollen Vorbereitung der jungfräulichen Erde durch die Thränen und die Sehnsucht der Altväter unwillkürlich die Erinnerung an dasjenige auf, was die gottselige Catharina Emmerich in ihren Gesichten erzählt und was eine überraschende Aehnlichkeit mit der obigen Darstellungsweise des Dichters hat. So namentlich die folgende Schilderung (Leben der heil. Jungfrau Maria. S. 43.): „Alle diese Bilder stellten vor, wie der Stamm der heil. Jungfrau, aus welcher Gott Fleisch annehmen und Mensch werden wollte, gleich Allem Heiligen von Gottes Gnade durch viele Anfechtungen und Kämpfe geführt worden ist. Ich erinnere mich auch an einem gewissen Punkte dieser Bilderreihe einen Garten gesehen zu haben, der rings von einer dichten Dornhecke umschlossen war, welche eine Menge von Schlangen und anderen ekelhaften Thiere vergebens zu durchdringen strebten. Auch sah ich einen festen Thurm von allen Seiten durch Kriegsleute bestürmt, die von ihm abstürzten. Ich sah viele Bilder dieser Art, welche sich auf die Geschichte der heil. Jungfrau in ihren Voreltern bezogen ... Es war, als sei ein reines Fleisch, ein reinstes Blut durch das Erbarmen Gottes in die Menschheit wie in einen getrübten Strom gegeben, und müsse mit großer Mühseligkeit und Arbeit sich aus seinen zerstreuten Elementen wiederfinden ... und endlich habe es sich durch unzählige Gnaden Gottes und treue Mitwirkungen der Menschen nach vielen Trübungen und Reinigungen in dem sich immer neu ergießenden Strome gefunden und steige nun als die heil. Jungfrau aus dem Strome hervor, aus welcher das Wort Fleisch geworden ist."

Adam:

Wahr; doch magst du auch bedenken
Jene Eigenschaft des Schattens,
Daß, wenn Sonne auf den Rücken
Scheint, der Schatten vorwärts fällt,
Und, wenn sie's Gesicht beleuchtet,
Hinterrücks der Schatten folgt.

Schuld.

Also ist's; doch was willst dadurch
Du mir sagen?

Adam.

Hör' mich an.
Als ich sündigte, da kehrt' ich
Gott den Rücken; dies ist klar;
Drum bewirkte da die Sonne
Der Gerechtigkeit, daß vor mir
Fiel der Schatten. Aber jetzt,
Wo zu seinem Licht ich wieder
Mich gewendet, schreckt dein Dunkel
Mich nicht mehr; denn meine Schuld
Und Unwissenheit bereuend, —
Scheint in's Antlitz mir die Sonne,
Und du mußt mir rückwärts folgen.

Schuld.

Doch wer hat dir denn gesagt,
Daß mit ihrem klaren Licht die
Sonne der Gerechtigkeit
Dich erleuchtet?

Adam.

Diese Arbeit
Selbst, bei der du hier mich findest.

Schuld.

Nun, die Erde baust du?

Adam.

Ja;
Doch so heilig ist die Erde,
Daß mit Thränen sie gelockert
Und mit Seufzern wird bestellt.

Schuld.

Adam's Erde kann's nur sein,
Die von Adam wird bebaut.
Drum, weil's seine Erde ist,
Folgt die Schuld ihm auf dem Fuße
Und bewirkt, daß hinter ihm
Dornen nur und Disteln sprossen.
Doch, weh mir; ich kann ja nicht
Hinter ihm das Feld zertreten!
Welche Grenze, welcher Graben,
Himmel! ist's, der diese Erde
Nazareth's umgiebt und schützt,
Daß sie Schuld nicht kann betreten [18])?
Wenn, die Erde zu bebauen,
Adam, deine Arbeit, hebe
Doch die Hand, und stoß hinein
Dieses Eisen deiner Hacke;
So nur spaltet sich die Erde.

Adam.

Diese hier wird ihre Frucht
Bringen, ohne daß mein Eisen
Sie berührt.

[18]) Anspielung auf die unbefleckte Empfängniß Marias.

Schuld.

O Mißgeschick!
Ist's nicht Adams Eisen?

Adam.

Ja.

Schuld.

Nun gieb her, und sehen sollst du,
(Sie nimmt ihm die Hacke weg.)
Ob's nicht geht. Doch, wehe mir!
Wieder bleib ich starr, gehemmt!
Eis und Feuer kämpft in mir,
Bin nicht todt und nicht lebendig,
Schlangen trag ich in der Brust,
Und die Kehle schnürt ein Strick mir
Zu; der Athem und das Herz
Hindern gegenseitig sich;
Jenes raubt mir diesen; dieser
Reißt mir jenes aus der Brust.
Wie doch (Himmel, welche Pein!),
Adams Eisen (welche Wuth!)
Lockert nicht (o Höllenqual!)
Diese jungfräuliche Erde;
(Angst beklemmt mich!) in den Händen
(Wehe mir!) der Schuld (welch' Unglück!)
Stocket jegliche Bewegung,
Und erstarrt die Thätigkeit?
(Sie läßt die Hacke fallen.)
Solch' ein Wunder muß die ganze
Menschliche Natnr erschüttern,
Daß sie staunend und erschrocken
Zittert und in Krampf geräth,
Während sich die Sonne rüstet
Zu bewirken, daß sie schaue

(Musik hinter der Scene.)

In Figuren und in Schatten,
Einer Ursach' zweifach Wirken [19]).
Doch von Nazareth her schallen
Wunderbare Harmonien.

Eine Stimme

(singt hinter der Scene).

Ave, reine Jungfrau; segens-
Reiche Erde, voller Gnade!

Chor.

Ave, denn gesegnet ist
Deines Mutterleibes Frucht!

Schuld.

Ave, reine Jungfrau, segens-
Reiche Erde, voller Gnade?
Ave, denn gesegnet ist
Deines Mutterleibes Frucht?
Welche Erde, welche Frucht,
Adam, ist das?

Adam.

Dies kann unser
Grundbesitzer dir nur sagen,
Der es sich hat vorbehalten.
Er befahl mir nur, mit Thränen
Hier sein Erbtheil zu bebauen.
Dem Naturgesetze giebt er
Schattenbilder nur und Zeichen
Dessen, was da kommen wird.
Mir liegt Anderes nicht ob,

---

19) „Einer Ursach zweifach Wirken" d. h. die so verschiedene Wirkun welche das Gift der Erbschuld auf die anderen Menschen und a Maria ausübt.

Als der Erde Vorbereitung
Zur Empfängniß und Geburt des
Wortes und des Weizens, die sein
Saame sind und seine Rede;
Während prophezeihend, jene
Harmonien dort verkünden:

Musik

(hinter der Scene).

Ave, reine Jungfrau, segens-
Reiche Erde, voller Gnade!

Adam wiederholt den Gesang, nachdem die Musik ihn beendigt hat.

Schuld.

Halt, Elender! Warte, schweige,
Denn an dir soll sich mein Zorn
Rächen jetzt! Doch, weh' mir, Himmel!
Wer die Füße mir gelähmt
Hier an dieses Ackers Gränze,
Bindet jetzt mir auch die Hände,
Daß ich dich nicht tödten kann;
Denn obgleich wohl meine Wuth
Ihre Macht noch nicht verloren,
Fehlt für heute mir die Kraft.
Himmel! welche Erde ist das?
Kann ich sie auch nicht berühren,
Werd' ich sie doch wohl von weitem
Schauen und betrachten können.

(Hinter die Scene blickend.)

Weißer Lilie reiner Schnee
Und geheimnißvoller Rose
Purpur zieret ihr Gefilde,
Das die Luft mit Myrrh'- und Amber-
Düften füllt; Cypresse, Ceder,
Palme und Olive schmücken
Und umgeben ihren Garten.

Aus verschloss'nem Brunnen sprudelt
Dort, in Schlangenform sich windend,
Eines Baches Silberfaden,
Der die Pflanzen ihr bewässert.
Doch nein! Dazu dient er nicht;
An die Schlange soll er mahnen
Die um ihren Fuß sich windet[20]).
O daß Jemand doch die Arbeit
Jener Bauern stören könnte,
Die den Saamen schon des Wortes
Und des Weizens auszustreuen
Unermüdlich sind beschäftigt!

Der Schlaf tritt auf.

Schlaf.

Ich bin der, der's kann; denn Alle
Möcht' ich zwingen, mich zu schlafen,
Da mich Alle ja beleid'gen.

Schuld.

Nun, Herr Schlaf, wenn du vermeinest,
Daß du hinreichst, sie zu lähmen,
So verfüge, schalt' und walte
Ueber meine Todesschatten!

Schlaf.

Freilich mein' ich's; und da schon
Jetzt der Stunden größte Uhr
Auf den Mittag weist, den Kreis
Vom Zenith in gleiche Strecken
Also theilend, daß vom höchsten
Culm das Azurfeld beherrschend,
Sie wohl zweifeln könnte, welche
Bahn sie schon zurückgelegt,

---

20) Vergl. oben Anm. 17.

Welche noch zu laufen übrig[21]. —
Werd ich machen, daß die Siesta
Nun der Seelenkräfte Dreizahl
Uebermannt; in dunklem Kerker
Soll begraben und verborgen
Ruhn die menschliche Natur.

Ab.

Schuld.

Zögre nicht und binde los
Die verderbliche Begierde[22])!
So wär's wahr, daß meine Rache,
Flüchtig irrend nur bisher,
Nunmehr ihre Ruhe[23]) würde?

Trommelschall hinter der Scene.

Doch, was nah'n sich dort für Leute,
Aus der Wüste niedersteigend
In dies Thal, der rauhen Berge
Hindernisse überwindend?
Aber wie kann ich, die Schuld,
Hier noch zweifeln? Ja ich kenn' sie;
Israeliten sind's; entgegen
Will ich ihnen gehn und zeigen
Wie, undankbar, vom Gesetze
Der Natur zu dem geschriebnen
Auch die Schuld ja übergeht[24]).

---

21) D. h. da die Sonne, die größte Stundenuhr, den höchsten Punkt am Himmel erreicht hat und auf Mittag weist.

22) D. h. die Begierde des Schlafes.

23) Die Ruhe, d. h. der Schlaf der Menschen wird die Rache der Schuld, weil sie von der Arbeit dann ablassen, welche dazu bestimmt ist, die Schuld zu vernichten.

24) Da nun die ersten Arbeiter, welche das Naturgesetz in Adam repräsentirten, vom Schlafe bald übermannt werden, erscheinen um die Mittagszeit neue Arbeiter, welche das geschriebene (mosaische) Gesetz repräsentiren und denen nun vom Hausvater die Fortsetzung der Arbeit, welche das Naturgesetz angefangen, aufgetragen wird.

Das **Judenthum**, die **Idolatrie** und die **Apostasie** treten auf.

Judenthum.

Du Gottheit dieser Höhen,
Die dieses Thal mit ihrem Kranz umstehen,
Die sicher du bewohnst,
Und hier als Flora oder Ceres thronst,
Da du uns wollt'st die grünen Au'n erschließen,
Wo Erndten schon und Blumen fröhlich sprießen,
Sag' an (da hier dein Licht zuerst erschienen
Uns zu empfangen mit der Freude Mienen)
Wo ist in diesen Gauen
Des Grundbesitzers Wohnung zu erschauen?

Schuld

(für sich).

Sie haben nicht erkannt,
Daß ich die Schuld; 's hat glücklich sich gewandt.
So sollen bald sich seine Leute[25]) nennen
Arbeiter, welche ihre Schuld nicht kennen!

(laut.)

Ihr armen fremden Leute,
Kam't als Arbeiter seines Feld's ihr heute,
So kommt, ja kommt mit mir;
Ich führ' euch!

Judenthum.

Wenn solch' holder Nordstern mir
Hier leuchtet, hoff' ich, daß ich glücklich fand
Aus wildem Weltmeer nun den Weg ans Land.

Schuld

(für sich).

Entschuldigt bin ich wohl für solche Huld;
Denn nur zu vortheilhaft ist's für die Schuld,
Wenn mit ihr jetzt der irr'nde Mensch erscheint,

---

25) Seine Leute, d. h. des Grundbesitzers, des Familienvaters.

Kommt er zur Arbeit auch[26]); 's ist so gemeint,
Daß ich der Schlange Wesen hier beachtet,
Die schmeichelnd kost, wenn sie zu beißen trachtet.

(laut.)

Das Haus ist dort gelegen;
Ihr dürft nur rufen, denn er ist zugegen.
Zur guten Stunde wahrlich kam't ihr an;
Denn das Naturgesetz denkt nicht mehr dran,
Durch Arbeit seinen Beifall zu erwerben;
In tiefem Schlafe scheint es zu ersterben.

(Sie will gehen.)

Judenthum.

Du ziehst zurück dich?

Schuld.

Ja, denn ihn zu schauen
Muß ich mich fürchten.

Judenthum.

Weckt er solches Grauen?
O bleibe noch!

Schuld.

Ich kehr' zurück (für sich: zu trüben
Die Sinne euch) sobald ihr erst geblieben
In seinem Dienst; drauf geb' ich Wort und Hand.

Judenthum.

Wenn die Bedingung gelten soll, so geh'.

---

[6]) Die Scene ist eine symbolische Darstellung der Wahrheit, daß das Gesetz, wenn es auch nach göttlicher Bestimmung, als zu Christus hinführender Lehrmeister, zur Entsündigung der Menschheit beitragen und sie vorbereiten sollte, doch selbst noch unter dem Fluch der Sünde (der Schuld) war, von welcher alle vorbildlichen Opfer die Menschen nicht reinigen konnten.

Schuld

(für sich).

Ja wohl, damit man seh',
Daß, ob dein Schweiß auch baue dieses Land,
In Schuld vergossen, er umsonst verwandt.

Ab.

Judenthum.

Ha du im Hause dort, das, ob umkränzt
Vom Sonnenlicht auch, doch nur dämmernd glänzt,
Weil Licht und Schatten hier zusammen kamen!

Die beiden Anderen.

Herr dieser Berge!

Der Familienvater tritt auf.

Vater.

Wer ruft meinen Namen?

Judenthum.

Der durch verschiedne Wege,
Durch dieses Lebens-Labyrinthes Stege,
Gedrungen, trotz vielfältiger Beschwerde
Besiegt der Wüste und des Meer's Gefährde[27]).

Die beiden Anderen.

Auch wir sind fremde Wandrer;
Ob unser Weg auch andrer,
Den selten Jemand nimmt,
Sind wir zu deiner Arbeit doch bestimmt;
Obgleich wir's kaum verdienen,
Da erst zur Mittagszeit wir sind erschienen.

---

27) Anspielung auf den Zug der Israeliten durch die Wüste und de
Durchgang durchs rothe Meer.

Vater.

Besorgt das nicht; ich nehme, hört die Kunde,
Arbeiter an zu jeder Tagesstunde,
Wenn sie mir dienen wollen;
Und nicht mein Haus und die Familie sollen
Mich hindern zu empfah'n Zurückgebliebne.
Doch welch' Gesetz bekennt ihr?

Judenthum.

Das Geschriebne,
Worin Geheimniß waltet um und um.

Vater.

Und was bist du in ihm?

Judenthum.

Das Judenthum.

Die beiden Anderen.

Auch wir bekannten's ehe,
Ob unser Weg auch auseinander gehe.

Idolatrie.

An jenem Tage ich,
Wo Moses straft' im Götzendienste mich,
Deß große Religion, von Göttern voll,
Zum Heidenthum zog meiner Neigung Zoll[28]).

Apostasie.

Ich ward in Moab untreu dem Gesetze;

---

28) Die Idolatrie, d. i. der Götzendienst, bekannte sich einst zum Gesetze, da er nur eine aus dem Naturgesetz hervorgegangene Verirrung ist und in sich noch einzelne Spuren der Wahrheit, welche seinen Ursprung bekunden, trägt.

Durch Liebe kam es, daß ich es verletze.
Aus dieser That entstand Apostasie[29]).

Vater.

Obgleich Familienrecht ihr beide nie
Bei mir erwarbt, sei's Kommen
Doch Keinem heut benommen;
Lohn oder Strafe wartet Aller eben,
Wie ihr's Talent verwandt, das ich gegeben,
Ob gut, ob schlecht; drum seid
Ihr Alle nun zu meinem Dienst bereit.
Und da's Naturgesetzes Arbeitslast
Nun ruhet, und von tiefem Schlaf erfaßt
In dunklem Limbus liegt das Volk begraben,
Nachdem sie's Werk mir angefangen haben,

(zum Judenthum)

Magst du es weiter nun zu fördern gehu.

Judenthum.

Ich will's; doch muß ich hören erst und sehn,
Wieviel beim Bau der Erde schon gewirkt.

Vater.

Gepflügt das Feld schon steht,
Auch ist mein Wort auf ihm schon ausgesät,
Der edle Weizen, den im Schooß es birgt.

Judenthum.

Darnach scheint's mir verbürgt,
Wenn die Gedanken richtig schließen lernten,
Daß mir es zufällt, hier die Frucht zu erndten?

---

29) Anspielung auf den 4. Mos. 25. erzählten Abfall der Israeliten zum Götzendienst der Moabiter, welcher durch Hurerei mit den Töchtern Moabs veranlaßt und von Phines in heiligem Eifer gezüchtigt wurde. Weil dies das erste Beispiel ist, das die heil. Schrift von einem wirklichen Abfall vom wahren Glauben erzählt, so wird diese Begebenheit hier als der Ursprung der Apostasie bezeichnet.

Vater.

So ist's.

Judenthum.

So laß mir zeigen
Das Erndtefeld, wenn meiner Sorge eigen
Die Arbeit.

Vater.

Gabriel!

Gabriel tritt auf.

Gabriel.

Was dein Befehl?

Vater.

Da ich zum Erdenboten dich erwähl',
Und du Gesandter meines Wunsches bist,
Wovon dein Name Gabriel Zeuge ist,
So kehr' zur Welt hernieder
Mit zweiter Botschaft wieder,
Und zeige nun auch diesen,
Das Erbe, das den Andern du gewiesen.

Gabriel.

Mit nicht geringer Gnade ehrst du mich.
Kommt mit mir! Jenen ersten zeigte ich
Das Haus in Nazareth;
Die Andern muß ich führen (denn es geht
Die Zeit zu Neuem fort)
Nach Bethlehem; besä't ist schon der Ort
Mit Weizen, der schon aufgeht; und sein Bild
Ist Betlehem, das Haus von Brod erfüllt[30]).

Bethlehem d. i. Haus des Brotes. Die vom Dichter den beiden Gesetzen, dem Naturgesetz und dem Geschriebenen, hier zugetheilte

Gabriel entfernt sich mit den Dreien. Emanuel tritt auf.

Emanuel.

Da, Vater, schon die zweite
Arbeiterschaar, daß sie zum Werke schreite,
In deinen Dienst getreten,
Und Lohn und Tagewerk sich schon erbeten,
So gieb mir Urlaub nun,
Wie du verheißen, daß mein eignes Thun,
Wenn ich zu ihnen komme,
Als Trost der Arbeitsmühen ihnen fromme.

Vater.

Ach, Sohn, des Trostes Freude,
Die ihnen wird, wird wandeln sich zum Leide
Für meine Liebe!

Emanuel.

Wie?

Vater.

Wer Leid und Tod nicht ahnte, liebte nie!
Gefährlich ist dein Weg; dies Volk, das heute

Arbeit ist nicht strikte historisch, sondern symbolisch zu fassen. Nazareth wird mit dem Naturgesetz und Bethlehem mit dem Geschriebenen in Verbindung gebracht, weil in Nazareth der Saame in die gebenedeite Erde gestreut wurde, aus welcher in Bethlehem der himmlische Weizen hervorsproßte. Deshalb theilt der Dichter den zuerst gekommenen Arbeitern (dem Naturgesetz), vorzugsweise die Arbeit zu, durch Thränen und Sehnsucht (obgleich das historisch auch in die Zeit des geschriebenn Gesetzes fällt) die Erde zur Aufnahme des himmlischen Saamens vorzubereiten, während die später Gekommenen (das geschriebne Gesetz) den schon aufgegangenen Weizen reifen sehen und die Erndte, das Mähen und Dreschen, zu besorgen haben. Aus eben diesem Grunde läßt er auch Adam oben nicht bloß in Begleitung der Patriarchen, sondern auch der Propheten arbeiten, und gesellt dem Judenthum die Idolatrie und Apostasie als Gefährten bei, weil sie gleichfalls an der Arbeit des Mähens und Dreschens in Bezug auf die Kirche später sich betheiligen.

Behauptet, daß mir's dient, ward schon verführt
Zum Götzendienst und hat apostasirt;
Und noch soeben weihte
Der eignen Schuld es Liebe.

Emanuel.

Der eignen Schuld? Damit ich sie vertriebe,
Laß geh'n mich; denn unbillig wär' es eben,
In der Fámilie Schooß ihr Raum zu geben,
Und müßt' ich wagen selbst dafür mein Leben!

Vater.

Ist das dein Ziel, so mein' ich,
Daß ich's nicht wehren kann; folg' ihnen schleunig.

Emanuel.

Wohin sind sie gegangen?

Vater.

Von Nazareth gen Bethlehem sie drangen;
Dort findest du sie.

Emanuel.

O mein Vater, gieb
Mir deinen Segen!

Vater.

Ja, es ist mir lieb;
Ich sende dich zur Erde; mich entschuldigt
Dein Eifer, Schuld zu bannen, der mir huldigt.

Emanuel.

Nicht schmerz' es dich, daß ich nun geh' zur Erden,
Um sterblich mit den Sterblichen zu werden.

Sie entfernen sich. Der Schlaf und die Schuld treten auf.

Schlaf.

Ueberwältigt und gebunden
Liegt in düstrem Schatten nun
Ein Gesetz schon überwunden [31]).

Schuld.

Doch was kann's zur Sache thun,
Daß es schlafend wird gefunden,
Wenn ein andres schon bereit,
Fortzusetzen das Geheimniß
Jener Arbeit, und erfreut,
Dienstbeflissen, ohne Säumniß
Schon dem Grundbesitzer beut
Seinen Dienst, den es begehrt,
Und die Furcht mir unbenommen
Ist, daß nichts die Erndte stört
Jener Frucht, die aufgekommen
Aus dem Saamen unversehrt,
Den's Naturgesetz gesä't,
Durch's Geschriebne [32]). Seh' ich nicht
Wie die Saat schon herrlich steht,
Wie der Weizen, voll Gewicht,
Zur Geburt des Korn's schon geht?

Schlaf.

Wenn in dem geheimnißvollen
Weizen du (wohl ohne Grund)
Der so fruchtbar aufgequollen,
Deines Giftes (wohl ist's kund)
Gegengift hast ahnen wollen,

---

31) Das Naturgesetz nämlich, das vom Schauplatz abgetreten ist und i der Vorhölle die Siesta hält.

32) „Durchs Geschriebne." Diese Worte beziehen sich auf das Wor Erndte im Vorhergehenden. Der Sinn ist: die Erndte des aufge gangenen Getreides durch das geschriebene Gesetz kann Niemand stören

Mache, daß zugleich mit ihm
Schaden wachse, der sich rühm',
Seine Kraft ihm zu verderben.

Schuld.

Giebt es Schaden also schlimm?

Schlaf.

Drei giebt's, welche ich entdecke,
Welche schädlich dem Getreide:
'S ist die Heuschreck' und die Quecke
Und der Lolch; auf jeder Heide
Wuchern hier sie. Die erwecke.
Leugnen kann die eine dir
Das Geheimniß, das der Weizen
Hier enthält; abfressen schier
Wird das Feld die andre; spreizen
Wird der dritte so sich hier,
Daß die Frucht unnießbar. Drum
Thu' um ihre Gunst dich um.
Quecke ist Apostasie,
Heuschreck' die Idolatrie,
Und der Lolch das Judenthum [33]).

Schuld.

Du hast Recht; und da sich fanden
Die drei Feinde im Vereine
In dem Volke, das ich meine,
Da Idolatrie entstanden
Unter ihnen und selbst keine
Abwehr fand Apostasie,

33) Der Dichter verbindet hier in geistreicher Weise die Parabel vom Weizen und Unkraut mit der von den Arbeitern im Weinberge, jedoch nur insofern, als dies mit seinem Hauptthema vereinbar ist. Die symbolische Bedeutung liegt auf der Hand und wird im Texte selbst erklärt.

Will ich fahren unter sie
Nun mit Zweifeln und mit Fragen.

Schlaf.

Nur mit Vorsicht ist's zu wagen;
Dort die rüst'gen Schaaren sieh',
Jener zweiten Arbeitsleute,
Welche nun die Erde suchen,
Wo man schon den Saamen streute!

Schuld.

Dieser Erde will ich fluchen;
Dreien geb' ich sie zur Beute!

Gabriel, das **Judenthum**, die **Idolatrie** und die **Apostasie** treten auf.

Judenthum.

Im einsamen und verlass'nen
Oeden Hause hier soll thronen
Irgend Jemand noch erhöht?

Gabriel.

Bald wird hier Vermehrung wohnen,
Wenn hier in Erfüllung geht
Königshuld'gung ferner Zonen [34]).

Idolatrie.

Königshuld'gung?

Gabriel.

Ja.

Idolatrie.

Mein Geist
Zweifelt dran.

---

34) Anspielung auf den heil. Joseph und die Huldigung der heil. drei Könige.

Gabriel.

Doch wenn nun sendet
Gott zu ihm Vermehrung?

Idolatrie.

Heißt
Das nicht Joseph?

Gabriel.

Wie du weißt.

Judenthum.

Auch Erhöhung wohl ihr fändet
In Maria's Namen?

Gabriel.

Ja.

Judenthum.

Glauben kann ich's nicht, daß da
Joseph's und Maria's Namen
So als Freudenquelle kamen,
Welche Bethl'hem nie noch sah.

Schuld.

Recht; es täuschet dich sein Wort.

Judenthum.

Deines scheucht die Täuschung fort.
Meinen Sinn kehrt Niemand um.

Schlaf.

Schon beginnt im Judenthum
Lolch zu sprossen hier am Ort[35]).

---

35) Durch die Zweifel nämlich, die in ihm hervortreten.

Idolatrie.

Ich auch zweifle, daß nur eine
Gottheit solche Kraft vereine,
Um die Wunder zu erwecken.

Schlaf.

Heuschreckschaden zu entdecken
Ich schon jetzt in ihr vermeine.

Apostasie.

Und ich zweifelte wohl nie,
Daß ein Gott es kann. Doch wie
Könnte je der Weizenähre
Glaube spenden solche Ehre?

Schlaf.

Quecke ist die Häresie[36].

Gabriel.

Solche Zweifel hier zu lösen
Dem, der sie erhoben, steht
Mir nicht zu. Ob guten, bösen
Dienst ihr hier geleistet, seht
Einst ihr an des Lohnes Wesen.

Ab.

Schuld.

Arbeit theil' ich jedem zu.

Judenthum.

Gnädig sehr bist heute du.

---

36) Die Apostasie ist zugleich Symbol der künftigen Häresie, welche das Geheimniß der Eucharistie leugnen wird.

Schlaf
(für sich).

Das treibt mich von ihnen fort,
Denn dort bin ich nicht am Ort,
Wo zu Ende geht die Ruh.

Ab.

Schuld
(zur Idolatrie).

Du, die du gestellt dich hast
Zu der Idolatrie Fahne,
Sollst den Weizen ohne Rast
Mähen, wenn er reif.

Idolatrie.

Ich ahne,
Daß die Wahl vortrefflich paßt;
Denn der Heuschreck Amt ja ist
Meines Zornes größte That,
Da die Felder kahl sie frißt.
Aehren schneid' ich aus der Saat,
Wenn mein Schwerdt die Hälse mißt [37])!

Schuld
(zur Apostasie).

Ist der Weizen dann geschnitten,
Sollst du schaufeln ihn.

Apostasie.

Dies Amt
Würd' auch ich mir selbst erbitten;
Häresie ist ja verdammt,
Stets zu prüfen und zu schütten.

---

37) Anspielung auf die blutigen Verfolgungen der Christen durch die heidnischen Römer.

Schuld

(zum Judenthum).

Du, das Judenthum, sollst dann
Dreschen dieses Korn und malen.

Judenthum.

Dieser Vorzug steht mir an.
Da von mir du forderst Qualen,
Ich des Lolches Amt gewann.
Bin zur Arbeit schon bereit.

(Es ergreift ein Kreuz.)

Der Dreschflegel hier wird's thun!

Idolatrie

(ergreift eine Sense).

Dies die Sense, die es mäht.

Apostasie

(nimmt eine Schaufel mit drei Zinken).

Ist es dann zu säubern, nun,
Dieser Dreizack es versteht[38]).

Schuld.

Daß mein Zorn befriedigt werde,
Auf zum Kriege, meine Heerde!
Lasset Schreckenstöne wehen!

Musik

(hinter der Scene).

Ehre sei Gott in den Höhen,
Fried' dem Menschen auf der Erde!

38) Die tiefere Bedeutung dieser dreifachen Arbeit, in welcher Vergangenheit und Zukunft in der Idee zusammenschmelzen, wird sich unten von selbst ergeben.

Schuld.

Halt! welch' neue Töne klingen
Durch die Luft? Wer wagt zu singen?

Judenthum.

Nicht blos Töne, nein auch Licht
Strahlend durch die Wolken bricht.
Siehst du's nicht vom Himmel dringen?

Idolatrie.

Irrend schwebt es ohn' Gefährde.

Apostasie.

Und verscheucht durch sein Entstehen
Von der Welt der Nacht Beschwerde.

Musik

(hinter der Scene).

Ehre sei Gott in den Höhen,
Fried' den Menschen auf der Erde!

Schuld.

Welch' ein Wunder nahet sich?

Judenthum.

Welch' ein unerhörtes Zeichen?

Apostasie.

Welchem Lied wohl dieses glich?

Idolatrie.

Welcher Glanz muß dem nicht weichen?

Alle.

Wer bewirkte solches?

Emanuel tritt auf.

Emanuel.

Ich[39]).

Ihr Arbeiter dieses Lebens,
Ackerbauer meines Vaters!
Ehre Gott, dem Menschen Friede
Singt der Himmel und die Erde;
Denn an diesem Segenstage
Seht, zur Ehre und zum Frieden
Gottes und des Menschen, ihr,
Wie der Weizen auf der Erde
Wird gebor'n zur selben Zeit,
Da ich komme, um zu werden
Mitgenosse eurer Mühen,
Um als Freund euch beizustehen,
Und in hellem Licht zu zeigen
Die verborgene Beziehung,
Welche waltet hier, daß Beide
Wir zu gleicher Zeit geboren
Aus der Erde und der Jungfrau.
Drum empfangen mich die Menschen
Und die Thiere, Fisch' und Vögel
Mit solch' süßen Harmonien
Die zum Gruße sie mir spenden
Als Vasallen, die sie sind,
Meines Vaters höchster Gottheit,
Der als unumschränkter Herr
Herrschet in den Himmelskreisen,
Ueber der Gebirge Höhen
Und des Meeres stolze Fluhten. -
Euer Mühsal mitzufühlen,
Euer Leid euch zu erleichtern,
Komm ich, um als erster nun

---

39) Den Eintritt Emanuels unter die Arbeiter begleiten (in dem Vorhergehenden) die Wunder der Christnacht.

Arbeit unter euch zu leisten,
Nackt, wie ihr, mich preiszugeben
Jetzt der Sonne, Luft und Kälte.
Und nicht eures Gleichen nur
Will in dieser Tracht ich werden;
Nein, vielleicht werd' ich die Frucht selbst
Sein —

Judenthum.

O rede weiter nicht;
Setzt dein Anblick in Erstaunen,
Schrecken mehr noch deine Worte.

Emanuel.

Und warum?

Idolatrie.

Zuerst laß mich
Antwort geben; denn du häufest
Zweifel hier auf Zweifel, voller
Widerspruch sind deine Worte.
Denn zu sagen, daß die Gottheit,
Welche dich zur Erde sendet,
Eine nur, da doch unzählbar
Sind der hohen Götter Schaaren,
Ist Betrug; und deßhalb will ich,
Da die Sense mir vertrauet,
Ohne dir Gehör zu schenken,
Nun in diesem Thal die Aehren
Mähen geh'n, die hier mit dir
Wuchsen; dich erschrecken soll's.

Ab.

Apostasie.

Eine höchste Macht zwar glaub' ich;
Glaube auch, daß du ihr Sohn,
Wie du sehr auch dich verkleidet.

Doch, willst du uns glauben machen,
Daß du selbst und jener Weizen
Früchte sind, und daß ihr Beide
Zu demselben Zweck geboren,
So erhebt sich Schwierigkeit [40]).
Drum, gieb mir nicht Anlaß, daß
Die drei scharfen Zinken hier,
Welche Nägeln ähnlich sehen,
Von der Erde dich erheben
Und du, schwebend in der Luft,
Dann erfahrest, wie den Weizen
Ich dir säubere und schaufle,
Da als Weizen du geboren.

Ab.

Judenthum.

Einen Grundbesitzer glaub' ich,
Mächtig, unermeßlich, groß;
Denn nur einem Gotte opfert
Man auf meinen Brandaltären.
Doch daß du sein wahrer Sohn, der
Arm und nackt herniederstieg,
Um hier unter uns zu leben,
Das erlaub' mir zu bezweifeln;
Denn ich kann es nimmer glauben,
Daß sein Erbe sich erniedr'ge
So, daß ohne Pomp er komme,
Ohne Blitz und Donner. Eh' ich
Dieses glaube, zwingst du mich,
Unter tausendfält'ger Schmach
Daß wie Weizen ich dich dresche,
Und dich male und zerstreue,
Daß wie Weizen du dann sterbest,
Da als Weizen du geboren.

Ab.

---

40) Die Apostasie spricht hier im Sinne der christlichen Ketzerei.

Schuld.

Warum kamest du zur Erde
In solch' schlichtem, niedren Kleid,
Daß dich nicht erkennen konnten
Die Arbeiter deines Vaters?

Emanuel.

Ihren blinden Undank hat ja
Schon Johannes angedeutet,
Wenn er sagt, daß in der Welt
Niemand mich erkennen würde [41]).
Aber wenn du, Schuld, die Schlange,
Die in diesen Blumen lauert,
Bist, was Wunder, wenn sie thöricht
Und verwirrt sich dann entfernen?

Schuld.

Du bestehest also drauf,
Daß die Sterblichen dir glauben,
Daß du Weizen seist?

Emanuel.

Kann jemals
Meiner Wahrheit Wort denn täuschen?

Schuld.

Nun so laß uns untersuchen
Die begehrte Aehnlichkeit.
Weizen keimt, wenn er in fruchtbar
Und gesegnet Erdreich fällt.

Emanuel.

Ich auch, denn wohl fruchtbar Erdreich
Ward vom Engel vorbereitet.

n der Welt .... und die Welt kannte ihn nicht." Joan. 1.

Schuld.

Weizen gehet auf, der Rauhheit
Jedes Wetters preisgegeben.

Emanuel.

Ich auch, denn nicht sträub' ich mich
Gegen irgend irdisch' Mühsal.

Schuld.

Weizen theilt in Halm und Aehre,
Korn und Stroh, sich gleicherweise.

Emanuel.

Ich auch; göttliche Natur
Theilt in mir sich mit dem Menschen.

Schuld.

Weizen dürstet auch und lechzt
Nach des Regenfalls Erquickung.

Emanuel.

Ich auch werde in der Wüste
Durst und Hunger einst erleiden.

Schuld.

Weizen schmücket sich mit scharfen
Spitzen, wie mit einer Krone.

Emanuel.

Ich auch werde eine Krone
Tragen von noch schärfren Spitzen[42]).

Schuld.

Weizen beuget sich der Sense,
Wenn am höchsten er gewachsen.

---

42) Die Grannen des Weizens ein Bild der Dornenkrone Christi.

Emanuel.

Ich auch; unerbittlich wird des
Todes Sense ja mich fällen.

Schuld.

Weizen duldet, daß des Dreschers
Keule ihn zermalm' und trete.

Emanuel.

Ich auch, denn zertreten wird mich
Einst Erniedrigung und Schmach.

Schuld.

Weizen folgt dem Windeshauche,
Wenn Wurfschaufeln ihn zerstreuen.

Emanuel.

Ich auch, durch die Lüfte werden
Meine Worte sich zerstreuen [43]).

Schuld.

Weizen muß des Feldes Freiheit
Mit der Scheune Kerker tauschen.

Emanuel.

Ich auch werde meines Lebens
End' in engem Kerker finden [44]).

Schuld.

Weizen wird dem harten Steine
Uebergeben zum Zermalmen.

Emanuel.

Ich auch werde den zermalmten
Leichnam Felsen anvertrauen.

---

43) Durch die Predigt der Apostel nämlich.
44) In der Grabeshöhle.

Schuld.

Weizen wandelt sich in Brod,
In ein süßes Nahrungsmittel.

Emanuel.

Nahrung werde i ch auch sein,
Wenn das Brod in Fleisch verwandelt.

Schuld.

Schweige, schweige; denn bei diesem
Worte werd ich zum Vulkan,
Der in Feuergluth erstarret,
Und, von Schnee bedeckt selbst, brennt!
D u könnt'st wirklich Weizen sein,
Und in Wahrheit jemals Brod auch
Werden?

Emanuel.

Ja.

Schuld.

Nun, wie?

Emanuel.

Das wird
Dieses Auto's Ende lehren.

Schuld.

Doch bevor zu solch' geheimniß-
Voller Prüfung wir gelangen,
Werd' ich, dir den Tod bereitend,
Es verhindern.

Emanuel.

Nun so wisse:
Anstatt mir den Tod zu geben,
Wirst die Frucht du nur befördern.

Schuld.

Wie?

Emanuel.

Wenn nicht das Korn erst stirbt,
Welches in die Erde fällt,
Wird's nicht fruchtbar[45]); denn's ist nöthig,
Daß das Eine erst verderbe,
Soll aus ihm das Andre sprossen.
Deine Grausamkeit wird sicher,
Statt den Tod mir zu bereiten,
Früher nur die Frucht erwecken.

Schuld.

Dieses will ich sehn.

Emanuel.

So ringe
Mit mir.

Schuld.

Einst sah ich dich feiger,
Als du da in einem andren
Allegor'schen Streite einen
Weiten Umweg machtest, um zu
Hindern, daß ich dich berühre[46]).

Emanuel.

Wahr ist's; damals wollt ich nur
Dir im Allgemeinen zeigen

---

45) Joan. 12, 24—25. „Wahrlich ich sage euch, wenn das Weizenkorn nicht in die Erde fällt und stirbt, so bleibt es allein; wenn es aber stirbt, so bringt es viele Frucht."

46) Wohl eine Anspielung auf das Auto „das Schiff des Kaufmanns" wo die betreffende Scene vorkommt. Vergl. Bd. IV, S. 297—300.

Daß es ganz unmöglich war,
Daß zu mir die Schuld gelangte.
Komm drum; ist die Schuld auch deine,

(Sie ringen miteinander.)

Mach ich sie zur meinen[47]), daß ich
So für immer diese Wurzeln
Aus dem Acker meines Vaters
Reiße. Fort aus ihm!

Schuld.

Weh' mir!
Nichts vermag mein Widerstand.
Ha, Idolatrie!

Die Idolatrie tritt auf.

Idolatrie.

Was willst du?

Schuld.

Sollst vertheid'gen mich und schützen
Gegen den, der mich von euch
Treiben will, und da zur Hand du
Hast das Instrument, das ich
Dir gegeben, um die Saaten
Abzumäh'n, so hemme seine
Schritte.

Idolatrie

(die Sense schwingend).

Bis hierher nur darfst du[48])!

Emanuel.

Weh' mir! ach, mit deiner Sense
Stellst du mir das Bild des Todes

---

47) D. h. nehme ich die Schuld auf mich, um für sie genug zu thun.

48) Die Idolatrie schwingt die Sense des Todes, um den Weizen zu mähen, weil der Heide Pilatus es war, der das Todesurtheil fällte.

Dar, bei dessen Schrecken meine
Kraft zur Erde, ganz erschöpft, in
(Er knieet nieder.)
Blut'gem Schweiß gebadet, jetzt schon
Niedersinkt [49]). Da du zu Boden
Mich geworfen, hast du wohl
Nun des Mähers Amt geübt.

Schuld.

Tödte ihn.

Idolatrie.

Ich will's; — doch ach die
Sense fällt ja aus der Hand
Der Idolatrie; denn keine
Schuld hat sie an ihm gefunden;
Und ich muß, bevor ich's Urtheil
Fälle, meine Hände waschen.

Schuld.

Ha, Apostasie!

Die Apostasie tritt auf.

Apostasie.

Was willst du?

Schuld.

Mich zu schützen vor Gefahr,
Die hier meinem Leben drohet,
Sollst du jene scharfen Nägel
Der Wurfschaufel schwingen.

Apostasie.

Wohl!

---

[49]) Anspielung auf das Gebet des Herrn am Oelberge.

Emanuel.

Und durchbohrst du, deines Amtes
Wartend, auch mit ihnen mir
Händ' und Füße, mich erhebend
Von der Erde, werd' ich doch
Dieses Unthiers[50]) Spur verfolgen.

Schuld.

Tödtest du ihn nicht?

Apostasie.

Nein, nur in
Seiner Lehre Wundertiefen
Werd' ich ihn verwunden können,
Nicht in der Person.

Schuld.

O Feigling!
Judenthum!

Das Judenthum tritt auf.

Judenthum.

Hast du gerufen?

Schuld.

Schütze mein bedrohtes Leben
Vor dem, der mich tödten will!

Judenthum.

Und wer will denn hier dich tödten?

Schuld.

Dieser Jüngling, der, hochmüthig
Und anmaßend, sagt, er sei
Unsres Grundbesitzers Sohn.

---

50) D. h. der Schuld.

Judenthum.

Weil er so sich nennt, allein schon,
Und weil ihm die Zeichen alle
Fehlen, die's beweisen, würde
Ich ja gern den Tod ihm geben,
Umsomehr, da ich nun sehe,
Wie er Aergerniß verursacht
Auf dem Felde seiner Arbeit[51]).
Darum tödt' ich ihn, und dieses
Joch (er sagt, es sei ein sanftes)
Jenes Erndtewagens, der bei
Diesem unvorhergesehnen
Falle mich beschäftigt, möge
Mir als Instrument hier dienen.

Idolatrie.

Was beginnst du?

Apostasie.

Ha, was thust du?!

Judenthum.

Nehm' das Leben ihm.

Idolatrie.

Bedenke!

Apostasie.

Achte!

Judenthum.

Fort! zurück jetzt tretet.

Sie stellen sich zu beiden Seiten.

---

51) Obgleich Pilatus, der Heide, das Todesurtheil fällte, so war es doch das Judenthum, das dem Herrn das Kreuz bereitet und die eigentliche Ursache seines Todes war.

Idolatrie.

Nehmen wir ihn in die Mitte.

Judenthum.

Nichts von dem soll mich hier hindern.
Hast nicht Götzendienst getrieben
Du? Und du apostasirt?
Was verschlägt's, wenn ich ihn tödte
Zwischen zwei Verbrechern hier [52])?

Das Judenthum schlägt ihn mit dem Kreuz und er fällt zu Boden.

Emanuel.

O mein Vater! ach verzeihe,
Denn es weiß nicht, was es thut.

Idolatrie und Apostasie.

Was hast du gethan, Barbar?

Judenthum.

Weiß es nicht; denn wahrlich gleich
Hat der Himmel sich verfinstert
Und sein Licht mir ganz entzogen.

Emanuel.

Weh! verwundet und zerschmettert
Durch solch' ungerechte Qualen,
Werde ich die ganze Erndte
Nun mit meinem Blut begießen.

Apostasie.

Staunend schau ich dieses Wunder;
Von dir muß ich mich entfernen.

---

52) Die Idolatrie und die Apostasie werden hier die Symbole der beiden Schächer. Die Idolatrie (das Heidenthum) repräsentirt den Reuigen, weil es sich später bekehrte und massenhaft in die Kirche eintrat, die Apostasie (die Ketzerei) den Verstockten.

Idolatrie.

Mir auch weckt es solches Staunen,
Daß, im Gegentheil, ich ihm mich
Nähern will; wahrhaftig ist er
Einer großen Gottheit Sohn[53])!

Emanuel.

Du, o Heidenthum, wirst mit mir
Theil an meinem Reiche haben[54]);
Erben wirst du meine Erndte,
Die durch seine Grausamkeit das
Judenthum verlor.

Schuld.

Welch' Wunder!
Woher kommt dies grause Dunkel?
Scheint es doch, als ob die Sonne
Zwiefach mit dem Mond sich decke,
Und die ganze Republik
Jener hellen Himmelskörper,
In Verwirrung schier gerathen,
Einen Schreckensschrei entsende,
Bei dem Sturze, der ihr droht!

Emanuel.

Vater, o mein Vater, ach!
Warum hast du mich verlassen?

Er fällt zu Boden, das Kreuz umfassend.

Judenthum.

O Apostasie!

---

53) Anspielung auf den Ausruf des heidnischen Centurio beim Tode Christi.

54) „Heute noch wirst du mit mir im Paradiese sein." Luc. 23, 43.

Apostasie.

Von mir
Kannst du Hülfe nicht erwarten;
Wenn ich auch die Sakramente
Leugnen werde, die er wirkte,
Will ich doch an seinem Tode
Weder Theil noch Mitschuld haben.

Ab.

Judenthum.

O Idolatrie!

Idolatrie.

Auch mich
Nenne nicht und rufe nicht;
Denn von jetzt an will dein Feind ich
Werden, bis ich dir geraubt
Freiheit, Vaterland und Leben,
Dies unschuld'ge Blut zu rächen[55]).

Ab.

Judenthum.

Ach, Schuld, jetzt erkenn' ich dich!

Schuld.

Daß ich's bin, wer sagt' es dir?

Judenthum.

Weil mich alle jetzt verlassen,
Du allein nur mich begleitest!
Wo, o sprich, soll ich verbergen
Mein Verbrechen?

Schuld.

Suche nicht
In mir Trost zu finden; ich

---

55) Anspielung auf die Zerstörung Jerusalems durch die Römer.

Kanu nur d e n, den ich am meisten
Schätz' und liebe, ins Verderben
Stürzen, und in ihm verlassen.

Ab.

Judenthum.

Nun so will ich (daß die Sonne
Diese traurige Tragödie
Nimmer schaue) ihn verbergen
In des Berges rauhen Klüften
Zwischen Felsen in ein Grab von
Jaspis. Unstät, flüchtig muß das
Judenthum nun wandern, wohl von
Allen jetzt verabscheut und von
Keinem mehr beschützt. Ich will

(Es ergreift das Kreuz.)

Dieses Instrument mit mir
Nehmen, um es zu verbergen,
Daß kein Zeuge übrig bleibe,
Welcher —

Trommelschall ertönt von fern.

Der Glaube

(hinter der Scene).

Dringt nicht weiter vor,
Machet Halt, denn ich allein
Will nun geh'u, um seine Hütte
Zu erkunden.

Judenthum.

Was für Leute
Sind das, die Nachmittag erst
Auf dem Acker angekommen [56])?
Alles flößt mir Schrecken ein.

---

56) Die dritte Arbeiterschaar, welche das Christenthum (in dem Glauben) repräsentirt, erscheint jetzt zur letzten Stunde, um die Vollendung der göttlichen Feldarbeit zu übernehmen.

Der Glaube tritt auf.

Glaube.

Sag' mir du, o gräulich Scheusal,
Das erschrocken und verwirrt
Hier, mit Blut befleckt, umherirrt,
Welche unter diesen Hütten
Ist's, die —

Judenthum.

Nicht's weiß ich von ihm.

Glaube.

Ehe du das Ende hörtest,
Giebst du Antwort?

Judenthum.

In der Nähe
Wird er sein.

Glaube.

Welch' wirre Reden!

Judenthum.

Nichts weiß ich von ihm!

Glaube.

Dieselbe
Antwort gab ja Kain einst Gott[57])!

Judenthum.

Ja, das ist auch meine Antwort;
Und, wohl hab' ich Grund dazu;
Bin ich doch der zweite Kain,
Der den zweiten Abel schlug!

---

[57]) Der Brudermörder Kain ist ein Vorbild der gottesmörderischen Synagoge.

Glaube.

Keine Antwort giebst du?

Judenthum.

Nein.

Glaube.

Warte doch!

Judenthum.

O welche Qual!

Glaube.

Bleibe!

Judenthum.

Nichts weiß ich von ihm.

Glaube.

Höre!

Judenthum.

Nur zu fliehen denk ich.

Glaube.

Halten werd' ich dich!

Er nimmt ihr das Kreuz.

Judenthum.

Das Werkzeug,
Das den beßren Abel schlug,
Hast du meiner Hand entrissen.

Glaube.

Abel?

Judenthum.

Nichts weiß ich von ihm!

Ab.

Glaube.

Ja, mir blieb's, daß ich mich rühm'
Fortan seiner [58]). Dein Gewissen
Quälet dich mit Schreckensbissen
Deiner Sünde, die dich jetzt
In Verzweiflung hat versetzt.
Ein geheimnißvoll Geschick —
Blieb dies Instrument zurück
Hier mit Purpur ganz benetzt!
Schrecken zittert durch die Glieder,
Furcht ist Alles, was ich schaue,
Bebend kaum ich selbst mir traue,
Finsterniß senkt sich hernieder.
Schon sieht man das Korn gemäht
Dort zum Theil, das aufgegangen,
Von Wurfschaufeln aufgefangen,
Vom Dreschflegel hart gequält;
Zum Zermalmen auch nicht fehlt
Dort der Mühlstein. Wo denn bleiben
Die Arbeiter? warum treiben,
Da die Frucht erwartet wird,
Sie ihr Amt nicht jetzt? Was irrt
So unthätig nun ihr Treiben?

Der Schlaf tritt auf.

Doch ein Bauer läßt sich sehen
Dort. Wenn dich ein Zweifel rührt,
Der mich in Verwirrung führt,
Sag' mir, was ist denn geschehen,
Daß die Arbeit so verlassen
Von den Leuten?

---

58) Das Christenthum hat dem Judenthum das Kreuz entrissen und es aus einem Werkzeuge der Schmach, zum Ehrenzeichen gemacht, in welchem es (nach den Worten des Apostels) seinen größten Ruhm findet.

Schlaf.

Mit Erblassen
Werd' ich's sagen; ja hier traf es,
Daß Nachlässigkeit des Schlafes
Nun die Sorge mußt' erfassen.
Siehst du diesen Acker, welcher
Einsam, da die Arbeit stockt,
Nur verlass'ne Erndten, Sensen,
Schaufeln und Dreschflegel zeigt,
Weil in ihm ein Leichnam liegt,
Der von dieses Berges Gipfel
Rosen in das Thal, entblättert,
Streut, das sich mit ihnen füllt?
Die Verwirrung, dieser Graus —
Zeugen sind es, schreckensvolle,
Von der Unschuld eines Gottes
Und von eines Menschen Schuld!
In dem Kampf ward offenbar
Liebe wohl und Grausamkeit.
Denn der Liebenden Erleucht'ster,
Der Unglücklichste der Männer,
Starb von ihrer Hand; und nun
Da er kalt und leblos liegt,
Ließ das Erbe er in Klagen
Und in Schauer da sich kleiden.
Berg und Thal ja überschwemmet
Blut, das strömend niederrinnt,
So, daß von ihm jede Blume
Dort belebt, wird ein Adonis[59]).
Zu dem Vater drang die Kunde,
Nicht, weil die des Unheils schnell stets
Fliegt, nein deshalb, weil es nichts
Giebt, das ihm verborgen wäre.
Von der Höhe seiner Hütte

59) Anspielung auf die bekannte griechische Sage.

Klagt er drum in jammervollen
Lauten, da er sieht, wie grausam
Hier ein wild, gewaltig Thier
Hat vollbracht des Schicksals Willen.

Ab.

Der Familienvater und Gabriel treten auf.

Vater.

Könnt ich in meinem Schmerz wie David hier
Auch fluchen dem Gefild von Gelboë[60]),
Beim Anblick dieses blut'gen Streits, der mir
In Graus die Welt, den Himmel hüllt in Weh,
Verbietend, daß der Sonne goldne Zier
Je wieder dies Gefilde glänzen seh',
Daß Morgenroth im Thau hier wieder blinke,
Auf daß nicht Frucht, noch Blume ihn mehr trinke:

So seh' ich doch, ist auch mein Sohn erschlagen,
Ihn ungehorsam nicht; des Sohn's Verlust
Wär nur allein (das will mein Wort hier sagen),
Hätt' ich ihn ungehorsam je gewußt!
O du gerechtes Blut des bess'ren Abel! Klagen
Nicht ungehört die Seufzer meiner Brust?

Glaube.

Ich hörte sie, die spät zu deinem Erbe
Hier kam, daß sie bei dir sich Lohn erwerbe.

Vater.

Wer bist du?

---

60) 2. König. 1. 17. ff. „Es klagte aber David diese Klage über Saul und Jonathas, seinen Sohn: . . . Berge Gelboë's, nicht Thau, nicht Regen falle fürder auf euch, noch sollt ihr Aecker mit Erstlingen haben; denn dort ward weggeworfen der Schild des Helden, der Schild Saul's, als wäre er nicht gesalbt mit Oel ꝛc."

Glaube.

Führerin von diesen Schaaren
Der Gläub'gen, die, vom Kummer hier geleitet,
In angstvoller Erwartung hergefahren,
Mit Thränen dieses Thal hier, das sich weitet,
Erfüllen, suchend, da auch sie ja waren
Unsel'ge Erben Adams, ob bereitet
Für sie noch Tagwerk. Weigr' es ihnen nicht,
Der du des Moses Heerde nahmst in Pflicht.

Wohl weiß ich, daß der düstre Mantel schon
Der Nacht die ganze Welt in Dunkel hüllt;
Doch fehlt mir Licht nicht, wenn von ihrem Thron
Mit ihrem Glanz mich deine Sonn' erfüllt.
Dies sanfte Joch, das meine Hand zum Lohn
Erhielt, und das hier zeigt des Kreuzes Bild,
Mög' bei dir Gnade finden, daß erwerbe
Verdienst des Glaubens mir mein Glaub' als Erbe.

Vater.

Dein Glaube hat so sehr mein Wohlgefallen,
Daß ich mein Tagwerk dir nicht weigern kann.
Zwar kamst du spät, doch vor den andern Allen
Will ich, wenn gut du dienst, dich lohnen dann.
Du forderst Gnade; in ihr sollst du wallen,
Wenn du, was jene Andren singen an,
Beendest; darum soll beginnen hier
Der Gnade neu Gesetz fortan in dir.

Ab.

Gabriel.

Wenn ich den Ersten, die vertrauet mir,
Gab' Nazareth, die Stadt, als Zeichen an,
Wenn ich den Andern, die ich führte hier,

Bethlehems arme Häuser zeigte dann,
Geb' ganz Jerusalem zum Erb' ich dir[61]).

Ab.

Glaube.

Nun, da ich ganz Jerusalem gewann,
Soll meiner Stimme Ton auch rufen heute
Mit froher Eile alle Erdenleute.

Er singt:

Kommt ihr Sterblichen, und schaut den
Weizen, den in Nazareth die
Erde jungfräulich empfing,
Und in Bethlehem gebar.
Kommet, o Menschen, und seh't,
Wie das Brod dieses Weizens
Wohl Engelsbrod ist!

Ab.

Der Schlaf tritt auf.

Schlaf.

Von dem Brod hat mir sehr deutlich
(Wenn die Wahrheit ich soll sagen)
Schon geträumt, denn wer ein Freund vom
Schlafen ist, ist's auch vom Essen.

Die Schuld tritt auf.

Schuld.

Welche Stimme, Schlaf, war dies,
Die der Wind hierher geweht?

Schlaf.

Weiß es nicht; nur das vermocht ich
Von ihr zu verstehen —

Schuld.

Was?

61) Jerusalem ist hier das Bild der Kirche auf Erden.

Schlaf.

Daß zum drittenmal nun Leute,
Die ein Weib gerufen hat [62]),
Der geheimnißvollen Erndte
Arbeit jetzt beenden wollen,
Und zu jenem Brodte laden,
Das aus seinem Weizen —

Schuld.

Still,
Rede weiter nicht, genug!
Dieses Brod, weh' mir! es ist
Die Erfüllung ja der Schatten,
Die ich im Naturgesetze
Und in dem Geschriebnen wollte
Löschen und verschwinden machen!
Wie nun werd' ich (weh' mir, wehe!)
Das in den Figuren dort
Vorgebildete im Brodte
Tilgen?

Schlaf.

Wahrlich, schlecht wird's geh'n,
Denn Arbeiter sind gar Viele
Da, die schon mit seiner Stimme
Rief der Glaube, und schon wieder
Tönt sie laut durch alle Lüfte.

Trompetenstoß.

Glaube

(hinter der Scene).

Kommet ihr Menschen,
Kommet und schauet,
Wie das Brod dieses Weizens
Wohl Engelsbrod ist!

---

62) Der Glaube nämlich, der hier in weiblicher Gestalt auftritt.

Schlaf.

Dieses Zeichen deutet an,
Daß nun der Familienvater
Die Arbeiter will versammeln,
Um mit ihnen Rechnung jetzt zu
Halten, um sie zu bezahlen,
Wie ein Jeder es verdient.

Schuld.

Des Gerichtes Tag ist's wohl[63]),
Wo als Kläger gegen Alle
Ich beim Tribunal erscheine.

Adam, die vier Arbeiter, die Idolatrie, die Apostasie und das Judenthum und der Glaube treten auf.

Adam.

Spät sind wir erst aufgewacht.

Die vier Arbeiter.

Fürchten müssen wir gar sehr
Rechenschaft zu geben.

Adam.

Ob ich
Auch das Erbe einst verlassen,
Und niemals zurückzukehren
Dachte, der Trompetenstoß,
Der ein schrecklicher Magnet der
Winde ist, treibt mit Gewalt
Mich hierher.

Apostasie.

Und mich nicht minder.

---

63) Der Trompetenstoß ist das Symbol der Posaune des Weltgerichtes.

Glaube.

Ich selbst, bin ich auch der Glaube,
Komme zitternd an dem Tage,
Wo der Vater wird zum Richter.

Idolatrie.

Was soll ich thun, wenn du zitterst,
Wessen Schutz begehren, da auf
Deine Seite ich mich stelle?

Glaube.

Heidenthum! Sei mir willkommen,
Da in meinen Schooß du eilest!

Der Vater tritt auf.

Vater.

Da mein Zeichen euch gerufen,
Haltet Rechnung nun mit mir,
Daß ich Allen jetzt bezahle
Euer Tagwerk. Sprecht, wie lange
Habt ihr mir gedient? Damit ich
Keinem etwas schuldig bleibe.

Adam.

Ich kam in der Morgenfrühe.

Judenthum.

Erst am Mittag kam ich an.

Glaube.

Ich am Abend erst.

Vater.

Und was
Thatet ihr in meinem Dienste?

Adam.

Vorbereitet hab' ich nur mit
Meinen Thränen diese Erde.

Vater.

Doch ich möchte sehen, wie?

Adam.

Zeugniß wird mir dafür geben
Jenes Haus in Nazareth.

Es eröffnet sich eine Wolke, in welcher Gabriel und Maria erscheint, in der Stellung wie das Geheimniß der Verkündigung abgebildet wird.

Gabriel.

Ave, reine Jungfrau Erde!
Voller Gnade, bist gesegnet
Du, und auch gesegnet sei,
War und bleibe immerdar
Deines Mutterleibes Frucht!

Musik.

Ave, Ave, wahre Rachel,
Sei gesegnet unter allen
Weibern, denn der Herr ist mit dir.

Maria.

Eine Magd bin ich des Herren,
Ob unwürdig auch; es gehe
Heute mir nach seinem Willen.

Vater

(zu Adam).

Bin mit deinem Dienst zufrieden;
Schliefst du auch zur Zeit der Siesta,
Will d i e Zeit ich dir bezahlen,
Wo die Erde du bebautest.

Judenthum.

Ich trat später dann in deinen
Dienst, als ausgesät schon war dein
Wort; das kann mir Bethlehem,
Jenes Haus des Brod's bezeugen,
Wo ich sah, wie's aufgegangen
Unter jenen Freudenklängen,
Die auch jetzt sich wiederholen:

Eine zweite Wolke öffnet sich und es erscheint in ihr die Mutter Gottes mit dem Kinde, umgeben von Weizengarben, in der Art eines Krippels.

Musik.

Ehre sei Gott in der Höhe
Und dem Menschen Friede! Mögen's
Erd' und Himmel laut verkünden,
Denn zur Ehr', zum Wohlgefallen
Gottes und des Menschen geht in
Bethl'hem dieser Weizen auf!

Vater.

Und vom aufgegangnen, welche
Rechenschaft kannst du mir geben?

Judenthum.

Welche Rechenschaft? War denn nicht
Mähen, Dreschen und Zermalmen
Hier mein Amt? Ich hab's erfüllet;
Alles miteinander that ich,
Als ihn meine Hände schlugen.

Vater.

Und wo ist er?

Es öffnet sich eine dritte Wolke, in welcher Emanuel am Kreuze erscheint.

Judenthum.

Siehst du ihn nicht
Dort auf jenem Bergesgipfel?

Vater.

Ja ich seh' ihn, grausam Wesen,
Wie er deine Schmach erduldet!

Emanuel.

Nöthig war es, dies zu leiden.
Diesen Tod des Menschen starb ich
Und erlitt ihn für den Menschen;
Denn ich kam ja zu vertreiben
Seine Schuld; unendlich war sie.
Und ein Preis, der nicht unendlich,
Hätte nicht genügen können.
Darum bitte ich dich, Herr,
Wolle ihm verzeihen!

Glaube.

Ich
Fand in solchem Stand den Weizen
Und verwandelt' ihn in Brod[64]).

Vater.

Und wo ist denn dieses Brod?

Glaube.

In Jerusalem, dem großen,
Jener streitenden der Städte,
Die der Gläub'gen Schaar bevölkert[65]).

---

64) Der Sinn ist: In der letzten Zeit, wo der Glaube in die Arbeit eingetreten, erscheint der Weizen auf Erden in Brotsgestalt.

65) D. h. in der streitenden Kirche auf Erden.

Emanuel.

Ich bin Brod und Wein, lebend'ger,
Der mit meinem Blut der Gnade
Neu Gesetz geknetet. In ihm
Schauet mich allein der Glaube
Wahrhaft hier mit Leib und Seele.
Alle seht ihr der Figuren
Wahrheit jetzt. Des Weizens Alter
Ist das meine. Von dem Säen
Bis zum Aufgehn, und vom Aufgehn
Bis zum Sterben, bis in Brod ihr
Mich verwandelt gläubig sehet:
Feiert Alle dies erhabne
Sacrament!

Schuld.

Weit von ihm fliehend,
Bleibt die Schuld jetzt überwunden.

Vater.

Alle will ich jetzt belohnen;
Drum lad' ich's Naturgesetz
Nun mit dem der Gnade ein
Zum Genusse dieses Brodtes.
Doch du, grausamer Barbar,
Sollst, verflucht, aus meinem Erbe
Weichen.

Judenthum.

Warum stößt du von dir
Nicht Idolatrie auch, welche
Ja des Heidenthumes Tochter?

Vater.

Weil sie eintrat in der Gnade
Erbtheil, welches du verloren.

Judenthum.

Also wirst du nun auch wohl
Der Apostasie verzeihen?

Vater.

Ja, sobald sie glauben will
Das Geheimniß dieses Brodtes.

Apostasie.

Wie wär's möglich, es zu glauben,
Da du sagst, daß Fleisch und Blut sei,
Wo das Auge Brod nur sieht?

Vater.

Wenn die Sinne sich dem Glauben
Demüthig gefangen geben.

Apostasie.

's ist unmöglich.

Vater.

Dann, verflucht,
Weich auch du aus meinem Erbe.

Judenthum.

Schlangen wühlen mir im Busen.

Apostasie.

Meine Kehle schnürt ein Strick.

Vater.

Da mit Strafe und mit Lohn
Sich das Auto nun geendet
Von des Herren Saat, so habet
Nachsicht auch mit seinen Fehlern.

Inhalt.

Lightning Source UK Ltd.
Milton Keynes UK
UKHW011234051118
331795UK00018B/1424/P